INFORMES 2019

Comisión Jurídica del
Consejo General de la Abogacía Española

INFORMES 2019

Comisión Jurídica
Consejo General de la Abogacía
Española

tirant lo blanch
Valencia, 2020

Copyright ® 2020

Todos los derechos reservados. Ni la totalidad ni parte de este libro puede reproducirse o transmitirse por ningún procedimiento electrónico o mecánico, incluyendo fotocopia, grabación magnética, o cualquier almacenamiento de información y sistema de recuperación sin permiso escrito de los autores y del editor.

En caso de erratas y actualizaciones, el Consejo General de la Abogacía Española y la Editorial Tirant lo Blanch publicarán la pertinente corrección en las páginas web www.abogacia.es donde están recogidos todos los Informes públicos y www.tirant.com (http://www.tirant.com).

© CONSEJO GENERAL DE LA ABOGACÍA ESPAÑOLA

EDITA: TIRANT LO BLANCH
C/ Artes Gráficas, 14 - 46010 - Valencia
TELFS.: 96/361 00 48 - 50
FAX: 96/369 41 51
Email:tlb@tirant.com
www.tirant.com
Librería virtual: www.tirant.es
DEPÓSITO LEGAL: V-1927-2020
ISBN: 978-84-1355-902-5
MAQUETA: Tink Factoría de Color

Si tiene alguna queja o sugerencia, envíenos un mail a: *atencioncliente@tirant.com*. En caso de no ser atendida su sugerencia, por favor, lea en *www.tirant.net/index.php/empresa/politicas-de-empresa* nuestro procedimiento de quejas.

Responsabilidad Social Corporativa: http://www.tirant.net/Docs/RSCTirant.pdf

Índice

Prólogo. Los análisis más rigurosos e innovadores para impulsar el progreso del Estado de Derecho 15

LEGITIMACIÓN ACTIVA Y ACCESO A LA JUSTICIA PARA LA DEFENSA DEL MEDIOAMBIENTE
(INFORME 1/2019)

    I. OBJETO DE ESTE INFORME 19
    II. EL MEDIO AMBIENTE. SU MARCO NORMATIVO Y CONCEPTO JURÍDICO 19
    III. EL ACCESO A LA JUSTICIA EN MATERIA DE MEDIO AMBIENTE 24
    IV. EN PARTICULAR, EL ACCESO A LA JUSTICIA EN EL ÁMBITO ADMINISTRATIVO Y CONTENCIOSO ADMINISTRATIVO 27
        1. La legitimación activa 28
            1.1. La Ley 27/2006 y su interpretación como vía de ampliación de la legitimación activa 30
        2. Las barreras al acceso a la justicia. En particular las barreras económicas .. 47
    V. CONCLUSIONES 59

ANTEPROYECTO DE LEY DE IMPULSO DE LA MEDIACIÓN
(INFORME 2/2019)

    I. INTRODUCCIÓN 61
    II. ANTECEDENTES 63
        1. El impulso de los métodos alternativos de resolución de conflictos 63
        2. Antecedentes remotos de la mediación 65
    III. LA DIRECTIVA 2008/52/CE, DE 21 DE MAYO DE 2008 Y SU INCORPORACIÓN AL DERECHO ESPAÑOL 66
    IV. EL ANTEPROYECTO DE LEY DE IMPULSO DE LA MEDIACIÓN (APLIM). ASPECTOS PRINCIPALES DE LA PROPUESTA 69
        1. La cuestión de la "obligatoriedad mitigada" de la mediación 69
            1.1. Supuestos de aplicación de la obligatoriedad mitigada 70
            1.2. La obligatoriedad de la mediación y el derecho a la tutela judicial efectiva 72
            1.3. La obligación de acudir a la mediación con anterioridad a la interposición de acciones judiciales y las medidas cautelares 75
        2. Otras medidas de fomento de la mediación en el APLIM 75
        3. El recurso a la mediación antes y durante el procedimiento judicial 77
        4. Los mediadores. Formación de los mediadores 79
        5. El papel de los abogados en la mediación 82
        6. La mediación como prestación incluida en el derecho a la asistencia jurídica gratuita 83
        7. Entrada en vigor 83
    V. CONCLUSIONES 84

COOPERATIVAS Y SOCIEDADES PROFESIONALES
(INFORME 3/2019)

   I. CONSIDERACIONES... 91
  II. CONCLUSIÓN 103

LEY DE TRANSPARENCIA DE LA COMUNIDAD DE MADRID Y LOS COLEGIOS PROFESIONALES
(INFORME 4/2019)

   I. INTRODUCCIÓN 105
      1. Publicidad institucional 113
      2. Publicidad organizativa.. 119
      3. Publicidad relativa a altos cargos y personal directivo e información relativa a personal eventual 120
      4. Publicidad en materia de empleo en el sector público e información retributiva.. 120
      5. Publicidad en materia normativa 123
      6. Publicidad sobre los servicios y procedimientos 123
      7. Publicidad económico-financiera y publicidad sobre el patrimonio........... 124
      8. Publicidad sobre planificación y programación........................ 125
      9. Publicidad en materia de contratación y de convenios 126
     10. Publicidad de ayudas y subvenciones....................................... 128
  II. CONCLUSIONES... 137

EJECUCIÓN DE LA DISCIPLINA DEONTOLÓGICA EN LA PRÁCTICA NO JURISDICCIONAL
(INFORME 5/2019)

   I. ALCANCE DE LAS NORMAS DEONTOLÓGICAS.................................... 141
  II. ABOGACÍA, NUEVOS ÁMBITOS DE ACTIVIDAD Y "NUEVAS PROFESIONES"... 147

DEBER DE CAPACITACIÓN TECNOLÓGICA PARA LOS ABOGADOS: UNA ESPECIAL CONSIDERACIÓN A LA CIBERSEGURIDAD Y SU VINCULACIÓN CON EL SECRETO PROFESIONAL DEL ABOGADO
(INFORME 6/2019)

   I. INTRODUCCIÓN: EL DEBER DE FORMACIÓN DEL ABOGADO 159
  II. SOBRE SI EXISTE UNA OBLIGACIÓN DEONTOLÓGICA DE CAPACITACIÓN TECNOLÓGICA PARA LA ABOGACÍA 163
      1. La postura continental.. 163
      2. La postura norteamericana 168
 III. LA SEGURIDAD DE LA INFORMACIÓN Y EL SECRETO PROFESIONAL.. 169
 IV. LA CAPACITACIÓN DEL ABOGADO ANTE RIESGOS DE SEGURIDAD 173
      1. En Estados Unidos 173

    2. En España 175
    3. La experiencia escocesa 176
  V. CONCLUSIONES 176

TRIBUNALES DE INSTANCIA
(INFORME 7/2019)

    I. INTRODUCCIÓN 179
   II. LAS COSTURAS DE UN MODELO OBSOLETO 180
 III. LOS ÓRGANOS UNIPERSONALES, PUNTOS NEGROS DEL SISTEMA
     ACTUAL 185
  IV. A LA BÚSQUEDA DE LA EFICIENCIA Y DE LA EFICACIA 188
   V. LA PROPUESTA DE LOS TRIBUNALES DE INSTANCIA 191
    1. El modelo de 2011 191
    2. El modelo de 2014 194
  VI. LOS PROS Y LOS CONTRAS 200
 VII. CONCLUSIONES 205

ANÁLISIS JURÍDICO DE LAS HUELGAS DE JUECES
(INFORME 8/2019)

    I. INTRODUCCIÓN 209
   II. LA REGULACIÓN 210
 III. EL DEBATE DOCTRINAL SOBRE EL DERECHO DE HUELGA DE LOS
     JUECES 212
  IV. LA POSICIÓN DEL CONSEJO GENERAL DEL PODER JUDICIAL 216
   V. LAS DEMANDAS DE LOS JUECES 219
    1. Reforzar la independencia del Consejo General del Poder Judicial 220
    2. Modernización de la Administración de Justicia: calidad y eficacia 221
    3. Condiciones profesionales 222
  VI. LOS HECHOS CONSUMADOS 224
 VII. CONCLUSIONES 225

ABOGACÍA PRO BONO Y SU INCIDENCIA EN EL TURNO DE OFICIO
(INFORME 9/2019)

    I. LA HISTORIA DE LA ABOGACÍA: DE LA CARIDAD AL SERVICIO PÚ-
     BLICO PASANDO POR LA BENEFICENCIA 229
   II. LA OFERTA DE ASESORAMIENTO 247
 III. LA FUNDACIÓN PRO BONO ESPAÑA 256
  IV. LA ABOGACÍA Y EL MERCADO DE SERVICIOS JURÍDICOS 260
   V. LOS INTENTOS DE "PRIVATIZACIÓN" DEL TURNO DE OFICIO Y LA
     ASISTENCIA JURÍDICA GRATUITA 267
  VI. EL PRO BONO Y SU ENCUADRAMIENTO EN EL SISTEMA 272
 VII. CONCLUSIONES 283

IGUALDAD DE GÉNERO Y ACTOS PROCESALES.
EL EJERCICIO DE LAS ABOGADAS DURANTE EL PERIODO DE EMBARAZO,
PARTO Y LACTANCIA
(INFORME 10/2019)

I. INTRODUCCIÓN. CONTEXTO. LAS MUJERES EN LA ABOGACÍA 285
II. LA MATERNIDAD (O PATERNIDAD) Y EL DERECHO A LA LIBRE ELEC-
    CIÓN DE ABOGADO.. 298
III. EL DERECHO Y DEBER DE DEFENSA JURÍDICA.................................... 299
    1. Naturaleza de estas actuaciones: Vistas y comparecencias 301
        1.1. Posibilidad de establecer criterios generales orientativos para el seña-
            lamiento de las vistas y trámites equivalentes...................................... 302
        1.2. Suspensiones 307
IV. CONCLUSIONES.. 313

DEONTOLOGÍA DE ABOGADOS RESPONSABLES DE COMPLIANCE Y
PROTECCIÓN DE DATOS
(INFORME 11/2019)

I. OBJETO DEL INFORME.. 315
II. LA RENOVADA CONDICIÓN PRIVILEGIADA DEL ABOGADO COMO
    OFICIAL DE CUMPLIMIENTO NORMATIVO CON EL NUEVO CÓDIGO
    DEONTOLÓGICO.. 316
    1. Una nueva cultura empresarial requiere un compromiso ético ínsito en la
       profesión de abogado 316
    2. La regulación de los conflictos de interés 319
    3. La independencia del abogado frente al órgano de dirección de la empre-
       sa.. 320
    4. La obligación de denuncia y las menciones del abogado en relación al
       proceso penal en relación al compliance 322
    5. Consagración del secreto profesional... 323
III. ¿ESTAMOS ANTE UNA NUEVA PROFESIÓN O ANTE UNA NUEVA
     FUNCIÓN DEL ABOGADO?.. 324
IV. COLEGIOS DE ABOGADOS, DEONTOLOGÍA Y COMPLIANCE............. 327
V. CONCLUSIONES.. 329

ASPECTOS JURÍDICOS DE LA PRODUCCIÓN Y CONSUMO RESPONSABLES
EN EL MARCO DE LOS OBJETIVOS DE DESARROLLO SOSTENIBLES
(INFORME 12/2019)

I. OBJETO DEL INFORME.. 331
II. MARCO GENERAL DE NUEVAS NORMAS SOBRE PÉRDIDA Y DESPER-
    DICIO.. 332
III. MEDIDAS DE CADENA ALIMENTARIA: PRÁCTICAS COMERCIALES
     DESLEALES Y FECHAS DE CADUCIDAD.. 334
IV. DONACIÓN Y REDISTRIBUCIÓN DE ALIMENTOS............................... 337

  V. ETIQUETADO Y REUTILIZACIÓN DE ALIMENTOS 339
 VI. AGROINDUSTRIA Y SOSTENIBILIDAD: NUEVOS MECANISMOS RES-
     PONSABLES DE PRODUCCIÓN Y EVITACIÓN DE EXCEDENTES 340
VII. RENOVADOS IMPULSOS AL ASOCIACIONISMO AGROALIMENTA-
     RIO 341
VIII. DIGITALIZACIÓN Y PLATAFORMAS DE RECOGIDA DE ALIMENTOS.. 343
 IX. LOS CÓDIGOS DE BUENAS PRÁCTICAS ALIMENTARIAS 343
  X. CONCLUSIONES.. 344

EL DERECHO A LA PARTICIPACIÓN PÚBLICA EN LA TOMA DE DECISIONES EN MATERIA DE MEDIO AMBIENTE
(INFORME 13/2019)

   I. OBJETO: PARTICIPACIÓN Y MEDIO AMBIENTE.................................... 345
  II. ANTECEDENTES Y CONTEXTO INTERNACIONAL.............................. 349
 III. UNIÓN EUROPEA... 353
  IV. ESPAÑA 355
      1. La regulación a nivel estatal 355
      2. Derecho a participar en las disposiciones de carácter general a la luz de la
         Ley 27/2006.. 356
         2.1. Las materias relacionadas con el medio ambiente..................... 357
         2.2. La modificación no sustancial 358
         2.3. La participación real y efectiva 359
      3. Las disposiciones generales sobre elaboración de normas y su encaje con
         la Ley 27/2006.. 362
         3.1. La normativa anterior a la entrada en vigor de la Ley 27/2006.......... 363
         3.2. La reforma operada en 2015.. 365
      4. El ámbito reducido de aplicación de la Ley 27/2006.................... 372
         4.1. La participación funcional... 372
         4.2. La audiencia institucionalizada a través del Consejo Asesor de Medio
              Ambiente (CAMA) 378
      5. La vulneración del derecho a la participación y sus consecuencias 382
         5.1. La ausencia de los trámites de participación funcional e institucional-
              lizada como causa de nulidad de normas reglamentarias 383
         5.2. La problemática de la ausencia de informes en las normas con rango
              de ley.. 387
      6. La participación durante el procedimiento legislativo............................. 391
   V. CONCLUSIONES.. 393

SISTEMA DE CONSULTAS Y QUEJAS EN EL ÁMBITO COLEGIAL
(INFORME 14/2019)

   I. TUTELA DE LOS CONSUMIDORES Y USUARIOS EN LA ESFERA CO-
      LEGIAL 397
  II. LA MEDIDA Nº 22 DEL PLAN ESTRATÉGICO 409

REGULACIÓN COMPARADA EN EUROPA SOBRE CONFIDENCIALIDAD Y
SECRETO PROFESIONAL
(INFORME 15/2019)

   I. INTRODUCCIÓN 417
  II. LEGISLACIÓN Y JURISPRUDENCIA DE LOS ESTADOS MIEMBROS EN
      RELACIÓN CON EL SECRETO PROFESIONAL DE LOS ABOGADOS Y
      OTROS PROFESIONALES 418
      1. Legal privilege y secreto profesional... 418
      2. Las variantes del secreto profesional en la Unión Europea 420
      3. Corolario... 428
 III. EL MARCO EUROPEO... 429
      1. La jurisprudencia del Tribunal Europeo de los Derechos Humanos
        (TEDH) 429
      2. La regulación de la UE 433
  IV. CONCLUSIONES.. 443

CONVENIOS ADMINISTRATIVOS DE COLABORACIÓN Y COLEGIOS
PROFESIONALES
(INFORME 16/2019)

   I. OBJETO DEL INFORME... 449
  II. PLANTEAMIENTO 449
 III. RÉGIMEN JURÍDICO DE LOS COLEGIOS PROFESIONALES Y COME-
      TENCIAS ESTATALES 450
  IV. LOS CONVENIOS ADMINISTRATIVOS 456
      1. Introducción.. 456
      2. La regulación de los convenios administrativos en la Ley 40/2015............. 458
   V. CONCLUSIONES.. 469

LA PUBLICACIÓN DE DATOS RELATIVOS A SANCIONES IMPUESTAS POR
CONSEJOS Y COLEGIOS PROFESIONALES
(INFORME 17/2019)

   I. DETERMINACIÓN DEL ALCANCE DEL INFORME 471
  II. NORMATIVA APLICABLE 473
 III. LA PUBLICACIÓN DE SANCIONES COMO TRATAMIENTO DE DATOS
      DE CARÁCTER PERSONAL... 474
  IV. POSIBLES TÍTULOS DE LEGITIMACIÓN DEL TRATAMIENTO............ 475
   V. PRINCIPIOS DE FINALIDAD Y MINIMIZACIÓN DE DATOS.................. 482
  VI. PRINCIPIO DE LIMITACIÓN DEL PLAZO DE CONSERVACIÓN 485
 VII. PUBLICACIÓN DE SANCIONES Y DERECHO DE SUPRESIÓN DE LOS
      DATOS DE CARÁCTER PERSONAL.. 486
VIII. CONCLUSIONES.. 488

INFORMES 2011 491

INFORMES 2012 493

INFORMES 2013 495

INFORMES 2014 497

INFORMES 2015 499

INFORMES 2016 501

INFORMES 2017 503

INFORMES 2018 505

Prólogo

Los análisis más rigurosos e innovadores para impulsar el progreso del Estado de Derecho

VICTORIA ORTEGA BENITO

Presidenta del Consejo General de la Abogacía Española

Una de las tareas recurrentes que asumo con más placer es en primer lugar la lectura y después la presentación de los libros que anualmente recopilan los informes emitidos por la Comisión Jurídica del Consejo General de la Abogacía Española. Es en sus páginas donde se materializa como herencia de una larga tradición de debate entre especialistas de reconocido prestigio el estudio de las cuestiones jurídicas de mayor actualidad, las que son más sensibles y tienen más interés para el colectivo de abogadas y abogados pero también, en la medida en que representamos los intereses de personas y de empresas, para la ciudadanía en general.

Y es que la historia demuestra que la evolución de los derechos de la ciudadanía está íntimamente ligada al ejercicio de la abogacía. Porque los países progresan a medida que lo hacen sus leyes y éstas, a su vez, lo hacen impulsadas por la corriente social que moviliza al legislador pero también por las sentencias de los tribunales, que siempre se emiten como respuesta a la petición de un letrado. La abogacía es, por tanto, indudable motor del cambio social que nace en la mayoría de los casos de la reflexión y del ejercicio consciente de su capacidad para transformar las cosas a través del Derecho.

Conscientes de nuestra responsabilidad colectiva, el ejercicio pasado, del que quiere ser fidedigna síntesis este libro, nos impusimos la obligación de alinear algunos de los informes de la Comisión Jurídica con los objetivos del Plan Estratégico del Consejo General de la Abogacía. Y es por ello que se eligieron como asuntos a abordar algunos entrelazados con los objetivos de desarrollo sostenible (ODS) de Naciones Unidas, como el acceso a la Justicia para la defensa del medio ambiente, el derecho a la participación del público en la toma de decisiones en esta materia o los aspectos jurídicos de la producción y consumo responsables en el marco de esos mismos objetivos orientados a cambiar nuestra mentalidad sobre el hoy y el mañana del planeta.

Pero, como no puede ser de otra forma, la mayor cantidad de estudios se refiere a las cuestiones que afectan directamente a la actuación profesional de los abogados, abordando aspectos tan cruciales como su deber de capacitación tecnológica y su vinculación con el secreto profesional, la ejecución de la disciplina deontológica en la práctica no jurisdiccional, la deontología de quienes asumen el puesto de responsable de "compliance" y la protección de datos, el papel de la abogacía "pro bono" en relación con el Turno de Oficio o el sistema de consultas y quejas en el ámbito colegial.

Otro de los empeños del aludido Plan Estratégico de la Abogacía está íntimamente ligado a las cuestiones de igualdad y de conciliación. Por eso, decidimos prestar una especial atención a una cuestión muy sensible para las abogadas y los abogados como es la incidencia en los actos procesales del embarazo, el parto y la lactancia. En el terreno internacional, abordamos con profundidad el estudio del Derecho comparado europeo en materia de confidencialidad y secreto profesional.

Fuera del ámbito estrictamente profesional pero conectado de forma indisociable con el ejercicio de la abogacía, también apostamos por ofrecer una visión panorámica de cómo están funcionando los tribunales de instancia y las repercusiones generadas por las huelgas de jueces. El lector también encontrará en las páginas que siguen a este prólogo un amplio apartado de informes dedicados a la Transparencia. Y es que, como corporaciones de derecho público que somos, los Consejos y Colegios de la Abogacía no podemos hacer otra cosa que no sea predicar con el ejemplo. En este sentido, hemos estudiado la incidencia de la nueva y ambiciosa Ley de Transparencia de la Comunidad de Madrid en los Colegios Profesionales de dicho ámbito regional. También hemos dedicado especial atención a la relación de los Colegios Profesionales con las Administraciones Públicas a través del estudio de los convenios administrativos de colaboración entre unos y otras.

De lo expuesto se puede concluir fácilmente que hemos hecho un esfuerzo por ofrecer a nuestros Colegios y a nuestros colegiados los análisis más rigurosos e innovadores sobre las cuestiones que afectan a nuestra profesión, tanto de forma directa como indirecta, porque no podemos olvidar el contexto en que se desarrolla la actividad del abogado, ni los retos a los que se enfrenta nuestro Estado de Derecho. En definitiva, hemos realizado un esfuerzo por ofrecer a nuestros compañeros una visión lo más completa posible de lo que supone el ejercicio de la Abogacía a las puertas de la tercera década del siglo XXI. Sinceramente considero que este libro va a resultar un instrumento utilísimo para reflexionar sobre aspectos esenciales de nuestro día a día. Recomiendo tomarse un tiempo para leer estos informes con tranquilidad y sosiego porque reflejan fielmente el compromiso de la Abogacía Española con la mejora continua de nuestra profesión y nuestras instituciones, y por tanto, en última instancia, con la mejora de la vida de la ciudadanía.

Legitimación activa y acceso a la Justicia para la defensa del medioambiente
(Informe 1/2019)

Sumario: I. OBJETO DE ESTE INFORME. II. EL MEDIO AMBIENTE. SU MARCO NORMATIVO Y CONCEPTO JURÍDICO. III. EL ACCESO A LA JUSTICIA EN MATERIA DE MEDIO AMBIENTE. IV. EN PARTICULAR, EL ACCESO A LA JUSTICIA EN EL ÁMBITO ADMINISTRATIVO Y CONTENCIOSO ADMINISTRATIVO. 1. La legitimación activa. 1.1. La Ley 27/2006 y su interpretación como vía de ampliación de la legitimación activa. a) La legitimación activa en el Convenio de Aarhus. b) Las precisiones de la Constitución Española que determinan el derecho de acceso a la justicia para la defensa del medioambiente. c) La aplicación del Convenio de Aarhus y la Constitución Española como criterio determinante de la interpretación de la Ley 27/2006. d) Posición de la Jurisprudencia del Tribunal Supremo. e) Conclusión: necesidad de aclaración por vía legislativa. 2. Las barreras al acceso a la justicia. En particular las barreras económicas. V. CONCLUSIONES.

I. OBJETO DE ESTE INFORME

Este Informe tiene por objeto analizar si las normas jurídicas, y su interpretación jurisprudencial en España, son adecuadas para garantizar el derecho de acceso a la justicia en materia medioambiental y señalar las modificaciones exigidas o aconsejables a la luz del Derecho Internacional y Comunitario europeo.

Para ello, y tras la referencia al marco normativo del medio ambiente, este Informe se refiere a la regulación de la legitimación activa y, también, a las barreras, esencialmente económicas, que puedan, en la práctica, limitar o vaciar el contenido el derecho de acceso a la justicia de los particulares, sean personas físicas o jurídicas.

II. EL MEDIO AMBIENTE. SU MARCO NORMATIVO Y CONCEPTO JURÍDICO

La evidencia de que sin un entorno adecuado y sano la especie humana no sobrevivirá, y el hecho de que el sistema actual de utilización de la naturaleza es altamente destructivo, han ido implantando, cada vez con mayor intensidad, la conciencia social, e individual, de la necesidad de proteger el medio ambiente en favor de todos, cualquiera que sea el espacio y tiempo en el que hayan de vivir. La sociedad ha ido adquiriendo así, desde un sentimiento de responsabilidad solidaria, una actitud colectiva de defensa activa del medio ambiente[1].

Correlativamente, el Derecho, en su función de respuesta a las necesidades sociales, ha ido articulando mecanismos de defensa del medio ambiente. En particular, las normas jurídicas han ido estableciendo como instrumento fundamental de la protección medioambiental la intervención de la ciudadanía y, a tal fin, prevén políticas públicas de formación e información ambiental, contemplan la necesidad de atender a la sociedad para la toma de decisiones administrativas de autorización, de planificación o regulación en relación con el medio ambiente, y tratan de hacer efectivo el acceso a la justicia, para corregir las lesiones al medio ambiente. Ello porque, si bien es cierto que la mejor forma de defender el medioambiente es establecer medidas preventivas y promover una actuación voluntaria de particulares y poderes públicos tendente a su protección, también lo es, para el caso de que tales medidas no resulten eficaces, garantizar el control judicial de las actuaciones contrarias a las normas.

En esta línea, el Derecho Internacional ha tenido una influencia fundamental. Desde los años 70 se ha ido estableciendo un vínculo indisoluble entre el disfrute de los derechos humanos y el medio ambiente. Así, la Declaración de Estocolmo sobre el Medio Ambiente Humano (Conferencia de las Naciones Unidas de 16 de junio de 1972) reconoció la importancia de la participación de la población en su defensa[2]. Por su parte, la Declaración de Río de Janeiro de 1992, en la Cumbre para la Tierra de Naciones Unidas, recoge expresamente, en el Principio 10, los tres pilares de la llamada *democracia ambiental*: derechos de información, participación pública y acceso a la justicia ciudadana[3].

---

[1]   Ejemplo reciente y gráfico de la fuerza expansiva del individuo en solitario es Greta Thunberg y sus "Viernes para el futuro" que han llevado a la huelga mundial de los estudiantes el 15 de marzo de 2019.

[2]   Véase el análisis histórico que realizan RAZQUIN LIZARRAGA, JA y RUIZ de APODACA ESPINOSA, A, *Información, Participación y Justicia en Materia de Medio Ambiente,* Ed. Aranzadi, 2007, pp. 45 y ss.

[3]   *"El mejor modo de tratar las cuestiones ambientales es con la participación de todos los ciudadanos interesados, en el nivel que corresponda. En el plano nacional, toda persona debe tener acceso adecuado a la información sobre el medio ambiente de que dispongan las autoridades públicas, incluida la información sobre los materiales y las actividades que encierran peligro en sus comunidades, así como la oportunidad de participar en los procesos de adopción de decisiones. Los Estados deberán facilitar y fomentar la sensibilización y la participación de la población poniendo la información a disposición de todos. Debe proporcionarse acceso efec-*

Para implementar ese Principio, y sobre la base de las Directrices adoptadas en Sofía, en el seno de la Comisión Económica para Europa de las Naciones Unidas (CEPE) se celebró el *"Convenio sobre el acceso a la información, la participación del público en la toma de decisiones y el acceso a la justicia en materia de medio ambiente"* hecho en Aarhus (Dinamarca), el 25 de junio de 1998 (Convenio de Aarhus), de carácter vinculante y en vigor desde 2001, ratificado por España el 15 de diciembre de 2004 (BOE 16 de febrero de 2005).

El Preámbulo de este Convenio parte de reconocer que una protección adecuada del medio ambiente es esencial para el bienestar humano y para el goce de los derechos fundamentales. En particular para el derecho a la vida, que supone que toda persona tiene derecho a vivir en un medio ambiente que le permita garantizar su salud y su bienestar y el deber, tanto individual como en asociación con otros, de proteger y mejorar el medio ambiente en interés de las generaciones presentes y futuras. Asimismo, subraya el importante papel que las organizaciones no gubernamentales y el sector privado pueden desempeñar en la protección del medio ambiente. Para hacer eficaz estos reconocimientos, teniendo en cuenta que el ciudadano ha de ser debidamente asistido, se declara el derecho a acceder a la información, participar en la toma de decisiones y acceder a la justicia en materia medioambiental. El Convenio de Aarhus es una norma de mínimos, como lo son las demás normas medioambientales[4].

Destaca también, en la misma línea, la sensibilidad mostrada por el Tribunal Europeo de Derechos Humanos para vincular los derechos humanos y el medio ambiente[5].

---

tivo a los procedimientos judiciales y administrativos, entre estos el resarcimiento de daños y los recursos pertinentes".

[4]   El Art. 3.5 del Convenio de Aarhus declara: "*5. Las disposiciones del presente Convenio no menoscabarán el derecho de las Partes a seguir aplicando o a adoptar, en lugar de las medidas previstas por el presente Convenio, medidas que garanticen un acceso más amplio a la información, una mayor participación del público en la toma de decisiones y un acceso más amplio a la justicia en materia medioambiental*".

[5]   Como señala RAZQUIN Opus cit. pp. 39 y 40 destaca la Ecologización (greening) de los derechos humanos del TEDH, pues aunque no se reconoce expresamente el derecho a un medio ambiente adecuado, especialmente a partir del Art. 8 CEDH ha ido trazando una relación entre los derechos humanos y el medio ambiente; de manera que la defensa frente a las violaciones graves contra el medio ambiente procede cuando produce un efecto dañino en la esfera privada o familiar de la persona.

En el ámbito de la Unión Europea el Convenio de Aarhus fue aprobado por Decisión 2005/370/CE (DOCE 17 de mayo de 2005). Los derechos reconocidos por el Convenio han tenido reflejo en múltiples Directivas [6] y se contemplaban, en cuanto al derecho de información, por la Directiva 2003/4/CE del Parlamento Europeo y del Consejo, de 28 de enero de 2003, relativa al acceso del público a la información medioambiental y por la que se deroga la Directiva 90/313/CEE del Consejo. En lo que respecta al derecho de participación, por la Directiva 2003/35/CE del Parlamento Europeo y del Consejo de 26 de mayo de 2003, por la que se establecen medidas para la participación del público en la elaboración de determinados planes y programas relacionados con el medio ambiente y por la que se modifican, en lo que se refiere a la participación del público y el acceso a la justicia, las Directivas 85/337/CEE y 96/61/ CE del Consejo. Sin embargo, el tercero de los pilares del Convenio, el derecho de acceso a la justicia en materia medioambiental, no ha sido desarrollado aún con carácter general, habiéndose logrado únicamente la redacción de una Comunicación de la Comisión relativa al acceso a la justicia en materia medioambiental, 2017/C 275/01, que sistematiza la Jurisprudencia del TJUE sobre el acceso a la justicia en relación con las decisiones, actos y omisiones de las autoridades públicas de los Estados miembros[7], actualizada la última vez, por lo que respecta a los case law dictados, en el periodo que cubre desde abril de 2018 hasta marzo 2019.

En el Ordenamiento Jurídico interno, la Constitución Española contempla el derecho al medio ambiente adecuado en el Art. 45 CE, y contiene otros preceptos de indudable relevancia en la materia que nos ocupa, fundamentalmente el Art. 1.1, al reconocer el Estado Social y Democrático de Derecho, el Art. 9.3, que garantiza la libertad e igualdad reales y efectivas e impone a los poderes públicos el deber de promover la participación

---

[6]   Por ej. En materia de acceso a la justicia, la Directiva de evaluación de impacto ambiental (2011/92/UE) y la Directiva sobre las emisiones industriales (2010/75/UE).

[7]   En su párrafo 10 de la Introducción explica la razón de su génesis del siguiente modo: *"Teniendo en cuenta la experiencia con una propuesta de la Comisión de 2003 que permaneció en el Consejo durante más de una década sin que se llegara a ningún acuerdo ni hubiera perspectiva de ello, tampoco se dio continuidad a la opción legislativa en forma de instrumento jurídico destinado específicamente al acceso a la justicia. Por último, un enfoque legislativo por sectores, centrado en añadir disposiciones relativas al acceso a la justicia en ámbitos en los que se han identificado desafíos concretos (como la naturaleza, el agua, los residuos y el aire) no ayudaría a corto plazo y, en cualquier caso, el legislador de la UE no se muestra receptivo actualmente".*

de los ciudadanos, el Art 24, relativo a la tutela judicial efectiva y el Art. 105 sobre audiencia pública. Por su parte, debe citarse la Ley 27/2006, de 18 de julio, por la que se regulan los derechos de acceso a la información, de participación pública y de acceso a la justicia en materia de medio ambiente, que traspone las Directivas 2003/4/CE y 2003/35/CE; la Ley 26/2007, de 23 de octubre, sobre Responsabilidad Medioambiental y la Ley 21/2013, de 9 de diciembre, de Evaluación Ambiental; y, en fin, las Leyes específicas reguladoras de cada uno de los Sectores y la Legislación autonómica, que se ha dictado al tratarse de una materia compartida en los términos de los Arts. 148.1.9 y 149.1.23 CE.

Antes de terminar este apartado introductorio, se ha de hacer referencia al concepto y definición de medio ambiente, pues se trata de un concepto de fácil aprehensión intuitiva pero de definición jurídica inacabada.

La Guía rápida del Convenio de Aarhus elaborada por la CEPE comienza tratando de transmitir el concepto del medio ambiente, de manera intuitiva y gráfica, de la siguiente forma: *"tómese solo cinco segundos antes de leer la frase siguiente. Mire a su alrededor. Haga una inspiración. Escuche. Lo que usted acaba de experimentar es su medio ambiente: el entorno y las condiciones en las que usted vive"*.

Pero, como señala Esteban Arlucea[8], la tarea necesaria de sustantivar esta materia se ve dificultada por la variedad y complejidad de los elementos que la integran y por el ritmo de los avances en ciencia, tecnología y demandas sociales, siendo la STC 120/1995 la que logra magistralmente formular un *macroconcepto,* que se configura [9] a través de un concepto gramatical como *todo cuanto rodea al hombre,* y un concepto jurídico, que se diferencia en un aspecto material, en su vertiente dinámica, como *equilibrio que han de guardar los recursos naturales una vez puestos en relación,* y en su vertiente estática, como *recursos naturales a que hace referencia el Art 45 CE (aire, agua, suelo, subsuelo, flora, fauna, espacios naturales y paisaje)* y, en un aspecto formal, al *conjunto de acciones llevadas a cabo sobre el concepto material para conservarlo, mejorarlo y poder disfrutarlo.*

En definitiva, como hace la misma Sentencia del Tribunal Constitucional, debe destacarse que el concepto jurídico de medio ambiente es esen-

---

[8] TAJADURA, J y otros, *Los Principios Rectores de la Política Social y Económica,* Ed. Biblioteca Nueva, 2004, p. 323.

[9] Arlucea cita en este punto a PÉREZ MARTOS, *Jurisprudencia ambiental del Tribunal Supremo,* Revista de Derecho Urbanístico y Medio Ambiente, 192/2002, pp. 271 y 272

cialmente funcional, pues está indisolublemente unido al de su protección frente a la presencia de agentes agresores[10].

III. EL ACCESO A LA JUSTICIA EN MATERIA DE MEDIO AMBIENTE

También ha evolucionado la percepción de la implicación del individuo con el medio ambiente, que desde considerarse un bien que no era de nadie ha pasado a verse actualmente como un bien y un derecho de todos y cada uno.

Al individuo se le reconoce el derecho a disfrutar personalmente de un medio ambiente adecuado y sano y, para ello, tiene el deber de cuidarlo. Ello obliga a extender el ámbito de actuación personal al proceso judicial, permitiendo al individuo el acceso a la justicia en defensa del medio ambiente, como forma de garantizar la efectividad de la norma medioambiental y de reaccionar frente a los daños medioambientales.

Entrando, pues, en el análisis de la cuestión objeto de este Informe, debe partirse, por un lado, de que para garantizar el acceso a la Justicia no basta con que la Ley lo contemple como derecho sino que es, además, necesario eliminar las barreras que puedan hacerlo materialmente imposible o inútil. Ello requiere una regulación de la legitimación activa pero también la supresión de barreras, como costes procesales (abogado, procurador y peritos), costas y garantías excesivas, que en la práctica puedan limitar el acceso a la Justicia. Y requiere que el acceso a la Justicia se extienda tanto al ámbito civil como al penal y al contencioso administrativo. Ello por cuanto todos pueden dañar el medio ambiente, particulares y poderes públicos, y ese daño puede o no ser constitutivo de delito. Por ello, en el estudio del acceso a la justicia en esta materia debe hacerse referencia a todos los órdenes jurisdiccionales, si bien resultará fundamental el orden contencioso administrativo porque la intervención de la Administración es eje fundamental de la protección medioambiental.

Por su parte, y como se va a exponer en este Informe, resulta fundamental, en relación con el acceso a la justicia, la diferencia de los daños medioambientales en dos categorías: de un lado los tradicionales, que son los que al degenerar el medioambiente perjudican un interés o derecho individual y exclusivo (fundamentalmente la propiedad o la salud), pertur-

---

[10]   Ya que en esta materia no se encuadra cualquier tipo de actividad relativa a esos recursos naturales, sino sólo la que directamente tienda a su preservación, conservación o mejora.

ban las relaciones de vecindad o invaden el domicilio o los inmuebles con ruidos e inmisiones; y, de otro lado, los daños medioambientales que no afectan a bienes individualizables, llamados daños ambientales autónomos o daños públicos medioambientales.

La Jurisdicción Civil es adecuada para la reclamación de responsabilidad por daños medioambientales siempre que resulte lesionado un bien o derecho individual y que además el daño derive de una acción determinada procedente de un agente identificado. La legitimación para acceder a la defensa de estos derechos se obtiene por razón de ser titular de un derecho o interés legítimo de acuerdo con las normas generales, sin dificultad específica alguna[11]. De este modo, la jurisdicción civil permite la defensa de los intereses individualizados y exclusivos, pero no es hábil para la defensa en sí del medioambiente, por más que, defendiendo aquellos, pueda obtenerse una ventaja refleja para éste.

La Jurisdicción civil no es procedente, pues, cuando se trata de la preservación del medio ambiente frente a la contaminación anónima, derivada de la acción de una pluralidad no identificable de sujetos, ni frente a la contaminación histórica, derivada de residuos generados en el pasado. Tampoco es apta para la defensa estricta de bienes comunes o colectivos, como la atmósfera o el paisaje[12].

De otro lado, la vía penal permite actuar sólo cuando la lesión al medioambiente sea constitutiva de delito[13].

---

[11]   BELTRÁN CASTELLANOS, José Miguel, *El Régimen tradicional de la responsabilidad por daños ambientales en España".* Revista Aranzadi de Derecho Ambiental num.39/2018 Editorial Aranzadi, S.A.U., recuerda que *"en relación con este tipo de daños la vía civil se ve reforzada por el hecho de que la jurisprudencia aplica en el caso de actividades potencialmente peligrosas para el medio ambiente unos patrones de responsabilidad cuasi objetivos, en virtud de la teoría del riesgo u otras, desvinculando además dicha responsabilidad del cumplimiento o no de la normativa administrativa que resulte de aplicación, por entender que el fundamento de la responsabilidad aquiliana se encuentra en la antijuridicidad del daño y no de la conducta (vulneración del principio general del Derecho alterum non laedere) o en virtud de otras justificaciones similares, llegando así a soluciones parecidas a las consagradas por vía legislativa en otros países".*

[12]   BELTRÁN CASTELLANOS, José Miguel, opus cit.

[13]   La defensa penal del medio ambiente, además de llevarse a cabo por la tipificación de los correspondientes delitos, se ve reforzada por la posibilidad de que las personas jurídicas puedan ser condenadas, Art. 328 y 31 BIS, por la previsión del condicionamiento de la suspensión de la condena a participar en programas de defensa del medio ambiente, y por tener los daños al medio ambiente la consideración de circunstancia agravante de otros delitos, como el de terrorismo.

La legitimación para ejercer la acción penal está abierta a cualquier persona por la vía de la acusación popular (Art. 101 LECr). Además, en el caso de los delitos ecológicos la Jurisprudencia ha abierto la posibilidad, frente a lo que constituye la norma general (art. 110 LECr), de que la acusación popular pueda hacer valer también la acción de responsabilidad civil derivada del delito; vía por la que se podrá instar la reparación de los daños propiamente medioambientales, además de la acción civil que pueda ejercitarse a favor del perjudicado por el delito en alguno de sus bienes o derechos.

Sobre la legitimación para ejercitar la acción civil por quien esté legitimado para el ejercicio de la acción penal es precursora la STS 751/1993 de 1 abril, recurso de casación 5964/1990, que interesa transcribir en cuanto hace referencia al interés que ostenta toda la colectividad en la defensa de las especies protegidas:

> *"El daño originado no es puramente patrimonial, ni sobre aquel animal representante de una especie protegida recaía una dominicalidad civil a favor de la Junta de Castilla y león, a quien se designa como destinataria de la indemnización en razón a las funciones reconocidas a la misma en orden al mantenimiento, conservación y vigilancia de estas especies animales [Cfr. Orden de 30-6-1988 (LCyL 1988\133) y su Anexo I de la Consejería de Agricultura, Ganadería y Montes], y en base a las atribuciones inherentes a la Sección de Montes de la Consejería de Agricultura, Ganadería y Montes de aquella Junta. La protección de ciertas especies animales, entre ellas el oso pardo, en la medida en que se encuentra amenazada su existencia por circunstancias de todo orden, es objeto de atención por un conjunto de disposiciones y normas, encontrándose vigentes para España desde 1-9-1986 el Convenio de Berna, los Decretos 3181/1980, 1497/1986 y 97/1986, junto con la Directiva 409/1979, de 2 abril, de la Comunidad Económica Europea. Cual consigna la sentencia, en el caso concreto estudiado se ha sacrificado efectivamente un bien jurídico, no de persona individual, pero sí de sociedades concretas —personas jurídicas— como la que ha ejercido la acción popular, y de la Sociedad en general, por el valor ecológico que supone la conservación de las especies particularmente protegidas. Nos hallamos, pues, ante un bien en el que la colectividad humana se halla interesada. La responsabilidad civil era perfectamente postulable por cualquiera de los ejercitantes de la acción penal".*

Esta vía de protección ha resultado, además, favorecida legislativamente por la previsión del Art. 339 CP que establece de forma imperativa que: *"los jueces o tribunales ordenarán la adopción, a cargo del autor del hecho, de las medidas necesarias encaminadas a restaurar el equilibrio ecológico perturbado, así como de cualquier otra medida cautelar necesaria para la protección de los bienes tutelados en este Título".*

IV. EN PARTICULAR, EL ACCESO A LA JUSTICIA EN EL ÁMBITO ADMINISTRATIVO Y CONTENCIOSO ADMINISTRATIVO

Como se ha dicho, la atribución a la Administración de la gestión del medio ambiente, como bien jurídico público, hace que la protección jurisdiccional de éste se sitúe fundamentalmente en el orden jurisdiccional contencioso administrativo y en vía administrativa. Aquí debe residenciarse la revisión de la vulneración de los derechos de información y participación del público, que son exigibles frente a la Administraciones Públicas, y las acciones que tengan por objeto analizar si se está dando efectivo cumplimiento a la normativa medioambiental, cuya vigilancia corresponde a los poderes públicos, o si se ha otorgado alguna autorización con daño para el medio ambiente, pues es la Administración la que lo decide[14].

Es en éste ámbito en el que se sitúa el Convenio de Aarhus, y sus tres pilares básicos, y en el que se sitúan también las ya citadas Directiva 2003/4/CE del Parlamento Europeo y del Consejo de 28 de enero de 2003, relativa al acceso del público a la información medioambiental, y Directiva 2003/35/CE del Parlamento Europeo y del Consejo, de 26 de mayo de 2003, por la que se establecen medidas para la participación del público en la elaboración de determinados planes y programas relacionados con el medio ambiente. También es el ámbito propio de la Comunicación de la Comisión relativa al acceso a la justicia en materia medioambiental, 2017/C 275/01 y de la Ley española 27/2006, de 18 de julio, por la que se regulan los derechos de acceso a la información, de participación pública y de acceso a la justicia en materia de medio ambiente.

Pues bien, seguidamente se hace un análisis de la legitimación activa en el ámbito contencioso administrativo, para abordar después las posibles barreras materiales que dificulten su efectividad.

---

[14]   En este sentido PIGRAU SOLÉ, A, *Acceso a la información, participación púbica y acceso a la justicia en materia de medio ambiente: diez años del Convenio de Aarhus,* Ed. Atelier, 2008, p. 355, destaca que el carácter principal del contencioso administrativa deriva de la naturaleza colectiva de la mayor parte de los conflictos ambientales, con cita de la STC 199/1996, de 3 de diciembre.

1. La legitimación activa

Como señala RAZQUIN[15], la legitimación en nuestro ordenamiento contencioso-administrativo ha venido teniendo un carácter claramente individualista, reconociéndose los derechos reaccionales sólo a aquellos sujetos titulares individualmente de derechos subjetivos o intereses legítimos. Es decir, cuando un sujeto pasa a ser considerado miembro de una colectividad en la que se comparten intereses, a la vez ajenos y propios, pero comunes, la legitimación, y en consecuencia, la protección jurisdiccional de tales intereses colectivos, encuentra serios obstáculos. Y ello porque cuando la ley exige que se invoque un interés legítimo o derecho subjetivo se entiende que se refiere a un interés imputable al individuo en exclusiva, no a uno compartido por la colectividad.

De este modo, las normas generales, contenidas en la Ley del Procedimiento Administrativo Común de las Administraciones Públicas, 39/2015, de 1 de octubre, LPAC, y en la Ley reguladora de la Jurisdicción Contencioso Administrativa, 29/1998, de 13 de julio, LJCA, exigen para reconocer legitimación que un derecho o interés legítimo resulte afectado[16]. La acción popular, o sin invocar interés legítimo afectado, está limitada al ámbito penal y a los casos y formas establecidos en la ley[17]. En cuanto a los intereses colectivos, los Arts. 7. 3 de la Ley Orgánica del Poder Judicial, Ley 6/1985, de 1 de julio, LOPJ, 4 de la LPAC y 19 LJCA consideran interesado al que ostente un interés colectivo y reconocen la titularidad de intereses legítimos colectivos a las asociaciones y organizaciones representativas de intereses económicos y sociales afectadas o legalmente habilitadas. Reconocen también la legitimación de las Administraciones Públicas en ejercicio de las competencias que legalmente tengan atribuida (art. 19. 1. c), d) y e) LJCA); y de los vecinos en nombre e interés de la Entidad Local en caso de no hacerlo ésta, de acuerdo con el Art. 19.3 LJCA y 68 de la Ley de bases de Régimen Local, 7/1985, de 2 de abril.

En definitiva, tal y como sucede en vía civil, y hemos ya apuntado, los particulares siempre pueden actuar en vía administrativa y contencioso administrativa en defensa de los derechos o intereses que individualmente les corresponden, sea el derecho de propiedad, la salud o el domicilio, es decir, cuando la agresión al medio ambiente haya causado un daño de los

---

[15] RAZQUIN LIZARRAGA, JA y RUIZ de APODACA ESPINOSA, A, Opus cit. p. 379.
[16] Arts. 4 y 112 Ley 39/2015 y Art. 19 LJCA.
[17] Art. 125 CE y el art. 19 LOPJ.

que hemos llamado tradicionales, si bien la afección de estos derechos es apreciada de manera más o menos extensa. En este sentido se ha pronunciado reiteradamente el Tribunal de Justicia de la Unión Europea (entre otras, Sentencia Janecek, de 25 de julio de 2008, C-237/07, que reconoce el derecho de las personas físicas a exigir de la autoridad pública la realización de un plan de reducción de la contaminación, afirmando como título de legitimación el derecho a la salud; asunto Leth, C-420/11, Sentencia de 14 de marzo de 2013, que admite la legitimación de un particular por ostentar la propiedad de una vivienda afectada por los ruidos de un aeropuerto; o el asunto Folk, C-529/15, Sentencia de 1 de junio de 2017, según la cual la discrecionalidad del Estado en la definición del interés legítimo no permite excluir los derechos de los titulares de pesca, en la medida en que represente un derecho a usar el medio ambiente afectado para una actividad concreta).

Pero la cuestión es más compleja cuando se plantea la legitimación para la defensa del medioambiente frente a los daños medioambientales en sentido propio, llamados públicos o autónomos. Pues en el ordenamiento jurídico español no hay una norma que haya reconocido, de manera generalizada, una acción popular o pública en materia de medioambiente.

Actualmente la cuestión es de especial importancia pues muchos individuos están poniendo en marcha movimientos sociales de defensa del medio ambiente, pese a que su afectación no sea más intensa que la de ninguna otra persona. Son individuos en defensa del planeta, pero cuya implicación y fuerza expansiva hacia otros individuos convierte su actuación en una importante arma defensiva del entorno. Son individuos que pretenden defender el medio ambiente de generaciones futuras. Que este movimiento no tenga reflejo en la Justicia separa a ésta de la realidad material, frustrando su función instrumental.

Algunos datos son esclarecedores. El informe Estadístico 2017 del Ministerio de Agricultura, Pesca, Alimentación y Medio Ambiente, elaborado en 2018, analiza datos de información ambiental de todos los Organismos del Estado y constata que las peticiones que formularon los particulares fueron mucho más numerosas, aproximadamente 10 veces más, que las que realizaron las ONGs medioambientales. Estas desarrollan indudablemente un papel fundamental[18], pero no cubren por tanto todas las necesidades de intervención social en la justicia medioambiental.

---

[18] Sobre la barrera política para acceder a la justicia que tienen los ciudadanos, y la importancia a de las ONGs, señala VALENCIA HERNÁNDEZ, JG *Estudio Compa-*

Todo lo anterior exige profundizar en las vías por las que una concreta interpretación de las normas vigentes, a la luz de las normas comunitarias o de Derecho internacional, permiten extender, o imponen regular de modo más extenso, la legitimación activa del individuo o de las organizaciones no gubernamentales frente a daños públicos mediambientales.

1.1. La Ley 27/2006 y su interpretación como vía de ampliación de la legitimación activa

Como se pasa a exponer, el estudio de la Ley 27/2006, de 18 de julio, y su interpretación a la luz del Derecho Internacional, y en particular del Convenio de Aarhus, del Derecho Comunitario y de la Constitución española, permite comprender los avances que se han producido en esta materia.

En efecto, en relación a la protección del medioambiente resulta fundamental la ya varias veces citada Ley 27/2006, de 18 de julio, de participación pública y de acceso a la justicia en materia de medioambiente que incorpora las Directivas 2003/4/CE y 2003/35/CE, en cuanto, entre otras normas, establece:

- En el art. 3.3, en relación con el acceso a la justicia y a la tutela administrativa, reconoce el derecho de todos:

    "a) A recurrir los actos y omisiones imputables a las autoridades públicas que contravengan los derechos que esta Ley reconoce en materia de información y de participación pública.

    b) A ejercer la acción popular para recurrir los actos y omisiones imputables a las autoridades públicas que constituyan vulneraciones de la legislación ambiental en los términos previstos en esta Ley".

---

rativo del Régimen de Acceso a la Justicia Ambiental del Convenio de Aarhus y la Ley 27 de 2006, con el acceso a la Justicia Ambiental y sus mecanismos de aplicación en la Legislación Colombiana, Revista Aranzadi de Derecho Ambiental num.14/2008 2 Editorial Aranzadi, S.A.U. que *"estas barreras se presentan en la posibilidad de maniobra política que tienen los ciudadanos en los espacios del acceso a la justicia, generalmente los conflictos se dan con agentes económicos o del estado que poseen una capacidad de maniobra política que deja en desventaja a los ciudadanos o grupos de ciudadanos al momento de presentarse un conflicto ambiental. Sólo la intervención de ONGs con reconocimiento internacional hace que ese desequilibrio se vea compensado por la capacidad acumulada de maniobra frente a los gobiernos y la opinión pública"*

- En el art. 20, en relación a "recursos", dispone que:

"El público que considere que un acto o, en su caso, una omisión imputable a una autoridad pública ha vulnerado los derechos que le reconoce esta Ley en materia de información y participación pública podrá interponer los recursos administrativos regulados en el Título VII de la Ley 30/1992, de 26 de noviembre, de Régimen Jurídico de las Administraciones Públicas y del Procedimiento Administrativo Común, y demás normativa aplicable y, en su caso, el recurso contencioso-administrativo previsto en la Ley 29/1998, de 13 de julio, reguladora de la Jurisdicción Contencioso-Administrativa".

- Y en los arts. 22 y 23, sobre legitimación y acción popular en asuntos medioambientales, dispone:

"Artículo 22. Acción popular en asuntos medioambientales.

Los actos y, en su caso, las omisiones imputables a las autoridades públicas que vulneren las normas relacionadas con el medio ambiente enumeradas en el artículo 18.1[19] podrán ser recurridas por cualesquiera personas jurídicas sin ánimo de lucro que reúnan los requisitos establecidos en el artículo 23 a través de los procedimientos de recurso regulados en el Título VII de la Ley 30/1992, de 26 de noviembre, de Régimen Jurídico de las Administraciones Públicas y del Procedimiento Administrativo Común, así como a través del recurso contencioso-administrativo previsto en la Ley 29/1998, de 13 de julio, reguladora de la Jurisdicción Contencioso-Administrativa.

Se exceptúan los actos y omisiones imputables a las autoridades públicas enumeradas en el artículo 2.4.2".

"Artículo 23. Legitimación.

1. Están legitimadas para ejercer la acción popular regulada en el artículo 22 cualesquiera personas jurídicas sin ánimo de lucro que acrediten el cumplimiento de los siguientes requisitos:

    a) Que tengan entre los fines acreditados en sus estatutos la protección del medio ambiente en general o la de alguno de sus elementos en particular.

    b) Que se hubieran constituido legalmente al menos dos años antes del ejercicio de la acción y que vengan ejerciendo de modo

---

[19] Este artículo contiene una lista cerrada de sectores medioambientales.

activo las actividades necesarias para alcanzar los fines previstos en sus estatutos.

c)   Que según sus estatutos desarrollen su actividad en un ámbito territorial que resulte afectado por la actuación, o en su caso, omisión administrativa.

2. Las personas jurídicas sin ánimo de lucro a las que se refiere el apartado anterior tendrán derecho a la asistencia jurídica gratuita en los términos previstos en la Ley 1/1996, de 10 de enero, de Asistencia Jurídica Gratuita".

Pues bien, a partir de tales disposiciones de la ley 26/2007, pueden mantenerse dos interpretaciones sobre la posibilidad de acceso a la justicia de los particulares en defensa de los intereses colectivos o difusos de naturaleza medioambiental.

i) La que considera legitimadas exclusivamente a las entidades a las que se refieren los Arts 22 y 23 de la Ley 27/2006: los intereses colectivos sólo pueden ser defendidos por las entidades especialmente habilitadas por la Ley para ello, interpretando los Arts. 22 y 23 de la Ley 27/2006 como excluyentes de cualquier otra legitimación en defensa de intereses colectivos o difusos de naturaleza medio ambiental.

De manera que, según esta postura, sólo las ONG que cumplan los requisitos del Art. 23 de la Ley 26/2007 pueden recurrir en vía contencioso administrativa por razón de las agresiones al medio ambiente que no causen daños a bienes o derechos individuales.

Para que el resto de las entidades o particulares puedan actuar en defensa del medio ambiente, o bien deben ejercitar una acción pública expresamente prevista legalmente, o bien deben invocar un interés individual afectado.

ii) La que considera también legitimados en defensa de los intereses colectivos o difusos de naturaleza medioambiental al resto de ONGs (no expresamente referidas en el Art. 23 Ley 26/2007) y a las personas físicas: los Arts 22 y 23 de la Ley 27/2006 deben interpretarse como configuradores de una acción popular o legitimación especial, por habilitación legal, que no excluye la legitimación que para la defensa del interés colectivo del medio ambiente tienen los particulares o las ONGs ecologistas que no cumplan los requisitos establecidos en el art. 23, aunque no tengan ningún derecho o interés individual específicamente afectado, por ser titulares del derecho a un medio ambiente adecuado.

Esta postura considera que la previsión de los Arts 22 y 23 debe leerse, pues, como una habilitación especial, que se otorga a determinadas ONGs para garantizarles un tratamiento privilegiado en este ámbito y para exonerarlas de acreditar la afectación a los fines para las que han sido creadas.

La opción por una u otra interpretación habrá de hacerse a la luz de las exigencias del Convenio de Aarhus (que ha sido interpretado por el TJUE, al formar parte del Derecho Europeo) y de la Constitución Española, considerando también la jurisprudencia patria.

a) *La legitimación activa en el Convenio de Aarhus*

El Convenio de Aarhus parte de una definición doble, de público y público interesado, señalando en el Art. 2.4 y 2.5 que "*2.4. Por 'público' se entiende una o varias personas físicas o jurídicas y, con arreglo a la legislación o la costumbre del país, las asociaciones, organizaciones o grupos constituidos por esas personas. 2.5. Por 'público interesado' se entiende el público que resulta o puede resultar afectado por las decisiones adoptadas en materia medioambiental o que tiene un interés que invocar en la toma de decisiones. A los efectos de la presente definición, se considerará que tienen tal interés las organizaciones no gubernamentales que trabajan en favor de la protección del medio ambiente y que cumplen los requisitos exigidos por el derecho interno*".

Después, mientras que en la regulación de los derechos de información activa y pasiva (Arts. 4 y 5) y de participación en vía administrativa en las actividades específicas y en la elaboración de planes, programas, políticas y disposiciones de carácter general (Arts. 6, 7 y 8) se alude con carácter general al público, no sucede así en el Art. 9 al regular el acceso a la justicia por vulneración de las disposiciones del Convenio.

El Art. 9 atribuye a cualquier persona legitimación activa para impugnar la vulneración de su derecho de información. Y, por otro lado, dispone que el público interesado que tenga interés suficiente o invoque la lesión de un derecho podrá recurrir, por razón de fondo o procedimiento, contra cualquier acción u omisión en la que esté prevista la participación del público de acuerdo con el Art. 6 y, si el derecho interno lo permite, contra cualquier otra en el ámbito del resto de disposiciones del Convenio.

Para determinar qué sea interés suficiente y lesión de un derecho se remite a las disposiciones del derecho interno, con dos requisitos: a) que sea conforme al objetivo de conceder al público interesado un amplio acceso a la justicia en el marco del presente Convenio; b) que lo ostenta en todo caso toda organización no gubernamental que cumpla las condiciones previstas en el apartado 5 del artículo 2, es decir, las organizaciones no gubernamentales que trabajan en favor de la protección del medio ambiente y que cumplen los requisitos exigidos por el derecho interno.

En definitiva, en relación a la legitimación activa, el Convenio, además de reconocer acción a toda persona por vulneración del derecho de información, se remite básicamente a los requisitos del derecho interno y no impone una acción popular, sino que permite que el derecho interno condicione el acceso a la justicia a la apreciación de un interés legítimo o derecho subjetivo afectado. Ahora bien, tal remisión al Derecho interno no lo es en blanco pues del Art. 9 del Convenio se pueden extraer tres importantes condicionantes: **(1)** reconoce el derecho de acceder a la Justicia a todas aquellas personas que ostenten un derecho o interés legítimo contemplado en el ordenamiento jurídico interno; **(2)** sienta como objetivo de actuación de los Estados un reconocimiento amplio del acceso a la justicia[20]; y **(3)** exige reconocer interés legítimo a las organizaciones no gubernamentales que trabajan en favor de la protección del medio ambiente, aunque no resulte perjuicio adicional para un bien o persona concreta, y que cumplan los requisitos seguidos por el derecho interno.

Además, del art 6 resulta la necesidad de reconocer acceso a la justicia a quien efectivamente haya participado o intentado participar en los procedimientos administrativos previos de autorización a los que el precepto se refiere. Pues el Art. 6.7 reconoce que el derecho de participación en los procedimientos de autorización de actividades específicas está abierto al público en general y el Art. 6.8 dispone que los resultados de tal participación habrán de ser tenidos debidamente en cuenta. Lo que supone que cualquiera que haya intervenido en el procedimiento de autorización podrá recurrir si entiende que su sugerencia no ha sido tenida debidamente en cuenta.

---

[20] Requisito que se ve reforzado por las declaraciones de su Preámbulo, en el que se reconoce que toda persona tiene el derecho a vivir en un medio ambiente que le permita garantizar su salud y su bienestar, y el deber, tanto individualmente como en asociación con otros, de proteger y mejorar el medio ambiente en interés de las generaciones presentes y futuras, y que los ciudadanos deben tener acceso a la información, estar facultados para participar en la toma de decisiones y tener acceso a la justicia en materia medioambiental.

En este sentido, la Comunicación de la Comisión relativa al acceso a la justicia en materia medioambiental, 2017/C 275/01, que sistematiza la Jurisprudencia del TJUE sobre el acceso a la justicia en relación con las decisiones, actos y omisiones de las autoridades públicas de los Estados miembros, actualizada en marzo 2019, establece, en cuanto a la legitimación, que los Estados miembros no están obligados por el Convenio de Aarhus a ofrecer legitimación activa a todos y cada uno de los miembros del público (*actio popularis*) ni a todas y cada una de las ONG, y que el artículo 9, apartado 3, no contiene ninguna obligación clara y precisa que determine directamente la situación jurídica de los particulares, pero recuerda que "*según la Guía de aplicación del Convenio de Aarhus, cualquiera de dichos criterios debe ser coherente con los objetivos del Convenio relativos a la garantía de acceso a la justicia*"[21]. Confirma además que, de acuerdo con el principio de efectividad, los Estados Miembros no pueden adoptar criterios que impidan o dificulten los derechos conferidos por el Derecho de la UE.

Precisa, eso sí, que, de acuerdo con el asunto Kraaijeveld (C-72/95, Sentencia de 24 de octubre de 2006), una decisión, acto u omisión de una autoridad pública que lesione los derechos de participación dará lugar al derecho a solicitar una revisión judicial. Lo cual, como se ha expuesto, abre una puerta amplia al acceso a la justicia de los particulares, pues cualquiera puede participar en el ámbito del Art. 6 del Convenio y además sus aportaciones deben ser tenidas en cuenta. Sin perjuicio de que, como declaró en el asunto Djurgården, C-263/08, Sentencia 15 de octubre de 2009, los Estados miembros no pueden limitar la legitimación activa para recurrir una decisión de una autoridad pública a aquellos miembros del público afectado que participaron en el anterior procedimiento administrativo para adoptar esa decisión.

Por otro lado, en relación a las ONGs, si el Convenio de Aarhus desde su Preámbulo reconoce la relevancia del papel que las ONG ecologistas juegan en la defensa del medio ambiente, y en el Art. 9.2 atribuye a estas ONG el derecho o interés suficiente para el acceso a la Justicia cuando cumplan las condiciones previstas en el apartado 5 del artículo 2 (que se trate de las organizaciones no gubernamentales que trabajen en favor de la protección

---

[21] Según la Guía del Convenio de Aarhus, y aunque el propio texto del Convenio no es tan claro como su guía: *en virtud de la Convención de Aarhus, usted tiene derecho de acceder a un recurso de revisión, administrativo o judicial, para cuestionar:* • *Una denegación o una respuesta improcedente a una solicitud de información* **sobre el medio ambiente.** • **La legalidad de una decisión, un acto o una omisión de permitir una actividad determinada.** • **Los actos u omisiones de personas privadas o de autoridades públicas que contravengan la legislación ambiental.**

del medio ambiente y que cumplan los requisitos exigidos por el derecho interno), los requisitos que establezca el derecho interno, por aplicación del principio de efecto útil, no pueden ser tales que desvirtúen o vacíen de contenido tal norma.

En este sentido, la Comunicación de la Comisión ya citada (2017/C 275/01) sintetiza la doctrina del TJUE sobre el alcance de los requisitos que el derecho nacional puede imponer a las ONG para el reconocimiento de la legitimación activa del Convenio de Aarhus, en los siguientes términos:

- Ha aclarado el alcance de los requisitos que cabe esperar que exija el Derecho nacional a las ONG para tener legitimación activa y, en este sentido, ha afirmado que, aunque corresponde a los Estados miembros elaborar las normas que definan dichos requisitos, estos no pueden estar enmarcados de tal forma que resulte imposible para las ONG ejercer su derecho de acudir a los tribunales para proteger el interés general. Las normas nacionales *deben [ ] garantizar "un amplio acceso a la justicia"* Asunto C-263/08 Djurgården, apartado 45.

- Ha confirmado que la ley nacional puede exigir que una asociación de este tipo tenga un objeto social relacionado con la protección de la naturaleza y del medio ambiente, puede exigir un número de socios determinado siempre que no impida el objetivo de facilitar el acceso a la justicia, puede exigir requisitos relacionados con la independencia o carácter no lucrativo de la ONG o que tenga su propia personalidad jurídica en virtud del Derecho nacional, una base financiera para perseguir el objetivo de fomentar la protección medioambiental, o un período de existencia mínimo. Pero no pueden imponerse condiciones discriminatorias para las ONG extranjeras, ni pueden condicionar su acceso a la justicia en función de la participación efectiva que hayan tenido en el procedimiento administrativo previo.

Por último, y por su importancia para este Informe, debe apuntarse que la consideración del TJUE sobre la falta de acción popular en el ámbito de la UE parte de la base de que, como expresamente reconoce la Comunicación citada, la legislación medioambiental de la UE no establece un derecho general a un medio ambiente saludable e intacto para cada persona, habida cuenta que el Art. 37 de la Carta de los Derechos Fundamentales de la Unión Europea establece: *"Protección del medio ambiente. En las políticas de la Unión se integrarán y garantizarán, conforme al principio de desarrollo sostenible, un nivel elevado de protección del medio ambiente y la mejora de su calidad"*. Sin embargo, en el Ordenamiento Jurídico Español, como se pasa a exponer, sí hay reconocimiento constitucional de un derecho personal a un medio ambiente adecuado, lo cual debe tener consecuencias en orden a la legitimación activa.

b) Las precisiones de la Constitución Española que determinan el derecho de acceso a la justicia para la defensa del medioambiente

La CE es clara al declarar, en el Art. 45, que "*Todos tienen el derecho a disfrutar de un medio ambiente adecuado para el desarrollo de la persona, así como el deber de conservarlo*" y, en el Art. 24, el derecho de todos a la tutela judicial efectiva de los derechos e intereses legítimos.

La negación a los particulares de toda garantía procesal para la protección del derecho a un medioambiente, o la limitación de su defensa a determinadas ONGs, dejaría reducida tal declaración constitucional a mera retórica, lo cual no resulta acorde con los términos literales del precepto.

Es destacable la postura doctrinal que sostiene que, aún enmarcado el art. 45 en el Capítulo Tercero del Título I de la Constitución, su virtualidad no debe limitarse a la de ser mero informador de la legislación positiva, la práctica judicial y la actuación de los poderes públicos, pues ello se predica en el Art. 53.3 CE de los principios contenidos en ese Capítulo pero no de los que, como el medio ambiente adecuado, es reconocido como derecho. Este derecho debe encontrar su garantía en el ámbito del Art. 24 CE[22].

La especial significación constitucional del medio ambiente como impulsora de una tendencia aperturista de la legitimación en procedimientos y procesos medioambientales ha sido reconocida por el Tribunal Supremo (así, entre otras, en Sentencia de la Sala de lo Contencioso-Administrativo del TS de 25 de junio de 2008 rec. casación núm. 905/2007 y STS 1188/2017 de 7 julio, Recurso de Casación 1783/2015).

c) La aplicación del Convenio de Aarhus y la Constitución Española como criterio determinante de la interpretación de la Ley 27/2006

Lo expuesto hasta aquí permite afirmar que el Convenio de Aarhus y la Constitución Española amplían la legitimación activa en el proceso contencioso administrativo en España, y apoyan una interpretación extensiva de la Ley 27/2006 al respecto.

---

[22]   TAJADURA, J y otros, Opus cit. pp. 329 y 330.

En este sentido, la exclusión de los particulares de la defensa del interés colectivo del medio ambiente, ex Arts. 22 y 23 de la Ley 27/2006, resultaría contraria al Convenio de Aarhus por cuanto implicaría, de un lado, negar a quien ha participado efectivamente, o ha pretendido participar, en las decisiones relativas al medioambiente la defensa de sus aportaciones ante los Tribunales de Justicia, en orden a que sean efectivamente tenidas en cuenta[23], contrariamente a lo que resulta en buena lógica del Art. 6 del Convenio.

De otro lado, no sólo en el ámbito del Art. 6 del Convenio sino en relación con cualquier otro acto u omisión que haya vulnerado las disposiciones del Convenio, o del derecho nacional medio ambiental, el hecho de que el Art. 45 CE reconozca a todas las personas el derecho a un medio ambiente adecuado impone, en el marco del Art. 9 Convenio, reconocerles acceso a la justicia. Pues si bien este artículo se remite al derecho nacional para permitirle exigir que se invoque un derecho subjetivo o interés legítimo, y para definir tal interés o derecho en caso de agresión al medio ambiente, una vez establecido por el derecho nacional tal derecho subjetivo impone la garantía de acceder a la justicia en su defensa. Pues como se ha dicho, el TJUE ha señalado que la acción popular no está exigida por el Convenio de Aarhus pero los razonamientos del TJUE parten de recordar que en la Carta de Derechos Fundamentales de la Unión no se reconoce este derecho subjetivo, lo cual no sucede en nuestro ordenamiento, en el que sí se establece este reconocimiento en el Art. 45 CE. De modo que, reconocido en nuestro ordenamiento jurídico el derecho de toda persona a un medio ambiente adecuado por el Art 45 CE, el Art. 9 del Convenio garantiza el derecho a acceder a la justicia para poder defenderlo.

En cuanto a las concretas exigencias impuestas por el Art. 23 de la Ley 27/2006 a las ONG, y la limitación del acceso a la justicia en defensa del medio ambiente a las que cumplan tales requisitos, debe recapitularse señalando lo siguiente.

i) En primer lugar, que las exigencias del Art. 23 de la Ley 27/2006 (es decir, haberse constituido legalmente al menos dos años antes del ejercicio de la acción, venir ejerciendo de modo activo las actividades necesarias para alcanzar los fines previstos en sus estatutos, desarrollar según sus estatutos su actividad en un ámbito territorial que resulte afectado por la

---

[23] Piénsese que la participación en un trámite de información pública no concede por sí misma la condición de interesado, de acuerdo con el Art. 83.3 LPAC, sino sólo si quien ha participado lo está en virtud de un derecho o interés subyacente.-

actuación, o, en su caso, omisión administrativa), si se entienden como impeditivas del acceso de otras ONGs a la justicia, pueden ser excesivamente restrictivas en cuanto exceden de la exigencia de no tener ánimo de lucro y tener entre sus fines estatutarios la protección del medio ambiente en general o la de alguno de sus elementos en particular[24].

Ha de tenerse en cuenta que en nuestro ordenamiento interno, sin acudir a la Ley 27/2006 o antes de su entrada en vigor, ya se había admitido la legitimación de las ONG que entre sus fines contemplasen la defensa del medio ambiente —sin más requisitos— para intervenir en los procesos judiciales en los que se dilucida si se ha vulnerado o no normativa medioambiental, como afectadas en los intereses colectivos que legítimamente les corresponden y por tanto, ex art. 7 LOPJ, 4 de la actual LPAC y 19 LJCA.

En este sentido, sirvan como ejemplo la STS de 24 de diciembre de 2001, rec. casación 347/1999 o de 25 de junio de 2008, rec casación 905/2007.

En definitiva, la consideración de la Ley 27/2006 como determinante de los requisitos precisos para que las ONG puedan intervenir en el proceso, excluyendo a las demás que tengan entre sus fines la protección del medio ambiente, sería restrictiva de la situación jurídica anterior, lo que resultaría contrario a los compromisos adquiridos en el Convenio de Aarhus y vulneraría el compromiso de los Estados Parte en orden a un reconocimiento amplio del acceso a la Justicia en la materia que el Convenio establece de modo imperativo. Y sería también contrario al Art. 45 CE pues, aunque no se aceptase el art 45 CE como generador de un derecho subjetivo sustantivo —y procesal—, habría al menos de reconocerse su efi-

---

[24] Peñalver i Cabré, A señala "*Sería oportuno reconocer normativamente el criterio jurisprudencial de que las entidades sin ánimo de lucro tienen la condición de interesadas por interés legítimo colectivo para perseguir sus finalidades estatutarias, sin exigir ningún requisito adicional aparte de la conexión específica entre dichos fines y el objeto del proceso (…) (la) posición negadora de la habilitación estatutaria tiene una contradicción interna insalvable porque realiza una interpretación restrictiva individualista del concepto de interés legítimo colectivo en el primer supuesto (afectación) y una interpretación amplia colectiva del mismo término en el segundo supuesto (habilitación legal), cuando ni la LOPJ ni la LJCA contienen esta diferenciación. Si consideramos que hay un interés colectivo, se tienen que admitir las dos formas de legitimación, por afectación y por ley habilitante. La reducción de la legitimación de intereses legítimos colectivos a la habilitación legal comportaría una total prohibición de acceso de estos entes a los tribunales hasta que no hubiera un desarrollo legislativo, y eso no lo ha manifestado nunca la jurisprudencia, ni siquiera la anterior a la LOPJ*" Opus cit. pp. 29 y 38.

cacia inspiradora del Ordenamiento Jurídico —ex art 53.3 CE— que veda una actuación regresiva en la defensa del medio ambiente.

ii) En segundo lugar, el requisito de que, según sus estatutos, hayan de desarrollar su actividad en un ámbito territorial que resulte afectado por la actuación u omisión administrativa puede entenderse contrario al principio de no discriminación enunciado en el Art. 3.9 del Convenio de Aarhus (derecho de acceso a la justicia en materia medioambiental sin discriminación fundada en la nacionalidad, la ciudadanía o el domicilio y, en el caso de una persona jurídica, sin discriminación por el lugar en que tenga su sede oficial o un centro efectivo de actividades), consagrado también, como se ha expuesto más arriba, por el TJUE[25]; y también el requisito consistente en desarrollar activamente su actividad resulta contario al efecto útil del derecho comunitario, pues, al ser requisito inconcreto, puede llevar en la práctica a vedar el acceso a la Justicia por su dificultad probatoria y la discrecionalidad en su apreciación.

iii) En último lugar, ni el objeto ni la causa del Art. 22 de la Ley 27/2006 coinciden con los del Art. 9.2 del Convenio. En efecto, la lista de materias recogidas en el Art. 18 de la Ley 27/2006, a que se remite aquél, no coincide con el ámbito del Art. 6 del Convenio, a que hace referencia éste. Y, mientras el Art. 22 de la Ley española permite la acción que contempla contra los actos y omisiones que vulneren las normas de medio ambiente, el Art. 9.2 del Convenio permite su impugnación por motivos de fondo y de procedimiento.

d) Posición de la Jurisprudencia del Tribunal Supremo

No hay una posición unívoca del Tribunal Supremo en cuanto a las dos tesis planteadas sobre la interpretación que haya de darse a los arts 22 y 23

---

[25] Como señala la Comunicación de la Comisión 2017/C 275/01 tantas veces citada: "82. Las ONG de protección del medio ambiente de Estados miembros vecinos pueden desear participar en un proceso decisorio para una actividad concreta o participar de forma activa en ella. Esto resulta especialmente cierto cuando una actividad concreta puede tener impactos medioambientales transfronterizos. El artículo 3, apartado 9, del Convenio de Aarhus estipula que 'el público tendrá [ ] acceso a la justicia en materia medioambiental sin discriminación fundada en la nacionalidad, la ciudadanía o el domicilio y, en el caso de una persona jurídica, sin discriminación por el lugar en que tenga su sede oficial o un centro efectivo de actividades'. De este modo, cuando una ONG extranjera busque legitimación activa, no debe recibir un trato menos favorable que una ONG nacional en relación con las condiciones que debe cumplir para obtener la legitimación activa de lege".

de la Ley 27/2006 ni, en particular, sobre su carácter limitativo del acceso a los tribunales en defensa del medio ambiente como interés colectivo o difuso.

En efecto, de un lado, algunas Sentencias parecen inclinarse de forma clara por la tesis restrictiva; en otras, sin embargo, se advierte una clara brecha de apertura de la legitimación al aceptar expresamente la titularidad de intereses colectivos en paralelo a la que, por habilitación legal expresa, se reconoce en el Art. 22 de la Ley 27/2006.

Así, como exponente de la primera tesis puede citarse la STS 954/2016, de 29 de abril, recurso 359/2013, que niega la legitimación en defensa de los intereses colectivos de preservación del medio ambiente a una ONG con tal finalidad estatutaria por no haberse constituido con la antelación de dos años que exige el Art. 23. En este sentido, declara que:

> *"Acudimos, a tal efecto, a la Ley 27/2006, de 18 de julio, por la que se regulan los derechos de acceso a la información, de participación pública y de acceso a la justicia en materia de medio ambiente, cuyos artículos 22 y 23 establecen lo siguiente: ( )*
>
> *En atención a lo dispuesto en ambos preceptos, podrá parecer que la asociación recurrente se encuentra legitimada para sostener su acción en ejercicio de esa denominada acción popular. Sin embargo, partiendo de la base de que esta habilitación legal no opera de forma semejante a las acciones públicas, como atribución de legitimación a cualquier ciudadano sin necesidad de invocar títulos o intereses específicos, sino que limita esa legitimación a las entidades que cumplan las condiciones que ahí se detallan, ocurre que, tal como ha puesto de manifiesto el Abogado del Estado, la actora no cumple el requisito de haberse constituido legalmente al menos dos años antes del ejercicio de la acción*
>
> *(...)*
>
> *En fin, la asociación recurrente podría ostentar legitimación activa en asuntos de protección del medio ambiente, pero no observa el requisito temporal contemplado en el artículo 23.1.b) de la Ley 27/2006 y reiterado en el artículo 11.1.c) del Reglamento 1367/2006, que expresamente exigen el transcurso de dos años desde la constitución de la Asociación, siendo esta la legislación nacional a la que se remite el artículo 9 del Convenio de Aarhus".*

Así también la STS 16 mayo 2007, recurso de casación núm. 8001/2003, niega legitimación a un particular para impugnar una sanción por vertido ilegal.

Ahora bien, siguiendo la coherencia de tal interpretación, si sólo las ONGs que cumplen determinados requisitos están habilitadas para la defensa del interés colectivo de preservación del medio ambiente, y a los particulares se les niega legitimación para ello debiendo limitar su actuación a la defensa del interés individual, esto debería ser así cualquiera que fuera la extensión del colectivo supuestamente afectado. Sin embargo, se aprecia en la Jurisprudencia la apertura de la legitimación de particulares en defensa de intereses colectivos cuando el título de imputación se refiere a un colectivo con unos perfiles limitados, aunque no afecte específicamente (o de forma más intensa) a sus propios e individuales bienes o derechos[26]. Así, puede citarse la STS de 3 diciembre 2001 (Recurso de Casación núm. 5349/1997)[27] según la cual:

> *"asiste la razón al recurrente en su primer alegato, que fundamenta en la existencia de un interés legítimo en ver anulada la licencia de actividad que impugna. El motivo prospera porque es obligado partir en todo caso de una interpretación ampliada del interés directo que contempla el artículo 28.1 a) de la Ley Jurisdiccional, en relación con el derecho a la tutela judicial efectiva del artículo 24.1 de la Norma Fundamental. Esa interpretación nos lleva, en definitiva, al interés legítimo del artículo 19.1 a) de la LJCA de 13 de julio de 1998 (RCL 1998, 1741) como es criterio constante tanto en la jurisprudencia del Tribunal Constitucional como en la de este Tribunal Supremo.*
>
> *De los autos se desprende la legitimación por interés legítimo del demandante, que es vecino de Valladolid. La planta de residuos tiene un relieve evidente para dicha ciudad, como resulta del escrito de su Concejalía de Salud, Consumo y Medio Ambiente de 21 de enero de 1991 o del informe de la Confederación Hidrográfica del Duero, que también obra en los autos de instancia. No asiste sólo al recurrente el interés objetivo en que se cumpla la legalidad, sino la utilidad subjetiva de poder resultar beneficiado, en su condición de vecino, porque se controlen adecuadamente los vertidos de la planta depuradora al cauce del río Pisuerga, que se produce aguas arriba de Valladolid y a escasos kilómetros de la ciudad"[28].*

---

[26]   En este sentido Peñalver i Cabré, A, opina que: *"Siguiendo la STC 214/1991, de 11 de noviembre (amparo concedido a la Sra. V.F que demandó para la protección al derecho al honor —como derecho de la colectividad judía— por la vía civil por unas declaraciones de un exjefe nazi a los medios de comunicación, que negaba cualquier genocidio) también debería admitirse la legitimación de cualquier persona para la defensa de los intereses legítimos colectivos de toda la colectividad, como el medio ambiente. La única diferencia es cuantitativa, o sea, la extensión de los miembros de la colectividad, pero no su naturaleza jurídica, al referirse también a intereses colectivos. De esta manera la legitimación no quedaría limitada a las personas jurídicas sin ánimo de lucro y, en su caso, a los grupos sin personalidad jurídica. Pero la jurisprudencia no se ha pronunciado de forma expresa sobre su admisibilidad. Ello se ha interpretado, más bien, en sentido negativo, pues pone en evidencia la falta de criterios claros para delimitar la frontera entre la legitimación por interés legítimo y por interés a la legalidad (acción popular)"*. Opus cit. p. 27.

[27]   Llama la atención sobre esta Sentencia RAZQUIN LIZARRAGA, JA. Opus cit., p. 370.

[28]   Téngase en cuenta que no se trataba en esta Sentencia de la legitimación vecinal ex art. 19.3 LJCA y 68 LBRL, pues el recurrente no actuaba en sustitución sino contra el Ayuntamiento.

También en esa tendencia aperturista puede tener relevancia la línea jurisprudencial que destaca la fuerza expansiva de la legitimación que tiene el Art. 45 CE a que más arriba hemos hecho referencia (entre otras STS de 25 de junio de 2008 rec. casación 905/2007 y STS 1188/2017 de 7 julio, rec. casación 1783/2015) y la que advierte de la diferencia entre la llamada acción popular del Art. 22 Ley 27/2006 y la legitimación por razón de intereses colectivos, como la Sentencia de la Sala de lo Contencioso-Administrativo del TS 1432/2016 de 16 junio, rec. casación 2572/2014 que, después de negar legitimación a la recurrente por no reunir los requisitos del Art. 23 de la Ley 27/2006 (en concreto cumplía los requisitos subjetivos, pero no incidía en ninguno de los sectores medioambientales recogidos en la lista del Art. 18 de la Ley 27/2006), analiza si en el caso concreto están o no afectados los intereses legítimos colectivos que representa, por lo que reconoce que se trata de dos títulos legitimadores distintos, que pueden concurrir:

> *"Nuestra jurisprudencia (sentencia de 23 de abril de 2015, recurso de casación 6154/2002 y sentencia de 31 de mayo de 2006, recurso 38/2004) ha señalado al respecto, bien que orientado a la legitimación ante la jurisdicción contencioso administrativa —pero aplicable igualmente al ámbito que ahora nos ocupa del procedimiento administrativo— que la tutela jurisdiccional de los intereses legítimos colectivos, habilitante de la legitimación corporativa u asociativa a que alude el artículo 19.1.b) de la LJCA —y por lo que ahora interesa, el art. 31.2 de la LRJAPyPAC en el ámbito del procedimiento administrativo—, exige la existencia de un vínculo entre la Asociación o Corporación accionante y el objeto del proceso contencioso-administrativo —aquí del procedimiento administrativo—, de modo que del pronunciamiento estimatorio del recurso se obtenga un beneficio colectivo y específico, o comporte la cesación de perjuicios concretos y determinados, pero sin que ello implique que puedan asumir una posición jurídica de defensa abstracta del interés por la legalidad que sólo cabe reconocer en aquellos sectores donde el ordenamiento jurídico reconoce la acción pública. Pues bien, de la solicitud de caducidad de las concesiones deducida no se puede establecer que exista un beneficio específico para la Asociación que no ocupa respecto a las mismas ninguna posición como titular de derechos obligaciones o intereses legítimos, y no cabe confundir este beneficio específico con una especie de acción pública que se otorgara a sí misma la entidad en la redacción de sus estatutos. Por tanto no concurre la condición de interesado como titular de derechos o intereses legítimos".*

En el mismo sentido la Sentencia del Pleno de la Sala de lo Contencioso Administrativo del TS, de 31 de mayo de 2006, rec. 38/2004.

e) *Conclusión: necesidad de aclaración por vía legislativa*

Conforme a lo expuesto, la Ley 27/2006 no resulta clara ni alcanza el objetivo de la acción popular, ni en cuanto a los particulares ni en cuanto a las ONGs. Pues si bien hay que reconocer que la configuración de la acción en su Art. 22, como acción popular en materia de medio ambiente, obvia el debate sobre si quien pretende ampararse en él representa o no un interés legítimo colectivo que esté concretamente afectado por el acto u omisión recurrido[29], presenta también el gran inconveniente de que se concede sólo a favor de determinadas ONGs (las que cumplan una serie de requisitos que van más allá de la constitución para defensa de los intereses medioambientales), y sólo en relación con determinadas materias y motivos. Es cierto que estas limitaciones pueden salvarse acudiendo a una interpretación de los Arts 22 y 23 que no sea excluyente de la intervención de otras ONGs o de particulares en defensa del interés colectivo o difuso al medio ambiente adecuado y sano, ex Arts. 7 LOPJ, 4 LPAC y 19 LJCA, 24 y 45 CE. Pero también lo es que esta interpretación puede fácilmente verse obstaculizada por otra que entienda que los Arts. 22 y 23 son norma especial excluyente de otros títulos defensivos del medio ambiente, lo que en definitiva podría redundar, como se ha expuesto, en contravenir las garantías derivadas de los Arts 45 y 24 CE, del Convenio de Aarhus y de la Jurisprudencia del TJUE.

Los requerimientos sociales, y la normativa internacional y la constitucional, hacen más recomendable reconocer la acción popular para impugnar la actuación de los poderes públicos por vulneración del derecho medioambiental. En este sentido se ha pronunciado un importante sector doctrinal[30], el legislador estatal y autonómico para sectores concretos, y otros ordenamientos jurídicos[31].

---

[29] *"Precisamente, como hemos dicho, esta naturaleza objetiva de la habilitación legal justificaría que la expresión interés legítimo colectivo se reservara solo para el supuesto de legitimación por afectación, mientras la habilitación legal debería basarse en el de interés colectivo. Dicha dualidad legitimadora subjetiva (afectación a intereses legítimos colectivos) y objetiva (habilitación legal) ha sido admitida por la jurisprudencia [entre otras, STS de 20 de mayo de 2011 (RCA 3381/2009)].* Peñalver i Cabré, A opus cit., p. 36.

[30] RAZQUIN LIZARRAGA, JA y RUIZ DE APODACA, A Opus cit., p. 387, Así también PEÑALVER i CABRE, Opus cit., p. 382: *"para solucionar las dudas vistas sobre la existencia o no de derechos o intereses legítimos colectivos ambientales (en especial para personas físicas) y la necesidad de acreditarlos, se ha reclamado el reconocimiento de acción popular o públicas en materia ambiental ( ) si bien ha habido algunos intentos de justificar una acción popular sobre la base del art. 45.1 CE, los tribunales lo han negado alegando que la acción popular sólo se puede ejercer cuando esté prevista expresamente en una Ley, tal como establecen los arts. 125 CE y 19.1 LOPJ. Si bien la acción popular está prevista en muchas de las leyes estatales y autonómicas ambientales, es necesaria su generalización en materia ambiental. ( ) Además entendemos que la acción popular o pública en esta materia es una exigencia del recurso del público del artículo 9.3 del Convenio de Aarhus y de las Directivas comunitarias para adaptarse al mismo ( ) finalmente, indicar que no compartimos*

En todo caso, tal y como se ha expuesto, el ordenamiento interno no es claro en este ámbito, en el sentido de que es susceptible de interpretaciones diversas y contrarias, y ello resulta contrario al Art. 3.1 del Convenio de Aarhus en cuanto dispone que *"Cada Parte adoptará las medidas legales, reglamentarias o de otro tipo necesarias, en particular las medidas de ejecución apropiadas, con objeto de establecer y mantener un marco preciso, transparente y coherente a los efectos de aplicar las disposiciones del presente Convenio"* en relación al adecuado acceso a la Justicia en materia de medio ambiente.

Por todo lo anterior, resulta necesaria una nueva regulación, clara y precisa, que aborde la cuestión de la acción popular en el ámbito administrativo y contencioso administrativo y que responda a las exigencias del Derecho Internacional y Constitucional.

Y, en relación a las personas jurídicas, mientras no se produzca tal nueva regulación, debe también concluirse en que, dejando al margen el caso de

---

algunas críticas contra la generalización de la acción popular por sus posibles usos abusivos sino que ello únicamente puede justificar que se establezcan mecanismos para penalizar las frívolas o abusivas". En el mismo sentido SALAZAR ORTUÑO, E y SANCHIS MORENO, F. *El acceso al a Justicia ambiental a partir del Convenio de Aarhus*. Revista Aranzadi de Derecho Ambiental 12/2007. *El artículo 23 de la Ley 27/2006, que entendemos no tiene virtualidad para dejar sin efecto las acciones públicas reconocidas por leyes especiales o con un nivel más elevado de protección ambiental, supone un claro retroceso en el avance hacia una democratización del ámbito administrativo y judicial y una pérdida de oportunidad por asentar la acción popular en materia ambiental, que supone un desarrollo lógico de la previsión constitucional de participación del ciudadano en la Justicia, admitida en las leyes jurisdiccionales —artículo 19. 1. letra h) de la Ley 29/1998, de la Jurisdicción Contencioso-Administrativa— y una superación a problemas de legitimación en materia de intereses colectivos y difusos ambientales. Además podría constituir un incumplimiento de las obligaciones del Convenio de Aarhus que en sus disposiciones generales establece que el desarrollo del Convenio no obligará a dejar sin efecto derechos existentes y relativos al acceso a la justicia, y que se respetará el principio de igualdad sin discriminación para el acceso a la justicia, siquiera por su domicilio o sede territorial.*

[31] VALENCIA HERNÁNDEZ, JG *opus cit.* que cita la Leyes Colombianas 472/1997, art. 12, Ley 99/1993, arts. 69 a 76, argumenta así: *"El derecho de acceso a la justicia está dirigido a la defensa de los derechos e intereses colectivos, entre ellos el derecho a un medio ambiente adecuado. Por tener el derecho a un ambiente adecuado y los otros derechos colectivos relacionados con el medio ambiente, el carácter difuso, su defensa por medio de los diferentes instrumentos que hoy conforman la institución del derecho al acceso a la justicia ambiental, tienden a prescindir del requisito de la legitimación, o sea que la persona o grupos de personas que pretendan iniciar o presentar acciones de tipo administrativo o de tipo judicial para la defensa del medio ambiente, no necesitan demostrar interés alguno, ni llenar ningún requisito especial, que por el solo hecho de pertenecer al género humano puedan iniciar las acciones pertinentes".*

ostentar un interés legítimo individual afectado por la agresión al medio ambiente, en que está unánimemente admitida la legitimación de cualquier persona física o jurídica, la legitimación de una Corporación, Asociación o Fundación, para la defensa del medio ambiente como interés colectivo o difuso, puede sostenerse sobre la base de las siguientes normas y presupuestos:

A) Por haber participado o intentado participar en los procedimientos administrativos previos de autorización administrativa para actividades específicas, ex Art. 6 del Convenio de Aarhus, pues el Art. 6.7 reconoce que el derecho de participación en los procedimientos de autorización de actividades específicas, está abierto al público en general y el Art. 6.8 dispone que los resultados de tal participación habrán de ser tenidos debidamente en cuenta; de modo que, para no dejar esta obligación neutralizada, habrá de reconocerse acceso a la Justicia para fiscalizar su cumplimiento. Lo que supone que cualquiera que haya intervenido en el procedimiento de autorización, podrá recurrir si entiende que su sugerencia no ha sido tenida debidamente en cuenta. En la misma línea, para la elaboración, modificación y revisión de los planes, programas y disposiciones de carácter general relacionados con el medio ambiente, los Arts. 16.1 b y c/ y 20 de la Ley 27/2006, de 18 de julio. El TJUE en el asunto Kraaijeveld —C-72/95, Sentencia de 24 de octubre de 1006— declaró que una decisión, acto u omisión de una autoridad pública que lesione los derechos de participación dará lugar al derecho a solicitar una revisión judicial.

Así, se ha de recordar que, tal y como precisó el TJUE en el asunto Djurgården, C-263/08, Sentencia 15 de octubre de 2009, los Estados miembros no pueden limitar la legitimación activa para recurrir una decisión de una autoridad pública a aquellos miembros del público afectado que participaron en el anterior procedimiento administrativo para adoptar esa decisión; lo que ha de permitir por tanto acudir a otros títulos legitimadores, como en este caso los siguientes.

B) Por ostentar entre sus fines la defensa del medio ambiente, debiendo entenderse así cuando la correspondiente norma o acto de creación se refiera a la defensa de los derechos humanos, fundamentales o a otros términos análogos; título legitimador que deriva del Art. 4 de la Ley 39/2015, que reconoce a las asociaciones y organizaciones representativas de intereses económicos y sociales la titularidad de intereses legítimos colectivos, Arts. 19. 2 b) LJCA y 7.3 LOPJ que, para la defensa de los derechos e intereses legítimos colectivos, reconocen la legitimación de las corporaciones y asociaciones que resulten afectadas, del Art. 45 CE que otorga a toda persona el derecho a un medio ambiente adecuado y 24 CE que permite su tutela ante los Tribunales, y del Art. 9 del Convenio de Aarhus, que: (1) reconoce el derecho de acceso a la justicia de quien según el derecho interno sea titular de un derecho o interés legítimo que pueda resultar afectado por la vulneración de las normas del Convenio o nacionales de carácter medioambiental, (2) exige la actuación de los Estados con el objetivo de reconocer ampliamente el acceso a la justicia, (3) y otorga relevancia del medio ambiente como interés colectivo o difuso que se ha de defender por sí, aunque no resulte perjuicio adicional para un bien o persona concreta.

2. Las barreras al acceso a la justicia. En particular las barreras económicas

Son muchos los obstáculos que pueden neutralizar en la práctica, o convertir en ineficaz, la posibilidad legalmente declarada de ejercer acciones en defensa del medio ambiente. Estas se derivan, en particular, de la desigualdad de las partes, pues de un lado suele encontrarse una ONG o un particular y de otro lado la Administración y grandes empresas, lo que hace que aquéllos se vean fácilmente disuadidos de interponer un recurso que les exige afrontar cuantiosos e imprevisibles gastos, fundamentalmente de abogado y procurador, periciales y fianzas para adoptar medidas cautelares o interponer recursos.

Como señala la Comunicación de la Comisión (2017/C 275/01):

"El coste de los procedimientos de control jurisdiccional puede ser un importante elemento disuasorio (...) especialmente en los asuntos relacionados con el medio ambiente, cuyo objetivo suele ser la protección de intereses públicos generales sin que se prevea recibir beneficios económicos".

Para tratar de compensar estos obstáculos, y procurar la efectiva aplicación de la normativa medioambiental facilitando el acceso a la justicia, el Art. 9.4 del Convenio de Aarhus dispone que: *"los procedimientos a que se refieren los apartados 1, 2 y 3 supra deberán ofrecer recursos suficientes y efectivos, en particular una orden de reparación, si procede, y deberán ser objetivos, equitativos y rápidos sin que su costo sea prohibitivo"* y el Art. 9.5 establece que: *"cada Parte (...) contemplará el establecimiento de mecanismos de asistencia apropiados encaminados a eliminar o reducir los obstáculos financieros o de otro tipo que obstaculicen el acceso a la justicia"*. Ahora bien, como recuerda la tantas veces aludida

Comunicación de la Comisión *"Dicho artículo no prevé la obligación de crear un sistema de asistencia letrada y el Derecho derivado de la UE en materia de medio ambiente no incluye disposiciones a este respecto".*

Sobre la exigencia de que los procedimientos judiciales medioambientales no hayan de ser excesivamente onerosos se ha pronunciado el Tribunal de Justicia de la Unión Europea señalando que ello *"forma parte, en el ámbito del medio ambiente, del respeto de la tutela judicial efectiva, consagrada en el artículo 47 de la Carta de los Derechos Fundamentales de la Unión Europea, así como del principio de efectividad"* evitando algo que puede hacer *"imposible en la práctica o excesivamente difícil el ejercicio de los derechos conferidos por el ordenamiento jurídico de la Unión".*(Sentencia de 11 de abril de 2013, C-260/11, asunto Edwards y Pallikaropoulos); asimismo, ha afirmado que los órganos jurisdiccionales nacionales, en la medida de lo posible, deben interpretar el Derecho interno de manera que no se impida a los particulares interponer un recurso judicial o continuar con dicho recurso, debido a la carga económica que de ello podría resultar (Sentencia de 17 de octubre de 2018, petición de decisión prejudicial Volkmar Klohn, Asunto C-167/17) y que no puede exceptuarse porque un recurso haya sido interpuesto con temeridad o mala fe o no exista un vínculo entre la infracción del Derecho medioambiental nacional y un daño al medio ambiente (Sentencia del Tribunal de Justicia de 15 de marzo de 2018, petición de decisión prejudicial North East Pylon Pressure Campaign Limited, Maura Sheehy, Asunto C-470/16).

Y, en relación a España, el Comité de Cumplimiento del Convenio de Aarhus recibió dos comunicaciones, ACCC/C/2008/24 (Murcia) y ACCC/C/2009/36 (Almendralejo), por razón de insuficiencia de medidas para reducir cargas económicas en el acceso a la justicia medioambiental, sobre las que se emitió la Decisión IV/9(f) en la Cuarta Reunión de las Partes del Convenio de Aarhus, celebrada en Chisinau, Moldavia, en julio de 2011. Esta Decisión, si bien reconoció avances realizados por España en la materia, particularmente en lo relativo a acceso a la información y participación pública, también consideró necesario que España aumentara sus esfuerzos en el área de acceso a la justicia, para superar los obstáculos advertidos en la plena aplicación de los artículos 9.4 y 9.5 del Convenio.

Como consecuencia de esta Decisión, el Ministerio de Agricultura, Alimentación y Medio Ambiente realizó un informe llamado *Estudio sobre acceso a la Justicia en materia medioambiental en cumplimiento de la decisión iv/9(f) de la reunión de las partes del Convenio de Aarhus*, en el que se analiza, en lo que ahora interesa, la asistencia jurídica a las ONGs y las medidas cautelares en la materia. Pero posteriormente no se ha modificado el marco jurídico de aplicación y éste es efectivamente insuficiente para considerar que las cargas económicas de acceso a la justicia en materia medioambiental hayan sido suprimidas o reducidas de forma relevante, con lo que sigue siendo necesaria la adopción de modificaciones normativas a tal fin.

En definitiva, entre las barreras al efectivo acceso a la justicia deben señalarse los siguientes:

1. Los costes del proceso en materia medioambiental

Entre los costes del proceso se encuentran los derivados de la necesidad de abogado y procurador y los costes de la vía administrativa previa cuando es preceptiva.

a) La regulación de la asistencia jurídica gratuita

En el ordenamiento nacional, el Art. 119 CE establece que: "*La justicia será gratuita cuando así lo disponga la ley y, en todo caso, respecto de quienes acrediten insuficiencia de recursos para litigar*".

En este punto, y a fin de reducir el obstáculo que puede implicar el coste de la intervención obligatoria de abogado y procurador, o de otros técnicos, que puede ser muy elevado en los procesos medioambientales por ser de gran cuantía y complejidad, el Art. 23 de la Ley 27/2006 establece lo siguiente:

"*2. Las personas jurídicas sin ánimo de lucro a las que se refiere el apartado anterior* (es decir, como ya se ha dicho, que no tengan ánimo de lucro, cuyos fines estatutarios incluyan protección del medio ambiente, constituidas con una antelación mínima de dos años y que realicen un desarrollo de las actividades necesarias para alcanzar sus fines en el ámbito territorial que resulte afectado) *tendrán derecho a la asistencia jurídica gratuita en los términos previstos en la Ley 1/1996, de 10 de enero, de Asistencia Jurídica Gratuita*".

Teniendo en cuenta que el contenido de este derecho, según el Art. 6 la Ley 1/1996, de 10 de enero, de Asistencia Jurídica Gratuita (LAJG), incluye la asistencia por abogado, la representación por procurador, la asistencia pericial y la exención de depósitos, puede parecer que este precepto presta un apoyo integral a las ONGs especialmente legitimadas en materia medioambiental para evitar las barreras económicas que pueden encontrar en el acceso a la justicia. Pero ello no resulta claro porque el hecho de que el reconocimiento del derecho de asistencia jurídica gratuita haya tenido lugar por una Ley especial (Art. 23.2 Ley 27/2006) en lugar de mediante la modificación del Art. 2 de la LAJG, ha generado una duda interpretativa en cuanto al alcance de la remisión que se hace a esta Ley.

Un sector considera que la remisión a los términos de la LAJG debe entenderse realizada al contenido del derecho y que, por tanto, el cumplimiento de los requisitos subjetivos del Art 23.2 de la Ley 27/2006 genera automáticamente el derecho de asistencia jurídica gratuita, pues se trata de un reconocimiento ex lege de los contemplados en el Art. 119 CE al margen de la insuficiencia de recursos para litigar[32].

Frente a ello, otra corriente interpretativa entiende que la remisión se refiere también a las condiciones que para su obtención se exige a las entidades sin fines de lucro en el Art. 2.1 LAJG, lo cual llevaría a exigir a las ONGs referidas en el Art. 23.1 que acrediten insuficiencia de recursos para litigar y, en su caso, haber sido declaradas de utilidad pública.

Ciertamente, esta segunda interpretación deja vacío de contenido el Art. 23.2 de la Ley 27/2006, pues de nada sirve el reconocimiento especial que contiene, de asistencia jurídica a las ONGs a las que se refiere, si no es para exonerarles de los requisitos contemplados en la LAJG (insuficiencia de recursos y declaración de utilidad pública o inscripción de la fundación en el registro público correspondiente), siendo obvio que, así interpretado, los mismos efectos se obtendrían sin el Art. 23.2 (acudiendo directamente a la aplicación de la LAJG).

Sin embargo, es ésta la interpretación que está imperando en las Comisiones de Asistencia Jurídica Gratuita. Incluso, si bien que *obiter dicta*, se ha pronunciado en este mismo sentido el Tribunal Constitucional en la Sentencia 140/2016, de 21 de julio, Recurso de Inconstitucionalidad núm. 973/2013, según la cual: "*c) Otras normas de nuestro ordenamiento, determinan igualmente el otorgamiento del beneficio de justicia gratuita a ciertas personas jurídicas. Así, el art. 23.2 de la Ley 27/2006, de 18 de julio, por la que se regulan los derechos de acceso a la información, de participación pública y de acceso a la justicia en materia de medio ambiente, indica que las organizaciones de defensa del medio ambiente sin ánimo de lucro tendrán derecho al beneficio de justicia gratuita, "en los términos previstos en la Ley 1/1996", esto es, con la carga de acreditar la insuficiencia económica en los términos exigidos por dicha LAJG y que ya vimos*".

Y precisamente es tal interpretación la que dio lugar a la ya citada Comunicación ante el Comité de Cumplimiento del Convenio de Aarhus, ACCC/C/2009/36 (Almendralejo), aludida en la Decisión IV/9(f), por

---

[32]   Así, RAZQUIN LIZARRAGA, JA Opus cit., p. 408.

lo que también es cuestión a la que se refiere el informe del Ministerio ya citado. En él se hace referencia a algunas resoluciones judiciales que han acogido la interpretación del Art. 23.2 Ley 27/2006 como Ley especial, de reconocimiento automático el derecho de asistencia jurídica gratuita[33], pero pese a ello se reconoce que el objetivo de asistencia a estas entidades que pretendía el legislador de 2006 no está cumplido[34]. Por ello, en conclusión, el Ministerio declara que: "*se valora positivamente la posibilidad de revisar la normativa vigente en este sentido, o, en su caso, la puesta en marcha alguna actividad divulgativa al respecto, dirigida a las instituciones implicadas en la tramitación y resolución de los expedientes de solicitud de asistencia jurídica gratuita*".

Ahora bien, la tramitación de las proposiciones de Ley que se han presentado a tal fin ha caducado en el Congreso, aunque sí se haya modificado la Ley en otros extremos (por Ley 2/2017, de 21 de junio, de modificación de la Ley 1/1996, de 10 de enero, de asistencia jurídica gratuita).

Por ello, en el presente Informe se considera procedente impulsar la modificación del Art. 2 de la Ley de Asistencia Jurídica Gratuita, Ley 1/1996, de 10 de enero, para incorporar como beneficiarias del derecho de asistencia jurídica gratuita a las ONGs que cumplan los requisitos del Art. 23.1 Ley 27/2006 y para aclarar, de este modo, que son beneficiarias del derecho de asistencia jurídica gratuita ex lege, sin necesidad de cumplir los requisitos adicionales de ser declaradas de utilidad pública y tener insuficiencia de recursos para litigar.

b) Los costes de la vía administrativa previa

La vía administrativa previa no está contemplada en la Ley 27/2006, con lo que no está dotada de asistencia jurídica gratuita, pues según el Art. 1.1. LAJG "*Las disposiciones de esta ley serán de aplicación en (...) la vía administrativa previa cuando así se establezca en la legislación específica*".

---

[33]   Auto de 22 de abril y de 13 de mayo de 2013 de la Sala de lo Contencioso-Administrativo del Tribunal Superior de Justicia de Extremadura, Autos de 15, 23 y 24 de julio de 2013 de la Sección Primera de la Sala de lo Contencioso-Administrativo del Tribunal Superior de Justicia de Castilla y León y Auto 147/2013, de 15 de mayo del Juzgado de lo Contencioso-Administrativo 6 de Murcia,

[34]   Recuerda que el Consejo Económico Social informó al anteproyecto de Ley que "*en este ámbito el CES entiende que la Ley debería recoger la asistencia jurídica gratuita para las entidades contempladas en el artículo 23 del Anteproyecto, siempre que estas acreditaran la insuficiencia de recursos conforme a la Ley 1/1996, de 10 de enero, de Asistencia jurídica gratuita*" y en el proceso legislativo se suprimió este requisito, por lo que es obvio que no era querido.

Ello podría determinar una barrera en los casos en que sea preceptivo el recurso de alzada para agotar la vía administrativa previa. Pues, aunque no sea obligado, puede ser necesaria la asistencia de letrado por la complejidad de la materia y su coste puede suponer una barrera para recurrir en vía administrativa y llegar al proceso judicial.

Por ello, sería también conveniente que el legislador, en materia de defensa del medioambiente, extendiese la asistencia jurídica gratuita a los recursos administrativos previos cuando sean preceptivos.

2. La condena en costas

En el orden contencioso-administrativo nacional está vigente el criterio de vencimiento para la condena en costas en primera o única instancia y en vía de recurso (con la excepción del recurso de casación), de acuerdo con el Art 139 LJCA. De manera que la norma general es que la parte que vea rechazadas sus pretensiones será condenada en costas.

De este modo, por más que finalmente se estableciera la prestación de asistencia jurídica gratuita para las ONGs protectoras del medio ambiente sin más requisitos que los establecidos en el Art. 23.2 Ley 27/2006 y, por tanto, cualesquiera que sean sus recursos, quedaría pendiente una reflexión sobre la condena en costas.

En efecto, el hecho de que el litigante tenga reconocido el derecho de asistencia jurídica gratuita no impide que sea condenado al pago de las costas causadas por la parte contraria pues, como dispone el Art. 36.2 LAJG:

> *"2. Cuando en la resolución que ponga fin al proceso fuera condenado en costas quien hubiera obtenido el reconocimiento del derecho a la asistencia jurídica gratuita o quien lo tuviera legalmente reconocido, éste quedará obligado a pagar las causadas en su defensa y las de la parte contraria, si dentro de los tres años siguientes a la terminación del proceso viniere a mejor fortuna, quedando mientras tanto interrumpida la prescripción del artículo 1967 del Código Civil. Se presume que ha venido a mejor fortuna cuando sus ingresos y recursos económicos por todos los conceptos superen el doble del módulo previsto en el artículo 3, o si se hubieran alterado sustancialmente las circunstancias y condiciones tenidas en cuenta para reconocer el derecho conforme a la presente Ley".*

Asumiendo la interpretación del art. 23 de la Ley 27/2006 en el sentido de que la asistencia jurídica gratuita por disposición legal se concede a las ONGs que contempla sin tener en cuenta los recursos del beneficiario, se habría de discutir si (a) no procede condenar en costas al litigante que es beneficiario de justicia gratuita por disposición legal pues no pueden valorarse sus recursos en orden a abonar las costas causadas en su contra[35], o si (b) procediendo en el caso del beneficiario que carece de recursos para litigar la condena en costas —que ha de ser abonada cuando venga a mejor fortuna— también ha de proceder en el caso del beneficiario por disposición legal, pues la parte contraria no ha de verse en tal caso en peor situación, sin perjuicio —debe entenderse— de que para su cobro pueda ser valorada la suficiencia de sus recursos para litigar.

En el ámbito contencioso-administrativo se ha impuesto esta segunda tesis.

Así se ha pronunciado el Tribunal Supremo, entre otras, en la resolución de 13 mayo 2004 (Tasación de Costas núm. 9177/1997), según la cual:

> *"La primera impugnación de la tasación de costas plantea su carácter indebido. Pretende fundarse en el beneficio de justicia gratuita que, en el criterio de la impugnante Universidad Complutense de Madrid, ha de serle reconocido por aplicación de lo que disponen sus Estatutos y por la remisión que la Ley Orgánica de Universidades hace a los beneficios dispuestos para las entidades sin finalidad lucrativa.*
>
> *Además de lo anterior se invoca el artículo 36.2 de la de la Ley 1/1996, de 10 de enero, de Asistencia Jurídica Gratuita, y se dice que, de acuerdo con lo establecido en dicho precepto, el condenado que tuviera legalmente el beneficio de justicia gratuita solo tiene obligación de pagar las costas causadas en la defensa de la parte contraria si se alteran sustancialmente las circunstancias y condiciones tenidas en cuenta para el reconocimiento de ese beneficio.*
>
> *Esta primera impugnación no puede ser acogida. Es reiterado criterio de esta Sala (reflejado en la sentencia de 21 de marzo de 2002 que, a su vez, cita las anteriores de 13 de mayo de 1999 y 12 de febrero de 1998) rechazar las impugnaciones de costas por indebidas planteadas por quienes invocan para ello el reconocimiento 'ope legis' del beneficio de justicia gratuita establecido en su favor.*
>
> *La idea principal que preside esos pronunciamientos es que el contenido material de beneficio no es absoluto, sino que deja abierta la posibilidad de que las costas causadas a la parte contraria se hagan efectivas si el condenado a su pago viniere a mejor fortuna".*

---

[35] Tal es el criterio que, aunque respecto de las Entidades de la Seguridad Social, mantiene la Sentencia Sala de lo Social TS núm. 612/2018 de 12 junio: "*la Seguridad Social tal y como preceptúa el art. 42.1.c) LGSS (art. 38.1.cLGSS/1995), es titular del beneficio de asistencia jurídica gratuita de conformidad con lo dispuesto en el art. 2 b) de la Ley 1/1996, de 10 de enero, reguladora de la Asistencia Jurídica Gratuita, que se lo concede a "las Entidades Gestoras y Servicios Comunes de la Seguridad Social en todo caso".*
Por ello, el mero criterio del vencimiento en el recurso de suplicación no puede servir de base para la imposición de las costas a quien, como el SPEE, goza del mencionado beneficio, por lo que, al no entenderlo así, y condenarle a su abono pese a no haber apreciado temeridad o mala fe en su actuación procesal, la sentencia recurrida incurrió en la infracción que se le achaca".

Por su parte, es conforme al Convenio de Aarhus que quien litiga en defensa del medio ambiente pueda ser condenado en costas, pues expresamente señala en su Art. 3, apartado 8, que *"no deberá verse afectada en forma alguna la capacidad de los órganos jurisdiccionales nacionales para imponer gastos procesales de una cuantía razonable al término de un procedimiento judicial"*. Y según la Comunicación de la Comisión, *la jurisprudencia del TJUE también confirma que la disposición sobre los gastos procesales no impide que los órganos jurisdiccionales puedan dictar una condena en costas (Asunto C-427/07, Comisión/Irlanda, apartado 92)*.

Pero, para evitar que ello se convierta en una nueva barrera de acceso a la justicia, el TJUE ha declarado que el órgano jurisdiccional debe tasar las costas con moderación, teniendo en cuenta tanto criterios objetivos como subjetivos, y evitando su imprevisibilidad.

En cuanto a los criterios de moderación, el TJUE exige atender a la situación financiera del recurrente, a la importancia de lo que esté en juego para el demandante y para la protección del medio ambiente, a la complejidad que presente la legislación y al carácter temerario o no de la acción. Y, para garantizar la previsibilidad, aconseja implementar medidas que compensen el principio *quien pierde paga* ("medidas de protección en materia de costas") con un enfoque de reparto de los costes del proceso, limitando a priori su importe, bien de forma bidireccional, es decir que alcance tanto al recurrente como al Estado de manera que se establezca el máximo que el recurrente puede perder y el máximo que puede cobrar, o unidireccional, que implique un límite de pago para el recurrente pero no para su cobro del Estado, teniendo en cuenta que aquél litiga en protección de los intereses generales de carácter medioambiental y que por tanto en caso de que se estimen sus pretensiones debería verse compensado plenamente en los gastos incurridos.

En nuestro Ordenamiento Jurídico, sin embargo, no se prevén todos los criterios de moderación señalados, ni ninguna de esas medidas aconsejadas por el TJUE para asegurar la previsibilidad del importe de la condena en costas. Sólo se establece que el órgano jurisdiccional debe realizar un examen de los hechos y legislación en litigio para confirmar la condena en costas del vencido, pues puede acordar su exoneración cuando aprecie dudas de hecho o de derecho (ex citado Art. 139 LCA). Pero para decidir sobre su importe ni se realiza el examen referido, ni ningún examen de las circunstancias financieras del recurrente, ni ninguna ponderación de los intereses, individuales o generales, por razón de los cuales litiga.

Por ello, el importe de la condena en costas en nuestro Ordenamiento Jurídico adolece de grave imprevisibilidad. Puede oscilar del tanto hasta incluso cien veces más, en función de la tramitación, cuantía y dificultad del pleito, según la apreciación discrecional del órgano jurisdiccional que se conocerá al final del pleito, después de presentarse, tras la Sentencia, las correspondientes minutas y justificación de costes por la beneficiada por la condena en costas. Además, en el caso de los procesos medioambientales, la cantidad objeto de tasación puede ser elevadísima, pues en muchas ocasiones se trata de pleitos de gran cuantía.

Para compensar estas circunstancias no está prevista en el Derecho español la posibilidad de fijar a priori el importe máximo de las costas que se pueden imponer. Únicamente se puede acudir a su limitación a posteriori, en sentencia, pues de acuerdo con el Art. 139.4 LJCA *"la imposición de las costas podrá ser a la totalidad, a una parte de éstas o hasta una cifra máxima"*.

Así, el recurrente no puede conocer a priori, con seguridad, ni si se van a limitar las costas, ni por qué importe se hará. El sistema, por tanto, no suprime la imprevisibilidad de la condena en costas. Es cierto que, en la práctica, cuando la fijación en Sentencia de una cantidad máxima se aplica de forma sistemática, y por una cantidad análoga, como hace el Tribunal Supremo, la imprevisibilidad se reduce de forma drástica. Pero, por el contrario, cuando el órgano jurisdiccional no aplica la posibilidad de limitar las costas de forma sistemática, el riesgo de condena en costas es un elemento disuasorio de los procesos medioambientales, en cuanto es imprevisible si su coste puede llegar a ser prohibitivo.

En definitiva, el Comité de Cumplimiento del Convenio, en la recomendación efectuada en relación con la Comunicación ACCC/C/2008/24 de la Asociación para la Justicia Ambiental (Asociación para la Justicia Ambiental (AJA), declaró que:

> *"The Committee understands that Spanish legislation provides that if a citizen loses a case against a public authority at a procedure before a court of first instance, the citizen does not have to pay the costs of public authority's lawyers, except if the citizen proceeded in bad faith or recklessness. However, if a citizen loses in the court of first instance against a public authority, appeals the decision and loses again, the citizen will normally have to bear the related costs.*
>
> *The provision of the Spanish legislation regarding courts of first instance is in compliance with the standards set by article 9, paragraph 4. Nevertheless, the provision of the Spanish legislation reversing this policy at appeal raises the question whether remedies at appeal can be considered fair, equitable and not prohibitively expensive or has the effect of discouraging citizens from seeking correction of the decisions of courts of first instance. Although the information and evidence provided to the Committee is not sufficient to make a conclusion on non-compliance in this case, the Com-*

> *mittee wishes to stress that if Spanish law effectively bars a court from considering issues corresponding to the requirements of article 9, paragraph 4, in appeal cases this constitutes non-compliance with the Convention".*

Sería aconsejable, por tanto, suprimir la condena en costas de quien litiga en defensa del medioambiente, salvo casos de temeridad, y, para tal supuesto, establecer imperativamente la limitación de las costas a una cantidad adecuada teniendo en cuenta los criterios de moderación subjetivos y objetivos a que acude el TJUE.

3. La exigencia de garantías para adopción de medidas cautelares

La posibilidad para el recurrente de solicitar, y para el órgano jurisdiccional de acordar, una medida cautelar que pueda suspender la ejecutividad del acto que se impugna, o que pueda constituir otra situación diferente que impida la creación de daños irreversibles durante la tramitación del proceso, es una garantía esencial para la efectividad de la Sentencia, por lo que es parte del contenido esencial del derecho a la tutela judicial efectiva [36] que el TJUE la ha declarado imprescindible (Asunto C-416/10, Križan, apartado 10).

Cuáles sean los requisitos que puedan exigirse para la adopción de medidas cautelares, incluida la posibilidad de aplicación de una garantía financiera, ha de ser determinado por el derecho interno, en aplicación del principio de autonomía procesal de los Estados Miembros, como ha señalado el TJUE[37]. Pero ello teniendo en cuenta que *"corresponde al juez que resuelve al respecto cerciorarse de que el riesgo económico que de ello resulta para el demandante también está incluido en los distintos costes generados por el proceso, cuando dicho juez aprecia que el procedimiento no tiene un coste excesivamente oneroso"* (Asunto C-530/11, Comisión/Reino Unido, apartado 68).

En nuestro Ordenamiento Jurídico no se han establecido normas especiales para la adopción de medidas cautelares en materia medioambiental, si bien que, como destaca RAZQUIN[38], algunas resoluciones judiciales

---

[36] STC 78/1996, de 20 de mayo, entre otras.

[37] Si bien el TJUE ha fijado criterios para decidir sobre la adopción de medidas cautelares en los casos de su competencia en materia ambiental, que se refieren a la necesidad de facilitar una justificación a primera vista (*fumus boni iuris*), al carácter urgente del asunto y al equilibrio de intereses (Asunto C-416/10, Križan, apartado 109).

[38] RAZQUIN LIZARRAGA, JA *Las medidas cautelares en el proceso Contencioso-Administrativo respecto del medio ambiente en la reciente jurisprudencia del Tribunal Supremo*. Revista Aranzadi Doctrinal nº 3/2010.

atienden a los principios de la Ley 27/2006 para resolver sobre ellas en el caso concreto.

Ello supone, en el ámbito contencioso administrativo, la necesidad de atender a los Arts. 129, 130 y 133 LJCA y, por tanto, teniendo en cuenta la jurisprudencia dictada en relación con ellos, la aplicación de los siguientes criterios: (1) la existencia de *Periculum in mora,* que pertenece a la esencia misma de la medida cautelar, de modo que concurra un riesgo para los intereses que defiende el recurrente por el transcurso del tiempo durante el cual se tramite el recurso, de manera que, de no adoptarse aquélla, puedan sufrir un daño de difícil reparación, neutralizando la efectividad de la sentencia (Arts. 129 y 130 LJCA); (2) la valoración circunstanciada de los intereses en conflicto, de modo que, aun concurriendo el riesgo para los intereses que defiende el recurrente, se denegará la medida cautelar si sobre tales intereses prevalecen otros generales o de tercero que puedan resultar dañados (señala el Art. 130.2 que se denegará la medida cautelar si pudiera seguirse perturbación grave de estos intereses); (3) la apreciación del *Fumus boni iruis,* criterio de creación jurisprudencial que implica la posibilidad de valorar, en orden a adoptar la medida cautelar, la apariencia de conformidad a Derecho que revista la pretensión del recurrente, si bien que su aplicación se limita a los supuestos de nulidad de pleno derecho previamente declarada, sin que con la medida cautelar se anticipe la decisión sobre el fondo del asunto[39]; (4) la posibilidad (no necesidad) de condicionar la medida cautelar a la presentación de caución o garantía suficiente para responder de los daños que puedan derivar de ella para los intereses públicos o de tercero (art. 133 LJCA).

Se ha de considerar que la adopción de medidas cautelares en materia medioambiental choca en muchas ocasiones con la producción de daños

---

[39]   Así se ha pronunciado uniformemente la Jurisprudencia, entre otras por STS de 14 enero 1997, rec. casación núm. 718/1993: *"la doctrina de la apariencia de buen derecho, tan difundida, cuan necesitada de prudente aplicación, debe ser tenida en cuenta al solicitarse la nulidad de un acto dictado en cumplimiento o ejecución de una norma o disposición general, declarada previamente nula de pleno derecho o bien cuando se impugna un acto idéntico a otro que ya fue anulado jurisdiccionalmente, pero no (cual ocurre en el supuesto que decidimos) al predicarse la nulidad de un acto, en virtud de causas que han de ser, por primera vez, objeto de valoración y decisión en el proceso principal, pues de lo contrario se prejuzgaría la cuestión de fondo, de manera que por amparar el derecho a una efectiva tutela judicial, se vulneraría otro derecho, también fundamental y recogido en el propio artículo 24 de la Constitución, cual es el derecho al proceso con las garantías debidas de contradicción y prueba, porque el incidente de suspensión no es trámite idóneo para decidir la cuestión objeto del pleito".*

graves, de muy cuantioso valor, a intereses generales o de tercero (en particular cuando se trata de suspender una autorización o contratación para la
realización de una obra de gran envergadura), y que quien ejerce la acción
normalmente no está en condiciones financieras que le permitan garantizar la reparación de tales daños. En tales casos, por tanto, la exigencia de
la correspondiente garantía puede convertir el proceso en excesivamente
oneroso y conllevar en definitiva la imposibilidad de obtener la medida
cautelar y, consecuentemente, la inefectividad de la Sentencia por razones
económicas, contrariamente a lo pretendido por el Convenio de Aarhus.

Para paliar tal situación, en ocasiones, a pesar de los daños que pudieran derivar de la adopción de la medida cautelar, los Tribunales de Justicia
evitan la exigencia de fianza, pues así lo permite, como se ha señalado, el
Art. 133 LJCA. En este sentido puede citarse el Auto de la Sala de lo Contencioso-Administrativo de Valladolid, del Tribunal Superior de Justicia de
Castilla y León, 60/2009, de 19 de febrero de 2009:

> *"No es necesario en este caso la fijación de caución para la efectividad de la suspen-
> sión acordada, dadas las circunstancias concurrentes. En este sentido ha de desta-
> carse la apariencia de buen derecho de la parte actora que ha sido apreciada y que
> se trata de una materia, la ambiental, en la que existen unos intereses colectivos que
> el Legislador protege especialmente, como resulta de la acción 'popular' en asuntos
> medioambientales que se contempla en el art. 22 de la Ley estatal 27/2006, de 18
> de julio, y del carácter público de la acción prevista en el art. 88 de la citada Ley
> 11/2003, de Prevención Ambiental de Castilla y León. Ha de indicarse, asimismo,
> que esa caución no es obligada en todos los casos, como se deduce del art. 133.1
> de la Ley Jurisdiccional 29/1998. Incluso al amparo de la Ley Jurisdiccional anterior
> de 1956 el Tribunal Supremo (Auto de 16 de mayo de 1995) había señalado que al
> existir a favor del recurrente una clara apariencia de buen derecho era innecesaria la
> exigencia de caución a los solicitantes de la medida cautelar".*

En todo caso, no habiendo una regulación legal especial, puede suce-
der que el órgano jurisdiccional condicione la efectividad de la medida
cautelar a la constitución de una garantía que, si es muy elevada, normalmente será condición imposible. Ello puede hacer que la imprevisibilidad,
o la cuantía, de este coste y, con él, de la efectividad de la Sentencia, puede
disuadir de la interposición del recurso.

Para evitar este efecto, se requeriría una modificación legislativa que
exceptuase la exigencia de fianza cuando la ponderación circunstanciada
de los intereses en conflicto se decida a favor del interés medioambiental. Pues, efectivamente, si el objeto del recurso es la defensa del interés
medioambiental de carácter público y prevalente, carece de sentido condicionar su protección a la suficiencia financiera de quien lo defiende en
el litigio.

El carácter público del interés medioambiental que el recurso tiende a proteger ha sido reconocido uniformemente por la Jurisprudencia, si bien que para resolver la ponderación de intereses más que para exceptuar la exigencia de fianza. Así, la STS de 9 de julio de 2012 (rec. casación 1213/2010), de 23 de julio de 2009 (rec. Casación 5910/2007), de 29 de enero de 2010 (rec casación n° 5877/2008) o de 21 de octubre de 2010 (rec casación n° 3110/2009).

De manera que, siendo público el interés defendido en el proceso, bien podría adoptarse una norma de exención como la del Art. 12 Ley 52/1997, de 27 de noviembre, de Asistencia Jurídica al Estado e Instituciones Públicas, aunque ciertamente ésta tenga en cuenta la solvencia de estas Instituciones[40].

En todo caso, debe recordarse que el Art. 20.3 LOPJ establece que "*No podrán exigirse fianzas que por su inadecuación impidan el ejercicio de la acción popular, que será siempre gratuita*". De modo que la exigencia de fianza a las ONGs que ejerzan la legalmente llamada acción popular del Art. 22 y 23 de la Ley 27/2006, deben verse beneficiadas, en caso de que les sea exigida una fianza, por este precepto.

V. CONCLUSIONES

Conforme a todo lo expuesto, podría concluirse señalando que:

1) En aplicación de las reglas generales, resulta claro que toda persona tiene legitimación activa para iniciar un proceso judicial en defensa

---

[40] En este sentido es explícita la Sentencia de la Sala de lo Contencioso-Administrativo del Tribunal Superior de Justicia de Madrid núm. 258/2016 de 15 marzo, Recurso de Apelación núm. 687/2015: "*Entrando ya a resolver, estima el precedente citado, aplicado por la Sentencia de instancia, que dicha regulación específica de la suspensión en vía económico administrativa resulta de necesaria y directa aplicación, sin excepción ni interferencia por la aplicación del art 12 Ley 52/97, regulación esta última, de la ley 52/97, que resulta exclusivamente de aplicación a los procedimientos judiciales. No compartimos el criterio de la Sentencia invocada, que ciertamente se acoge a un sentido literal de la norma que sin embargo debe ser rechazado cuando como es el caso avoca a un resultado contrario a su sentido y finalidad y a la propia naturaleza de las cosas. En efecto, el art. 12 ley 52/97 no hace sino plasmar de forma expresa e imperativa, dejando fuera de toda duda, algo que no es propiamente una excepción al régimen ordinario, sino una consecuencia lógica y normal de la propia naturaleza del apelante, cuya solvencia no requiere garantía ni aval de tercero. Con ánimo de ser claros, la sola idea de que entre Administraciones Publicas, la Administración acreedora cuestione la solvencia de la Administración deudora, forzando a esta acudir a una entidad bancaria, cuya solvencia por el contrario presumiría, no resulta razonable*".

del medio ambiente frente a acciones u omisiones que, dañando el medio ambiente, afecten a derechos o intereses legítimos de los que sea titular.

2) Sin embargo, el ordenamiento jurídico español no resulta claro en relación con la legitimación activa para la defensa de intereses difusos o colectivos frente a los llamados daños ambientales autónomos o daños públicos medioambientales.

3) En materia medioambiental resulta fundamental la jurisdicción contenciosa administrativa, por cuanto la Administración tiene encomendada las principales funciones de gestión del medio ambiente, como bien jurídico público.

Ello hace fundamental la garantía del acceso a la justicia en este orden jurisdiccional y, en relación con ello, resulta fundamental la regulación contenida en la Ley 27/2006, de 18 de julio, por la que se regulan los derechos de acceso a la información, de participación pública y de acceso a la justicia en materia de medioambiente, que incorpora las directivas 2003/4/CE y 2003/35/CE.

4) La Ley 27/2006, de 18 de julio, que ha de interpretarse conforme al Convenio de Aarhus de 25 de junio de 1988, a la normativa comunitaria europea y a la Constitución, supone una ampliación respecto de las reglas generales de legitimación activa y acción popular en materia de defensa del medioambiente.

No obstante, las dudas interpretativas que aún se plantean hacen recomendable que, para establecer el marco normativo preciso y transparente que exige el Convenio de Aarhus, el legislador español aclare la extensión de la legitimación activa y acción popular en defensa del medioambiente en los casos en que quien actúa no sea titular de un derecho subjetivo o interés legítimo afectado.

5) El Convenio de Aarhus exige también adoptar las medidas adecuadas para impedir que, en la práctica, razones económicas, o de otro orden, vacíen de contenido el derecho de acceso a la justicia de los particulares, y de las ONGs, para la defensa del medioambiente.

En este sentido, tanto el Comité de Cumplimiento del Convenio de Aarhus, como el Tribunal de Justicia de la Unión Europea, han destacado la necesidad de implementar medidas relativas a la condena en costas, asistencia financiera o justicia gratuita, que eliminen barreras de hecho frente al acceso a la justicia.

Anteproyecto de ley de impulso de la mediación
(Informe 2/2019)

Sumario: I. INTRODUCCIÓN. II. ANTECEDENTES. 1. El impulso de los métodos alternativos de resolución de conflictos. 2. Antecedentes remotos de la mediación. III. LA DIRECTIVA 2008/52/CE, DE 21 DE MAYO DE 2008 Y SU INCORPORACIÓN AL DERECHO ESPAÑOL. IV. EL ANTEPROYECTO DE LEY DE IMPULSO DE LA MEDIACIÓN (APLIM). ASPECTOS PRINCIPALES DE LA PROPUESTA. 1. La cuestión de la "obligatoriedad mitigada" de la mediación. 1.1. Supuestos de aplicación de la obligatoriedad mitigada. 1.2. La obligatoriedad de la mediación y el derecho a la tutela judicial efectiva. 1.3. La obligación de acudir a la mediación con anterioridad a la interposición de acciones judiciales y las medidas cautelares. 2. Otras medidas de fomento de la mediación en el APLIM. 3. El recurso a la mediación antes y durante el procedimiento judicial. 4. Los mediadores. Formación de los mediadores. 5. El papel de los abogados en la mediación. 6. La mediación como prestación incluida en el derecho a la asistencia jurídica gratuita. 7. Entrada en vigor. V. CONCLUSIONES.

> *"El deber del legislador es el de simplificar el procedimiento y no el de buscar medios para complicarlo".*
>
> (Palabras atribuidas a Jeremy Bentham, segunda mitad del siglo XVIII)

I. INTRODUCCIÓN

El presente informe tiene por objeto analizar y valorar las propuestas de reforma legislativa contenidas en el Anteproyecto de Ley de Impulso de la Mediación (en adelante, **"APLIM"**), cuya finalidad es dar un salto cuantitativo y cualitativo en la implantación en España de la institución de la mediación, introducida de manera general en nuestro país a través de la vigente Ley 5/2012, de 6 de julio, de mediación en asuntos civiles y mercantiles (en lo sucesivo, la *"Ley de Mediación"*).

El mencionado APLIM trae causa de las recomendaciones y conclusiones evacuadas desde la Unión Europea (*"UE"*), por la Comisión y el Parlamento Europeos, sobre la aplicación en los diversos Estados miembros de la Directiva 2008/52/CE del Parlamento Europeo y del Consejo, de 21 de mayo de 2008, sobre ciertos aspectos de la mediación en asuntos civiles y mercantiles (en lo sucesivo, la *"Directiva 2008/52"* o la *"Directiva de Mediación"*), incorporada al Derecho Español a través de la mencionada Ley de Mediación.

Las anteriores iniciativas provenientes de las Instituciones europeas tienen lugar al constatarse que, desde la promulgación de la Directiva de Mediación y de su transposición a nuestro país mediante la Ley de Mediación, no se ha conseguido desarrollar toda la potencialidad augurada durante su gestación, lo que queda evidenciado en una falta de "cultura" de la mediación en los Estados miembros que es necesario afrontar y, en cierto modo, combatir.

Concretamente en nuestro país, la mediación se encuentra obstaculizada por una cultura ajena a esta particular forma de resolución de conflictos intersubjetivos, de forma que, once años después de la aprobación de la Directiva y seis después de la promulgación de la Ley de Mediación, continúa siendo una institución desconocida por el gran público que no ha conseguido implantarse, ni demostrar su operatividad.

El impulso que se pretende dar ahora se centra, fundamentalmente, en la adopción de una serie de medidas de índole marcadamente procesal, aunque sin olvidar la necesaria labor de concienciación y formación de todos los actores involucrados.

La propuesta de reforma legislativa, como más adelante se expondrá, descansa sobre tres vías de actuación:

(i)   Modificación de la Ley 1/1996, de 10 de enero, de asistencia jurídica gratuita, para introducir la mediación como prestación incluida en el derecho a la asistencia jurídica gratuita.

(ii)   Modificación de la Ley 1/2000, de 7 de enero, de Enjuiciamiento Civil ("LEC"), para adaptar determinados aspectos del procedimiento judicial civil a las novedades introducidas en el APLIM.

(iii) Modificación de la propia Ley 5/2012, de 6 de julio, de mediación en asuntos civiles y mercantiles, cuya principal novedad es la inclusión del principio de "obligatoriedad mitigada" en lugar del de voluntariedad.

La novedad más destacada del APLIM, y también la más polémica en lo referente a los principios que rigen la mediación, es la sustitución del actual carácter de voluntariedad que tiene el sometimiento de un conflicto a la mediación, por otro sistema que se denomina eufemísticamente como de "obligatoriedad mitigada". Este carácter obligatorio con que se impone ahora la mediación es la directa consecuencia de que la misma no haya logrado demostrar su eficacia y total operatividad y no haya logrado tampoco invertir la "falta de cultura" de la mediación en España.

Ahora bien, como pone de relieve el Voto Particular formulado por algunos vocales del Consejo General del Poder Judicial al informe de dicho Órgano Constitucional al APLIM, "*están condenadas al fracaso las iniciativas legislativas que se imponen desde reglas imperativas, cuando no existe la convicción social de su utilidad*", pues supone una restricción a la libertad individual, de modo que "*los mecanismos de fomento de la mediación han de fundarse en la persuasión y no en la imposición*".

En esta misma línea, se pronunció también el Consejo General de la Abogacía Española (en adelante **CGAE**), en su informe al APLIM, en el que defiende el carácter esencialmente voluntario que tiene (y ha de tener) la mediación. Dice el CGAE que nunca debe imponerse al ciudadano, en su derecho de acceso a los Tribunales, un requisito que no hará sino constituirse en una rémora superflua, en un retraso innecesario al acceso a los Tribunales.

Pero, más allá de la discusión sobre el carácter voluntario u obligatorio de la mediación, sobre el que volveremos más adelante, es lo cierto que sí puede constatarse en nuestro país esa "falta de cultura de la mediación", que dificulta enormemente su implantación, acaso porque existe una muy asentada convicción ciudadana de que la vía jurisdiccional civil es el medio más eficaz y seguro de resolver los litigios intersubjetivos.

Para tratar de comprender esta falta de cultura de la mediación en nuestro país, quizás sea preciso encuadrarla en lo que se ha venido en llamar *Alternative Dispute Resolution* (ADR, en lo sucesivo), es decir, en la existencia y proliferación de medios, alternativos al judicial, de resolución de conflictos.

II. ANTECEDENTES

1. El impulso de los métodos alternativos de resolución de conflictos

Como ha señalado la doctrina científica más autorizada (Alfonso MASUCCI), desde una perspectiva europea o, incluso, más amplia, es evidente que nos encontramos en un momento histórico que se caracteriza por la existencia de una auténtica "avalancha de procesos judiciales", en todos los órdenes jurisdiccionales.

Este incremento, que algunos han calificado de "patológico", de la labor jurisdiccional está poniendo en peligro el derecho fundamental a un proceso público sin dilaciones indebidas.

Las causas de este desorbitado incremento hay que buscarlas en la enorme profusión regulatoria que se percibe en toda Europa, también en España. Normas provenientes de la Unión Europea, de las Cortes Generales, de los Parlamentos Autonómicos, Ordenanzas Municipales, Disposiciones generales y reglamentos emanados de las Administraciones Públicas, estatal y autonómicas, sentencias dictadas por el Tribunal Constitucional que, a su vez, anulan Leyes o las declaran inconstitucionales o pronunciamientos judiciales emanados del Tribunal Supremo, de los Tribunales Superiores de Justicia y de la Audiencia Nacional que declaran la nulidad de disposiciones reglamentarias o anulan actos administrativos generan, de hecho, una enorme conflictividad que se plasma en un incremento constante de pretensiones jurídicas que terminan dilucidándose ante los Tribunales de Justicia, provocando muchas veces su colapso, ante la ya endémica falta de recursos, materiales y personales, que padecen.

En la búsqueda de unos plazos razonables para la resolución de los litigios y también para descargar a los Tribunales de Justicia de la enorme carga de trabajo que pesa sobre ellos, la doctrina científica más autorizada ha ido proponiendo otros mecanismos de resolución de conflictos que se agrupan bajo el acrónimo ADR y que, fundamentalmente, surgen de la experiencia jurídica en los Estados Unidos y han encontrado gran eco en la Unión Europea y en el Consejo de Europa.

En la base de estos "remedios alternativos" se encuentra una "filosofía" conforme a la cual los conflictos jurídicos pueden ser resueltos a través de una perspectiva consensual, mediante un acuerdo alcanzado por las partes después de un proceso de acercamiento entre ellas, conducido o facilitado por un tercero, llamado mediador. Su objetivo final es superar la lógica procesalista, que no ve otros medios fiables de resolución de los litigios fuera de las garantías del proceso judicial. Se trata de una "filosofía" que repudia la concepción tradicional del proceso, que se basa en una decisión impuesta por alguien completamente ajeno a las partes, con una parte victoriosa y otra derrotada.

Esta "nueva filosofía", en suma, descansa en la idea de contraponer a la lógica procesalista, la lógica fundamental del diálogo, sobre todo en unos tiempos como los actuales, en los que el acceso al conocimiento es mucho más fácil para el ciudadano medio de lo que pudiera serlo en la segunda mitad del Siglo XIX.

Por otra parte, desde un punto de vista estrictamente económico, resulta procedente aludir también a un informe del Parlamento europeo, denominado "Cuantificación de los costes de no utilizar los ADR", publicado en 2011, que tuvo por finalidad explorar y cuantificar en los sistemas judiciales de los Estados Miembros, el impacto de la mediación en términos de coste económico y tiempo, así como compararlo con el coste del sistema judicial tradicional.

Después de analizar los diferentes datos disponibles, el citado informe concluye que, a mayor tasa de éxito en alcanzar acuerdos en los procesos de mediación, menor coste económico y de tiempo para solucionar definitivamente el conflicto, tanto para las partes, como para la sociedad, en general. Ahora bien, para que realmente se produzca ese menor coste económico y de tiempo, es preciso que, en términos globales y calculando la media de los distintos Estados Miembros de la Unión Europea, para que exista verdaderamente un ahorro de tiempo, es preciso que la tasa de éxito de la mediación se sitúe en un entorno del 19% y en un 24% para se produzca un ahorro económico.

2. *Antecedentes remotos de la mediación*

La solución de conflictos intersubjetivos por vía no judicial aparece ya en los albores de la codificación y a ella responden los antiguos contratos de transacción y compromiso (actual arbitraje), que ya aparecen regulados en el Código Napoleónico de 1804.

La transacción se configuró como un contrato por el cual, mediante recíprocas concesiones, se elimina el pleito o la incertidumbre de las partes sobre una determinada relación jurídica, mientras que en el antiguo contrato de compromiso, se encargaba a una o varias personas, ajenas a las partes enfrentadas, la resolución de su desacuerdo. De Diego y Castán definieron el contrato de compromiso como *"un contrato por el que varias personas que tienen diferencias o cuestiones acerca de sus respectivos derechos se obligan a estar y pasar por la decisión que de sus contiendas dicte un tercero".*

El contrato de compromiso ha evolucionado en lo que hoy es el arbitraje, regulado en la Ley 60/2003, de 23 de diciembre, de Arbitraje, mientras que la transacción se caracteriza porque, con ayuda o sin ella, son las propias partes las que, *"dando, prometiendo o reteniendo cada una alguna cosa, evitan la provocación de un pleito o ponen término al que había comenzado".*

En la mediación, por el contrario, la figura del tercero (mediador) es fundamental porque la negociación entre las partes se produce en presencia y bajo la "regia" imparcialidad del mediador el cual, más allá de propiciar la conclusión del acuerdo, garantiza, durante las negociaciones, el respeto a la objetividad, equidad o justicia (*fairness*) durante todo el procedimiento.

Por otra parte y frente al sistema judicial, la mediación y los restantes ADR presentan como ventajas características una mayor flexibilidad, que se traduce en su configuración como procedimientos desestructurados, no lastrados por formalismos, ni rigideces procedimentales, lo que permite ganar tiempo y obviar los largos plazos procesales y la lentitud, a veces exasperante, de los Tribunales de Justicia. Otra ventaja, no menor, hay que situarla en el hecho de que la solución del conflicto ya no va a descansar en un esquema basado estrictamente en la norma a aplicar, abstracta y lejana, sino en las propias "prioridades" de las partes, lo que facilita la percepción de los intereses concretos en juego, que están detrás de las posiciones jurídicas de las partes. Y todo ello, por supuesto, a un menor coste.

El término mediación designa, en suma, un procedimiento a través del cual dos partes en conflicto tratan, en presencia y bajo la guía imparcial de un tercero (el mediador), de llegar a un acuerdo resolutivo del litigio. Tiene en común con el arbitraje, la presencia de un tercero en la resolución del conflicto, pero se diferencia de él en el hecho de que la solución no viene impuesta por el tercero o árbitro, sino alcanzada por las propias partes, "ayudadas" o "guiadas" por el mediador.

De forma parecida a la transacción, la mediación supone una fórmula de resolución de conflictos mediante un acuerdo entre las propias partes, pero a diferencia del contrato transaccional, en la mediación es clave la figura del mediador, de un tercero, ajeno completamente a las partes e imparcial que, garantiza el respeto al principio de "paridad de armas", por una parte, y se muestra totalmente proactivo en la búsqueda de una solución satisfactoria para todos, por otra. En esencia, la búsqueda y hallazgo de una solución compartida constituye la especificidad principal de la mediación, de forma que la conclusión feliz del procedimiento depende de la habilidad del mediador a la hora de conducir o guiar la negociación entre las partes. Ahora bien, a nuestro juicio, esa "habilidad" ha de tener necesariamente un componente jurídico, además de una fluidez comunicativa. Volveremos sobre ello.

III. LA DIRECTIVA 2008/52/CE, DE 21 DE MAYO DE 2008 Y SU INCORPORACIÓN AL DERECHO ESPAÑOL

Desde las Instituciones comunitarias, como hemos señalado antes, los ADR han gozado de una valoración positiva como medio de resolver las disputas transfronterizas entre ciudadanos y empresas de sus Estados miembros. Sin embargo, todos los esfuerzos previos de dotar de un marco legal estable en materia de mediación en el seno de la Unión Europea no cristalizaron hasta la aprobación de la anteriormente indicada Directiva 2008/52/CE del Parlamento Europeo y del Consejo, de 21 de mayo de 2008, sobre ciertos aspectos de la mediación en asuntos civiles y mercantiles.

La Directiva de Mediación tenía por objeto facilitar el acceso a modalidades alternativas de solución de conflictos y fomentar la resolución amistosa de litigios promoviendo el uso de la mediación. La propia Directiva de Mediación limitaba su ámbito de aplicación a los litigios transfronterizos en determinados asuntos civiles y mercantiles, si bien dejaba a los Estados miembros la posibilidad de fomentar la mediación en otros asuntos, igualmente civiles y mercantiles, que afectaran a sus propios ciudadanos.

Como se ha advertido anteriormente, mediante la Ley de Mediación se incorporaron al Derecho español los preceptos de la Directiva 2008/52. Sin embargo, esta norma jurídica no se limita a incorporar a nuestro ordenamiento jurídico la Directiva de Mediación sino que, como dice su Exposición de Motivos, *"conforma un régimen general aplicable a toda mediación que tenga lugar en España y pretenda tener un efecto jurídico vinculante, si bien circunscrita al ámbito de los asuntos civiles y mercantiles y dentro de un modelo ( )"*.

Posteriormente, dicha Ley se vio parcialmente desarrollada por el Real Decreto 980/2013, de 13 de diciembre, por el que se desarrollan determinados aspectos de la Ley de Mediación, conformando ambas normas jurídicas el actual marco normativo a nivel estatal, regulatorio de este mecanismo alternativo de resolución de conflictos.

Sentado lo anterior, la Directiva de Mediación no podía constituir obviamente el estado final de la implantación en la Unión Europea de las modalidades alternativas de resolución de conflictos. De esta manera, desde las Instituciones comunitarias se ha continuado trabajando en el seguimiento, mejora y promoción de la mediación.

Precisamente y con la finalidad de recoger esa labor de seguimiento realizada, entre otras Instituciones, por la Comisión Europea, transcurridos algo más de ocho años desde la entrada en vigor de la Directiva 2008/52, en fecha 26 de agosto de 2016, fue emitido el Informe de la Comisión al Parlamento, al Consejo y al Comité Económico y Social Europeos, sobre la aplicación de la Directiva 2008/52 (indistintamente, *"el Informe de la Comisión"*).

El citado Informe realiza una evaluación general sobre la implementación de la Directiva de Mediación en los Estados miembros y pone de manifiesto los principales obstáculos y carencias que han podido observarse, entre los que destaca la consabida *"falta de cultura de la mediación"* y *"el funcionamiento de los mecanismos de control de calidad para los mediadores"*.

Finalmente, la Comisión concluye que, si bien no se considera necesario revisar la Directiva de Mediación, sí se recomienda a los Estados miembros que redoblen los esfuerzos para *"aumentar el número de asuntos en los que los órganos jurisdiccionales proponen a las partes que recurran a la mediación para resolver su litigio"* y se proponen las siguientes mejores prácticas:

- Incluir como requisito procesal que las partes expongan en sus demandas ante los órganos jurisdiccionales si han intentado la mediación.

- Incluir sesiones de información obligatoria en el marco de un proceso judicial.

- Obligación de los órganos jurisdiccionales de considerar la mediación en todas las fases de los procesos judiciales.

- Incorporar incentivos económicos que hagan económicamente más interesante para las partes recurrir a la mediación.

- Garantizar la ejecución forzosa de los acuerdos.

- Mejorar la formación de los mediadores.

Pues bien, el APLIM se fundamenta en cierta medida en estas mejoras prácticas propuestas en el Informe de la Comisión, sin perjuicio de que lleva alguna de ellas mucho más allá de lo que la Comisión parece querer expresar en su informe.

Por otro lado, el Parlamento Europeo también ha tenido la oportunidad de pronunciarse sobre la aplicación de la Directiva de Mediación a través de la Resolución del Parlamento Europeo, de 12 de septiembre de 2017, sobre la aplicación de la Directiva de Mediación (indistintamente, *"el Informe del Parlamento Europeo"*).

La mayoría de las recomendaciones con las que concluye dicho Informe van dirigidas a la Comisión. Sin embargo, sí se incluye una recomendación remitida a los Estados miembros y en el mismo sentido de intensificar sus esfuerzos para fomentar el recurso a la mediación en los asuntos civiles y mercantiles, incluyendo la realización de campañas de información.

Con estos antecedentes se presenta ahora el APLIM que, si bien desde un punto de vista de técnica legislativa resulta adecuado, propone una decisiva modificación "política" del principio de voluntariedad de la mediación que resulta ciertamente controvertida, como a continuación se expondrá.

Hay que decir, por último, que el APLIM no tuvo acceso a las Cortes Generales por la convocatoria anticipada de las Elecciones Generales, que se celebraron el pasado 28 de abril. Ello no obstante, parece muy probable que, dado que el mismo responde al Informe de la Comisión Europea y a las Recomendaciones del Parlamento Europeo, el nuevo Gobierno que se constituya retome el Anteproyecto y, con las correcciones que, en su caso, estime oportunas active su tramitación, conservando en la medida de lo posible los trámites ya realizados.

IV. EL ANTEPROYECTO DE LEY DE IMPULSO DE LA MEDIACIÓN (APLIM). ASPECTOS PRINCIPALES DE LA PROPUESTA

Expuestos los antecedentes más relevantes que dan lugar a la reforma legislativa informada, centramos ahora el análisis en las principales novedades que el APLIM pretende incorporar en el ordenamiento jurídico. A través de esta nueva norma jurídica, de carácter eminentemente procesal, se pretende impulsar en España el uso por los ciudadanos españoles de la mediación, como método alternativo al judicial para la resolución de sus controversias.

1. La cuestión de la "obligatoriedad mitigada" de la mediación

El instrumento más relevante que la reforma legislativa incorpora a fin de impulsar la mediación es, sin duda, el nuevo principio que rige en materia de mediación, eufemísticamente denominado "obligatoriedad mitigada". Efectivamente, el prelegislador ha apostado decididamente por el controvertido cambio del carácter voluntario de la mediación, por el de "obligatoriedad mitigada", como instrumento principal para fomentar el recurso a la mediación en los asuntos civiles y mercantiles.

En la Exposición de Motivos del APLIM se afirma, de forma llamativa, que *"La eficacia de este tipo de sistemas alternativos de resolución de conflictos, actuaría como expectativa coadyuvante para reducir los altos niveles de litigiosidad que actualmente España ostenta contribuyendo a concebir los órganos de la Administración de Justicia como un recurso subsidiario para la resolución de los litigios".*

Esta afirmación parece estar verdaderamente lejos de los datos disponibles respecto de los asuntos derivados y finalizados a través de la mediación, así como del sentir general que los ciudadanos tienen respecto de los Juzgados y Tribunales de Justicia civiles, en quienes confían como medio más eficaz y seguro para solventar sus conflictos, por muchas críticas que en ocasiones éstos reciban por su lentitud, motivada casi siempre por el colapso de asuntos que inundan diariamente nuestros Tribunales y la falta de medios. Incluso en las estimaciones más optimistas (por no decir exageradamente optimistas, a la luz de los datos actuales), el prelegislador estima que a través de la mediación puedan resolverse unos 150.000 asuntos, lo que reduciría la carga de trabajo de los Juzgados civiles en un porcentaje no superior al 10%.

Parece razonable (y es muy loable) pretender descargar a los Juzgados y Tribunales civiles del conocimiento de ciertos asuntos, que puedan resolverse por otros métodos más rápidos y económicos, ahora bien el legislador no puede intentar solucionar el problema del colapso judicial mediante la imposición de los ADR o de la mediación, sino afrontando (de una vez por todas) la reorganización de la planta judicial y haciendo las dotaciones económicas correspondientes que permitan su implementación.

Todas estas consideraciones, sin embargo, no empecen nuestra opinión ya expresada más arriba, de que imponer la mediación no es el mejor camino y puede terminar convirtiéndose en un obstáculo más a añadir a la ya endémica lentitud judicial para obtener una solución definitiva al conflicto. El mejor método, a nuestro juicio, es persuadir a la ciudadanía de las bondades de la mediación y que esta institución vaya implantándose paulatinamente, sobre la base de su propia eficacia y aceptación generalizadas.

1.1. Supuestos de aplicación de la obligatoriedad mitigada

Siguiendo con este hilo argumental, el prelegislador pretende ahora fomentar la mediación entre los ciudadanos, pero no promocionando sus bondades para combatir la falta de cultura de la mediación, sino imponiéndola con carácter previo a la interposición de demandas en numerosos asuntos que se enumeran en la nueva redacción del fundamental artículo 6.1 de la Ley de Mediación. Dado el amplio elenco de asuntos en los que se impone la obligación obligatoria, afectando a numerosísimas cuestiones civiles y mercantiles, podríamos decir que la mediación obligatoria no va a ser, en realidad, una excepción, sino que pasará a ser la regla general.

Este principio de "obligatoriedad mitigada" se circunscribe a la mediación extrajudicial o previa a la interposición de la demanda. Ya desde un primer momento, la propia redacción que se plantea del artículo 6.1 de la

Ley de Mediación resulta en sí misma contradictoria, por cuanto comienza declarando que *"la mediación es voluntaria"*, para acto seguido declarar que: *"No obstante, los interesados estarán obligados a intentarla con carácter previo ( )"* en los catorce casos que se citan en el propio artículo.

En relación con lo anterior, la reiterada modificación del artículo 6.1 de la Ley de Mediación establece, como decimos, toda una serie de supuestos, no pocos, en los cuales el recurso a la mediación se constituye como un presupuesto procesal necesario para acceder a la vía judicial. Concretamente, se establece la obligatoriedad de acudir a un previo intento de mediación en los siguientes asuntos:

> *"1. (…)*
>
> *a) Medidas que se adopten con ocasión de la declaración de nulidad del matrimonio, separación, divorcio o las relativas a la guarda y custodia de los hijos menores o alimentos reclamados por un progenitor contra el otro en nombre de los hijos menores, así como aquellas que pretendan la modificación de las medidas adoptadas con anterioridad.*
>
> *b) Responsabilidad por negligencia profesional.*
>
> *c) Sucesiones.*
>
> *d) División judicial de patrimonios.*
>
> *e) Conflictos entre socios y/o con los órganos de administración de las sociedades mercantiles.*
>
> *f) Reclamaciones en materia de responsabilidad extracontractual que no traigan causa de un hecho de la circulación.*
>
> *g) Alimentos entre parientes.*
>
> *h) Propiedad horizontal y comunidades de bienes.*
>
> *i) Derechos reales sobre cosa ajena.*
>
> *j) Contratos de distribución, agencia, franquicia, suministro de bienes y servicios siempre que hayan sido objeto de negociación individual.*
>
> *k) Reclamaciones de cantidad inferiores a 2.000 euros entre personas físicas cuando no traigan causa de un acto de consumo.*
>
> *l) Defectos constructivos derivados de un contrato de arrendamiento de obra.*
>
> *m) Protección de los derechos al honor, intimidad o la propia imagen.*
>
> *n) Procesos arrendaticios que hayan de ventilarse por los cauces del juicio ordinario".*

A la vista del elenco de supuestos de obligatoriedad de acudir a un previo intento de mediación, podemos destacar la complejidad de algunos de ellos, tales como los relativos a procesos por defectos constructivos, los contratos de distribución, agencia y suministro de bienes y servicios, o derechos reales, así como la amplitud de otros, como pudiera ser la mención a las *"sucesiones"* o *"las reclamaciones en materia de responsabilidad extracontractual"*. Sin adelantarnos a las valoraciones relativas a la formación de los mediadores, cuesta creer que un mediador que no sea jurista pueda dar solución a las partes en conflicto sobre asuntos tan jurídicamente complejos y de tan variada índole.

Desde ese punto de vista, ya hemos dicho antes que dentro de las "habilidades" que debe tener el tercero o "mediador" destacan, por una parte, sus capacidades de comunicación y la fluidez y agilidad de sus actuaciones pero, por otra parte, también es preciso que tenga, por sí mismo o mediante un soporte externo, un mínimo de conocimientos jurídicos, pues en última instancia, si se alcanza un acuerdo, éste será generador de derechos y obligaciones y su configuración tiene una vertiente jurídica indudable que no es posible obviar.

Por otro lado, sí nos parece razonable incluir algunos supuestos de mediación obligatoria, por la alarma social que generan, como lo es por ejemplo *"el ejercicio de la acción para exigir el pago de deudas garantizadas por hipoteca constituida sobre un bien inmueble que constituya la vivienda habitual del deudor o de su familia"* (párrafo segundo del apartado 1 del artículo 681 de la LEC, en su nueva redacción propuesta). En el mismo sentido y supuesto se basan las modificaciones de los artículos 685.2 y 686.1 de la LEC, modificaciones que nos parecen acertadas.

1.2. La obligatoriedad de la mediación y el derecho a la tutela judicial efectiva

Aclarado lo anterior, uno de los principales problemas que plantea el APLIM, esto es, obligar a los ciudadanos a intentar la mediación como requisito ineludible para acceder a los tribunales de justicia, es la posible vulneración del derecho fundamental a obtener la tutela judicial efectiva de los jueces y tribunales en el ejercicio de sus derechos e intereses legítimos, recogido en el artículo 24.1 de la Constitución Española.

El propio APLIM se adelanta a esta controversia apuntando que, si bien el principio de obligatoriedad mitigada implica que la obligación de intento previo de mediación se constituye como un presupuesto procesal necesario para acceder a la vía judicial, ello no es óbice para que se considere afectado el derecho a la tutela judicial efectiva *"pues se configura como un trámite de carácter previo"*, quedando *"en todo caso garantizado el acceso a la vía judicial"*.

En la Exposición de Motivos del APLIM ya intenta el prelegislador defenderse de una eventual vulneración al derecho fundamental a la tutela judicial efectiva, aduciendo en su favor la "jurisprudencia del Tribunal Constitucional" —sin citar ninguna sentencia al respecto— y del

Tribunal de Justicia de la Unión Europea, citando, aquí sí, la Sentencia de 14 de junio de 2017, *Menini*, Asunto C-75/16, según la cual un procedimiento de mediación previo como requisito de admisibilidad de determinadas acciones judiciales es conforme a derecho siempre y cuando *"tal exigencia no impida que las partes ejerzan su derecho de acceso al sistema judicial"*.

A pesar de las mencionadas omisiones del prelegislador, es lo cierto que la relativamente reciente STC 1/2018, de 11 de enero (que analizaba la imposición forzosa del arbitraje en el supuesto del artículo 76 e) de la Ley del Contrato de Seguro, el cual fue declarado inconstitucional), es clarificadora al respecto al afirmar que:

> *"La objeción tendría consistencia si dicho control judicial no estuviera limitado —como lo está— a su aspecto meramente externo y no de fondo sobre la cuestión sometida al arbitraje, pero al estar tasadas las causas de revisión previstas en el citado artículo 45 y limitarse éstas a las garantías formales sin poderse pronunciar el órgano judicial sobre el fondo del asunto, nos hallamos ante un juicio externo (STC 43/1988 y Sentencias del Tribunal Supremo que en ella se citan) que, como tal, resulta insuficiente para entender que el control judicial así concebido cubre el derecho a obtener la tutela judicial efectiva que consagra el art. 24.1 C.E.*
>
> *Por el contrario, como recuerda la STC 119/2014, de 16 de julio, FJ5B), "de acuerdo con la doctrina de este Tribunal, el arbitraje obligatorio no resulta conforme al derecho a la tutela judicial efectiva cuando el control judicial sobre el laudo previsto en la ley se limita a las garantías formales o aspectos meramente externos, sin alcanzar el fondo del asunto sometido a la decisión arbitral (SSTC 174/1995, de 23 de noviembre, FJ 3; y 75/1996, de 30 de abril FJ2). Hemos de entender, en cambio, que el arbitraje obligatorio sí **resulta compatible con el derecho reconocido en el art. 24 CE cuando el control judicial a realizar por los tribunales ordinarios no se restringe a un juicio externo, sino que alcanza también a aspectos que de fondo de la cuestión sobre la que versa la decisión"**. Decisión que se reitera en la STC 8/2015, de 22 de enero, FJ 5 c)".* (La "negrita", es nuestra)

Mutatis Mutandis, esta doctrina resulta de aplicación también a la mediación obligatoria, aunque sea en forma mitigada, puesto que la obligatoriedad sólo se impone como requisito de admisibilidad de una acción judicial, pero no impide el acceso a los Tribunales de Justicia, ni restringe tampoco el objeto de su conocimiento que, en el caso de que la mediación fracase, puede alcanzar la totalidad de las cuestiones conflictivas planteadas, sean éstas de forma o de fondo.

En la misma línea se sitúa el Consejo General del Poder Judicial, en su informe al APLIM, cuando afirma que el resultado de la mediación obligatoria "mitigada", circunscrita a determinados asuntos, no es vinculante para las partes y, por lo tanto, *"no afecta a su derecho de acceso a la jurisdicción"*, en la medida en que la exigencia, que se erige en presupuesto procesal, se contrae al "*intento de mediación*", esto es, a la celebración ante el mediador de una "sesión informativa" y de otra "sesión exploratoria", pudiendo aquéllas decidir perfectamente no seguir el procedimiento de mediación y apartarse del mismo en cualquier momento.

Ahora bien, dicho lo anterior, aunque la reforma propuesta no impide el acceso al sistema judicial, no es menos cierto que lo dificulta. En este sentido, la STJUE parcialmente transcrita en la Exposición de Motivos del APLIM se cita de manera incompleta ya que, si atendemos a la fundamentación completa de la misma, podemos constatar que, aparte de que no se impida que las partes puedan acceder al sistema judicial, se tienen que dar otros dos requisitos para que sea admisible el recurso a la mediación como requisito previo al entablamiento de acciones judiciales:

- Que no implique un retraso sustancial a efectos del ejercicio de una acción judicial.

- Que no ocasione gastos.

Son precisamente estas dos premisas las que, con la actual regulación en España de la mediación, serían de muy difícil cumplimiento.

En primer lugar, en cuanto al coste, la institución de la mediación en España no se configura como una institución gratuita, excepto para aquéllos —y tras la reforma propuesta por el APLIM— que resulten beneficiarios de la asistencia jurídica gratuita. El mediador es un profesional que presta un servicio y, por tanto, tiene derecho a la percepción de unos honorarios que presumiblemente deben asumir las partes que acuden a la mediación. Por tanto, para que el recurso a la mediación con carácter previo a la interposición de recursos judiciales pueda resultar conforme al derecho europeo, al menos las sesiones informativa y exploratoria inicial del procedimiento de mediación, que son las que se imponen obligatoriamente, deben ser gratuitas para las partes.

En segundo lugar, el acceso previo a la mediación siempre va a suponer una demora en el procedimiento, en el caso de que finalmente sea interpuesta la correspondiente demanda ante los órganos de la jurisdicción civil o mercantil. Ahora bien, el problema reside en lo que deba entenderse como retraso sustancial. En este punto, una de las controversias que pueden subyacer es el de la mala fe de alguna de las partes, que pretenda hacer uso de la mediación a los meros efectos dilatorios de acceso a la vía judicial. Esta dilación tiene, si cabe, una mayor repercusión en aquellos asuntos que, por sus circunstancias, precisen del acceso a la justicia cautelar a través de la solicitud de adopción de medidas cautelares que tengan por finalidad asegurar un resultado futuro que pueda producirse en el mismo.

Además, la reforma del artículo 4 de la Ley de Mediación se realiza en el sentido de ampliar de quince a treinta días naturales el plazo para firmar el acta de la sesión constitutiva, con lo que la dilación del procedimiento de mediación se ve aumentada ya desde el inicio.

1.3. La obligación de acudir a la mediación con anterioridad a la interposición de acciones judiciales y las medidas cautelares

Como ya hemos adelantado, la obligación de acudir a la mediación con carácter previo al inicio de acciones judiciales y como requisito de validez de la interposición de la demanda, puede suponer un inconveniente en el procedimiento de la justicia cautelar.

El APLIM modifica en este punto el artículo 722 de la LEC con el fin de incluir los supuestos de mediación pendientes de resolución, como un caso en el cual se pueden pedir a los Tribunales la adopción de medidas cautelares, lo que desde un punto de vista procedimental es acertado.

Ahora bien, en esta situación se le va a exigir al demandante cautelar que tenga que acudir, por un lado, a un obligatorio intento de mediación y, simultáneamente, a los tribunales de justicia a fin de obtener la pretendida justicia cautelar, lo que sin duda puede suponer un trastorno procesal para los ciudadanos.

2. *Otras medidas de fomento de la mediación en el APLIM*

Si ya hemos expuesto los motivos por los cuáles la introducción del carácter obligatorio, aunque sea mitigadamente, de la mediación en los numerosos casos que se contemplan en la nueva redacción del artículo 6.1 de la Ley de Mediación no nos parece acertada, la modificación legislativa propuesta en el APLIM sí recoge alguna otra medida más apropiada para fomentar el uso de la mediación, como es la eventual condena en costas.

En consonancia con la mejor práctica recomendada en el Informe de la Comisión respecto de la adopción de incentivos económicos, el legislador español dedica una parte importante del APLIM a premiar, a través de la condena en costas, a los justiciables que hagan uso de la mediación, así como a castigar a quiénes se nieguen a participar en la misma.

A estos efectos, la nueva redacción del apartado 5º del artículo 32 de la LEC estipula que se condenará en costas a la parte vencida, incluyendo los derechos y honorarios de procurador y abogado, cuando su intervención no sea preceptiva, siempre que *"la parte no haya acudido a un intento de mediación, en los casos y en la forma previstos legalmente, dirigida a resolver la controversia a través de la mediación, sin que conste causa justa que se lo hubiese impedido"*.

Igualmente, se propone la modificación del artículo 394 LEC, que regula la condena en costas de la primera instancia, añadiendo una nueva excepción a la condena en costas, al establecer que *"no habrá pronunciamiento de costas a favor de aquella parte que no hubiera acudido, sin causa que lo justifique, a un intento de mediación cuando fuera legalmente preceptivo o así lo hubiera acordado el tribunal durante el proceso"*.

Esta modificación supone un cambio fundamental en el criterio del vencimiento objetivo que rige la condena en costas en el orden jurisdiccional civil.

Si bien nos parece adecuado incentivar el acceso a la mediación a través de la institución de la condena en costas, no puede compartirse que se penalice de manera tan radical a quien ha obtenido una estimación absoluta de sus pretensiones por parte de un Tribunal de Justicia. En la propia naturaleza de la mediación está la cesión de parte de lo pretendido, en favor de una solución rápida y comúnmente aceptada por las partes. Sin embargo, si un juez o tribunal aprecia que una de las partes gozaba, en derecho, de la razón en sus pretensiones, parece claro que la parte concernida actuó con prudencia al rechazar un procedimiento que tiene como fin pactar una solución que, en ningún caso, le va a ser tan favorable como una sentencia íntegramente estimatoria.

Además, la modificación introducida en el artículo 394.1 de la LEC parece no tener en cuenta las consecuencias que puede tener este nuevo criterio respecto de aquellos asuntos en los que el tribunal, en uso de su potestad jurisdiccional, declare la temeridad del litigante (artículo 394.3 in fine). El nuevo párrafo tercero del artículo 394.1 LEC puede entrar en colisión con la declaración de temeridad del litigante vencido, que en la actual redacción del artículo 394.3 LEC implica la condena de éste en costas no limitadas.

En este punto, parece que el prelegislador no ha contemplado un escenario en el que el litigante, que ve íntegramente estimadas sus pretensiones frente a su oponente, se vea a su vez penalizado por no acudir a la mediación, cuando es el propio Tribunal el que considera temeraria la oposición a su demanda.

Por ello, en lugar de establecerse una consecuencia tan contundente en materia de costas, quizás hubiese sido más prudente establecer otro tipo de medidas eclécticas que, sin penalizar de manera tan absoluta a quien ha obtenido una estimación íntegra de sus pretensiones, supongan un atractivo para acudir a la previa mediación por parte de la actora:

i. La moderación, por parte del tribunal, en la tasación de costas que se practique, limitando las mismas a una determinada cuantía o porcentaje como consecuencia de no haberse intentando la mediación.

ii. La aplicación del criterio de no imposición de costas solo cuando, además de no haberse acudido por el demandante al intento de mediación, el caso presente serias dudas de hecho o de derecho.

Por otro lado, resulta también controvertido sancionar como temeraria la litigación del demandado por no haber acudido a la mediación, ya que esto supone una vulneración de su derecho a no comparecer, del que sí gozaría en el seno del proceso judicial, pero del que parece privársele en el procedimiento de mediación.

3. *El recurso a la mediación antes y durante el procedimiento judicial*

La reforma propuesta por el APLIM, como hemos visto, pivota sobre dos vías de acceso a la mediación: la mediación extrajudicial y la mediación intrajudicial.

En primer lugar, la mediación extrajudicial o previa a la interposición de demanda está estrechamente vinculada con el principio de obligatoriedad mitigada y la enumeración de los supuestos incluidos taxativamente en el artículo 6.1 de la Ley de Mediación de mediación, extremos sobre los que ya nos hemos pronunciado en epígrafes anteriores del presente informe.

Por ello, vamos a centrarnos en este punto en los medios introducidos por el APLIM para el fomento de la mediación intrajudicial.

La Exposición de Motivos establece que la mediación intrajudicial *"tendrá lugar cuando el tribunal, una vez analizado el caso, se encuentre en condiciones de conocer el sustrato del litigio y de su carácter mediable y siempre y cuando no se hubiera intentado con carácter previo al proceso".*

A priori, este recurso a la mediación intrajudicial resulta mucho más garantista con el derecho fundamental a la tutela judicial efectiva, habida cuenta de que es un tribunal, una vez ha analizado el caso concreto, siquiera someramente, quien decide derivar el asunto a un mediador.

A tales efectos, el APLIM estructura la derivación a la mediación en tres momentos procesales distintos: en primera instancia, en segunda instancia y en ejecución. Esta novedad se introduce a través de la inclusión de un nuevo Capítulo IX, en el Título I del Libro II de la Ley de Enjuiciamiento Civil, en los siguientes términos:

i. La derivación a la mediación durante la primera instancia: Se concede al tribunal que esté conociendo del proceso en primera instancia la posibilidad de acordar la derivación a un procedimiento de mediación en "cualesquiera tipos de asuntos" que el juzgador considere que pueden ser resueltos por esa vía.

    Esto es, el prelegislador extiende los ámbitos susceptibles de mediación —en este caso, intrajudicial— a una pluralidad indeterminada de asuntos, al libre albedrío del juzgador, tan solo limitados por aquellos "que afecten a derechos y obligaciones que no estén a disposición de las partes en virtud de la legislación aplicable". Como más adelante se dirá, esta amplitud de asuntos susceptibles de terminar en manos de un mediador, redunda todavía más en la necesidad de reforzar la formación jurídica que los mediadores inscritos deben reunir.

    Desde un punto de vista formal, se prevé que la derivación se ordene mediante providencia en cualquier momento posterior a la contestación a la demanda, al finalizar el acto de la audiencia previa en el juicio ordinario o al inicio de la vista en el juicio verbal.

    En este punto, debe hacerse una crítica a la falta de audiencia a las partes en relación con el acuerdo de derivación a la mediación. Efectivamente, en la redacción que se le da al nuevo artículo 398 bis de la LEC no se regula en ningún momento la necesidad de que el tribunal confiera a las partes un plazo para formular alegaciones respecto de la posibilidad de derivar el procedimiento a mediación, quedando tanto la argumentación cómo la decisión enteramente en manos del juzgador, que tiene una potestad discrecional para acordar la derivación a la mediación.

    Nos parece especialmente grave esta falta de audiencia a las partes cuando los asuntos susceptibles de derivación a mediación son tan amplios como prácticamente indeterminados (cualesquiera tipos de asuntos, dispone la norma).

ii. La derivación a la mediación durante la segunda instancia: El APLIM prevé también la posibilidad de una derivación durante la segunda instancia, cuando no se hubiese ya acordado en la primera instancia.

Igualmente, desde la perspectiva procesal, la derivación deberá acordarse mediante providencia desde el momento en que se reciban los autos en el tribunal.

Esta posibilidad de derivación en segunda instancia puede presentar problemas en la confianza de las partes en este sistema. Parece claro que si, en un supuesto en el que se apele una sentencia íntegramente estimatoria para las pretensiones de una de las partes, el tribunal ad quem acuerda la derivación a una mediación, es porque la resolución de la apelación irá en el sentido de estimar el recurso de apelación y anular, en todo o en parte, la sentencia impugnada. Lo contrario, carecería de sentido. En tal escenario, el apelado acudirá a la mediación contaminado por la previsible estimación, total o parcial, del recurso interpuesto por el apelante, lo que le sitúa en una clara situación de desventaja respecto a la otra parte en las negociaciones que hayan de efectuarse.

iii. La derivación a la mediación en el ámbito de la ejecución: Como regla general, el APLIM renuncia a incluir el ámbito de la ejecución como procedimiento en el que sea posible la derivación a la mediación. Justifica tal decisión en la desproporción para el favorecido por una decisión judicial de acudir a la vía de la mediación. Tan sólo se admite la posibilidad de acudir a la mediación, por derivación, en algunos supuestos concretos de ejecución hipotecaria, así como en la ejecución de procesos de familia, justificándose en el impacto social que estos asuntos generan. Entendemos que ambos razonamientos son adecuados.

4. Los mediadores. Formación de los mediadores

Destaca, por otro lado, la escasa envergadura de la reforma en relación con la figura del mediador y de la formación del mismo.

El APLIM se limita a exigir la inscripción de los mediadores en el Registro de Mediadores e Instituciones de Mediación dependiente del Ministerio de Justicia o en los Registros de mediadores habilitados por las Comunidades Autónomas.

Esto es, la inscripción en el Registro correspondiente se configura como un elemento constitutivo para poder ejercer como mediador. Sin embargo, el mero hecho de que exista un Registro y el mediador tenga la obligación de inscribirse en él para poder ejercer como tal, no redunda ni supone una *"garantía de la especial cualificación del mediador en las materias objeto de la reforma"*, como se predica en la Exposición de Motivos de la APLIM.

La medida de exigir la inscripción en un Registro público, de manera aislada, no supone un salto cualitativo en la formación de los mediadores, pues tan solo puede entenderse como una medida meramente burocrática de control administrativo.

A lo largo del APLIM puede observarse como las reformas que se introducen en punto a la designación de mediador, tanto en la mediación extrajudicial como en la intrajudicial, se remiten al Registro de Mediadores e Instituciones de Mediación, en caso de que las partes no alcancen un acuerdo sobre el nombramiento del mediador.

Sin embargo, más allá de esa necesidad de inscripción en el Registro, el APLIM no introduce, como decimos, ninguna modificación que profundice en las condiciones legalmente establecidas para ejercer como mediador.

Esto supone una oportunidad perdida para mejorar la calidad en la formación y condiciones de ejercicio de los mediadores. Más aún cuando se propone una ampliación del ámbito de aplicación de la mediación, tan extenso como complejo, de los asuntos en los que se debe acudir a la mediación, con carácter previo a la interposición de los recursos judiciales, y la posibilidad de que los jueces y tribunales deriven a la mediación ciertos asuntos de los que están conociendo.

A la vista del listado de casos en los cuales los interesados están obligados a intentar la mediación con carácter previo al inicio de un proceso judicial, parecería razonable que, si se pretende una resolución conforme a derecho, el mediador, o al menos uno de los mediadores si hubieren de ser varios, sea un jurista.

Es cierto que en asuntos como la responsabilidad por negligencia profesional puede mediar, por ejemplo, un médico o, en los casos de defectos constructivos podría ser mediador un arquitecto. Sin embargo, cuesta imaginar cómo un lego en Derecho va a poder mediar en asuntos en los que carece por completo de formación, como pudiera ser en determinados aspectos de las sucesiones, en contratos que pueden ser de gran complejidad jurídica como los de distribución, agencia o suministros o en asuntos relativos a derechos reales —sobre cosa ajena—.

En este sentido, para una persona que no sea jurista y su formación se limite a un mero curso específico, resulta extraordinariamente complicado mediar y resolver un asunto que excede de su campo de conocimiento. No olvidemos que el eventual acuerdo que alcancen las partes en un proceso de mediación, una vez homologado, será ejecutivo y conlleva el despliegue de todos los efectos jurídicos derivados de éste, por lo que el mismo ha de ser siempre conforme al ordenamiento jurídico.

A mayor abundamiento, toda vez que dentro del ámbito de la mediación por derivación judicial se incluyen *"cualesquiera tipos de asuntos civiles o mercantiles"*, susceptibles de transacción, nos parece que hubiese sido especialmente responsable que se exigiera por la norma que el mediador sea un profesional formado en Derecho.

Por el contrario, los profesionales del Derecho, especialmente los abogados, tienen un conocimiento global del ordenamiento jurídico y de los procedimientos legalmente establecidos para obtener justicia y es por ello que hubiese sido razonable incluir la posesión del título de graduado en Derecho como condición para ejercer como mediador, dejando a los profesionales de otros sectores como apoyo del mediador jurista para lo que son asuntos propios de su conocimiento (ej. Médicos, arquitectos, agentes inmobiliarios, ingenieros, economistas, etc.).

Ya hemos visto cómo, dentro de las habilidades que se exigen al mediador, destacan sus capacidades de comunicación, así como la fluidez y agilidad con las que dote a sus propias actuaciones pero, es indiscutible que, mediante sí o mediante un soporte externo, es preciso que posea un mínimo de conocimientos jurídicos pues, en definitiva, si finalmente la mediación tiene éxito y se alcanza un acuerdo pacificador de la controversia, este acuerdo generará derechos y obligaciones y la configuración de los mismos tiene una vertiente jurídica que no puede ser desconocida.

Otra de las características del mediador debe ser su ajenidad, esto es, su neutralidad respecto de las partes contendientes. Así, en su labor de propiciar el encuentro entre las partes, debe asistirlas, pero sin abandonar nunca su perspectiva de neutralidad a la hora de configurar los contenidos del posible acuerdo. Manteniéndose neutral, el mediador debe esforzarse en componer un acuerdo por medio del contraste que enfrenta a las partes, así como actuar siempre como garante de la objetividad y de la justicia y equidad del procedimiento. Desde las respectivas posiciones de las partes, debe hacer surgir una posible solución compartida del litigio, impulsándolas a descubrir en sí mismas las "razones" para un acuerdo.

El mediador, a través de la técnica de la confrontación/conversación, ha de tratar de dar a las partes la oportunidad de confrontar sus propios puntos de vista y de buscar, con su ayuda proactiva, una solución al conflicto que les enfrenta.

También debe ponerse de manifiesto la necesidad de un deber de secreto del mediador y de las partes, así como el respeto a los principios contradictorio y de "paridad de armas".

Todo ello, valorado en su conjunto, conduce a considerar que son los abogados quienes disponen de mejores condiciones y conocimientos para ejercer con éxito las labores de mediador.

5. *El papel de los abogados en la mediación*

En relación con lo anterior, como ya se ha advertido desde el CGAE con ocasión de la emisión de otros informes, no puede resultar desconocido para el legislador el hecho de que son los abogados quienes, por multitud de razones, gozan de una posición privilegiada para encauzar y llevar a buen puerto la mediación y ello por las siguientes razones:

- Una de las funciones naturales del abogado es la de mediar. Es evidente que la función fundamental en la tarea que un cliente encomienda a sus abogados es la de solventar y/o evitar un conflicto. Por tanto, nadie mejor que un abogado para mediar en la disputa entre los interesados y para tratar de alcanzar un acuerdo que satisfaga a las partes.

- El proceso de mediación, tal y como está regulado en la Ley de Mediación, es, precisamente, un procedimiento regulado. El hábitat natural del abogado, especialmente en el ámbito civil, es el procedimiento. En consecuencia, son los abogados quiénes mejor se manejan en el control de los plazos y en la forma de observar las reglas que rigen un procedimiento jurídico.

- Los acuerdos que se alcancen, en su caso, en un procedimiento de mediación deben ser conformes a Derecho. Desde luego, resulta evidente que los abogados —y otros juristas— son los mejores conocedores del ordenamiento jurídico. Además, ese conocimiento del Derecho material resulta un elemento fundamental a la hora de mediar en un conflicto y conducir/guiar a las partes a alcanzar un buen acuerdo, ya que puede exponerse con claridad a las partes no sólo lo que la norma jurídica establece para el supuesto de hecho planteado, sino los derechos y obligaciones vinculantes que se asumen como consecuencia del acuerdo alcanzado.

Puesto en valor la importancia que los abogados deben ostentar en la mediación, los Colegios de Abogados deben ser las Instituciones colectivas que coordinen a los abogados inscritos como mediadores, en los distintos partidos judiciales en los que se organizan.

En este punto, es preciso recordar que no todos los Colegios de Abogados de España se han inscrito en el Registro de Mediadores e Instituciones de Mediación del Ministerio de Justicia y, sin embargo, en muchos de ellos se ofrecen servicios de mediación para personas beneficiarias del derecho a la asistencia jurídica gratuita, lo que constituye una omisión.

Con ello quiere ponerse de manifiesto que, si bien es verdad que en algunos Colegios de abogados no se ha aprovechado el impulso a la mediación en España tras la entrada en vigor de la Ley de Mediación, es lo cierto que la labor de mediación es connatural, desde hace años, a los Colegios de abogados y, en suma, a la profesión.

6. *La mediación como prestación incluida en el derecho a la asistencia jurídica gratuita*

Merece, como no podría ser de otra manera, nuestra aprobación la reforma del artículo 6 de la Ley 1/1996, de 10 de enero, de asistencia jurídica gratuita, que incorpora la intervención del mediador —tanto si procede con carácter previo al inicio de acciones judiciales como si trae causa de derivación judicial— como una prestación incluida en el derecho a la asistencia jurídica gratuita.

Esta modificación es plenamente congruente con el citado derecho a la asistencia jurídica gratuita y con la extensión de los supuestos ahora incluidos de manera mitigadamente obligatoria en el campo de la mediación, por lo que tan solo puede merecer una crítica al legislador el hecho de que no se haya incluido en este sentido ninguna previsión presupuestaria para hacer frente a los costes derivados de esta prestación en los numerosos procedimientos de mediación que tendrán lugar tras la entrada en vigor del APLIM.

7. *Entrada en vigor*

Por último, procede destacar que la disposición final segunda del APLIM establece que la Ley entrará en vigor a los tres años de su publicación en el "Boletín Oficial del Estado". Nos parece excesiva a todas luces la "*vacatio legis*" establecida en el Anteproyecto. Ninguna de las razones organizativas esgrimidas para justificar tan dilatado plazo nos parecen suficientes, por lo que un período de un año como máximo sería mucho más razonable, sobre todo si se quiere dotar de efectividad al conjunto de medidas que el APLIM contiene.

V. CONCLUSIONES

PRIMERA.- Los objetivos que constituyen el fundamento de los *Alternative Dispute Resolution* son: i) la simplificación de los procedimientos; ii) la reducción de los plazos y de los costes para la solución del litigio; iii) una mayor proximidad de la solución a las exigencias del litigio; iv) un "nuevo protagonismo" de las partes en la definición de la solución, que supere la "lógica" de la decisión impuesta desde lo alto.

SEGUNDA.- A través del procedimiento de mediación las partes buscan, con la ayuda de un tercero (mediador) la individualización de una solución consensuada del litigio, independiente de las prescripciones normativas que regulan de forma abstracta el supuesto de hecho. El respeto de un nivel mínimo de garantías, permite a cada una de las partes un conocimiento cuidadoso y adecuado de los términos del litigio. Por otra parte, permite valorar en términos objetivos la posición propia y ajena y dialogar constructivamente por una solución justa y transparente del litigio.

TERCERA.- El APLIM se enmarca en una dimensión no estrictamente nacional, sino de ámbito europeo en el que, a la vista de las dificultades que se observan en el funcionamiento de los distintos sistemas nacionales de mediación, se está llevando a cabo un análisis en profundidad de la efectividad de la mediación y se indaga en las causas que han impedido desarrollar toda la potencialidad de esta institución. Responde fundamentalmente al Informe de la Comisión Europea, de 26 de agosto de 2016, al Parlamento, al Consejo y al Comité Económico y Social Europeos, sobre la aplicación de la Directiva 2008/52, de 21 de mayo, sobre ciertos aspectos de la mediación en asuntos civiles y mercantiles, así como a la Resolución del Parlamento Europeo, de 12 de septiembre de 2017, sobre la aplicación de la Directiva 2008/52, de Mediación.

CUARTA.- La novedad más destacada del APLIM, y también la más polémica en lo que se refiere a los principios que rigen la mediación, es la sustitución del actual carácter de voluntariedad que tiene el sometimiento de un conflicto a la mediación, por otro sistema que se denomina eufemísticamente como de "obligatoriedad mitigada". Ese carácter obligatorio con que se impone ahora la mediación es la directa consecuencia de que la misma no haya logrado demostrar su eficacia y total operatividad y no haya logrado tampoco invertir la "falta de cultura" de la mediación en España. Otra de las novedades principales es la introducción de incentivos económicos a la mediación.

QUINTA.- En términos generales, es razonable pensar que el sistema de incentivos económicos diseñado por el prelegislador puede redundar en un mayor grado de utilización del recurso a la mediación, en beneficio de la reducción de la carga jurisdiccional, además de los beneficios asociados a los ADR en general, en términos de ahorro de costes y de tiempo.

SEXTA.- La propuesta de reforma legislativa descansa sobre tres vías de actuación:

(i)   Modificación de la Ley 1/1996, de 10 de enero, de asistencia jurídica gratuita, para introducir la mediación como prestación incluida en el derecho a la asistencia jurídica gratuita;

(ii) Modificación de la Ley 1/2000, de 7 de enero, de Enjuiciamiento Civil ("LEC"), para adaptar determinados aspectos del procedimiento judicial civil a las novedades introducidas en el APLIM.

(iii) Modificación de la propia Ley 5/2012, de 6 de julio, de mediación en asuntos civiles y mercantiles, cuya principal novedad es la inclusión del principio de "obligatoriedad mitigada" en lugar del de voluntariedad.

SÉPTIMA.- En la Exposición de Motivos del APLIM se afirma, de forma llamativa, que *"La eficacia de este tipo de sistemas alternativos de resolución de conflictos, actuaría como expectativa coadyuvante para reducir los altos niveles de litigiosidad que actualmente España ostenta contribuyendo a concebir los órganos de la Administración de Justicia como un recurso subsidiario para la resolución de los litigios"*. Esta afirmación parece estar verdaderamente lejos de los datos disponibles respecto de los asuntos derivados y finalizados a través de la mediación, así como del sentir general que los ciudadanos tienen respecto de los Juzgados y Tribunales de Justicia civiles, en quienes confían como medio más eficaz y seguro para solventar sus conflictos, por muchas críticas que en ocasiones éstos reciban por su lentitud, motivada casi siempre por el colapso de asuntos que inundan diariamente nuestros Tribunales. Incluso en las estimaciones más optimistas (por no decir exageradamente optimistas, a la luz de los datos actuales), el prelegislador estima que a través de la mediación puedan resolverse unos 150.000 asuntos, lo que reduciría la carga de trabajo de los Juzgados civiles en un porcentaje no superior al 10%.

OCTAVA.- Las iniciativas legislativas que se imponen desde reglas imperativas, cuando no existe una convicción social sobre su utilidad, son de muy dudosa fiabilidad, de forma que existe el claro peligro de que la imposición de la mediación, siquiera sea de forma "mitigada", se erija en una rémora superflua y en un innecesario retraso en el acceso a los tribunales de justicia.

NOVENA.- Dado el amplio elenco de asuntos en los que se impone la obligación de forma obligatoria, afectando a numerosísimas cuestiones civiles y mercantiles, podríamos decir que la mediación obligatoria no va a ser, en realidad, una excepción, sino que pasará a ser la regla general.

DÉCIMA.- Si bien el principio de "obligatoriedad mitigada" implica que la obligación del intento previo de mediación se constituye como un presupuesto procesal necesario para acceder a la vía judicial, ello no es óbice para que se considere afectado el derecho a la tutela judicial efectiva *"pues se configura como un trámite de carácter previo"*, quedando *"en todo caso garantizado el acceso a la vía judicial"*. Ahora bien, dicho lo anterior, aunque la reforma propuesta no impide el acceso al sistema judicial, no es menos cierto que lo dificulta. En este sentido, la jurisprudencia del TJUE exige que, aparte de que no se impida que las partes puedan acceder al sistema judicial, se den otros dos requisitos para que sea admisible el recurso a la mediación como requisito previo al entablamiento de acciones judiciales:

- Que no implique un retraso sustancial a efectos del ejercicio de una acción judicial.
- Que no ocasione gastos.

Son precisamente estas dos premisas las que, con la actual regulación en España de la mediación, no quedan debidamente garantizadas.

UNDÉCIMA.- En cuanto a su coste, la institución de la mediación en España no se configura como una institución gratuita, excepto para aquéllos —y tras la reforma propuesta por el APLIM— que resulten beneficiarios de la asistencia jurídica gratuita. El mediador es un profesional que presta un servicio y, por tanto, tiene derecho a la percepción de unos honorarios que presumiblemente deben asumir las partes que acuden a la mediación.

Por tanto, para que el recurso a la mediación con carácter previo a la interposición de recursos judiciales pueda resultar conforme al derecho europeo, al menos las sesiones informativa y exploratoria del procedimiento de mediación, que son las que se imponen obligatoriamente, deben ser gratuitas para las partes. Por otra parte, el acceso previo a la mediación siempre va a suponer una demora en el procedimiento, en el caso de que finalmente sea interpuesta la correspondiente demanda ante los órganos de la jurisdicción civil o mercantil.

DUODÉCIMA.- En relación con la nueva regulación de las costas procesales, si bien nos parece adecuado incentivar el acceso a la mediación a través de la institución de la condena en costas, hay que decir que no puede compartirse que se penalice de manera tan radical a quien ha obtenido una estimación absoluta de sus pretensiones, por parte de un Tribunal de Justicia. En la propia naturaleza de la mediación está la de cesión de parte de lo pretendido en favor de una solución rápida y comúnmente aceptada por las partes. Sin embargo, si un juez o tribunal aprecia que una de las partes gozaba, en derecho, de la razón en sus pretensiones, parece claro que actuó con prudencia al rechazar un procedimiento que tiene como fin pactar una solución que, en ningún caso, le va a ser tan favorable como una sentencia íntegramente estimatoria.

Desde este punto de vista, quizás fuera más prudente no tanto la completa supresión del pronunciamiento en costas a favor de la parte vencedora en el recurso, como la moderación de la tasación de costas que se practique en un determinado porcentaje. Además, esta importante modificación del principio del vencimiento objetivo puede entrar en conflicto con la declaración de temeridad del litigante vencido.

DECIMOTERCERA.- El APLIM estructura la derivación a la mediación en tres momentos procesales distintos: en primera instancia, en segunda instancia y en ejecución. Debe hacerse una crítica tanto a la extensión y generalidad de asuntos en los que el juzgador puede acordar derivar a la mediación ("cualesquiera asuntos"), como a la falta de audiencia a las partes en relación con el acuerdo de derivación a la mediación. En la redacción que se le da al nuevo artículo 398 bis de la LEC, no se regula en ningún momento la necesidad de que el tribunal confiera a las partes un plazo para formular alegaciones respecto de la posibilidad de derivar el procedimiento a mediación, quedando tanto la argumentación cómo la decisión enteramente en manos del juzgador, que tiene total libertad para acordar la derivación a la mediación.

DECIMOCUARTA.- La derivación a mediación en la segunda instancia, aunque no se hubiese acordado en la primera, puede presentar problemas de confianza de las partes en este sistema. Parece claro que si, en un supuesto en el que se apele una sentencia íntegramente estimatoria para las pretensiones de una de las partes, el tribunal *ad quem* acuerda la derivación a una mediación, es porque la resolución de la apelación irá en el sentido de estimar el recurso de apelación y anular, en todo o en parte, la sentencia impugnada. Lo contrario, carecería de sentido. En tal escenario, el apelado acudirá a la mediación contaminado por la previsible estimación, total o parcial, del recurso interpuesto por el apelante, lo que le sitúa en una clara situación de desventaja respecto a la otra parte en las negociaciones que hayan de efectuarse.

DECIMOQUINTA.- Destaca la escasa envergadura de la reforma en relación con la figura del mediador y de la formación del mismo. El APLIM se limita a exigir la inscripción de los mediadores en el Registro de Mediadores e Instituciones de Mediación dependiente del Ministerio de Justicia o en los Registros de mediadores habilitados por las Comunidades Autónomas, lo que supone una oportunidad perdida para mejorar la calidad en la formación y condiciones de ejercicio de los mediadores. Más aún cuando se propone una ampliación del ámbito de aplicación de la mediación, tan extenso como complejo, de los asuntos en los que se debe acudir a la mediación con carácter previo a la interposición de los recursos judiciales y la posibilidad de que los jueces y tribunales deriven a la mediación ciertos asuntos de los que están conociendo. En relación con esto último, el prelegislador ha dejado excesivamente abierta la puerta a los asuntos que pueden ser derivados a mediación por los tribunales (*"cualesquiera tipos de asuntos civiles o mercantiles"* susceptibles de transacción).

DECIMOSEXTA.- Por ello, no puede desconocerse el hecho de que son los abogados quienes, por multitud de razones, gozan de una posición privilegiada para encauzar y llevar a buen puerto la mediación y ello por las siguientes razones:

- Una de las funciones naturales del abogado es la de mediar. Es evidente que la función fundamental en la tarea que un cliente encomienda a sus abogados es la de solventar y/o evitar un conflicto. Por tanto, nadie mejor que un abogado para mediar en la disputa entre los interesados y tratar de alcanzar un acuerdo que satisfaga a las partes.

- El proceso de mediación, tal y como está regulado en la Ley de Mediación, es, precisamente, un procedimiento regulado. El hábitat natural del abogado, especialmente en el ámbito civil, es el procedimiento. En consecuencia, los abogados son quiénes mejor se manejan en cumplimiento de los plazos y la observancia de las reglas propias de un procedimiento jurídico.

- Los acuerdos que se alcancen, en su caso, en un procedimiento de mediación deben ser conformes a Derecho. Desde luego, resulta evidente que los abogados —y otros juristas— son los mejores conocedores del ordenamiento jurídico. Además, ese conocimiento del Derecho material resulta un elemento fundamental a la hora de mediar en un conflicto y conducir/guiar a las partes a alcanzar un buen acuerdo, ya que puede exponerse con claridad a las partes no sólo lo que la norma jurídica establece para el supuesto de hecho planteado, sino los derechos y obligaciones vinculantes que se asumen como consecuencia del acuerdo alcanzado.

DECIMOSÉPTIMA.- La "*vacatio legis*" establecida en el Anteproyecto es, a todas luces, excesiva. Ninguna de las razones esgrimidas por el prelegislador para justificar tan dilatado plazo nos parece suficiente, por lo que un período de un año como máximo sería mucho más razonable, sobre todo si se quiere dotar de efectividad al conjunto de medidas que el APLIM contiene.

Cooperativas y sociedades profesionales
(Informe 3/2019)

Sumario: I. CONSIDERACIONES. II. CONCLUSIÓN.

El presente Informe se ha elaborado como consecuencia de la solicitud de Informe planteada al Consejo General de la Abogacía Española por parte del Il.lustre Col.legi d'Advocats de Tarragona (ICAT), en la que se refiere a la cuestión relativa a la *inscribibilidad* de sociedades cooperativas profesionales en el Registro Profesional del ICAT.

Aun cuando se hace referencia a la *inscribibilidad* en el Registro Profesional, en realidad se está planteando esencialmente la cuestión previa a esa *inscribibilidad,* como es el análisis de la posibilidad misma de que existan o no esas sociedades cooperativas profesionales.

Cumple al respecto informar con base en las siguientes

I. CONSIDERACIONES

PRIMERA.- DOCTRINA SENTADA POR ESTA COMISIÓN JURÍDICA DEL CGAE EN CUANTO A LA INSCRIPCIÓN DE LAS SOCIEDADES PROFESIONALES.

En sus previos Informes, la Comisión Jurídica ha tenido la oportunidad de interpretar las previsiones de la Ley 2/2007, de 15 de marzo, de sociedades profesionales (LSP), en materia de inscripción colegial de estas entidades, partiendo de la novedad que supuso esta norma en nuestro Derecho.

Afirmaba textualmente la Comisión lo siguiente:

"La LSP no configura a las SP como una mera opción o posibilidad para quienes pretenden desarrollar en común una actividad profesional bajo forma societaria. Al contrario, la LSP exige que en esos caso se constituya una SP. Así se deduce sin dificultad de lo previsto en su art. 1. Los objetivos de la Ley sólo se podían cumplir así. Era la única forma de garantizar el control de la corrección de la actividad profesional a través de formas societarias, habilitando la intervención exhaustiva de los Colegios profesionales en ese ámbito. También es la única forma de conseguir la garantía definitiva de los derechos de los clientes, ampliando efectivamente los sujetos responsa-

bles ante ellos, sin permitir pliegues en la norma que posibiliten el desconocimiento de esos derechos.

En efecto, el art. 1 de la LSP prevé en su primer párrafo lo siguiente:

"las sociedades que tengan por objeto social el ejercicio en común de una actividad profesional **deberán** *constituirse como sociedades profesionales en los términos de la presente Ley".*

Utiliza el término "*deberán*" y no el de "*podrán*". La interpretación literal, normalmente la más segura, es nítida en este caso. No queda en manos de los que van a constituir la sociedad decidir si en esos casos les conviene más o menos constituir una SP, sino que la norma les impone precisamente constituir una SP.

Lo cierto es que las sociedades profesionales implican un ejercicio colectivo directo de la abogacía. Más aun, el objeto social exclusivo de estas sociedades deberá ser la actividad profesional que desarrollen. Además, la LSP admite las sociedades profesionales cuyo objeto habilite para la realización de más de una actividad profesional, las *sociedades multidisciplinares*, es decir las que desarrollan simultáneamente diversas actividades profesionales. Y así, con arreglo al art. 3 de la LSP, "*las sociedades profesionales podrán ejercer varias actividades profesionales, siempre que su desempeño no se haya declarado incompatible por norma de rango legal o reglamentario*".

Es obvio, en todo caso, que deberán actuar a través de profesionales personas físicas, tal y como previene el art. 5 de la LSP, al disponer que:

"1. La sociedad profesional únicamente podrá ejercer las actividades profesionales constitutivas de su objeto social a través de personas colegiadas en el Colegio Profesional correspondiente para el ejercicio de las mismas.

2. Los derechos y obligaciones de la actividad profesional desarrollada se imputarán a la sociedad, sin perjuicio de la responsabilidad personal de los profesionales contemplada en el artículo 11 de esta Ley".

Ahora bien, las SP se convierten en verdaderos centros de imputación de actos y consecuentemente de responsabilidades.

Sentado lo anterior, parece preciso avanzar a qué nos referimos con la expresión "*actividad profesional*". La propia Ley nos aclara el concepto en su art. 1. Señala al respecto que:

"A los efectos de esta Ley, es actividad profesional aquélla para cuyo desempeño se requiere titulación universitaria oficial, o titulación profesional para cuyo ejercicio sea necesario acreditar una titulación universitaria oficial, e inscripción en el correspondiente Colegio Profesional".

No cabe duda alguna de que el ***ejercicio de la abogacía*** es una actividad profesional en el sentido de la LSP, que debe ser prestado por un ***abogado***. Sobre este punto no existen dudas en el momento actual.

Junto a la definición de *actividad profesional,* reviste interés esencial la determinación de qué entiende la LSP por "***ejercicio en común***". Una vez más su art. 1 nos ofrece la pertinente aclaración al disponer que:

> *"A los efectos de esta Ley se entiende que hay ejercicio en común de una actividad profesional cuando los actos propios de la misma sean ejecutados directamente bajo la razón o denominación social y le sean atribuidos a la sociedad los derechos y obligaciones inherentes al ejercicio de la actividad profesional como titular de la relación jurídica establecida con el cliente".*

Como señala la Exposición de Motivos de la LSP, "*la sociedad profesional objeto de esta Ley es aquélla que se constituye en centro subjetivo de imputación del negocio jurídico que se establece con el cliente o usuario, atribuyéndole los derechos y obligaciones que nacen del mismo, y, además, los actos propios de la actividad profesional de que se trate son ejecutados o desarrollados directamente bajo la razón o denominación social*".

> *Expuesto lo anterior, parece conveniente ahora situarse en el envés de la norma, recordando algunas de las consecuencias de no constituirse la sociedad como profesional, tal y como viene exigido por la LSP con base en la protección del interés general y de terceros. Y así, no se inscribirá en el Registro del Colegio profesional respectivo; no se encontrará sujeta a la responsabilidad frente a terceros prevista en la LSP, ni deberá contratar el seguro obligatorio; no estará sujeta al control deontológico del Colegio; no se le aplicarán las normas estatutarias, reglamentarias y deontológicas dictadas para la protección del ciudadano o cliente; no estará sujeta a la potestad sancionadora del Colegio profesional; y no estará afectada por las limitaciones en cuanto al porcentaje de socios profesionales, ni en cuanto a los límites relativos a los responsables de la administración de la sociedad".*

Añadía esta Comisión Jurídica, en cuanto al aspecto formal de la inscripción registral, que las SP siguen "*un **régimen de inscripción constitutiva en el Registro Mercantil** en todos los casos, aun cuando nos encontremos ante sociedades civiles*".

Y continuaba afirmando que:

> *"Por otra parte y en esto sí se afecta de modo directo a los Colegios Profesionales, se instaura un **original sistema de Registro colegial**. Y así, **se exige la inscripción de las SP en los Colegios Profesionales, debiendo crear cada uno de ellos —como han hecho— un Registro de Sociedades Profesionales (art. 8.4 LSP)**, con el fin de posibilitar el ejercicio de las facultades que el ordenamiento jurídico confiere a los Colegios en relación con las propias SP y con los profesionales colegiados. Y es que las SP tienen a estos efectos una consideración análoga a la de profesionales colegiados.*

La Exposición de Motivos de la LSP indica sobre el sistema registral de las sociedades profesionales que *"se confía a los Colegios Profesionales a fin de posibilitar el ejercicio de las facultades que el ordenamiento jurídico les confiere en relación con los profesionales colegiados, sean personas físicas o jurídicas"*.

Y a continuación señala que la LSP *"tiene por objeto posibilitar la aparición de una nueva clase de profesional colegiado, que es la propia sociedad profesional, mediante su constitución con arreglo a esta Ley e inscripción en el Registro de Sociedades Profesionales del Colegio Profesional correspondiente"*. Y añade que:

> *"la nueva Ley consagra expresamente la posibilidad de constituir sociedades profesionales stricto sensu. Esto es, sociedades externas para el ejercicio de las actividades profesionales a las que se imputa tal ejercicio realizado por su cuenta y bajo su razón o denominación social. En definitiva, la sociedad profesional objeto de esta Ley es aquélla que se constituye en centro subjetivo de imputación del negocio jurídico que se establece con el cliente o usuario, atribuyéndole los derechos y obligaciones que nacen del mismo, y, además, los actos propios de la actividad profesional de que se trate son ejecutados o desarrollados directamente bajo la razón o denominación social".*

Puede así sostenerse que esta nueva clase de profesional *"se incorpora"* al Colegio, pero no que se colegie en sentido técnico.

El alcance que haya de darse a las previsiones de la LSP en cuanto a esta inscripción de las sociedades profesionales en los Colegios ha sido objeto de una práctica diversa en las organizaciones colegiales.

De la inscripción, como parece evidente, no puede deducirse la atribución *ex lege* a la sociedad del *status* de abogado ejerciente. La existencia de sociedades profesionales genera la aparición en el tráfico de un nuevo profesional en el sentido de determinar un centro de imputación de relaciones jurídicas; pero la sociedad profesional no es un nuevo profesional, en el sentido de profesional colegiado. La atribución de la condición de profesional tiene el efecto reflejo de someter a las sociedades profesionales a las potestades deontológicas de la organización colegial, pero la sociedad en sí misma no es un profesional ejerciente, ni un abogado, ni un arquitecto, ni un ingeniero. Los profesionales ejercientes son las personas físicas colegiadas, incluidos los socios de sociedades profesionales.

En esta línea de consideraciones se ha pronunciado el Consejo de Estado (806/2012), sobre el expediente relativo al proyecto de Real Decreto por el que se aprueban los Estatutos del Colegio Oficial de Ingenieros Navales y Oceánicos. Se discutía en el expediente si era ajustado a la LSP el reconocimiento en el Estatuto a las SP inscritas debidamente de la titularidad de todos los derechos y obligaciones de su Capítulo IV, incluyendo por tanto los derechos políticos en el seno del Colegio. El Consejo de Estado, partiendo del artículo 8.4 de la LSP, entendió que el efecto de la inscripción de una sociedad profesional en el registro colegial es la *"incorporación"* de dicha sociedad al Colegio, sin que de ese precepto pueda inferirse que *"la incorporación al Colegio derivada de la inscripción registral suponga la adquisición por la sociedad de una posición jurídica idéntica a la de los colegiados personas físicas"*. Sostiene el dictamen que cuando la Exposición de Motivos de la LSP se refiere a la aparición *"de una nueva clase de profesional colegiado"* hay que entender que está haciendo alusión precisamente a la posición jurídica distinta que corresponde a los colegiados personas físicas y a las SP en el seno de la organización colegial.

Por todo ello, a juicio del Consejo de Estado resulta conforme con la LSP que los Estatutos de los Colegios atribuyan a las SP que a ellos se incorporan un conjunto de derechos más restringido que aquél que corresponde a los colegiados individuales, estando vedado a la potestad reglamentaria el establecimiento de la plena equiparación entre la posición jurídica de las SP y la de los colegiados personas físicas en la organización colegial, dado que no existe un fundamento suficiente para ello ni en la Ley de Colegios Profesionales ni en la LSP. La voluntad del legislador parece ser precisamente la contraria ya que, de otro modo, las leyes citadas habrían entrado a tratar expresamente la cuestión, puesto que la atribución de derechos políticos a las SP en el seno de los Colegios da lugar a la aparición de inevitables peculiaridades jurídicas (como puedan ser las relativas al ejercicio del derecho de sufragio pasivo de las sociedades) necesitadas de regulación legal.

De todo lo anterior se deduce que la autonomía regulatoria de los Colegios no puede ir más allá de lo determinado por el legislador, en este caso en lo que se refiere a la regulación de la inserción de las sociedades profesionales en la vida colegial, sin que la incorporación derivada de la inscripción registral prevista en la Ley pueda equipararse a la auténtica colegiación.

Volviendo al análisis de la inscripción registral de las SP, constatamos que los Registros permiten a los Colegios tener constancia clara y cierta, habida cuenta el carácter obligatorio de la inscripción, de todas las SP que están ejerciendo la profesión y de quiénes son los profesionales que se integran en ellas. Con estos medios los Colegios Profesionales podrán cumplir su responsabilidad pública de mantener el respeto de la deontología profesional también en los casos de ejercicio societario de la profesión, lo que resulta especialmente importante en el ámbito de la abogacía. Y podrán conocer, por ejemplo, quiénes son los abogados que por encontrarse *dentro* de una SP pueden actuar la función de Letrado asesor de una sociedad mercantil para la que la SP haya sido designada.

Y es que la calificación e inscripción de una sociedad como SP genera una serie de efectos, de deberes y derechos para los Colegios profesionales, imponiéndoles una serie de actuaciones obligatorias de especial relevancia, que están pensadas para la satisfacción del interés general y la protección de los derechos de los ciudadanos. La primera de las cuales se recoge en el art. 1.1 de la LSP, que reconoce como uno de los elementos objetivos para la consideración como "*profesional*" de una SP, que tenga como objeto social una actividad para cuyo desempeño se requiera la "*inscripción en el correspondiente Colegio Profesional*". De ahí que la calificación e inscripción de una SP afecte a uno de los aspectos esenciales o nucleares del ámbito de actuación de los Colegios Profesionales, como es el relativo a la colegiación obligatoria para el ejercicio de la respectiva profesión.

Además, el art. 8 de la LSP regula la inscripción registral de las SP de la siguiente forma:

"1. La escritura pública de constitución deberá ser inscrita en el Registro Mercantil. Con la inscripción adquirirá la sociedad profesional su personalidad jurídica.

2. En la inscripción se harán constar las menciones exigidas, en su caso, por la normativa vigente para la inscripción de la forma societaria de que se trate, las contenidas en el artículo 7.2 y, al menos, los siguientes extremos:

a) Denominación o razón social y domicilio de la sociedad.

b) Fecha y reseña identificativa de la escritura pública de constitución y notario autorizante; y duración de la sociedad si se hubiera constituido por tiempo determinado.

c) La actividad o actividades profesionales que constituyan el objeto social.

d) Identificación de los socios profesionales y no profesionales y, en relación con aquéllos, número de colegiado y Colegio Profesional de pertenencia.

e) Identificación de las personas que se encarguen de la administración y representación, expresando la condición de socio profesional o no de cada una de ellas.

3. Cualquier cambio de socios y administradores, así como cualquier modificación del contrato social, deberán constar en escritura pública y serán igualmente objeto de inscripción en el Registro Mercantil.

*4. **La sociedad se inscribirá igualmente en el Registro de Sociedades Profesionales del Colegio Profesional que corresponda a su domicilio, a los efectos de su incorporación al mismo y de que éste pueda ejercer sobre aquélla las competencias que le otorga el ordenamiento jurídico sobre los profesionales colegiados.***

La inscripción contendrá los extremos señalados en el apartado 2 de este artículo. Cualquier cambio de socios y administradores y cualquier modificación del contrato social serán igualmente objeto de inscripción en el Registro de Sociedades Profesionales.

El Registrador Mercantil comunicará de oficio al Registro de Sociedades Profesionales la práctica de las inscripciones, con el fin de que conste al Colegio la existencia de dicha sociedad y de que se proceda a recoger dichos extremos en el citado Registro Profesional.

5. La publicidad del contenido de la hoja abierta a cada sociedad profesional en el Registro Mercantil y en el Registro de Sociedades Profesionales se realizará a través de un portal en Internet bajo la responsabilidad del Ministerio de Justicia.

El acceso al portal de Internet será público, gratuito y permanente.

Se faculta al Ministerio de Justicia para establecer el régimen de organización, gestión y funcionamiento del portal.

En idénticos términos, las Comunidades Autónomas podrán establecer un portal en Internet en su ámbito territorial.

A estos efectos, los Colegios Profesionales remitirán periódicamente al Ministerio de Justicia y a la Comunidad Autónoma respectiva las inscripciones practicadas en sus correspondientes Registros de Sociedades Profesionales.

6. En el supuesto regulado en el artículo 3, la sociedad profesional se inscribirá en los Registros de Sociedades Profesionales de los Colegios de cada una de las profesiones que constituyan su objeto, quedando sometida a las competencias de aquél que corresponda según la actividad que desempeñe en cada caso".

Como se acaba de ver, la LSP ordena el sometimiento de las SP al ámbito competencial de los Colegios profesionales, lo que se formalizará a través de la inscripción en el Registro de Sociedades Profesionales o, dicho de otro modo, en la obligación y necesidad de que las SP se inscriban en el mismo. En consecuencia reviste especial importancia el apartado 4 transcrito. Y dentro del mismo, su párrafo tercero, que establece un vínculo entre las inscripciones en el Registro Mercantil —que son reguladas en los apartados 1, 2 y 3 del propio art. 8— y el Registro de Sociedades Profesionales existente en el Colegio respectivo, en la medida en que prevé una suerte de condicionamiento de las inscripciones que se deben practicar en éste último por las comunicaciones que se realicen desde el Registro Mercantil ( )".

Hasta aquí lo sentado por la Comisión Jurídica. Trataremos a continuación sobre la eventual posibilidad de existencia de sociedades cooperativas profesionales, de acuerdo con las disposiciones legales y las interpretaciones que acaban de transcribirse.

SEGUNDA.- SOCIEDADES COOPERATIVAS PROFESIONALES.

Conforme al art. 6.1 de la Ley 27/1999, de 16 de julio, de Cooperativas (LC) existen los siguientes tipos de cooperativas:

– Cooperativas de trabajo asociado.

– Cooperativas de consumidores y usuarios.

– Cooperativas de viviendas.

– Cooperativas agroalimentarias.

- Cooperativas de explotación comunitaria de la tierra.

- Cooperativas de servicios.

- Cooperativas del mar.

- Cooperativas de transportistas.

- Cooperativas de seguros.

- Cooperativas sanitarias.

- Cooperativas de enseñanza.

- Cooperativas de crédito.

Ahora bien, para saber si caben en nuestro ordenamiento jurídico las sociedades cooperativas profesionales nos hemos de referir exclusivamente, dentro de los diferentes tipos citados, a las de trabajo asociado porque el resto no encaja en los perfiles de la figura SP.

Estas, cooperativas de trabajo asociado se integran, según el art. 80.1 de la LC, por personas físicas que ponen en común su esfuerzo personal y directo para organizar conjuntamente la producción de bienes o la prestación de servicios para terceros. Los socios deben tener capacidad para contratar la prestación de su trabajo (art. 80.2 LC) y reunir los requisitos que en atención a la actividad que vaya a realizar exijan los estatutos de la cooperativa (art. 12 LC). Por tanto, nada impediría, en principio y con base en esta definición legal, constituir una cooperativa de trabajo asociado por profesionales para ejercer en común una actividad de prestación de servicios profesionales.

De ahí que algunos autores consideren que a la vista de lo previsto en el art. 1.2 LSP, según el cual las SP pueden constituirse con arreglo a cualquiera de las formas societarias previstas en las leyes, caben la sociedades cooperativas profesionales.

No obstante, *al analizar las normas previstas en la LSP se advierte su incompatibilidad con el régimen propio de las cooperativas en diferentes preceptos. Sin duda el más relevante —y en verdad el decisivo— es precisamente el que determina cuándo se produce el nacimiento mismo de la SP, esto es, con su inscripción en el Registro Mercantil, lo que se exige en todos los casos, incluso cuando se trate de sociedades civiles.* La disposición adicional cuarta de la LSP modifica el art. 16 del Código de comercio para incorporar entre los sujetos y actos que son objeto de inscripción en el Registro Mercantil a "*las Sociedades Civiles Profesionales, constituidas con los requisitos establecidos en la legislación específica de Sociedades Profesionales*".

Es precisamente la previsión expresa de esta exigencia para las sociedades civiles profesionales y la falta de previsión alguna con respecto a las sociedades cooperativas la que nos obliga a afirmar que las sociedades cooperativas no pueden constituirse como SP.

La LC exige tan sólo su inscripción en el Registro de Cooperativas para obtener su personalidad jurídica (art. 7 LC).

Podemos recordar lo sentado por la Dirección General de los Registros y del Notariado (DGRN) en su resolución de 29 de abril de 2014. En esta resolución de la DGRN se contienen interesantes reflexiones sobre las cooperativas, su naturaleza y características, así como su posible inscripción en el Registro Mercantil.

Los antecedentes del caso se remiten a la nota de calificación de la Registradora Mercantil, que se basaba en que la cooperativa afectada cumplía los requisitos establecidos en la disposición adicional cuarta de la Ley 7/1996, de 15 de enero, de ordenación del comercio minorista, lo que, a su juicio, implicaba la necesidad de que se inscribiera en el Registro Mercantil como presupuesto ineludible del depósito de cuentas. La DGRN, sin embargo, estima el recurso y revoca la nota de calificación de la Registradora Mercantil por entender que si bien la cooperativa cumplía el requisito cuantitativo de la mencionada disposición, resultaba ajena al requisito material o sustantivo imprescindible, ya que no llevaba a cabo una actividad comercial de intermediación, sino que se ocupaba, meramente, en recibir encargos de transporte, derivándolos de una forma organizada a sus socios.

La tesis mantenida por la DGRN parte de que existen entidades que no revisten una forma social que haga obligatoria su inscripción en el Registro Mercantil (arts. 16 y 19 del Código de Comercio y art. 81 del Reglamento del Registro Mercantil), pero que llevan a cabo actividades determinadas, por cuya razón se encuentran sujetas a inscripción obligatoria con independencia de su obligación de constar inscritas en otros Registros (como sería en el Registro de Cooperativas en nuestro caso).

Ahora bien, lo decisivo es que debemos encontrarnos ante supuestos de actividades concretos y determinados, citados por la disposición adicional novena del Reglamento del Registro Mercantil, conforme a la cual:

"1. Las entidades de cualquier naturaleza jurídica que se dediquen al comercio mayorista o minorista o a la realización de adquisiciones o presten servicios de intermediación para negociar las mismas, por cuenta o encargo de los comerciantes al por menor, deberán formalizar su inscripción, así como el depósito anual de sus cuentas en el Registro Mercantil en la forma en que se determine reglamentariamente, cuando en el ejercicio inmediato anterior las adquisiciones realizadas o intermediadas o sus

ventas, hayan superado la cifra de 100.000.000 de pesetas. Estas obligaciones no serán aplicables a los comerciantes que sean personas físicas.

2. La falta de inscripción o de depósito de las cuentas será sancionada en la forma prevista en el artículo 221 de la Ley de Sociedades Anónimas.

3. Lo dispuesto en los apartados 1 y 2 se aplicará sin perjuicio de la obligación de inscripción y depósito de cuentas establecida para otras entidades de acuerdo con sus normas específicas".

En consecuencia, como afirma la DGRN, "*de aquí se sigue que no toda actividad mercantil desarrollada por los entes jurídicos a que se refiere la norma cae dentro de su ámbito: quedan fuera las actividades no comerciales ya sean fabriles, extractivas o de producción, investigación, desarrollo, así como la prestación de servicios de todo tipo que no sean de intermediación comercial (vid. Resoluciones de 18 de noviembre de 1991, 5 de septiembre y 14 y 15 de noviembre de 2011 y 19 de mayo de 2012)*".

La consecuencia lógica es que la actividad empresarial por sí misma no cae dentro del ámbito de aplicación de la norma, sino exclusivamente aquélla que tiene por objeto la actividad comercial mayorista o minorista o la realización de adquisiciones o de prestación servicios de intermediación para negociar las mismas.

La DGRN desarrolla en el fundamento jurídico 4° de la resolución la tesis que nos importa a los efectos de este Informe. Y lo hace de la siguiente manera:

"4. Las sociedades cooperativas están 'encaminadas a satisfacer las necesidades y aspiraciones económicas y sociales' de sus socios. No quiere esto decir que las sociedades cooperativas no puedan tener por actividad cualquier género de actividad mercantil, bien al contrario; como afirma el artículo 1 de su Ley reguladora (Ley 27/1999, de 16 julio), la finalidad de éstas consiste en 'la realización de actividades empresariales', lo que pueden llevar a cabo mediante el desarrollo de cualquier 'actividad económica lícita'. No es por tanto la actividad económica que desarrollan lo que las caracteriza ni el hecho de que lo hagan en régimen de empresa; es el modo en que aquella actividad se ejercita y organiza y los principios bajo cuya inspiración se desarrolla lo que justifica su singularidad y la aplicación de un régimen jurídico específico (vid. Exposición de Motivos de la Ley).

Las sociedades cooperativas, en función de la especialidad de su régimen jurídico, están excluidas de la inscripción obligatoria en el Registro Mercantil excepción hecha de las que tengan por actividad el crédito, la actividad de seguros y la de previsión social (artículos 16 y 124 del Código de Comercio y 81.1.d del Reglamento del Registro Mercantil). Junto a estos supuestos específicamente contemplados por el ordenamiento hay que añadir el de aquellas sociedades cooperativas sujetas a inscripción obligatoria en el Registro Mercantil por aplicación de la disposición final cuarta de la Ley del Comercio Minorista.

Ahora bien, del análisis llevado a cabo hasta ahora, resulta con claridad que únicamente las cooperativas que desarrollen actividades comerciales en los términos de la disposición adicional cuarta de la Ley del Comercio Minorista y que superen el volumen de negocio determinado en la misma están obligadas a procurar su inscripción en el Registro Mercantil. El hecho de que las sociedades cooperativas lleven a cabo determinadas compras o ventas para la consecución de sus fines no implica per se que lleven a cabo, como actividad principal, el ejercicio del comercio. Como pone de relieve la disposición adicional 5ª de la Ley del Estado (Ley 27/1999), 'las entregas de bienes y prestaciones de servicios proporcionadas por las sociedades cooperativas a sus socios, ya sean producidos por ellas o adquiridos a terceros para el cumplimiento de sus fines sociales, no tendrán la consideración de ventas".

Como quiera que las sociedades cooperativas profesionales para el ejercicio de la abogacía tendrían por objeto el ejercicio de una profesión colegiada o, por decirlo de otra manera, la prestación de servicios jurídicos propios de la abogacía, es obvio que no se encuentran entre las que deben inscribirse en el Registro Mercantil.

Más aun, la LSP establece que la inscripción de las SP es una inscripción constitutiva (incluso para las Sociedades Civiles Profesionales), lo que tampoco sería factible para las cooperativas en ningún caso, atendiendo a la legislación estatal y también a las legislaciones autonómicas.

Bien es verdad que en los últimos tiempos ha existido un intento evidente de impulsar la obligatoria inscripción de las sociedades cooperativas en el Registro Mercantil. El Anteproyecto de Código Mercantil las califica como sociedades mercantiles, postulándose además su necesaria inscripción en el Registro Mercantil. Esta calificación aparece como una consecuencia inevitable de la opción del Anteproyecto por la figura denominada "*operador del mercado*", en cuyo ámbito han de integrarse las cooperativas sin duda alguna. Ciertamente esa nueva figura no encuentra una regulación plena en el Anteproyecto, pero ésa es materia propia de otros estudios o análisis.

Pero además, la regulación del Anteproyecto podría encontrar serias dificultades, si llegara a hacerse realidad en algún momento, dado que el mantenimiento de la normativa especial (esencialmente de procedencia y ámbito autonómico) que les es propio y aplicable en la actualidad supondrá conflictos seguros con la propuesta contenida en el Anteproyecto, tanto teóricos como prácticos. Basta con darse cuenta de que coexistirían la inscripción obligatoria en el Registro Mercantil con la del Registro de cooperativas para adivinar la intensidad de los problemas, no siempre jurídicos, que podrían surgir.

Ahora bien, la misma evidencia de estos impulsos normativos implica una manifestación nítida de la imposibilidad de que con el ordenamiento vigente las sociedades cooperativas profesionales para el ejercicio de la abogacía puedan existir. Y ello porque no pueden acomodarse, por muy proactivo e imaginativo que se quiera ser, a las previsiones de la LSP.

Es cierto que la falta de previsión en la LSP no ha sido la única razón utilizada por los autores que se han ocupado de esta materia para entender que no es jurídicamente viable la constitución de una sociedad cooperativa profesional, pero es sin duda trascendental y nos exime de cualquier profundización añadida. Y además nos permite dar una respuesta taxativa a la cuestión planteada.

Conocemos los esfuerzos que han realizado algunos autores para justificar que resulta posible constituir sociedades cooperativas profesionales y que allí donde la LSP se refiere al Registro Mercantil también debería entenderse que la Ley se refiere al Registro de Cooperativas. Sin embargo, esta interpretación choca frontalmente con las previsiones legales y en nuestro caso la interpretación literal es tan clara, nítida y evidente que exime de cualquier otro análisis.

Otros autores se han planteado la posibilidad que la sociedad cooperativa profesional no necesita inscribirse en el Registro de Cooperativas o si, en su caso, debe darse una doble inscripción o incluso trile. Y, si es así, cuál debería ser el orden de las inscripciones.

Pero estos autores chocan con la realidad de que el legislador ha exigido la inscripción constitutiva en el Registro Mercantil y de esta manera se sustraería la función propia del Registro de Cooperativas. Esa doble inscripción provocaría una distorsión inaceptable en el principio de seguridad jurídica, habida cuenta la duplicidad en el control de legalidad que ofrecería la doble calificación registral, la del Registro Mercantil y la del Registro de Cooperativas. Con base en esta reflexión se llega a afirmar que la LSP ha resuelto que la inscripción en el Registro Mercantil sea el único instrumento para las cooperativas profesionales. Ahora bien, la conclusión es tan absurda que quienes la defienden instan después al Legislador a que aclare esta posibilidad mediante la reforma de la LSP

En definitiva, la imposibilidad jurídica de existencia de sociedades cooperativas profesionales con nuestra vigente LSP no consigue ser salvada convincentemente por ninguno de los autores que se han ocupado de la materia, lo que es lógico, dado que las normas regulan lo que regulan y no lo que les gustaría a algunos que regulasen.

Tal vez pudiera ser interesante que el movimiento cooperativista procurase la concienciación del Legislador para que modifique la LSP. No obstante, tal planteamiento debe quedar al margen de este Informe, cuyo objeto se limita a estudiar e interpretar la LSP existente y no la podría existir o no en el futuro. El Legislador es tan claro en lo que calla como en lo que escribe y regula y en nuestro caso resulta evidente que no quiso prever la existencia de sociedades cooperativas profesionales. Si en el futuro las prevé habrá que atenerse a sus nuevos dictados.

No obstante, tampoco parece que el movimiento cooperativista haya mostrado gran interés en que se regule el acceso de las cooperativas al Registro Mercantil, a pesar de que esto fomentaría la transparencia y la seguridad jurídica, con indudables ventajas para el tráfico mercantil.

De acuerdo con lo expuesto hasta ahora podemos sentar la siguiente y sencilla.

II. CONCLUSIÓN

La regulación contenida en la LSP resulta incompatible con el régimen propio de las cooperativas específicamente en lo que se refiere al nacimiento mismo de la SP, esto es, con su inscripción en el Registro Mercantil, lo que se exige en todos los casos, incluso cuando se trate de sociedades civiles en la disposición adicional cuarta de la LSP.

Es precisamente la previsión expresa de esta exigencia para las sociedades civiles profesionales y la falta de previsión alguna con respecto a las sociedades cooperativas la que nos obliga a afirmar que las sociedades cooperativas no pueden constituirse como SP, toda vez que la LC exige tan sólo su inscripción en el Registro de Cooperativas para obtener su personalidad jurídica (art. 7 LC).

Y ello a salvo de determinados supuestos de cooperativas que deben inscribirse en el Registro Mercantil, entre las que no se encuentran las prestadoras de servicios profesionales en ningún caso.

Ley de Transparencia de la Comunidad de Madrid y los Colegios Profesionales
(Informe 4/2019)

Sumario: I. INTRODUCCIÓN. 1 Publicidad institucional. 2 Publicidad organizativa. 3 Publicidad relativa a altos cargos y personal directivo e información relativa a personal eventual. 4 Publicidad en materia de empleo en el sector público e información retributiva. 5 Publicidad en materia normativa. 6 Publicidad sobre los servicios y procedimientos. 7 Publicidad económico-financiera y publicidad sobre el patrimonio. 8 Publicidad sobre planificación y programación. 9 Publicidad en materia de contratación y de convenios. 10. Publicidad de ayudas y subvenciones. II. CONCLUSIONES.

Se emite dictamen sobre las consecuencias que tienen para los Colegios Profesionales en general y para los Colegios de Abogados en particular la promulgación de la Ley 10/2019 de 10 de abril, de Transparencia y de Participación de la Comunidad de Madrid (en adelante LTPCAM) que entrará en vigor el 1 de enero de 2020.

I. INTRODUCCIÓN

La Comunidad de Madrid ha sido la última Comunidad Autónoma en aprobar una ley de transparencia y participación ciudadana, habiéndolo hecho finalmente por Ley 10/2019 de 10 de abril, de Transparencia y Participación de la Comunidad de Madrid (en adelante LTPCAM) en términos mucho más ambiciosos que los recogidos en la normativa estatal, contenida en la Ley 19/2013 de 9 de diciembre de transparencia, acceso a la información pública y buen gobierno (en adelante LTAIBG). La ley entrará en vigor el 1 de enero de 2020.

Hay que tener en cuenta que hasta ahora, dada la falta de normativa específica, las Corporaciones de Derecho público madrileñas en general y los Colegios Profesionales madrileños en particular se regían por lo dispuesto en la LTAIBG, bastante menos exigente como veremos a continuación y todas las reclamaciones ante las denegaciones de solicitudes de derecho de acceso a la información pública se resolvían por el Consejo de Transparencia y Buen Gobierno (CTBG) en virtud del Convenio alcanzado a estos efectos con la Comunidad de Madrid.

Por tanto, la ley madrileña supone un cambio importante.

PRIMERO.- Principales novedades de la Ley.

Con carácter general podemos decir que el ámbito de aplicación de la Ley 10/2019 se circunscribe, como es lógico, al ámbito de la Comunidad de Madrid y por lo que aquí nos interesa a las Corporaciones de Derecho público madrileñas en todo lo que se refiera a su actividad sujeta al Derecho Administrativo en los términos señalados en su art. 2.2 c).

Recordemos brevemente que según la doctrina establecida por el Consejo de Transparencia y Buen Gobierno y los órganos administrativos análogos dentro de las actividades sujetas a Derecho Administrativo se encuentran las funciones que el Estado encomienda o delega en los Colegios, como son —según la resolución del CTBG nº 336 de fecha 22 de septiembre de 2016— la representación y defensa de los intereses del sector ante las diferentes Administraciones con competencias en la materia, la regulación de la profesión y la verificación de requisitos de acceso a la profesión y, en su caso, la colegiación obligatoria; las actuaciones relativas a la deontología profesional, redacción de normas o códigos deontológicos y el régimen electoral —Resolución del CTBG nº 72, de 3 de junio de 2016 y Resolución del Comisionado de Transparencia y Acceso a la Información Pública de Canarias nº 59/2016, de fecha 29 de marzo de 2017— el servicio de asistencia jurídica gratuita (Resolución 243/2019, de 3 de mayo, de la Comisión Catalana de garantía del derecho de acceso a la información pública el régimen disciplinario de los colegiados, el visado colegial de los trabajos profesionales de los colegiados o el régimen de recursos contra los actos administrativos dictados por los distintos órganos colegiales, en el ámbito de sus competencias, respecto de sus colegiados (Resolución del Consejo de Transparencia de la Comunidad Valenciana nº 24, de 3 de noviembre de 2016).

Todo lo anterior sin olvidar que, como señala el Consejo de Transparencia y Protección de Datos de Andalucía, en su Resolución 31/2016, de 1 de junio, el Colegio Profesional viene obligado además a una gestión transparente, en virtud de lo previsto en la Ley 2/1974, de 15 de febrero, de Colegios Profesionales, después de la importante modificación operada por la Ley Ómnibus 25/2009, de 22 de diciembre, singularmente en su artículo 5, el cual prevé obligaciones específicas de transparencia en cuanto se refiere a la actividad colegial, y que debe recogerse en la Memoria del Colegio. Un plus de transparencia, por tanto, que se suma a la que propiamente le sería exigible por las leyes de transparencia, estatal y autonómica, en sus actos sujetos al Derecho Administrativo. En cualquier caso, como se recoge en el artículo 11.1 de la Ley 2/1974 citada "Las organizaciones colegiales estarán sujetas al principio de transparencia en su gestión".

Con independencia de lo anterior, hay que destacar que el objetivo de la Ley madrileña va mucho más allá que el de la LTAIBG en la medida en que regula también la participación ciudadana (dedica su título IV a la participación y la colaboración ciudadana) reconociendo los derechos específicos de participación y colaboración y regulando el Registro de Transparencia al que dedica el capítulo II de dicho título IV.

Con respecto a este último, hay que decir que estamos ante un auténtico Registro de lobbies o de grupos de interés dado que es obligatoria la inscripción para todas las personas físicas o jurídicas que (con independencia de su estatuto jurídico) realicen actuaciones de participación activa en políticas públicas o procesos de toma de decisiones con la finalidad de influir directa o indirectamente en la elaboración de todo tipo de disposiciones generales o en la elaboración y aplicación de políticas públicas. Además estas entidades quedan sujetas al Registro de Transparencia ya realicen actividades en defensa de intereses propios, de intereses de terceros o de intereses generales. Se recoge por tanto una definición muy amplia de la actividad de lobby.

Dentro de esta amplia definición por tanto quedan incluidas también las Corporaciones de Derecho público y los Colegios Profesionales.

Otra novedad que presenta la Ley es la introducción de una serie de definiciones en el art. 5 y la introducción en el art. 6 de los principios que deben de regir su interpretación y aplicación. Hay que tener en cuenta que bajo el epígrafe de "principios técnicos" se engloban tanto principios de carácter técnico como los de accesibilidad, de reutilización, de neutralidad tecnológica como principios materiales como los de libre acceso a la información pública, de veracidad, de transparencia pública o el de participación ciudadana.

Se regula también el nuevo Consejo de Transparencia y Participación de la Comunidad de Madrid (al que corresponderá en su momento las funciones que hoy realiza el Consejo de Transparencia y Buen Gobierno estatal mediante Convenio) y se establece un régimen sancionador con la finalidad de garantizar el cumplimiento de la LTPCAM. Recordemos que la falta de un régimen sancionador en materia de transparencia en la LTAIBG y la falta de competencias del Consejo de Transparencia y Buen Gobierno (en adelante CTBG) en este ámbito es uno de los principales problemas de la LTAIBG que ha sido denunciado por la doctrina y por la sociedad civil en la medida en que supone que las disposiciones de la LTAIBG pueden ser ignoradas sin ningún tipo de consecuencia, como pueden serlo también las resoluciones del órgano encargado de velar por la aplicación de la Ley. De hecho, el CTBG solo tiene facultades para instar el inicio de un procedimiento sancionador en relación con las infracciones relacionadas en el Título II de la Ley (dedicado al buen gobierno) y, hasta donde llega nuestro conocimiento, no se ha incoado ninguno.

De ahí la importancia de la introducción en la ley madrileña de un título VI dedicado a las infracciones y sanciones en materia de transparencia y participación. En concreto el art. 81 recoge las infracciones en materia de transparencia entre las que se encuentran tanto los incumplimientos en materia de transparencia activa como en materia de transparencia pasiva, incluida la obligación de resolver en plazo (si bien en este caso se exige que el incumplimiento sea reiterado en un periodo determinado y que exista requerimiento expreso del Consejo de Transparencia y Participación). En todo caso es un notable avance con respecto a lo dispuesto en la LTAIBG.

Además las sanciones incluyen la posibilidad de imponer multas si bien solo a los sujetos de base privada que también son obligados y que están mencionados en el párrafo primero del arts. 3, es decir, los partidos políticos y organizaciones sindicales en todo caso y las entidades privadas siempre que perciban ayudas o subvenciones de las Administraciones Públicas de la Comunidad de Madrid para la financiación de sus actividades y funcionamiento ordinario si la ayuda es superior a 60.000 euros o cuando representen al menos el 30% del total de sus ingresos anuales y alcancen como mínimo la cantidad de 5.000 euros. Por su parte, el art. 4 se refiere a las personas físicas y jurídicas que presten servicios públicos, ejerzan potestades administrativas, actúen como agentes colaboradores o resulten adjudicatarios de los contratos del sector público en los términos previstos en el respectivo contrato.

En conclusión, en este régimen sancionador solo se imponen multas a las entidades privadas o de base privada, incluidas partidos políticos y organizaciones sindicales, pero no a los sujetos incluidos en el art. 2, entre ellos las Corporaciones de Derecho Público a las que se pueden imponer otro tipo de sanciones. Efectivamente, para el resto de los sujetos obligados las sanciones previstas en el art. 84 van desde la destitución del cargo por infracciones muy graves a la suspensión de funciones y retribuciones durante un periodo de entre tres y seis meses para el ejercicio de alto cargo o asimilado por la comisión de infracciones graves a la amonestación para el caso de infracciones leves (En estos dos últimos supuestos con declaración del incumplimiento de la Ley y publicación en el Boletín oficial de la Comunidad de Madrid). Más adelante veremos hasta qué punto pueden imponerse estas sanciones fuera del ámbito de la Administración regional y de su sector público.

Con respecto al procedimiento sancionador y también como novedad importante el art. 86 encomienda al propio Consejo de Transparencia y Participación la iniciación e instrucción del procedimiento sancionador, procedimiento que resolverá el órgano competente en cada caso en los términos del art. 87.

SEGUNDO.- Obligaciones de transparencia activa en la LTCAM y aplicación a las Corporaciones de Derecho público madrileñas.

En relación con las obligaciones de transparencia activa, en la LTPCAM se refuerzan las recogidas en los artículos correlativos (arts. 6, 7 y 8) de la LTAIBG, introduciéndose obligaciones adicionales a las que recoge la normativa estatal lo que habrá de tenerse en cuenta por las Corporaciones de Derecho Público de la Comunidad de Madrid.

Como señala la Exposición de Motivos el contenido de la información que debe de ser objeto de publicación de forma proactiva se estructura en dos secciones: la primera establece de forma exhaustiva la información que debe de hacerse pública estructurándose por bloques de materias y la segunda a la organización y coordinación de la transparencia. Hay que destacar que mientras la LTAIBG dedica solo tres preceptos a las concretas obligaciones de transparencia activa (arts. 6, 7 y 8 relativos a la información institucional, normativa y económico-financiera respectivamente) la ley madrileña (en línea con otras leyes de transparencia autonómicas) dedica nada menos que diecisiete artículos (los arts.10 a 27) a las mismas cuestiones.

La ampliación de las obligaciones de transparencia activa y la exhaustividad con que se recogen las materias que deben de ser objeto de publicidad en comparación con las disposiciones de la ley estatal es muestra de la clara voluntad del legislador autonómico de limitar la discrecionalidad a las entidades obligadas, que recordemos son todas las del art. 2 (como se precisa en los respectivos artículos que se ocupan de la información que se debe de proporcionar) y por tanto de las Corporaciones de Derecho Público. Además recogen en buena parte la propia doctrina que ha ido elaborando el propio CTBG y sus análogos autonómicos o/y disposiciones similares de otras leyes autonómicas, pues recordemos que la ley autonómica madrileña ha sido la última en promulgarse.

No obstante, también hay que tener en cuenta que algunos de estos preceptos no les resultan en todo o en parte aplicables a las Corporaciones de

Derecho Público, pese a su tenor literal (que se refiere a los sujetos incluidos en el artículo 2) dado que, en primer lugar, solamente están sujetas a
la LTCAM en cuanto a sus actuaciones sujetas a Derecho Administrativo y,
en segundo lugar, su regulación, organización, funcionamiento, plantilla y
competencias difieren de aquellas a las que se vinculan dichas obligaciones
de transparencia activa. Esto es lo que ocurre con muchas de las obligaciones contenidas en diversos preceptos que sencillamente no resultan aplicables a las Corporaciones de Derecho Público (por ejemplo, la información
relativa al empleo público) o con determinadas categorías de información
púbica que tampoco le resultan aplicables (por ejemplo la información en
materia de obra pública del art. 22, o con la información en materia de
ordenación del territorio que regula el art. 26).

En cuanto a las materias a las que se refieren estas obligaciones de publicidad activa podemos distinguir entre varios bloques desde un punto de
vista conceptual. El primero se refiere a la información institucional y organizativa (incluida la relativa a altos cargos y personal directivo y eventual,
empleo en el sector público y retribuciones). Se contienen en el art. 10 a
15, ocupándose el art. 10 de la información institucional, el art 11 de la información en materia organizativa, el art. 12 de la información sobre altos
cargos y personal directivo, el art. 13 de la información sobre el personal
eventual, el art, 14 de la información en materia de empleo en el sector público y el art 15 de la información en materia de retribuciones. El segundo
bloque se refiere a la información en materia normativa, sobre servicios y
procedimientos y sobre planificación y programación. La primera se regula en el art. 16, la información sobre los servicios y los procedimientos en
el art. 17 y la información sobre planificación y programación en el art. 20.

El tercer bloque de materias se refiere a la información económico-
financiera, englobando lo referente a ingresos y gastos, endeudamiento,
presupuestos, etc (art. 18) información del patrimonio (art. 19) información de las obras públicas (art. 21) información de los contratos en general
(art. 22) información de los convenios, encomiendas de gestión y encargos
a medios propios (art. 23), información sobre concesión de servicios públicos (art. 24) e información de las ayudas y subvenciones (art. 25). Como
puede verse el art. 8 de la LTAIBG que se ocupaba de estas materias se
desglosa ahora en una serie de artículos específicos muy detallados y que
ponen de manifiesto las principales preocupaciones del legislador autóno-
mico en el ámbito de la transparencia.

Por último, en el cuarto bloque podemos encuadrar lo dispuesto en
art. 26 sobre información en materia de ordenación del territorio y en el

quinto bloque el art. 27 relativo a la información estadística (si bien en este caso, a diferencia de los anteriores, sí se precisa que el sujeto obligado es únicamente la Administración pública de la Comunidad de Madrid). Estos dos preceptos no resultan de aplicación a las Corporaciones de Derecho público.

En definitiva, la mera lectura de estos artículos pone de relieve la enorme extensión que alcanzan las obligaciones de transparencia activa en la Comunidad de Madrid en relación con las previsiones de la LTAIBG.

Además, el art. 8 bajo la denominación genérica de "obligación de transparencia" establece una serie de obligaciones de carácter genérico que son aplicables a cualquier tipo de información pública y que, por tanto, afectan a las Corporaciones de Derecho Público. Entre ellas podemos destacar la obligación de que la información se mantenga actualizada y que se indique expresamente la fecha en que se actualizó por última vez (e incluso, si es posible, la previsión de la siguiente actualización), la obligatoriedad de ordenar la información con un directorio que se refiera a la organización, responsables, materias y actividades, ordenada por tipos y categorías para facilitar su comprensión y accesibilidad, y la elaboración y difusión en la página web o portal propio de un índice con toda la información pública que obre en poder del sujeto obligado indicando donde puede encontrarse dicha información.

Se trata de obligaciones que no existían con tal precisión en la LTAIBG, que simplemente señala en su art. 5 que la información sujeta a las obligaciones de transparencia será publicada en las correspondientes sedes electrónicas o páginas web y de una manera clara, estructurada y entendible para los interesados y, preferiblemente, en formatos reutilizables, pero dejando un amplio margen a los sujetos obligados en cuanto a la forma de ordenar la publicación, así como sobre los mecanismos más adecuados para facilitar la accesibilidad, la interoperabilidad, la calidad y la reutilización de la información publicada o para su identificación y localización.

Efectivamente, en este punto en la LTCAM se han tenido en cuenta una serie de criterios (por ejemplo, el de la actualización de la información publicada) ya contemplados en la metodología oficial (MESTA) elaborada por la AEVAL para evaluar el mayor o menor grado de transparencia activa de los entes públicos, en los términos previstos en los anexos de la metodología elaborada para la evaluación y seguimiento de la transparencia de la actividad pública.

En ese mismo sentido, el art. 8 exige también que exista un buscador que permita acceder a cualquier archivo y que incorpore mecanismos de alerta sobre los datos actualizados. La norma incorpora también otro tipo de obligaciones tampoco contenidas en la ley estatal si bien más imprecisas, tales como cuidar que la publicidad de la información no incluya lenguaje sexista o discriminatorio, que contribuya a difundir los derechos que reconoce la ley o establezca mecanismos de gestión de información o mecanismos adecuados para facilitar la interoperabilidad, la accesibilidad, la calidad, la geolocalización, la reutilización y la divulgación de la información pública pero sin ulterior detalle.

Por último, se insiste en la necesidad de facilitar desde la transparencia activa el derecho de acceso a la información pública, de manera que en la web hay que facilitar toda la información necesaria para poder ejercer correctamente este derecho, y en particular la relativa al procedimiento para el ejercicio y al órgano competente para resolver.

En conclusión, el art. 8 establece como obligatorios algunos requisitos que habían sido adoptados voluntariamente por algunas entidades sujetas a la normativa de transparencia estatal para mejorar sus webs o que habían sido ya introducidos como elementos de valoración metodológica para la evaluación de la transparencia activa (tales por ejemplo como la instalación de buscadores, o la actualización de la información). Esto incluye a las Corporaciones de Derecho público madrileñas y Colegios profesionales, lo que puede exigir modificaciones en sus portales de transparencia dado que la mayoría no cumplen con estos requisitos.

En este sentido, dice la Exposición de Motivos de la LTCAM que se parte del principio de que todos los sujetos incluidos en el ámbito de aplicación de la Ley están obligados a facilitar la información más relevante para garantizar la transparencia de su actividad en el ámbito relacionado con el funcionamiento y control de su actividad pública, así como de que la información y las herramientas para encontrarla pueden ser mejoradas voluntariamente. Pero en realidad es la propia LTCAM la que restringe el ámbito de discrecionalidad de los sujetos obligados en cuanto que establece las herramientas para encontrar y utilizar dicha información en los términos más arriba recogidos. Por último, la Disposición Adicional duodécima señala que para el cumplimiento de las obligaciones previstas en la Ley las Corporaciones de Derecho público podrán celebrar convenios de colaboración con la Administración de la Comunidad de Madrid.

En definitiva, se trata de una norma que va mucho más allá en el ámbito de las obligaciones generales que en materia de transparencia activa se contenían en el art. 5 de la LTAIBG hasta ahora aplicable en la Comunidad de Madrid a falta de normativa propia y que puede suponer un importante esfuerzo para las Corporaciones de Derecho Público, máxime si se tiene en cuenta la novedad esencial de la LTPCAM que es la introducción de un régimen sancionador específico en relación con el incumplimiento de obligaciones de transparencia activa al que después nos referiremos con más detalle.

TERCERO.- En cuanto a las obligaciones de transparencia activa, nos ceñiremos aquí a recoger las que consideramos aplicables a las Corporaciones de Derecho Público y a apuntar cuales son las diferencias con la regulación estatal.

1. Publicidad institucional

En cuanto a las principales novedades en relación con la LTAIBG, hay que señalar que el art. 10 se refiere a la información institucional, especificando en su párrafo 5 que dicha información institucional deberá mostrarse durante al menos 4 años, incluyendo cuando sea posible el histórico de cambios que haya podido sufrir durante ese periodo y poniendo a disposición la información anterior. Se trata de una precisión que no existe en la normativa estatal. Efectivamente, uno de los problemas que ha venido planteando la aplicación práctica de la LTAIBG ha sido tanto la de la falta de actualización de la información publicada en un tiempo razonable como la limitación a la información pública más reciente, de manera que no se dispone de la información más antigua y además no se suele informar de los cambios producidos. Se trata de una importante ampliación que permite un mejor conocimiento de la realidad institucional a lo largo del tiempo de una determinada entidad y facilita los trabajos de investigación sobre la evolución institucional.

Como novedad de contenido material, hay que señalar también que el art. 10 relativa a la información institucional incluye la obligación para los sujetos del art. 2 (entre las que se encuentran las Corporaciones de Derecho Público madrileñas) de la publicación de las agendas completas de trabajo y de reuniones de los responsables públicos (supuesto al que enseguida nos referiremos) y de todos sus acuerdos, sin perjuicio de la reserva o secreto de las deliberaciones.

Por lo que se refiere a la publicación de los acuerdos en el caso de las Corporaciones Públicas esta obligación ha de entenderse referida únicamente a sus actividades sujetas a Derecho administrativo, si bien por lo que aquí nos interesa hay que tener en cuenta la doctrina sentada por el CTBG en cuanto a los colegios profesionales en su resolución 00031/2017 de 26 de abril de 2017 en la que resolvió sobre la desestimación por la Junta de Gobierno del Ilustre Colegio de Abogados de Madrid (ICAM) de una solicitud de acceso a la información pública en relación con las actas de sus reuniones, incluyendo orden del día, certificación de acuerdos tomados y asistentes.

En dicha resolución el CTBG considera que hay que partir del hecho que la concreción del régimen jurídico de la organización y funcionamiento de los órganos colegiados de los Colegios Profesionales —Asamblea General, Junta de Gobierno o Directiva, Comisión Ejecutiva, etc.—, se lleva a cabo en la correspondiente norma estatutaria y que "en el supuesto de referencia esta circunstancia se confirma en el artículo 99.2 del Real Decreto 658/2001, de 22 de junio, por el que se aprueba el Estatuto General de la Abogacía Española, que al regular el régimen jurídico de la organización de colegial dispone que "La Ley de Régimen Jurídico de las Administraciones Públicas y del Procedimiento Administrativo Común se aplicará a cuantos actos de los órganos colegiales supongan ejercicio de potestades administrativas. En todo caso, dicha Ley tendrá carácter supletorio para lo no previsto en este Estatuto General".

Por esa razón considera el CTBG que el régimen jurídico de los órganos colegiales, en todo aquello no previsto en los estatutos correspondientes, debe ajustarse a las previsiones establecidas en los artículos 15 a 19 del Capítulo II, del Título Preliminar, de la vigente Ley 40/2015, de 1 de octubre, de Régimen Jurídico del Sector Público, añadiendo que así lo ha entendido el Tribunal Supremo, que en Sentencia de 27 de mayo de 2002 se pronuncia sobre la convocatoria de los órganos colegiados de los Colegios Profesionales afirmando que deben cumplirse los requisitos previstos en la entonces vigente Ley 30/1992, de 26 de noviembre, de Régimen Jurídico de las Administraciones Públicas y del procedimiento Administrativo Común.

Concluye el CTBG en dicha resolución que el régimen jurídico de los órganos colegiados, incluida la elaboración de actas en los términos del artículo 18.1 de la Ley 40/2015, de 1 de octubre, constituye una actividad sujeta a Derecho Administrativo, de manera que las actas se configuran como una información pública a los efectos previstos en el artículo 13 de la LTAIBG y, en consecuencia, el Colegio Profesional ha de facilitar "los contenidos o documentos, cualquiera que sea su forma o soporte" y "que hayan sido elaborados o adquiridos en el ejercicio de tal función pública en todo aquello que se refiera al ejercicio de funciones sujetas a Derecho Administrativo de las enumeradas en el artículo 4 de los Estatutos del Ilustre Colegio de Abogados de Madrid —BOCM nº 222 de 18 de Septiembre de 2007—, —v.gr. el ejercicio de las facultades disciplinarias e imposición de sanciones, la convocatoria de elecciones, etc.— y 5 de la Ley 2/1974, de Colegios Profesionales". En el mismo sentido, la Resolución de GAIP 466/2019, de 2 de agosto, concluye que las actas de un proceso electoral de un colegio profesional son información pública.

En definitiva, es aplicable la LTCAM a todo lo relacionado con el régimen jurídico de los órganos colegiados, incluido la elaboración de actas, al tratarse de una actividad sujeta a Derecho administrativo, de manera que el Colegio profesional tiene que facilitar el acceso a los libros de actas en lo que se refiere al ejercicio de funciones sujetas a Derecho administrativo como reitera la Resolución del CTBG nº 72, de 3 de junio de 2016.

En cuanto a la publicación activa de las agendas, hay que recordar que la normativa estatal no la exige, habiendo sido objeto de numerosas solicitudes de acceso a la información pública, siendo una materia particularmente sensible. De ahí que el CTBG haya elaborado una recomendación (la 1/17) sobre esta cuestión. También hay que tener en cuenta que la obligación de publicar las agendas ha sido incorporada como obligación de publicidad activa en distintas normas autonómicas antes de recogerse en la ley madrileña.

Por lo que se refiere a la recomendación 1/2017 sobre información de las agendas de los responsables públicos, el CTBG parte de la base de que su publicación no es obligatoria bajo la LTAIBG pero que dado su carácter de información pública puede ser solicitada por los ciudadanos. A estos efectos considera conveniente definir el contenido de lo que denomina una "Agenda para la transparencia" de los responsables públicos que pueda ser publicada proactivamente una vez constata el CTBG que existe una importante demanda social sobre esta información. También es de destacar que en su ámbito subjetivo los destinatarios de esta recomendación son en una primera fase solo los miembros del Gobierno y Secretarios de Estado o equivalentes pero en una segunda fase la recomendación se dirige a todos los responsables públicos de la AGE y del sector público institucional estatal, por tanto también a las Corporaciones de Derecho público.

Esta recomendación es interesante porque desarrolla el concepto de agenda, lo que no hace la LTPCAM en su artículo 5 dedicado a las definiciones. Entiende el CTBG por agenda la relación ordenada de asuntos, compromisos y quehaceres asumidos por los altos cargos y máximos responsables en un periodo de tiempo determinado, soportada en libros, cuadernos, dispositivos electrónicos o cualquier otro medio que sirva para anotar, tener constancia o hacer seguimiento de los temas o asuntos que se traten. En cuanto a la agenda que aquí nos interesa (lo que el CTBG denomina agenda para la transparencia) es la relacionada con la toma de decisiones en materia de la competencia del organismo en cuestión, la gestión y manejo de fondos o recursos públicos y la delimitación de criterios de actuación. Lógicamente en el caso de las Corporaciones de Derecho público hay que hacer referencia a la toma de decisiones en materia de actuaciones sujetas a Derecho administrativo que sean de su competencia, gestión de recursos públicos y delimitación de criterios de actuación en materias sujetas al Derecho administrativo.

Por último, la recomendación considera que deben de incluirse una serie de actividades del alto cargo o máximo responsable del organismo que enumera de forma exhaustiva tales como visitas oficiales realizadas o recibidas en ejercicio de su cargo, actos institucionales en que participe (celebraciones o conmemoraciones oficiales, apertura o clausura de periodos de actividad o sesiones, campañas de divulgación o suscripción de acuerdos, protocolos o convenios) eventos, actos, conferencias o foros, públicos o privados, nacionales o internacionales en los que participe en el ejercicio de su cargo, recepciones, comidas oficiales y actos sociales y protocolarios de cualquier tipo a los que asista en el ejercicio de su cargo, comparecencias ante organismos o entidades públicas, ruedas de prensa y entrevistas concedidas a los medios de comunicación o comparecencias ante ellos, reuniones mantenidas en ejercicio de sus funciones públicas con el personal a su cargo o con otras personas físicas o jurídicas y viajes y desplazamientos realizados.

En cuanto a la periodicidad de la información, el CTBG recomienda que sea semanal, señalando también que hay que publicar los cambios y motivar los retrasos, e incluso hacer constar la falta de actividad pública si se produjese. Por lo que se refiere al mantenimiento de la información, se recomienda mantener la información contenida en las agendas durante un plazo de tres meses desde su inclusión y que esté disponible durante todo el mandato.

En cuanto a la regulación de la LTPCAM se recoge en el art. 10.2 e) y sobre todo en el párrafo 4 de dicho precepto que contienen una serie de criterios interpretativos de esta obligación de transparencia activa. Es esta novedad importante de la Ley, que si bien facilita criterios interpretativos legales también señala específicamente que en todo caso estos criterios se adaptarán a las nuevas interpretaciones que de los mismos pudieran adoptar conjuntamente el Consejo de Transparencia y Buen Gobierno y la

Agencia de Protección de Datos, conforme a lo establecido en la Disposición Adicional 5º de la LTAIBG. De esta manera, parece conceder prioridad a un posible nuevo criterio interpretativo conjunto de ambas entidades que no coincidiese o que modificase los criterios interpretativos legales, lo que resulta problemático desde un punto de vista técnico-jurídico. Probablemente la explicación se encuentra en que en la actualidad los criterios interpretativos legales que fija están tomados del criterio interpretativo conjunto realizado por la AEPD y el CTBG en fecha 5 de julio de 2016 en cuanto a la información relativa a las agendas de los responsables públicos.

No obstante, hay que llamar la atención sobre que este criterio interpretativo conjunto se refiere exclusivamente al derecho de acceso a la información pública, lo que es muy relevante porque expresamente se pone de manifiesto que el criterio solo se refiere a ese supuesto (al derecho de acceso) y no es directamente extrapolable al supuesto de publicidad activa de la información porque precisamente en ese caso se habría producido una generalización en el acceso a los datos, que es lo que no ocurría con la LTAIBG. Lo que ocurre es que la LTPCAM con una discutible técnica legislativa ha incorporado como criterios interpretativos legales en el caso de la publicidad activa lo que eran criterios interpretativos en relación con el derecho de acceso a la información pública, tal y como advertían expresamente la AEPD y el CTBG.

En cualquier caso, en el supuesto de Corporaciones de Derecho público y de Colegios Profesionales hay que interpretar las obligaciones de transparencia de las agendas teniendo en cuenta los criterios arriba apuntados sobre gestión de competencias sujetas a Derecho público, gestión de recursos públicos y toma de decisiones en relación con actuaciones sujetas a Derecho administrativo, aunque probablemente no siempre sea fácil la delimitación, en la medida en que el máximo responsable del organismo puede tener una actividad oficial que esté relacionada a la vez con sus funciones de Derecho público y con las propias de una Corporación profesional. Por esa razón consideramos conveniente una publicación de la agenda completa, aunque teniendo en cuenta su carácter voluntario en relación con las actuaciones de Derecho Privado.

En todo caso hay que tener en cuenta que según los criterios interpretativos legales cuando la información contenga datos personales de categoría especial se atenderá a lo previsto en la propia norma en su art. 35.1 de la LTCAM, que se refiere a la protección de datos personales y que tiene una redacción similar a la del art. 15 de la LTAIBG. Pero si la información se refiere a —por lo que aquí nos interesa— a profesionales o personal de sujetos obligados por la Ley se facilitarán los datos personales identificativos de los participantes que sean titulares de organismos directivos de las entidades de carácter institucional, para cuya identificación habrá que tener en cuenta sus respectivos estatutos o normativa reguladora.

Por tanto, en el caso de las Corporaciones de Derecho Público para decidir si se publica o no la información relativa a estas personas habrá que tener en cuenta en primer lugar lo dispuesto en dichos Estatutos con respecto a quienes son titulares de organismos directivos. En el caso de colegios profesionales, el CTBG también ha tenido la ocasión de pronunciarse al respecto en la resolución ya mencionada 00031/2017.

Es importante señalar que también se hace referencia a la necesidad de facilitar los datos del personal eventual que desarrolle funciones que incidan en los procesos de toma de decisiones siempre que afecten a actuaciones sujetas al Derecho administrativo. Por el contrario, fuera de estos supuestos la información se limitará a la identificación de los sujetos por razón de su cargo y la condición en la que asisten, sin necesidad de facilitar sus datos identificativos.

El art. 10 de la LTCAM también distingue en estos casos si la reunión se celebra con personas físicas que no están obligadas a inscribirse en el Registro de Transparencia que establece y regula la propia LTCAM o si se celebra con personas que sí tienen esta obligación. Celebrada la reunión o audiencia se incluirá además el canal de comunicación empleado así como la relación tanto de informes como de otros documentos aportados relativos a las materias tratadas. En el caso de que la reunión se celebre con personas sujetas a dicho Registro de transparencia, la información identificativa se limitaría al documento que acredite su identificación y la materia a tratar; en caso contrario deberá ponderarse en cada caso la procedencia del acceso atendiendo a la condición de dicha persona y a la condición a la que asiste a la reunión. En este caso la LTPCAM siguiendo en este punto el criterio interpretativo conjunto de la AEPD y el CTBG no establece ningún criterio dejando un amplio margen de discrecionalidad al sujeto obligado para publicar o no esta información.

Como puede verse, la LTPCAM parte de los criterios sentados por la AEPD y el CTBG en cuanto a la relevancia de la información referida a las personas que ocupan posiciones directivas o cargos de confianza en las organizaciones correspondientes, de manera que señala que dicha información —si bien limitada a sus datos personales identificativos— sí deberá proporcionarse en relación con las agendas y reuniones celebradas.

2. Publicidad organizativa

El art. 11 recoge las obligaciones de transparencia activa en materia de organización también en términos mucho más extensos y prolijos que los previstos en la LTAIBG, que recoge conjuntamente en su art. 6 las obligaciones de transparencia activa en el ámbito institucional y organizativos limitándose a señalar que los sujetos obligados (entre ellos las Corporaciones de Derecho Público) publicarán información relativa a su estructura organizativa, y a estos efectos incluirán un organigrama actualizado que identifique a los responsables de los diferentes órganos y su perfil y trayectoria profesional.

El precepto de la LTCAM tiene un nivel de detalle muy superior, puesto que se refiere a órganos territoriales, órganos colegiados, organismos y entidades adscritas e incluso los órganos de gestión sin personalidad jurídica señalando que hay que indicar sus competencias y funciones, los órganos de dirección, las personas titulares de los mismos así como la relación de puestos de trabajo con carácter semestral. Incluye hasta las unidades administrativas a nivel de servicio de cada uno de los órganos superiores, territoriales o directivos, especificando su responsable y las funciones que tiene atribuidas si bien precisa que en caso de nivel inferior a la subdirección general se especificará sólo el cargo y las funciones que tiene atribuidas.

Por último, señala que deberá publicarse también el organigrama actualizado que identifique a los responsables de los diferentes órganos de decisión, consultivos o de participación, con indicación de su composición, sede, dirección electrónica de contacto y las competencias que ejercen, salvo que la publicidad de alguno de estos datos pudiera afectar a personas especialmente protegidas.

Como puede verse, de una parte se amplían las obligaciones de transparencia activa en materia organizativa y se limita la discrecionalidad de los sujetos obligados en la medida en que especifica como facilitar la información y de quien. En cuanto a las Corporaciones de Derecho Público la interpretación lógica de este precepto debe llevar a la publicidad del organigrama completo, dada la dificultad de diferenciar entre los órganos y el personal que desarrolla funciones sujetas al Derecho administrativo y los que no, especialmente en el caso de unidades transversales.

Así lo ha entendido el CTBG al señalar que la información sobre las funciones de los altos cargos del colegio profesional, normativa de aplicación, organigrama actualizado, estructura organizativa y perfil profesional de cada órgano, debe ser facilitada igualmente como consecuencia de la aplicación de la Ley (Resolución del CTBG nº 80, de 30 de mayo de 2016).

3. Publicidad relativa a altos cargos y personal directivo e información relativa a personal eventual

El art. 12 de la LTCAM señala que los sujetos incluidos en el artículo 2 y los apartados 1 y 2 del artículo 3, harán pública y mantendrán actualizada la información relativa a sus altos cargos y personal directivo facilitando su identificación, nombramiento y datos de contacto, su perfil y trayectoria profesional completa, sus funciones, los órganos colegiados administrativos o sociales de los que es miembro y, en su caso, las actividades públicas o privadas para las que se le ha concedido la compatibilidad.

Por su parte, el art. 13 dispone que los sujetos incluidos en el artículo 2 harán pública y mantendrán actualizada la información relativa a su personal eventual, especificando su identificación, nombramiento, funciones asignadas, órgano o directivo al que presta sus servicios y trayectoria profesional completa.

Como puede verse, de nuevo hay una ampliación de las obligaciones de transparencia activa con respecto a las previsiones de la LTAIBG —que mencionaba únicamente en relación con los altos cargos y directivos el perfil y trayectoria profesional— así como una referencia expresa al personal eventual.

Según la doctrina sentada por el CTBG y organismos autonómicos análogos en relación con el precepto análogo de la LTAIBG, esta obligación resultará de aplicación a los máximos responsables de los Colegios profesionales, que en la interpretación dada por los órganos garantes del derecho de acceso han sido identificados como los Presidentes de Colegios Profesionales (Resolución del CTBG nº 17, de 30 de marzo del 2016), y en el caso de los Consejos Generales, al Presidente, Vicepresidentes, Secretario General, Vicesecretario General, Tesorero u órganos similares (Resolución del Consejo de Transparencia de la Comunidad Valenciana nº 24, de 3 de noviembre de 2016 y Resolución del CTBG nº 80, de 30 de mayo de 2016).

4. Publicidad en materia de empleo en el sector público e información retributiva

Según el art. 14 de la LTCAM los sujetos incluidos en el artículo 2 harán públicos y mantendrán actualizados, desagregados por género, y a disposición de todas las personas, sus relaciones de puestos de trabajo, catálogos de puestos, plantillas de personal o instrumentos similares, cualquiera que sea su denominación. Sin embargo conviene observar que el epígrafe bajo el que se engloba este precepto se refiere a la información en materia de empleo en el sector público, y es evidente que el personal al servicio de las Corporaciones de Derecho Público —a pesar de la dicción literal del art. 14 que incluye a los sujetos incluidos en el art. 2— no es personal empleado en el sector público por lo que no le resulta de aplicación las obligaciones de transparencia activa que se establecen en este precepto.

El tenor literal del párrafo 2º del art. 14 permite llegar a la misma conclusión puesto que hace referencia a conceptos y términos que son propios del empleo en el sector público y que están regulados en el EBEP ya que obliga a publicar información sobre grupos de clasificación, el tipo de relación estatutaria, en el caso del personal funcionario, los de carrera y los interinos, y en el del personal laboral, los fijos, los indefinidos y los temporales. En cuanto a los liberados sindicales el párrafo se refiere específicamente a la Administración Pública y las entidades de Derecho Público de ella dependientes. De la misma forma, la referencia a la oferta de empleo público, las convocatorias y los resultados de los procesos selectivos de acceso, así como las convocatorias de selección temporal de sus empleados, interinos o laborales, y los integrantes de las bolsas de trabajo constituidas se remite al empleo en el sector público. Por último, la publicación de la concesión de autorizaciones de compatibilidad para actividades públicas o privadas se refiere específicamente al personal al servicio del sector público de su Administración.

En conclusión, este precepto no se aplica a los Colegios Profesionales de Derecho Público lo que es congruente con su especial naturaleza y también con la regla "follow the money" en el sentido de que sus fondos proceden mayoritariamente de las cuotas de sus asociados y por tanto no son fondos públicos.

Por su parte, el art. 15 se refiere a la información en materia de retribuciones señalando que los sujetos incluidos en el artículo 2, respecto de su personal y el de los organismos y entidades vinculadas o dependientes de la misma, harán pública y mantendrán actualizada una serie de información relativa a las retribuciones de altos cargos y personal directivo, así como del personal de confianza o asesoramiento especial.

De nuevo este precepto amplía las obligaciones de transparencia activa sobre las contenidas en el art. 8 de la LTAIBG dado que se refiere no solo a las retribuciones anuales sino que incluye los gastos de representación que tienen asignados así como, en su caso, las indemnizaciones percibidas con ocasión del abandono del cargo. Además añade la información de las retribuciones anuales del personal de confianza o asesoramiento especial, articulada en función de la clase y/o categoría y la información sobre las condiciones para el devengo y las cuantías de las indemnizaciones que corresponden por razón del servicio en concepto de viajes, manutención, alojamiento y asistencia a órganos colegiados o sociales.

Recordemos que este precepto según la doctrina del CTBG y organismos análogos resultará de aplicación a las retribuciones percibidas por los altos cargos y máximos responsables de los Colegios, que, como hemos visto, han sido identificados como los Presidentes de Colegios Profesionales y en el caso de los Consejos Generales, el Presidente, Vicepresidentes, Secretario General, Vicesecretario General, Tesorero u órganos similares.

No obstante lo anterior, es evidente que no estamos ante un alto cargo a los efectos de la Ley 3/2015 de 30 de marzo reguladora del ejercicio de alto cargo en la Administración General del Estado, que los enumera con carácter de "numerus clausus". Lo mismo sucede en relación con la Comunidad de Madrid con la Ley 14/1995, de 21 de abril, de Incompatibilidades de Altos Cargos de la Comunidad de Madrid. Por tanto, no resultan aplicables los preceptos relativos a la declaración inicial, complementaria y final de bienes y actividades ni la información relativa a la liquidación de sus declaraciones de la renta, patrimonio y, en su caso, sociedades que son obligaciones (las dos primeras) específicamente establecidas para los altos cargos en los arts. 16 y 17 de la Ley 3/2015 de 30 de marzo reguladora del ejercicio de alto cargo en la Administración General del Estado y por la Ley 14/1995 de 21 de abril de Incompatibilidades de Altos Cargos de la Comunidad de Madrid.

Tampoco, dado su tenor literal, consideramos de aplicación lo dispuesto en este precepto respecto a la publicidad de los gastos protocolarios, indicando medio de pago, dietas y gastos de viaje dado que se refiere específicamente a "la presidencia, consejeros, representantes locales, titulares de los órganos directivos y máximos responsables de las sociedades mercantiles, fundaciones y consorcios sujetos a la Ley, así como del personal al servicio de las entidades comprendidas en el artículo 2, hasta el nivel de subdirección general, con indicación del motivo, identificación y cargo de quien efectúa el pago". De nuevo la regla "follow the money" permite avalar esta interpretación siempre, claro está, que no se trate de gastos asociados a actividades subvencionadas.

5. Publicidad en materia normativa

Mientras que el art. 7 de la LTAIBG obliga sólo a publicar información de trascendencia jurídica a las Administraciones públicas, el art. 16 LTCAM establece que los sujetos incluidos en el artículo 2 harán pública y mantendrán actualizada la información de carácter normativo que detalla. Pese a su tenor literal y a la inclusión de las Corporaciones de Derecho Público como sujetos obligados lo cierto es que gran parte de la información se refiere a las normas que son aprobadas por el Poder Ejecutivo, tales como Anteproyectos de Ley y proyectos de reglamento o a ordenanzas y normas locales y que, por tanto, no tienen como destinatarios a los Colegios Profesionales o Colegios Profesionales.

Sin embargo sí consideramos de aplicación la referencia recogida en el apartado f) del art. 16 a la relación de su normativa vigente (que deberá mantenerse permanentemente actualizada y a disposición de la ciudadanía) en relación con las actividades sujetas a Derecho Administrativo, como ocurre por ejemplo con la normativa en materia de turno de oficio que ya fue objeto de un dictamen específico de esta Comisión Jurídica. En todo caso, la norma exige que esta información se mantenga permanentemente actualizada y a disposición de la ciudadanía. De la misma forma cabe entender aplicable la previsión del apartado e) en relación con el resultado de la participación en proyectos reglamentarios y demás documentos sujetos a participación pública o que hayan sido sometidos de forma voluntaria a un trámite voluntario de información pública.

6. Publicidad sobre los servicios y procedimientos

El art. 17 de la LTCAM introduce la obligación (no contemplada en la LTAIBG) para los sujetos incluidos en el artículo 2, de publicar sus servicios y procedimientos en los términos que señala. En relación con las Corporaciones Profesionales y Colegios Profesionales sólo serán de aplicación lógicamente en relación con aquellos servicios y procedimientos sujetos al Derecho Administrativo.

En concreto, el precepto señala que se deberá publicar la información relativa a los servicios que se prestan, sus requisitos y condiciones de acceso, incluyendo horario y, en su caso, las tasas, tarifas o precios que se exigen, las cartas de servicios elaboradas, el catálogo de procedimientos administrativos, con la información básica necesaria sobre los requisitos y los trámites de gestión, el procedimiento para la presentación de quejas y reclamaciones sobre el funcionamiento del servicio y el número de reclamaciones presentadas y el número o proporción de las aceptadas o resueltas a favor de los interesados, así como el listado de quejas y reclamaciones habituales.

En principio y siempre por tanto que se trate de servicios o funciones desempeñadas por Colegios Profesionales sujetas a Derecho Administrativo deberán cumplirse estas obligaciones de publicidad activa. En la actualidad es fácil comprobar que muchos Colegios Profesionales no proporcionan en estos términos esta información de sus servicios sujetos a Derecho público (por ejemplo, el Colegio de Abogados de Madrid en relación con el servicio de asistencia jurídica gratuita), por lo que habrá de adaptarse a lo dispuesto en la LTCAM.

Además, en el caso de actuaciones sujetas a Derecho Público hay que informar lógicamente sobre régimen de recursos contra los actos administrativos dictados por los distintos órganos colegiales, en el ámbito de sus competencias, respecto de sus colegiados (Resolución del Consejo de Transparencia de la Comunidad Valenciana nº 24, de 3 de noviembre de 2016).

En el precepto se hace también referencia también a las listas de espera existentes para el acceso a cualquiera de los servicios que preste su Administración pública, que obviamente no es aplicable al supuesto de las Corporaciones de Derecho Público.

7. *Publicidad económico-financiera y publicidad sobre el patrimonio*

El art. 18 de la LTCAM (información económico-financiera) y el art. 19 (información sobre el patrimonio) son también mucho más amplios y detallados que el correspondiente art. 8 de la LTAIBG que regula las mismas cuestiones.

En concreto, el art. 18 dispone que los sujetos incluidos en el artículo 2, respecto de su gestión económico-financiera y la de los organismos y entidades vinculadas o dependientes de la misma, harán pública y mantendrán actualizada, la información relativa a la información presupuestaria y contable, información sobre ingresos y gastos e información sobre endeudamiento. Lógicamente gran parte de las obligaciones de transparencia activa que se imponen por su propia naturaleza no son predicables de las Corporaciones de Derecho Público en general y de los Colegios Profesionales en particular, dado que solo son aplicables a la propia Comunidad de Madrid y a su sector público. En todo caso, de nuevo hay que apreciar una enorme ampliación de las obligaciones contenidas en el art. 8 de la LTAIBG.

Este precepto se refiere también a la información sobre los gastos realizados en campañas de publicidad o comunicación institucional, los contratos celebrados incluyendo la información a que se refiere el artículo 22, así como los planes de medios correspondientes en el caso de las campañas publicitarias, incluyendo el desglose de gastos por campaña y presupuesto asociado por medios de comunicación y los criterios para ese reparto, así como el gasto realizado en concepto de patrocinio. Con carácter general estas obligaciones no serán aplicables a las Corporaciones de Derecho Público salvo que se refieran a funciones públicas financiadas con fondos públicos.

En ese sentido, la Comisión Catalana de garantía del derecho de acceso a la información pública ha señalado que no está sujeta a la normativa de transparencia la contratación de una campaña publicitaria (Resolución de la Comisión catalana de garantía del derecho de acceso a la información pública (GAIP) nº 16/2017, de 18 de enero).

Lo mismo cabe decir del art. 19 con respecto a la información sobre el patrimonio, que se refiere a la relación de bienes demaniales, afectos al uso o servicio público o a los vehículos oficiales. De nuevo, hay que proceder a una interpretación de este precepto teniendo en cuenta que se parte del presupuesto de que estamos en presencia de bienes titularidad de la Administración Pública o de su sector público por lo que la obligación de transparencia encuentra su fundamento en la regla "follow the money" (sin perjuicio de que pudiera entenderse que sí han de tener en cuenta las Corporaciones la previsión del artículo 19.1.b de la LTCAM).

8. *Publicidad sobre planificación y programación*

Según el art. 20 los sujetos incluidos en el artículo 2 harán pública y mantendrán actualizada la información que les afecte relacionada con los proyectos de planes y programas anuales y plurianuales, generales o sectoriales, departamentales o interdepartamentales, cuya tramitación se haya iniciado, los planes y programas anuales y plurianuales, generales o sectoriales, departamentales o interdepartamentales, aprobados, con indicación para cada uno de ellos de los objetivos estratégicos perseguidos, las actividades y medios necesarios para alcanzarlos, una estimación temporal para su consecución, la identificación de los órganos responsables de su ejecución, así como los indicadores que permitirán su seguimiento y evaluación y el grado de cumplimiento de los planes y programas y, en su caso, de las modificaciones introducidas o que pretenden introducirse respecto de lo planificado así como la evaluación de los resultados de los planes y programas.

Recordemos que el precepto homólogo de la LTAIBG, el art. 6.2 se limita a señalar que las Administraciones Públicas publicarán los planes y programas anuales y plurianuales en los que se fijen objetivos concretos, así como las actividades, medios y tiempo previsto para su consecución, señalando además que: "su grado de cumplimiento y resultados deberán ser objeto de evaluación y publicación periódica junto con los indicadores de medida y valoración, en la forma en que se determine por cada Administración competente". Por tanto, la obligación en la LTAIBG se limita a las Administraciones Públicas a las que deja además un mayor margen de libertad en la medida en que precisa mucho menos las obligaciones de transparencia activa y además permite que sean las propias Administraciones las que determinen la forma de publicación de las evaluaciones que deben de realizar.

Por el contrario, la LTCAM extiende su obligación a todos los sujetos del art. 2, y por tanto a las Corporaciones de Derecho Público aunque de nuevo habrá que interpretar que sólo en la medida en que existan estos planes y programas en relación con sus funciones de Derecho Público.

9. Publicidad en materia de contratación y de convenios

Según el art. 22 de la LTCAP —que de nuevo amplía las obligaciones análogas contenidas en el art. 8 de la LTAIBG— los sujetos incluidos en el artículo 2, en relación con su actividad contractual, publicarán y actualizarán la información relativa los contratos en los términos que se establecen, que de nuevo son más amplios que los previstos en el art. 8 de la LTAIBG que se limitaba a exigir la publicidad de todos los contratos, con indicación del objeto, duración, el importe de licitación y de adjudicación, el procedimiento utilizado para su celebración, los instrumentos de publicidad, el número de licitadores participantes en el procedimiento y la identidad del adjudicatario, así como las modificaciones del contrato. Igualmente serán objeto de publicación las decisiones de desistimiento y renuncia de los contratos. Por último, se señalaba que la publicación de la información relativa a los contratos menores podrá realizarse trimestralmente y se establece la obligación de publicar datos estadísticos sobre el porcentaje en volumen presupuestario de contratos adjudicados a través de cada uno de los procedimientos previstos en la legislación de contratos del sector público.

Por lo que a nosotros nos interesa, esta obligación se refiere sólo a los contratos sometidos a la normativa administrativa de contratación y deberá ser la siguiente de acuerdo con el TCAP (que es bastante más exhaustiva que la de la LTAIBG a la que acabamos de referirnos) y además de los requisitos ya exigidos en el art. 8 de la LTAIBG exige publicar los siguientes:

a) La información sobre las licitaciones en curso, con acceso a la totalidad de las condiciones de ejecución del contrato y, en su caso, la restante documentación complementaria.

b) La composición y convocatorias de las mesas de contratación, con los cargos, y las actas anonimizadas completas de adjudicación que firman.

c) La información sobre preguntas frecuentes y aclaraciones relativas al contenido de los contratos.

d) En relación con las ofertas económicas y, en su caso, porcentaje de baja de su oferta y relación con el resto de licitadores y resultados de las evaluaciones.

e) En relación con los contratos menores la información sigue siendo trimestral, pero se exige la indicación del objeto, duración, el importe de licitación y de adjudicación, el procedimiento utilizado para su celebración, los instrumentos a través de los que, en su caso, se ha publicitado, el número de licitadores participantes en el procedimiento y la identidad del adjudicatario, así como las modificaciones del contrato.

f) Con respecto a las decisiones de desistimiento y renuncia de los contratos (que ya había que publicar de acuerdo con el art. 8 LTAIB) se especificará también su importe global de los mismos y el porcentaje que representan respecto de la totalidad de contratos formalizados.

g) En relación con las modificaciones de los contratos formalizados, se añade que deberán publicarse las prórrogas y variaciones del plazo de duración o ejecución.

h) Las penalidades impuestas, en su caso, por incumplimiento de los contratistas.

i) La relación de contratos resueltos. Específicamente, se harán públicas las decisiones de desistimiento y renuncia de los contratos.

Por tanto, las Corporaciones de Derecho Público madrileñas deberán publicar estos extremos en relación con todos los contratos que se rijan por la Ley 9/2017, de 8 de noviembre, de Contratos del Sector Público o anteriores por el Real Decreto Legislativo 3/2011, de 14 de diciembre, Ley de Contratos del Sector Público —aunque a nuestro juicio, la aplicación de la Ley 9/2017 habrá de ser muy limitada en el caso de los Colegios profesionales, por el juego de los apartados 5 y 3.d) del artículo 3 de la propia Ley 9/2017—.

Como ha señalado el CTBG en resolución de 30 de mayo de 2016 hay que publicar los contratos suscritos por el Colegio Profesional con entidades y organismos pertenecientes al sector público: contratos de obras, concesión de obras públicas, gestión de servicios públicos, suministro, contrato de servicios y contratos de colaboración entre el sector público y el sector privado así como a sus correspondientes desistimientos, renuncias, rescisiones y renovaciones. También la resolución del Consejo de Transparencia de la Comunidad Valenciana nº 24, de 3 de noviembre de 2016 establece que deberán publicarse los contratos que celebre un Colegio profesional siempre que su objeto sea la proyección del ejercicio de una función pública.

Por su parte, el art. 23 de la LTCAM se refiere a la información recogida en los convenios, encomiendas de gestión y encargos a medios propios. Amplía también las obligaciones de transparencia activa del correlativo art. 8 de la LTAIBG que hacía referencia a la relación de los convenios suscritos, con mención de las partes firmantes, su objeto, plazo de duración, modificaciones realizadas, obligados a la realización de las prestaciones y, en su caso, las obligaciones económicas convenidas.

El precepto de la LTCAM señala que todos los sujetos incluidos en el artículo 2 deberán hacer pública y además mantener actualizada la relación de convenios celebrados por sus órganos y por los organismos y entidades dependientes de la misma con otras Administraciones públicas y otros sujetos, públicos o privados. Entre los extremos a publicitar, además de los ya recogidos en la LTAIBG y que acabamos de señalar, incorpora la indicación de las actuaciones o actividades comprometidas y de los órganos o unidades encargados de su ejecución, y con respecto a las obligaciones económicas la indicación de las cantidades que corresponden a cada una de las partes firmantes. Al plazo de vigencia añade las condiciones de vigencia y con respecto a las modificaciones se añade su objeto y fecha. Por último se hace referencia a la información sobre el Boletín Oficial en que fue publicado y el Registro en el que está inscrito.

10. Publicidad de ayudas y subvenciones

El art. 25 de la LTCAP amplía también las obligaciones de transparencia activa contenidas en el art. 8 de la LTAIBG (que se limitaba a señalar que deberán publicarse las subvenciones y ayudas públicas concedidas con indicación de su importe, objetivo o finalidad y beneficiarios) exigiendo que los sujetos incluidos en el artículo 2 publiquen las ayudas y subvenciones de sus órganos y de los órganos de los organismos y entidades vinculadas o dependientes haciendo pública y manteniendo actualizada la información de las ayudas y subvenciones incluidas en el ámbito de aplicación de la Ley 38/2003, de 17 de noviembre, General de Subvenciones.

La información hace referencia básicamente a las obligaciones de los organismos que otorgan las subvenciones y son de nuevo mucho más amplias que las contenidas en el art. 8 de la LTAIBG. No nos detendremos sin embargo en ellas dado que no se aplican a las Corporaciones de Derecho Público que no otorgan subvenciones aunque sí deberán publicar las que reciban como beneficiarias.

CUARTO.- Registro de transparencia.

Por su interés y su novedad haremos una breve referencia a la regulación del Registro de Transparencia en los arts.65 y ss. de la LTCAM en la medida en que, como ya hemos señalado, una Corporación de Derecho Público madrileña que quiera realizar actividades de "lobby" (es decir, llevar a cabo actividades con el objeto de influir directa o indirectamente en la elaboración de disposiciones generales y la elaboración y aplicación de políticas públicas) deberá inscribirse en el mismo. El Registro es público y tiene carácter obligatorio y gratuito y la Disposición Adicional cuarta de la Ley establece para su creación un plazo de seis meses desde la entrada en vigor de la LTCAM.

Además, la norma precisa que se entenderá por influir directamente intervenir por contacto directo o por cualquier otro medio de comunicación, con cualquiera de los sujetos de la Administración pública autonómica y local a que se refiere el artículo 2.1, y por influir indirectamente, intervenir mediante la utilización de intermediarios incluidos los medios de comunicación, la opinión pública, conferencias o actos sociales que estén dirigidos a cualquiera de los sujetos de la Administración pública autonómica y local. Además el propio precepto contiene una enumeración no exhaustiva de esas posibles actividades.

En cuanto a las personas obligadas a inscribirse, el art. 66.1 señala que son todas las personas y entidades, sea cual sea su denominación, naturaleza y estatuto jurídico, que participen, por cuenta propia o ajena, en actividades, tanto en curso como en preparación, cubiertas por el Registro, quedando incluidas por tanto las Corporaciones de Derecho Público.

En cuanto a la regulación del Registro, el art. 68 dispone que deberá incluir una relación ordenada por categorías de las personas o entidades inscritas conforme a lo previsto en el Anexo I y toda la información requerida a los declarantes conforme al Anexo II, información que además deberá renovarse cada dos años, actualizando los datos y en concreto los financieros al objeto de hacerlos coincidir con el ejercicio financiero o año natural más reciente. Estos datos financieros deberán cubrir un ejercicio de funcionamiento completo. Por último, en caso de no renovación se entenderá caducada la inscripción.

En cuanto a la información a la que se refiere el Anexo II, además de la de carácter general (tal como nombre, apellido, NIF o razón social de la persona o entidad obligada a inscribirse, dirección, número de teléfono, dirección de correo electrónico y sitio web si lo tuvieran, nombre y apellido de la persona legamente responsable dentro de la entidad de la actividad que obliga a la inscripción, nombre y apellido de las personas autorizadas para, en nombre y representación de las personas o entidades obligadas a inscribirse, acceder y reunirse en las dependencias públicas o tener contacto con cargos directivos, profesionales, personal estatutario, asesores u otros sujetos de las Administraciones públicas, etc, etc) hay también una información específica —para entidades que no tienen ánimo de lucro, como son las que nos ocupan aquí— que hace referencia al ámbito de interés o intereses sectoriales, la pertenencia a algún grupo de trabajo, mesa sectorial o consejo de naturaleza consultiva relacionada con alguna Administración pública, información financiera relacionada con las actividades cubiertas por el Registro, estimación de los costes anuales vinculados a las actividades cubiertas por el Registro y el importe y la fuente de los fondos públicos recibidos, si procede.

Por lo tanto, esta es la información que deberán proporcionar las Corporaciones de Derecho Público madrileñas para inscribirse en el Registro de Transparencia. Esta inscripción supone una serie de obligaciones a las que se refiere el art. 69 de la LTCAM y que exige —además de la propia transparencia de la información facilitada a los efectos de la inscripción— aceptar que la información proporcionada se haga pública, excepto aquella que condicione su entrega a que se mantenga confidencial, garantizar que la información proporcionada es completa, correcta y fidedigna y que se mantendrá actualizada de forma periódica, de conformidad con lo previsto en la Ley, aceptar de forma expresa el Código ético, como requisito previo a su inscripción en el Registro, facilitar el nombre de las personas legalmente responsables de las personas o entidades inscritas en el Registro y aceptar la aplicación del régimen de control y fiscalización y las medidas correspondientes, en caso de incumplimiento del Código ético o de lo establecido por la Ley.

En cuanto a los derechos la inscripción en el Registro de Transparencia conlleve el derecho a actuar en defensa de intereses propios, de terceras personas o entidades o incluso de intereses generales ante los cargos, directivos, profesionales, personal estatutario, asesores u otros sujetos de las Administraciones públicas autonómica y local quienes tendrán la obligación de recibirlos y publicarlo en sus agendas conforme al artículo 10, formar parte de la lista de distribución que se puedan crear para recibir avisos automáticos sobre actos públicos y consultas públicas en materia de interés de las personas o entidades inscritas, obtener un documento de identificación, haciendo constar la inscripción en el Registro de Transparencia y ejercer los derechos de participación establecidos en la propia LTCAM.

Por último, el art. 70 regula el Código ético que deberán cumplir las entidades que se inscriban en el Registro de Transparencia y que se centra en la no difusión de la información de carácter confidencial que pudieran conocer con motivo de las tareas que se ejercen, comportarse con integridad y honestidad en el desarrollo de su actividad, no influir ni intentar influir de manera deshonesta en la toma de decisiones, no incurrir en conflicto de intereses, no emplear a personal incurso en incompatibilidades y en general colaborar con el Registro en las actuaciones de control y fiscalización.

El incumplimiento de estas obligaciones puede dar lugar a denuncias y a la incoación e instrucción de un expediente sancionador conforme a la LTCAM.

Se trata por tanto de una novedosa y avanzada regulación en el ámbito del Registro de lobbies o Registro de transparencia como prefiere denominarlo la LTCAM, en línea también con la elaborada por otras leyes autonómicas que han puesto en marcha iniciativas similares y que supone sin duda un reto para las Corporaciones de Derecho público que quieran realizar este tipo de actividades.

QUINTO.- Por último, haremos referencia a la introducción de un régimen sancionador en la LTCAM que no existe, como es sabido, en la LTAIBG lo que —como hemos expuesto más arriba— ha sido particularmente criticado por la doctrina puesto que en la práctica limita la eficacia del papel del CTBG como órgano de garantía y supervisión de la aplicación de la normativa estatal de transparencia.

En todo caso, el art. 80 de la LTCAM señala que la potestad sancionadora se ejercerá de conformidad con lo dispuesto en la propia LTCAM y en la legislación básica reguladora del procedimiento administrativo común de las AAPP y del régimen jurídico del sector público (es decir, Leyes 39/2015 y 40/2015 ambas de 1 de octubre) y en el caso de la potestad disciplinaria en lo dispuesto en el procedimiento previsto para el personal estatutario o laboral que resulte de aplicación.

Por su parte, el art. 81 de la LTCAM tipifica en muy graves, graves y leves una serie de infracciones en materia de transparencia. En particular, considera como infracciones muy graves en materia de transparencia activa el incumplimiento de la obligación de publicar la información activa cuando se haya desatendido más de tres veces en un periodo de dos años el requerimiento expreso del Consejo de Transparencia y Participación, convirtiéndose la infracción en grave el incumplimiento reiterado cuando no constituya reincidencia y se haya desatendido el requerimiento expreso del Consejo de Transparencia y Participación. Es infracción grave además publicar la información incumpliendo las exigencias derivadas de los principios del art. 6 a los que ya hemos hecho referencia. Además se considera falta grave la reincidencia en la comisión de faltas leves, entendiendo por tal la comisión en el término de un año de más de una falta leve cuando así haya sido declarada por resolución firme. En los demás casos el incumplimiento de la obligación de publicar la información tendrá la consideración de infracción leve.

En cuanto a la transparencia pasiva, se considera infracción muy grave el incumplimiento más de tres veces en un periodo de dos años de resolver en plazo las solicitudes de acceso a la información pública, y el incumplimiento por más de dos veces en dos años de la obligación de motivar en los términos del art. 53 de la LTCAM. y grave el incumplimiento injustificado y reiterado de la obligación de resolver en plazo dichas solicitudes. También es infracción grave suministrar la información solicitada incumpliendo los principios del art. 6 e incumplir la obligación prevista en el art. 4.1 (que se refiere a la obligación de las personas y entidades que presten servicios públicos, ejerzan potestades administrativas o actúan como agentes colaboradores de la Administración de suministrar a la Administración toda la información necesaria para el cumplimiento de las obligaciones previstas en la Ley en el plazo establecido) así como la reincidencia en la comisión de faltas leves. Por último, se consideran infracciones leves el incumplimiento de la obligación de motivar cuando no sea falta muy grave o grave.

Por último, en cuanto al Registro de Transparencia se considera muy grave el ejercicio por tercera vez en un año de las entidades obligadas a la inscripción de las actividades de lobby si no han cumplido su deber de inscribirse en el Registro o la autorización por tercera vez en un año de dichas actividades cuando no estén inscritas. Será grave la infracción en el caso de que se haya realizado dos veces esta conducta, o cuando la autorización se haya otorgado por segunda vez sin contar con la inscripción obligatoria, así como el incumplimiento manifiesto de las obligaciones contenidas en el art. 69 al que ya hemos hecho referencia así como la reincidencia en la comisión de faltas leves. Por último se considera como falta leve el ejercicio y la autorización por una sola vez en un año de actividades de lobby sin inscripción en el Registro de transparencia.

Por lo que se refiere los responsables de estas conductas, el art. 83.1 considera (aún a título de simple inobservancia) como personas responsables a las personas físicas o jurídicas o entidades que realicen estas conductas, precisando en el párrafo 2º de este precepto precisa quienes son en cada caso los responsables en materia de transparencia. Por lo que a nosotros nos interesa, menciona los altos cargos y el personal al servicio de las instituciones u organismos del art. 2 pero siempre que la infracción les sea imputable de acuerdo con las funciones y competencias que tengan atribuidas. Por tanto, esta será la norma aplicable en el caso de Corporaciones de Derecho público, por lo que habrá que tener en cuenta su organigrama y las funciones y competencias que se les atribuyan en el mismo a las diferentes personas físicas que ocupen los puestos de mayor responsabilidad en la Corporación o que presten servicios en la misma.

En cuanto a los máximos responsables o altos cargos de los Colegios profesionales ya hemos visto más arriba que se pueden considerar como tales en el caso de los Colegios Profesionales a los Decanos o Presidentes de los Colegios Profesionales (y en el caso de los consejos generales, el Presidente, Vicepresidentes, Secretario General, Vicesecretario General, Tesorero u órganos similares.

Podemos concluir que la ley parte del principio de atribuir la responsabilidad por las infracciones en materia de transparencia (en línea con lo que aconseja la doctrina y lo que se establece en algunas legislaciones de Derecho comparado como la chilena) por un lado a los máximos responsables de los entes obligados y por otro a las personas que presten servicios en las mismas pero siempre que la infracción les sea imputable de conformidad con sus funciones y competencias.

Esto responde a la lógica de que son ellos, en definitiva, los que pueden impulsar (o impedir) las políticas de transparencia y por tanto los responsables de las infracciones que en este ámbito se puedan cometer.

A estos efectos, es interesa destacar que, en relación con la responsabilidad de las personas que tienen la condición de altos cargos o asimilados en la Comunidad y los municipios (de conformidad con la Ley 4/1995 de 21 de abril, de incompatibilidades de altos cargos de la Comunidad de Madrid) no se establece ninguna precisión en relación con las funciones y competencias que tienen atribuidas; al contrario, se entiende que entre sus funciones y competencias está precisamente la de garantizar la transparencia del organismo o entidad de la que se trate. La referencia a las funciones y competencias sí se hace en relación con el personal al servicio de las Administraciones pública autonómica o local y de las entidades y organismos del art. 2.1 (Administraciones, organismos autónomos, empresas públicas, fundaciones públicas, etc, etc) y por tanto en estos casos sí habrá de tenerse en cuenta si estas personas tenían específicamente asignadas las competencias o las funciones en este ámbito. No sucede lo mismo en el caso de los altos cargos, cuya responsabilidad es independiente de cuales fueran sus competencias o funciones dado que son los que dirigen la actuación de todos los demás.

De esta manera puede decirse que lo que podríamos denominar "responsabilidad política" por infracciones generalizadas en materia de transparencia —hasta ahora inédita— se transforma en una auténtica responsabilidad jurídica en la LTPCAM lo que es una novedad importante. En ese sentido, se avanza respecto de las infracciones y sanciones en materia de buen gobierno contenida en el título II la LTAIBG donde se contemplaban una serie de infracciones que podían cometer los altos cargos y que, como también ocurre en esta norma, podían terminar con la destitución del cargo pero que hoy por hoy están inéditas por motivos que están relacionados con la falta de competencia del CTBG para incoar los procedimientos sancionadores y con la competencia para resolverlos (normalmente le corresponde al superior político del alto cargo en cuestión, que lógicamente poco interés tendrá en verificar si un subordinado suyo ha incurrido en alguna infracción en materia de buen gobierno y menos en imponerle una sanción).

Por otro lado, tratándose de cargos de libre designación o de altos cargos puede además acordarse el cese en estos casos sin necesidad, lógicamente, de incoar expediente sancionador al efecto.

Lo que parece indudable es que el propósito de la LTPCAM, al menos en principio, es que la responsabilidad por estas infracciones en materia de transparencia recaiga sobre los máximos dirigentes de las entidades obligadas que son, al fin y al cabo, los responsables últimos de que se cumplan las obligaciones en materia de transparencia. De hecho, en cuanto a las sanciones a imponer destaca precisamente por la comisión de infracciones muy graves la destitución del cargo. Por la comisión de infracciones graves cabe imponer también la suspensión de funciones y retribuciones durante un periodo de entre tres a seis meses para el ejercicio de alto cargo o asimilado.

En todo caso, es muy importante que exista un procedimiento sancionador en el ámbito de la transparencia, aunque consideramos compleja su aplicación a las Corporaciones de Derecho Público, ya que, aunque están sujetas claramente al mismo (y a la incoación e instrucción del procedimiento por el Consejo de Transparencia y Participación), se plantea el problema de la competencia para resolverlo cuando se trate de los máximos responsables de la Corporación y del tipo de sanciones que se pueden imponer.

Efectivamente el art. 87 de la LTPCAM se limita a señalar quienes son los órganos competentes para la resolución de los procedimientos sancionadores pero no contiene ninguna referencia a las Corporaciones de Derecho público, pudiendo entenderse que se remite (apartado e) a lo establecido en la normativa aplicable en cada caso cuando se trate del personal al servicio de las entidades y organismos incluidos en el art. 2, lo que remitiría a la normativa específica de cada Corporación de Derecho Público. En ese sentido, el art. 85 señala, en cuanto a las sanciones aplicables al personal sometido a régimen disciplinario, que cuando las infracciones sean imputables al personal al servicio de las entidades relacionadas en el art. 2, dichas infracciones se sancionarán conforme a lo previsto en la normativa disciplinaria aplicable al personal de acuerdo con el régimen estatutario o laboral aplicable, añadiendo que si la infracción en cuestión puede subsumirse en alguna de las infracciones disciplinarias ya establecidas en la normativa estatutaria se aplicará esta última legislación.

En cuanto a las sanciones previstas ya hemos visto que no caben las multas en este supuesto, ya que solo están previstas para los sujetos obligados en base a los arts. 3 y 4, que como sabemos son partidos políticos, organizaciones sindicales, organizaciones empresariales y entidades privadas que perciban ayudas o subvenciones de las AAPP de la Comunidad de Madrid para su financiación y funcionamiento ordinario (con los límites establecidos en el art. 3) y otras entidades privadas que sean contratistas o concesionarias de la Administración o ejerzan potestades administrativas o actúen como colaboradores de las AAPP.

En cuanto a los tipos de sanciones para el resto de los supuestos según el art. 84 (sanciones aplicables a altos cargos o asimilados y demás sujetos obligados), que se refieren a la destitución del cargo (por infracciones muy graves) a la suspensión de funciones y retribuciones para el ejercicio de alto cargo o asimilado y a la declaración de incumplimiento de la Ley y publicación en el BOCAM (por infracciones graves) y a la amonestación y publicación de infracción en el BOCAM (por infracciones leves), cabe preguntarse en qué medida pueden resultar aplicables en el caso de los máximos responsables de las Corporaciones de Derecho Público, en la medida en que una interpretación estricta de la norma (acorde con la que procede en el caso de un régimen sancionador) lleva a la conclusión de que de alto cargo o asimilado a estos efectos son únicamente los comprendidos en la Ley 14/1995, de 21 de abril, de Incompatibilidades de Altos Cargos de la Comunidad de Madrid.

Es más, cabe afirmar que tales sanciones del artículo 84.1 —letras a) y b) 1º— no son aplicables a los máximos responsables de las Corporaciones de Derecho público y, en ningún caso, a los de los Colegios profesionales que hayan accedido a sus responsabilidades en virtud de un proceso electoral colegial o corporativo. Debe recordarse que los Colegios profesionales no se encuentran en relación de dependencia, ni vinculación con la correspondiente Administración territorial (basta leer los artículos 2.3 de la Ley 2/1974, de 13 de febrero, sobre Colegios profesionales o 4 de la Ley 19/1997, de 11 de julio, de Colegios Profesionales de la Comunidad de Madrid), por lo que las Administraciones públicas carecen de facultades para proceder a la remoción de sus máximos representantes —así lo sostuvo el Consejo General de la Abogacía Española en relación con la proyectada regulación de las relaciones entre Colegios y Administraciones públicas que, en una de sus versiones, contuvo al decaído en 2014 Anteproyecto de Ley de servicios y Colegios profesionales—.

Por tanto, en el caso de las Corporaciones de Derecho Público parece existir en la LTCAM una laguna que no parece fácil de integrar —como hemos visto que sí se hace en otras cuestiones en el ámbito de la transparencia—, habida cuenta de que estamos en presencia de un régimen sancionador en el que no se establece con claridad la competencia de la Administración territorial para sancionar a los máximos responsables en estos supuestos y que no puede realizarse una interpretación analógica "in malam partem" en este ámbito en el que resultan de aplicación los principios del Derecho penal.

En ese sentido, cabe invocar la jurisprudencia del Tribunal Constitucional (a título de ejemplo la recogida por ejemplo en la STC 219/2016 de 19 de diciembre) que se refiere a la necesidad de sujeción estricta a los dictados de las leyes que describen ilícitos e imponen sanciones, impidiendo la sanción de comportamientos no previstos en la norma correspondiente pero similares a los que sí contempla (SSTC 137/1997, de 21 de julio, FJ 6, y 146/2015, de 25 de junio, FJ 2). Según esta jurisprudencia el derecho fundamental a la legalidad penal, reconocido en el art. 25.1 CE, ha de reputarse vulnerado cuando la conducta que ha sido declarada probada en la Sentencia "es subsumida de un modo irrazonable en el tipo penal" (SSTC 91/2009, de 20 de abril, FJ 6; 153/2011, de 17 de octubre, FJ 8; y 196/2013, de 2 de diciembre, FJ 5).

Según esta sentencia, de un lado, la violación del art. 25.1 CE "puede proceder de la interpretación misma del precepto sustantivo aplicado, ya que el Juez puede atribuir a la norma penal un contenido que exceda, en perjuicio del acusado, del tenor literal posible del precepto, incurriendo en tal caso en una analogía in malam partem que ha de entenderse constitucionalmente proscrita" (STC 2/2015, de 19 de enero, FJ 8) y de otro lado, "cuando la interpretación de la norma sustantiva resulta, en cambio, compatible con el tenor literal posible de la norma aplicada, la lesión del art. 25.1 CE puede derivar del juicio de subsunción que se realiza con base a los hechos probados", juicio que hemos señalado que "debe respetar un doble parámetro de razonabilidad: (i) el metodológico, que exige que no incurra en quiebras lógicas y que sea acorde con los modelos de argumentación aceptados dentro de la comunidad jurídica, y (ii) el axiológico, que requiere que se ajuste a los criterios y valores que informan nuestro ordenamiento constitucional (SSTC 138/2004, de 13 de septiembre, FJ 3; 242/2005, de 10 de octubre, FJ 4; 9/2006, de 16 de enero, FJ 4; 242/2005, de 10 de octubre, FJ 4; 262/2006, de 11 de septiembre, FJ 4, 129/2008, de 27 de octubre, FJ 3; 91/2009, de 20 de abril, FJ 6; 153/2011, de 17 de octubre, FJ 8, y 196/2013, de 2 de diciembre, FJ 5)" (STC 2/2015, de 19 de enero, FJ 8).

II. CONCLUSIONES

PRIMERO.- La Ley 10/2019 de 10 de abril de Transparencia y de Participación de la Comunidad de Madrid que entra en vigor el 1 de enero de 2020 y en cuyo ámbito de aplicación se encuentran las Corporaciones de Derecho público madrileñas en general y los Colegios Profesionales en particular contiene importantes novedades respecto de la Ley que hasta ahora les era aplicable, la LTAIBG estatal. Entre ellas hay que destacar el establecimiento de unas obligaciones de publicidad activa mucho más extensas que el establecido en la LTAIBG y de un régimen sancionador inexistente en dicha norma estatal. También hay que mencionar la creación de un Registro de Transparencia en el que resulta obligatoria la inscripción para cualquier entidad que realice actividades de lobby, definidas en sentido muy amplio lo que afecta a las Corporaciones de Derecho Público.

SEGUNDO.- Hay que tener en cuenta que en relación con las actuaciones sujetas a Derecho administrativo el incumplimiento de las obligaciones de publicidad activa pese a la existencia de requerimientos expresos del Consejo de Transparencia y Participación o el incumplimiento de la obligación de resolver en plazo (en determinadas circunstancias) las solicitudes de acceso de la información pública son sancionables. En este sentido, estas obligaciones pueden exigir modificaciones importantes en los sitios web de los Colegios Profesionales y en particular por lo que aquí nos interesa del Colegio de Abogados de Madrid y del Colegio de Abogados de Alcalá de Henares y del Consejo Autonómico de Colegios, así como una extrema diligencia en la resolución sobre solicitudes de acceso a la información pública. Sobre todo teniendo en cuenta que al coste reputacional del incumplimiento —único hasta ahora existente— se une un régimen sancionador que considera como infracción el incumplimiento de las obligaciones de publicidad activa en los términos que se recogen en el cuerpo de este informe.

TERCERO.- No obstante lo anterior, también debemos señalar que la aplicación de dicho régimen sancionador en el caso de los Colegios Profesionales y en particular por lo que se refiere a sus cargos electos resulta inviable en algunos casos por razones técnico-jurídicas, como ocurre con las sanciones del artículo 84.1 —letras a) y b) (destitución del cargo y suspensión de funciones y retribuciones durante un periodo de entre tres a seis meses para el ejercicio de alto cargo o asimilado).

Ejecución de la disciplina deontológica en la práctica no jurisdiccional
(Informe 5/2019)

Sumario: I. ALCANCE DE LAS NORMAS DEONTOLÓGICAS. II. ABOGACÍA, NUEVOS ÁMBITOS DE ACTIVIDAD Y "NUEVAS PROFESIONES".

Se solicita de la Comisión Jurídica del Consejo General de la Abogacía Española la emisión de un informe sobre la ejecución de la disciplina deontológica en la práctica profesional no jurisdiccional, cuestión que ha merecido una especial atención en el Plan Estratégico de la Abogacía Española 2017-2020, recogiéndose en la Medida nº 33, integrada en el Objetivo 2, relativo a una "Arquitectura deontológica eficiente", del Eje 1 del Plan, dedicado a "Una Abogacía confiable y preparada".

En concreto, la Medida nº 33 indica lo siguiente:

"33.- Ejecución de disciplina deontológica en la práctica no jurisdiccional:

En general, la regulación de la profesión se ha concentrado en la vertiente judicial, en cuanto el abogado es representante y guía de los intereses del cliente en el proceso, dejando en un segundo plano el papel de asesor jurídico y participante en la Administración de Justicia, en un sentido amplio y, en particular, su actuación en materia de prevención y pacificación del conflicto. Sin embargo, la actuación profesional del abogado ha experimentado un cambio de paradigma en los últimos años, pasando a centrarse en la gestión del conflicto mediante fórmulas más adecuadas para su resolución, y dejando la litigación cada vez más como el último recurso. En este sentido, cerca de un 40% de los abogados encuestados en el Barómetro de la Abogacía señala que la mitad o más de los asuntos terminan en los tribunales, y un 57% asegura que incluso es la tercera parte o menos. Por ello, la Abogacía Española ampliará su actividad reguladora y de supervisión deontológica a las prácticas no jurisdiccionales de la profesión, de modo prioritario".

La Medida pone de relieve una realidad por todos conocida, como es que la profesión se ejerce ante los tribunales por menos de la mitad de los profesionales colegiados en los Colegios de la Abogacía, siendo por tanto la práctica no jurisdiccional la que se desarrolla con mayor asiduidad por quienes ejercen esta profesión.

Pero esta realidad no enmascara ninguna diferencia de trato en lo que a la aplicación de la deontología profesional se refiere, pues las normas deontológicas son de obligada observancia con independencia de la forma en que se desarrolle la actividad profesional, siempre y cuando, eso sí, se actúe como abogado. Sobre esta cuestión se detendrá el informe con posterioridad.

Como toma de posición a la hora de elaborar este informe se parte de algunos principios que se consideran esenciales para abordar el tema a analizar:

– En primer lugar, que la profesión de abogado es unitaria, esto es, que no hay diferentes tipos de abogado en función de su relación con el cliente. Los abogados lo son con independencia de su relación laboral con el cliente, así como de su régimen de aseguramiento. Las convenciones del foro sobre la denominación de algunos profesionales no son suficientes para alterar las anteriores afirmaciones: tan abogado es uno de los denominados "de empresa" o *in house*, como los que desarrollan su actividad por cuenta propia o por cuenta ajena en un despacho.

– En segundo lugar, que los abogados, con independencia de su situación laboral, pueden ejercer "*profesionalmente la dirección y defensa de las partes en toda clase de procesos, o el asesoramiento y consejo jurídico*", como establece el artículo 542.1 de la Ley Orgánica 6/1985, de 1 de julio, del Poder Judicial.

– En tercer lugar, que los abogados, todos ellos, están sometidos a la potestad disciplinaria colegial, por expresa previsión del legislador estatal. La relación colegiado-Colegio de la Abogacía ha sido calificada por el Tribunal Constitucional, en la línea con la jurisprudencia ordinaria, como una relación de sujeción especial (vid. la STC 219/1989, de 21 de diciembre[1]).

– Y, en cuarto lugar, que todos ellos son titulares del derecho-deber al secreto profesional, sin más limitaciones que las que resultan del

---

[1]   El Auto 141/2004, de 26 de abril (FJ 4), declaraba:
  "*La existencia de esa relación de especial sujeción de los profesionales con respecto al Colegio profesional al que se ha encomendado legalmente velar por la ética y dignidad profesional y ejercer la facultad disciplinaria está expresamente reconocida en la jurisprudencia constitucional: SSTC 153/1996, de 30 de septiembre, FJ 3; 286/1993, de 4 de octubre, FJ 4; 219/1989, de 21 de diciembre, FFJJ 2, 3 y 5. En esta última Sentencia declaramos que la relación de los profesionales colegiados con los Colegios Profesionales es una muy característica relación constituida sobre la base de la delegación de potestades públicas en entes corporativos dotados de amplia autonomía para la ordenación y control del ejercicio de actividades profesionales, que tiene fundamento expreso en el art. 36 de la Constitución, esto es, una relación de sujeción especial*".

ordenamiento jurídico que, en todo caso, han de interpretarse de forma estricta, pues aquel es el instrumento por medio del que se protegen los derechos fundamentales, en particular, los consagradas en el artículo 24 de la Constitución.

Partiendo de estos principios, cabe abordar el objeto del presente informe.

I. ALCANCE DE LAS NORMAS DEONTOLÓGICAS

En su frase final, la Medida n° 33, una vez ha quedado expuesto que la mayoría de la profesión ejerce extramuros de la Administración de Justicia, indica que, ante esa realidad constatada, "*la Abogacía Española ampliará su actividad reguladora y de supervisión deontológica a las prácticas no jurisdiccionales de la profesión, de modo prioritario*".

El mejor ejemplo de dicha ampliación lo constituye la actualización del Código Deontológico de la Abogacía Española, aprobado por el Pleno del Consejo General el 6 de marzo de 2019. Esta Código constituye el cuerpo normativo por excelencia en la regulación de la deontología de la profesión, expresión de la voluntad de los representantes de la Abogacía para la ordenación disciplinaria de la profesión.

Dicho Código constituye una auténtica norma jurídica, como declaró el Tribunal Constitucional, entre otras, en la Sentencia 219/1989, de 21 de diciembre:

"*( ) las normas de deontología profesional aprobadas por los Colegios profesionales o sus respectivos Consejos Superiores u órganos equivalentes no constituyen simples tratados de deberes morales sin consecuencias en el orden disciplinario. Muy al contrario, tales normas determinan obligaciones de necesario cumplimiento por los colegiados y responden a las potestades públicas que la Ley delega en favor de los Colegios para 'ordenar…. la actividad profesional de los colegiados, velando por la ética y dignidad profesional y por el respeto debido a los derechos de los particulares' [art. 5 i) de la Ley de Colegios Profesionales], potestades a las que el mismo precepto legal añade, con evidente conexión lógica, la de 'ejercer la facultad disciplinaria en el orden profesional y colegial'. Es generalmente sabido, por lo demás, y, por tanto, genera una más que razonable certeza en cuanto a los efectos sancionadores, que las transgresiones de las normas de deontología profesional, constituyen, desde tiempo inmemorial y de manera regular, el presupuesto del ejercicio de las facultades disciplinarias más características de los Colegios profesionales. Y, en último extremo, este mismo criterio por el que se considera el incumplimiento de dichas normas como merecedor de las sanciones previstas en el ordenamiento corporativo es el que viene manteniendo la jurisprudencia del Tribunal Supremo, tal y como recuerda ahora la representación del Colegio de Arquitectos de la Comunidad Valenciana*".

Desde una perspectiva más amplia, el propio Tribunal Constitucional, en la STC 3/2013, de 17 de enero, afirmaba lo siguiente:

"La institución colegial está basada en la encomienda de funciones públicas sobre la profesión a los profesionales, pues, tal y como señala el art. 1.3, son sus fines la ordenación del ejercicio de las profesiones, su representación institucional exclusiva cuando estén sujetas a colegiación obligatoria, la defensa de los intereses profesionales de los colegiados y la protección de los intereses de los consumidores y usuarios de los servicios de sus colegiados. La razón de atribuir a estas entidades, y no a la Administración, las funciones públicas sobre la profesión, de las que constituyen el principal exponente la deontología y ética profesional y, con ello, el control de las desviaciones en la práctica profesional, estriba en la pericia y experiencia de los profesionales que constituyen su base corporativa".

Ahondando en esta jurisprudencia, la STC 201/2013, de 5 de diciembre, declara con rotundidad:

"La atribución a los colegios profesionales de la competencia sobre el régimen disciplinario de sus miembros, tanto en materia profesional como colegial, es un elemento inescindible de la propia naturaleza de estas entidades como "corporaciones sectoriales de base privada" o "entes públicos asociativos", titulares de un conjunto de potestades públicas que la Ley viene a delegar en favor de las mismas, entre las que se encuentran las de ordenar la actividad profesional de los colegiados. Las competencias colegiales de ordenación de la profesión han de ir acompañadas de las facultades coercitivas necesarias para hacer posible su ejercicio efectivo, pues como hemos afirmado, "las normas deontológicas aprobadas por los colegios profesionales o sus respectivos Consejos superiores [que] no constituyen simples tratados de deberes morales sin consecuencias en el orden disciplinario. Muy al contrario, tales normas determinan obligaciones de necesario cumplimiento por los colegiados y responden a las potestades públicas que la ley delega en favor de los Colegios para 'ordenar la actividad profesional de los colegiados, velando por la ética y dignidad profesional y por el respeto debido a los derechos de los particulares' [art. 5 i) de la Ley de colegios profesionales], potestades a las que el mismo precepto legal añade, con evidente conexión lógica, la de 'ejercer la facultad disciplinaria en el orden profesional y colegial'. Es generalmente sabido, por lo demás, y, por tanto, genera una más que razonable certeza en cuanto a los efectos sancionadores, que las transgresiones de las normas de deontología profesional, constituyen, desde tiempo inmemorial y de manera regular el presupuesto del ejercicio de las facultades disciplinarias más características de los Colegios profesionales". (STC 219/1989, de 21 de diciembre, FJ 5).

Así pues, y en coherencia con la condición de los colegios profesionales como "entes corporativos dotados de amplia autonomía, para la ordenación y control del ejercicio de actividades profesionales" (STC 219/1989, FJ 3), son sus estatutos los llamados a regir prima facie la vida de corporaciones que gozan de naturaleza pública, en cuanto ejercen funciones atribuidas por la ley o delegadas por la Administración, siendo en consecuencia a éstos a quienes ha de corresponder la competencia sobre el régimen disciplinario de sus miembros, lo que hace que se haya calificado como una "remisión constitucionalmente legítima, [para] que sean los estatutos de cada colegio profesional los que especifiquen los cuadros de infracciones y sanciones que integren el régimen disciplinario de los respectivos colegiados" (ATC 59/2004, de 24 de febrero, FJ 3). Así entendido, lo dispuesto en el art. 6.3 g) de la Ley 2/1974 tiene el carácter de norma materialmente básica, dictada al amparo del art. 149.1.18 CE".

Ahora bien, como precisa la propia STC 201/2013, de 5 de diciembre:

"Señalado lo anterior, no cabe afirmar, sin embargo, que esa remisión de la regulación de la potestad disciplinaria a los estatutos colegiales, excluya radicalmente cualquier posible intervención legislativa en esta materia, pues la naturaleza de estas corporaciones como entidades asociativas de base privada a las que se atribuye o delega el ejercicio de funciones públicas, habilita también al titular de la delegación, en ejercicio de las funciones de tutela administrativa, a establecer "un conjunto de criterios delimitadores que ajustan la actuación de los diferentes estatutos de los Colegios profesionales a las necesarias exigencias de proporcionalidad que toda normativa sancionadora de desarrollo debe cumplir, al tiempo que garantiza también la observancia de la imprescindible previsibilidad que impone el principio de legalidad" (ATC 59/2004, FJ 3). Ello supone que, en materia de colegios profesionales, no cabe excluir ab initio, el establecimiento por el legislador competente de lo que hemos calificado como unas "pautas unificadoras mínimas, que se encuentran claramente dirigidas a garantizar el íntegro respeto de la exigencia de predeterminación normativa suficiente de las conductas punibles que impone el art. 25.1 CE y la proporcionalidad en las consecuencias sancionadoras que se apliquen a las distintas conductas" (ATC 59/2004, FJ 3)"[2].

---

[2]   En la referida STC 201/2013, el Tribunal analizaba la conformidad con el orden constitucional de competencias de la norma autonómica que establecía un detallado régimen sancionador en materia de colegios profesionales y profesiones colegiadas y declaraba, tras el pertinente análisis:
"La doctrina de este Tribunal en relación con las infracciones y sanciones ha reiterado la conexión existente entre la competencia sobre la materia específica de que se trate y la competencia para establecer el régimen sancionador propio de dicha materia. De esta manera, la competencia del Estado para regular el régimen sancionador en una materia determinada tendrá el alcance que tenga su competencia normativa 'básica o de legislación plena' en dicha materia. Correlativamente, las Comunidades Autónomas pueden adoptar normas administrativas sancionadoras cuando, teniendo competencia sobre la materia sustantiva de que se trate, tales disposiciones se acomoden a las garantías constitucionales dispuestas en el ámbito del derecho sancionador (art. 25.1 CE, básicamente) y no introduzcan divergencias irrazonables y desproporcionadas al fin perseguido respecto del régimen jurídico aplicable en otras partes del territorio (art. 149.1.1 CE); por todas, STC 130/2013, de 4 de junio, FJ 13 y jurisprudencia allí citada.
La aplicación del anterior canon de enjuiciamiento determina que corresponda al Estado, en ejercicio de su competencia normativa de carácter básico, la facultad de establecimiento de los criterios mínimos comunes del régimen sancionador aplicable en materia de colegios profesionales. En la actualidad, sin embargo, la normativa básica estatal [art. 6.3 g) de la Ley 2/1974] se limita a remitirse en bloque a lo que dispongan los estatutos colegiales. Dicha remisión, contenida en una norma de carácter preconstitucional, no veda que la Comunidad Autónoma, en ejercicio de las competencias de desarrollo que le corresponden, pueda adoptar

Afirmado de manera constante el carácter de norma jurídica que tienen las disposiciones disciplinarias que se aprueben por los Colegios profesionales o sus Consejos, autonómicos o general, según el caso, puede considerarse, en línea con lo ya afirmado, que el Código Deontológico de la Abogacía Española es un cuerpo jurídico que establece la disciplina deontológica de la actividad del abogado en su totalidad, es decir, tanto cuando actúa en defensa de un cliente ante los tribunales, como cuando desarrolla su actividad de consejo o asesoramiento jurídico.

El articulado del Código no deja lugar a duda laguna, ya desde su artículo 1', en el que se afirma de manera su expresa que se proyecta sobre quienes ejercen la abogacía e, incluso, en lo pertinente, a quienes sean no ejercientes y a quienes estén inscritos con el título de su país de origen.

Y partiendo de esta declaración inicial, son numerosas las reglas que dedica claramente a la práctica no jurisdiccional.

- En el artículo 2 se afirma el valor esencial de la independencia del abogado, ya sea para asesorar, ya sea para defender en juicio.

- El artículo 5 regula el secreto profesional de manera que ofrece cobertura a las modalidades de ejercicio profesional que contempla el artículo 542 de la LOPJ. Así, en su apartado 2 dispone *"El deber y derecho al secreto profesional comprende todas las confidencias y propuestas del cliente, las de la parte adversa, las de los compañeros, así como todos los hechos y documentos de que haya tenido noticia o haya remitido o recibido por razón de cualquiera de las modalidades de su actuación profesional"*. Y en su

---

normas administrativas sancionadoras, teniendo presente, en todo caso, que tales normas habrán de atemperarse a lo que pueda en su momento disponer el Estado en ejercicio de su competencia básica, pues "la anticipación de la normativa autonómica no invalida el carácter básico de la normativa aprobada con posterioridad por el Estado, con las consecuencias correspondientes para las normas de todas las Comunidades Autónomas en cuanto a su necesaria adaptación a la nueva legislación básica" (STC 69/2013, de 14 de marzo, FJ 3). De acuerdo con lo expuesto, debe rechazarse la pretensión de inconstitucionalidad de los preceptos de la Ley autonómica en los que se recogen los criterios comunes del régimen sancionador aplicable en esta materia, limitando la declaración de inconstitucionalidad a aquellos preceptos que establecen el carácter excluyente de la regulación que en esta materia corresponde a los estatutos colegiales. Por este motivo, se declaran inconstitucionales el art. 20, en el inciso "sin introducir nuevos supuestos de infracción distintos de los establecidos por los artículos. 17, 18 y 19", y el art. 48.3, primer párrafo, en la expresión "Solo pueden constituir infracción colegial", en la medida en que vienen a establecer una tipificación de las infracciones profesionales y colegiales de carácter cerrado y excluyente para los estatutos colegiales, que contraviene lo dispuesto en la legislación básica estatal".

apartado 3 establece *"Cualquier tipo de comunicación entre profesionales de la Abogacía, recibida o remitida, está amparada por el secreto profesional, no pudiendo ser facilitada al cliente ni aportada a los Tribunales ni utilizada en cualquier otro ámbito, salvo autorización expresa del remitente y del destinatario, o, en su defecto, de la Junta de Gobierno, que podrá autorizarlo discrecionalmente, por causa grave y previa resolución motivada con audiencia de los interesados. En caso de sustitución, esta prohibición le estará impuesta al sustituto respecto de la correspondencia que el sustituido haya mantenido con otros profesionales de la Abogacía, requiriéndose la autorización de todos los que hayan intervenido Se exceptúan de esta prohibición las comunicaciones en las que el remitente deje expresa constancia de que no están sujetas al secreto profesional".*

– En materia de publicidad (artículo 6), no se establece diferencia alguna en la regulación, según el tipo de actividad profesional que se desarrolle[3].

---

[3] *"Artículo 6. De la publicidad*
1. Se podrá realizar libremente publicidad de los servicios profesionales, con pleno respeto a la legislación vigente sobre la materia, defensa de la competencia, competencia desleal y normas deontológicas de la Abogacía.
2. La publicidad respetará en todo caso la independencia, libertad, dignidad e integridad como principios esenciales y valores superiores de la profesión, así como el secreto profesional y habrá de ser objetiva, veraz y digna, tanto por su contenido como por los medios empleados.
3. Deberá indicarse en la publicidad el Colegio al que se pertenezca.
La publicidad no podrá suponer:
a. La revelación directa o indirecta de hechos, datos o situaciones amparados por el secreto profesional.
b. La incitación genérica o concreta al pleito o conflicto.
c. La oferta de servicios profesionales, por sí o mediante terceros, a víctimas directas o indirectas de catástrofes, calamidades públicas u otros sucesos que hubieran producido un número elevado de personas afectadas y a sus herederos y causahabientes, en momentos o circunstancias que condicionen la elección libre de Abogado y, en ningún caso, hasta transcurridos 45 días desde el hecho. Tampoco podrá dirigirse, por sí o mediante terceros, a quienes lo sean de accidentes o infortunios recientes, o a sus herederos o causahabientes, que carezcan de la plena y serena libertad de elección. Estas prohibiciones quedarán sin efecto en el caso de que la prestación de estos servicios profesionales haya sido solicitada expresamente por la víctima.
d. La promesa de obtener resultados que no dependan exclusivamente del que la realiza.
e. La referencia a clientes sin su autorización escrita, salvo las menciones que, en su caso, puedan hacerse cuando se participa en procesos de contratación pública y sólo para ellos.
f. La utilización de emblemas institucionales o colegiales y de aquéllos otros que por su similitud pudieran generar confusión, salvo disposición contraria contenida en los estatutos particulares y de aquellos símbolos que se aprueben para distinguir la condición profesional.
g. La mención de actividades que sean incompatibles con el ejercicio de la Abogacía.
h. Y, en general, la publicidad contraria a las normas deontológicas de la profesión.

– También se establece una disciplina común en los supuestos de conflictos de intereses (artículo 12, letra C); así, *"No podrá desempeñarse la defensa o el asesoramiento de intereses contrapuestos con otros que se esté o haya estado defendiendo o asesorando, o con los propios, ya que la lealtad hacia el cliente es principio fundamental de la Abogacía"* (número 1) o *"En el caso de conflicto de intereses entre dos o más clientes, deberá renunciar a la defensa o al asesoramiento de ambos, para la obligada preservación de la independencia, salvo autorización expresa de todos para intervenir a favor de cualquiera de ellos"* (número 2).

– Cuando regula las relaciones con el cliente (artículo 12.B), impone la obligación de que el abogado se identifique, ya asesore, ya defienda en juicio, *"incluso cuando lo hiciere por cuenta de un tercero a fin de asumir las responsabilidades civiles y deontológicas que correspondan"*.

– Y por lo que hace a las relaciones con la parte contraria (artículo 13), se prevé expresamente que *"La relación y comunicación con la parte contraria, cuando conste que dispone de defensa o asesoramiento letrados, se deberá mantener siempre con el compañero o compañera, a menos que se autorice expresamente por éstos el contacto directo"* (apartado 1).

– O, por ejemplo, en materia de honorarios (artículo 14), cuando se prevé que *"Quien ejerce la Abogacía tiene derecho a percibir retribución u honorarios por su actuación profesional, así como el reintegro de los gastos que se le hayan causado"*.

---

4. Las menciones que a la especialización en determinadas materias se incluyan en la publicidad deberán responder a la posesión de títulos académicos o profesionales, a la superación de cursos formativos de especialización profesional oficialmente homologados o a una práctica profesional prolongada que las avalen.
5. Quienes ejerzan con su título profesional de origen y se publiciten deberán hacerlo con mención expresa de tal circunstancia, debiendo utilizarse en cualquier caso la denominación que corresponda de conformidad con lo dispuesto en las normas aplicables, prohibiéndose el uso de los títulos de "Abogado" o "Abogada" expresados en cualquiera de las lenguas oficiales de España para la debida protección de los consumidores de los servicios jurídicos.
6. Cuando la denominación del título profesional sea coincidente en más de un Estado se añadirá al título profesional una mención expresa del país de origen.
7. Asimismo, cuando la regulación de la profesión en el país de origen implique limitaciones o especialidades en cuanto al ámbito de la actividad, se deberá añadir también una mención de la organización profesional a la que pertenezca en dicho país y, en su caso, del órgano u órganos jurisdiccionales ante los que esté habilitado para ejercer.
8. Igualmente, quienes ejerzan la Abogacía no podrán traducir su título español a otro idioma cuando esa traducción corresponda a una categoría profesional determinada en otro país.
9. No se permitirá la publicidad encubierta, debiendo hacerse constar en sitio visible y de modo perfectamente comprensible que se trata de contenido publicitario".

Como es obvio, el Código contiene reglas específicas deontológicas para los casos en que el ejercicio profesional se desarrolla ante los tribunales, pero ello no implica que el Código (ni el vigente ni el anterior) atienda solo a la vertiente judicial de la actividad profesional.

Cuestión distinta es que la actividad de quienes ejercen la abogacía haya podido desbordar, como podría deducirse de la redacción de la Medida n° 33 examinada, los cauces tradicionales para alcanzar a nuevas esferas profesionales. Quiere con ello decirse que, si bien la actividad profesional de los abogados consiste en la defensa y el asesoramiento jurídico (por simplificar la cuestión), su concreto despliegue en la actualidad parece extenderse más allá de esos ámbitos clásicos para configurar nuevos ámbitos de actividad o, incluso, nuevas profesiones —en los análisis más aventurados—.

Estas valoraciones han de ser tomadas con mucha cautela.

II. ABOGACÍA, NUEVOS ÁMBITOS DE ACTIVIDAD Y "NUEVAS PROFESIONES"

Ante todo, y por lo que se refiere a la segunda de las cuestiones apuntadas, ha de ser tomada con muchas reservas por cuanto las "profesiones" —empleando la expresión sin el sentido técnico-jurídico que posee en nuestro ordenamiento jurídico— pueden existir en el mercado, pero no alcanzar esas concretas actividades desarrolladas por profesionales el estatus requerido para tener la consideración jurídica ni de profesiones reguladas, ni de profesiones colegiadas.

En sentido estricto, profesiones reguladas son aquéllas respecto de las que una norma establece sus atribuciones profesionales de tal forma que sólo las puede desarrollar un profesional que venga avalado bien por un título académico, bien por la superación de unos requisitos y una prueba de aptitud que impliquen la concesión o autorización administrativa del acceso a una profesión. Puede haber por consiguiente, profesiones reguladas y tituladas y profesiones reguladas no tituladas.

Junto a unas y otras, existen las profesiones colegiadas, esto es, aquellas que solo pueden ejercerse si el interesado ha procedido a su colegiación en la organización correspondiente, en particular, en el Colegio del lugar en que se encuentre su domicilio profesional, único o principal (artículo 3.3 de la ley 2/1974, de 13 de febrero, de Colegios profesionales, en la redacción dada por la Ley de 22 de diciembre, de modificación de diversas leyes para su adaptación a la Ley sobre el libre acceso a las actividades de servicios y su ejercicio).

La decisión sobre la colegiación viene impuesta por el legislador, en el bien entendido de que corresponde al legislador estatal determinar qué profesiones son de colegiación obligatoria (y, en consecuencia, cuáles no lo son).

Como destacara la ya citada STC 3/2013:

"Antes de la reforma operada por la Ley 25/2009, de 22 de diciembre, con la que se adaptan diversas leyes estatales a la Directiva 2006/123/CE, la Ley 2/1974, de 13 de febrero, consagraba un modelo único de colegio profesional caracterizado por la colegiación obligatoria, pues los profesionales estaban obligados a colegiarse para "el ejercicio de las profesiones colegiadas". Tras su reforma, el legislador estatal ha configurado dos tipos de entidades corporativas, las voluntarias y las obligatorias. El requisito de la colegiación obligatoria constituye una barrera de entrada al ejercicio de la profesión y, por tanto, debe quedar limitado a aquellos casos en que se afecta, de manera grave y directa, a materias de especial interés público, como la protección de la salud y de la integridad física o de la seguridad personal o jurídica de las personas físicas, y la colegiación demuestre ser un instrumento eficiente de control del ejercicio profesional para la mejor defensa de los destinatarios de los servicios, tal y como se deduce de la disposición transitoria cuarta de esta misma norma. En definitiva, los colegios profesionales voluntarios son, a partir de la Ley 25/2009, de 22 de diciembre, el modelo común, correspondiendo al legislador estatal, conforme a lo establecido en el art. 3.2, determinar los casos en que la colegiación se exige para el ejercicio profesional y, en consecuencia, también las excepciones, pues éstas no hacen sino delimitar el alcance de la regla de la colegiación obligatoria, actuando como complemento necesario de la misma. La determinación de las profesiones para cuyo ejercicio la colegiación es obligatoria se remite a una ley estatal previendo su disposición transitoria cuarta que, en el plazo de doce meses desde la entrada en vigor de la ley, plazo superado con creces, el Gobierno remitirá a las Cortes el correspondiente proyecto de ley y que, en tanto no se apruebe la ley prevista, la colegiación será obligatoria en los colegios profesionales cuya ley de creación así lo haya establecido".

Para el Tribunal Constitucional, el artículo 3.2 de la Ley de Colegios Profesionales, en la redacción dada al mismo por la Ley 25/2009, constituye parámetro básico de constitucionalidad en la materia y corresponde al Estado, en suma, determinar cuándo una profesión es de colegiación obligatoria o de colegiación voluntaria. La determinación del carácter voluntario de la colegiación en una concreta profesión tiene, en buena lógica, importantes consecuencias en lo que a la configuración misma de la institución colegial se refiere[4].

---

[4]   A este respecto, el dictamen del Consejo de Estado nº 37/2015, de 29 de abril de 2015, emitido en relación con el Proyecto de Real Decreto por el que se aprueban los Estatutos Generales de los Colegios Oficiales de Educadoras y Educadores So-

Ahora bien, una vez que el legislador estatal haya establecido que una profesión es de colegiación obligatoria, quienes pretendan ejercerla han

---

ciales y de su Consejo General, efectuó las siguientes consideraciones a la vista de la referida jurisprudencia constitucional:

"El Tribunal Constitucional, en la STC 330/1994, ha recordado que el artículo 36 de la Constitución no consagra la existencia de un determinado tipo de Colegio profesional; antes bien, ha declarado que "la Constitución no impone en su art. 36 CE un único modelo de Colegio profesional. Bajo esta peculiar figura con rasgos asociativos y corporativos pueden englobarse por el legislador estatal, en ejercicio de su competencia para formalizar normas básicas de las Administraciones públicas ex art. 149.1.18 CE, situaciones bien distintas como son las que corresponden al ejercicio de funciones públicas en régimen de monopolio o de libre concurrencia en el mercado como profesión liberal, y con colegiación forzosa o libre. Del mismo modo, no tiene por qué erigirse, en los supuestos legales de colegiación voluntaria, en un requisito habilitante para el ejercicio profesional. Y es asimismo posible que los Colegios profesionales asuman la defensa de actividades que no configuren, en realidad, profesiones tituladas. Todos estos extremos pueden ser regulados libremente por el legislador estatal, desarrollando el art. 36, y con cobertura competencial en el art. 149.1.18, ambos de la Constitución".

Como analizara el Tribunal Constitucional en esta misma Sentencia 330/1994, la configuración por el legislador estatal de una profesión como de colegiación voluntaria obliga a la reducción del ámbito de las normas básicas que el Estado puede dictar al amparo del artículo 149.1.18ª de la Constitución, que en el caso entonces examinado (mediadores de seguros privados) en el que se atribuían las facultades de autorización y de control disciplinario a las Administraciones públicas, se entendieron reducidas a "la denominación, la ausencia de obligatoriedad en su adscripción y la existencia de un Consejo General dado el ámbito nacional del mismo".

En una declaración de carácter general, la STC 3/2013 ha afirmado que "la institución colegial está basada en la encomienda de funciones públicas sobre la profesión a los profesionales, pues, tal y como señala el art. 1.3, son sus fines la ordenación del ejercicio de las profesiones, su representación institucional exclusiva cuando estén sujetas a colegiación obligatoria, la defensa de los intereses profesionales de los colegiados y la protección de los intereses de los consumidores y usuarios de los servicios de sus colegiados. La razón de atribuir a estas entidades, y no a la Administración, las funciones públicas sobre la profesión, de las que constituyen el principal exponente la deontología y ética profesional y, con ello, el control de las desviaciones en la práctica profesional, estriba en la pericia y experiencia de los profesionales que constituyen su base corporativa".

A lo que ha de añadirse lo declarado en la STC 201/2013 cuando, al analizar la cuestión de la norma exigible para la creación de un colegio (artículo 4.1 de la Ley de Colegios Profesionales), señaló que "la exigencia de norma de rango legal para su creación, únicamente tiene carácter básico en su aplicación a los colegios de adscripción obligatoria, en la medida en que los mismos ejercen funciones públicas —de deontología y ordenación de la profesión—, y limitan los derechos de los profesionales — el derecho de asociación y la libertad de ejercicio de la profesión—; y en este contexto ha de ser entendido lo dispuesto en el art. 4.1 de la Ley estatal, previsto para un momento temporal en que todos los colegios profesionales eran obligatorios. Dicha exigencia no resulta, sin embargo, de aplicación a los colegios voluntarios, surgidos tras la reforma efectuada por la Ley 25/2009, los cuales carecen de funciones de acatar dicha decisión legislativa y proceder a colegiarse, sin que sean admisibles situaciones de incumplimiento, ya voluntario, ya por desconocimiento.

En este sentido, la Sala Tercera del Tribunal Supremo, a modo de corolario de la jurisprudencia constitucional, ha declarado lo siguiente, en su Sentencia de 16 de julio de 2018:

> *"Sobre el alcance de la obligación de colegiación para el ejercicio de determinadas profesiones y su relación con los derechos a la libre elección de profesión u oficio y libertad de asociación se ha pronunciado en reiteradas ocasiones el Tribunal Constitucional ( ) señalando que:*
>
> *Se desprende de ello que el establecimiento por el legislador de la colegiación obligatoria para el ejercicio de una profesión conforme al art. 3.2 de la Ley 2/74, responde a una valoración y se justifica por un interés público de que su ejercicio se ajuste a las normas o reglas que aseguren tanto la eficacia como la eventual responsabilidad en tal ejercicio, para cuya efectividad se atribuyen al colegio las funciones de tutela del interés de quienes son destinatarios de los servicios prestados por los profesionales que lo integran o, como señala el art. 5 de dicha Ley de Colegios Profesionales: 'cuantas funciones redunden en beneficio de la protección de los intereses de los consumidores y usuarios de los servicios de sus colegiados' (5.a) y 'ordenar en el ámbito de su competencia, la actividad profesional de los colegiados, velando por la ética y dignidad profesionales y por el respeto debido a los derechos de los particulares y ejercer la facultad disciplinaria en el orden profesional y colegial' (5.i) y 'adoptar las medidas conducentes a evitar el intrusismo profesional' (5.i).*
>
> *En estas circunstancias ha de entenderse que pertenece al ámbito de la voluntad del interesado la decisión sobre el ejercicio de una profesión de colegiación obligatoria e incluso de continuar en el ejercicio de la misma, pero queda fuera de su facultad de decisión el ejercicio de la profesión sin la correspondiente colegiación, pues esta es una obligación impuesta legalmente cuyo cumplimiento queda bajo la tutela del correspondiente colegio profesional, que puede y debe exigir su cumplimiento en virtud de las funciones que al efecto le atribuye el ordenamiento jurídico".*

En esta Sentencia, la Sala Tercera del Tribunal Supremo efectuaba unas muy relevantes consideraciones sobre la potestad de colegiación de oficio

---

coactivas para la regulación del ejercicio profesional, y se someten al régimen jurídico general de las asociaciones, sin perjuicio de que puedan ejercer funciones de interés general".
El Tribunal Constitucional deja así establecida su jurisprudencia en la materia, diferenciando entre Colegios de adscripción obligatoria, a los que corresponde el ejercicio de funciones públicas —ordenación de la profesión y control deontológico— encomendadas por el legislador y las Administraciones competentes, y los Colegios de adscripción voluntaria, que en principio no pueden ejercer funciones de ordenación de la profesión, incluida la potestad disciplinaria".

de los Colegios profesionales de las profesiones con colegiación obligatoria, que han sido objeto de análisis en otros informes anteriores.

Lo que ahora interesa destacar es que, para el Tribunal Supremo, "*el expediente de colegiación de oficio no se dirige a imponer o sustituir la voluntad del interesado en la decisión de ejercer la profesión colegiada sino a exigir que quien ha decidido y se halla en el ejercicio de la misma se sujete a la obligación de colegiación legalmente establecida y ello en virtud de las facultades que la ley atribuye al Colegio profesional en garantía y tutela del interés público valorado por el legislador al establecer tal obligación de colegiación*".

La abogacía es una profesión de colegiación obligatoria en la que, por consiguiente, los Colegios podrían desplegar el ejercicio de la referida potestad.

Y es una profesión colegiada que presenta multitud de matices en su despliegue profesional, sin que ello suponga que en cada una de sus variantes surjan nuevas profesiones o sub profesiones.

Mientras que la defensa en juicio es una competencia reservada en exclusiva a quienes ejercen la abogacía en nuestro ordenamiento jurídico, no existe unanimidad entre los tratadistas ni el foro sobre el asesoramiento o consejo jurídico. Ello ha permitido, por diversas razones, que surjan actividades profesionales de asesoramientos específicos —como el fiscal o el laboral, por ejemplo— que no son en realidad profesiones, ni reguladas, ni tituladas, ni menos aún colegiadas.

Cuestión distinta es que un abogado pueda desarrollar esas actividades: si un profesional que no es abogado las desarrolla, podrá discutirse si procedería el ejercicio por el Colegio de que se trate de la potestad de colegiación de oficio; pero si las desarrollase un abogado colegiado, ninguna especificidad en su colegiación ni en su ejercicio profesional surgiría, ni menos aún se generaría una especie de "nueva profesión" jurídica. Ese abogado asesor fiscal es un abogado que podrá ejercer las actividades que enuncia el artículo 542 de la LOPJ.

Si una persona —por continuar empleando uno de los supuestos mencionados— que no reúna las condiciones de titulación y formación exigidas por el ordenamiento para colegiarse como abogado desarrollara labores de asesoramiento fiscal, no entraría, en principio, en el ámbito propio de la colegiación obligatoria, ni, en consecuencia, en el de la referida potestad de colegiación de oficio. En cambio, si esa misma persona sí reuniese tales condiciones y desarrollase esas funciones, en tanto se entienda que actúa como abogado cuando desarrolla labores de asesoramiento fiscal, sí se podría estar ante un supuesto de colegiación obligatoria cuya inobservancia podría ser corregida mediante la técnica de la colegiación de oficio.

Las anteriores afirmaciones, en cualquier caso, no pretenden reducir de manera simplista la complejidad de la realidad profesional existente en nuestro país. Se trata de decisiones de hondo calado en el ejercicio de la profesión, en la delimitación de sus contornos y en el desarrollo de sus competencias por las corporaciones profesionales.

También se ha planteado la cuestión —la del surgimiento de nuevas profesiones— en relación con actividades como el cumplimiento normativo o compliance y la protección de datos. En ambos casos, por el empuje de las novedades normativas y el rápido desenvolvimiento del mercado de servicios, jurídicos y no jurídicos, han surgido "profesionales" en ambas materias.

Ello no implica que hayan surgido, en consecuencia, nuevas categorías profesionales[5]. Ni el responsable de cumplimiento —o compliance officer—, ni el delegado de protección de datos —DPD o DPO en su formación inglesa— son nuevas profesiones y, menos aún, profesiones colegiadas, al no haber decisión del legislador estatal en ese sentido. Es por ello por lo que diferentes profesionales pueden desarrollar esas funciones, porque no hay norma jurídica alguna que imponga que una determinada profesión,

---

[5] Cuestión muy diferente es que pudiera considerarse que en realidad lo que han surgido, en esos y en otros casos, son "especialidades profesionales"; no existe un tratamiento uniforme ni general en España sobre las especialidades en la profesión de la Abogacía —cuestión, en cualquier caso, sobre la que sí existen trabajos en la esfera colegial y también en el seno del propio Consejo General—. La materia es, sin duda, de notoria importancia, pues ya en el decaído Anteproyecto de Ley de Servicios y Colegios profesionales de 2014 se contemplaba con carácter general la existencia de mecanismos de certificación de profesionales, mediante un sistema diseñado por la ENAC y encomendado a los Consejos Generales de cada profesión.
En el ámbito de la Abogacía, el tratamiento de las especialidades deberá tener en cuenta distintas previsiones del Código Deontológico, entre otra, que "Las menciones que a la especialización en determinadas materias se incluyan en la publicidad deberán responder a la posesión de títulos académicos o profesionales, a la superación de cursos formativos de especialización profesional oficialmente homologados o a una práctica profesional prolongada que las avalen" (artículo 6.4); o que "No debe aceptarse ningún asunto si uno no se considera apto para dirigirlo, a menos que se colabore con quien lo sea, informando al cliente, con carácter previo, de la identidad del colaborador" (artículo 12.C.4).

y solo esa, pueda desempeñar dichos roles[6] o, por mejor decir, que esas funciones no han ido acompañadas de la creación por el legislador estatal de una nueva profesión titulada, ni tampoco han sido reservadas por ese mismo legislador, en exclusiva, a una profesión colegiada. Ni siquiera en el caso del DPD se ha hecho esa determinación por el legislador orgánico, ni se ha acompañado la regulación de la figura de disposiciones concretas sobre su configuración como profesión colegiada.

Cuestión distinta es que un abogado, de facto y de iure, asuma esos nuevos roles profesionales, lo que nos lleva a un plano que ha de ser analizado.

Como se adelantaba con anterioridad, si bien la actividad profesional de los abogados consiste en la defensa y el asesoramiento jurídico (por volver a la fórmula de la LOPJ), su concreto despliegue en la actualidad parece extenderse más allá de esos ámbitos clásicos para configurar nuevos ámbitos de actividad, que no, como ya se ha expuesto, nuevas profesiones, al menos hasta la fecha.

Esta impresión, sin embargo, no es del todo correcta o, cuando menos, requiere de alguna matización adicional.

Una cosa es que determinadas cuestiones regulatorias alcancen una densidad suficiente como para demandar el desarrollo de ciertas actuaciones por profesionales cualificados en el sector de que se trate —como puede ocurrir en el ámbito del cumplimiento normativo— y otra muy diferente que no hayan existido tradicionalmente actividades que han venido siendo desempeñadas por abogados, aun no pudiendo reducirse, en sentido estricto, al asesoramiento jurídico y a la defensa en juicio.

Se trata de actividades como el arbitraje, la administración concursal o las figuras de terceros con relevantes funciones en los ámbitos del Derecho hereditario (albacea o diferentes modalidades de contadores y partidores) o del Derecho de familia (tutores, curadores o defensores judiciales).

Dichas actividades no siempre han sido llevadas a cabo por abogados; antes bien, han compartido su ejercicio, bien por expresa previsión legal, bien por inexistencia de reserva al respecto, con otros profesionales o, incluso, con personas que han desarrollado esas actividades sin necesidad de especial cualificación profesional.

---

[6]   Estas afirmaciones han de entenderse en el contexto de este informe, sin que se aparten en modo alguno de la opinión expresada por esta Comisión en anteriores informes sobre la idoneidad de los abogados para desempeñar esos roles, con las evidentes garantías que ello tendría para quienes contrataran sus servicios.

El extremo a dilucidar, en cualquier caso, en el marco del presente informe, no es tanto el de los ámbitos a los que se extiende la actividad profesional de los abogados, sino la de la disciplina profesional que se aplica a esas actividades, cuando se despliegan más allá de los conocidos contornos tradicionales de actuación, partiendo, en todo caso, de las características ya apuntadas de las normas deontológicas profesionales.

Pues bien, a este respecto, cabe diferenciar diferentes planos de acercamiento al fenómeno descrito, pues es posible que un abogado, como profesional colegiado, ejerza una actividad precisamente en dicha condición (la defensa en juicio o el arbitraje[7]) o por reunir una determinada titulación universitaria superior (mediación[8]).

En el primero de esos supuestos, se aplican las normas deontológicas profesionales. En el segundo, la cuestión presente perfiles dudosos, desde el momento en que se entienda que, en puridad, el mediador no asesora, sino que encamina a las partes a que ellas alcancen una solución. En tal caso, aun cuando la posición no es unánime, podría entenderse que el estatuto del mediador agota el régimen de responsabilidad, siempre y cuando se le imputase un incumplimiento de sus deberes y obligaciones en el ejercicio de la referida función.

Prosiguiendo con el análisis, también es posible que para desempeñar otras actividades no se exija titulación, sino cualidades profesionales (tal es la fórmula, por ejemplo, del artículo 37.5[9] del Reglamento General de Protección de Datos —Reglamento (UE) 2016/679 del Parlamento Europeo y del Consejo, de 27 de abril de 2016, relativo a la protección de las personas físicas en lo que respecta al tratamiento de datos personales y a la

---

[7] Aunque la Ley 60/2003, de 23 de diciembre, de Arbitraje, no emplea la expresión abogado en ningún momento y sí la de "jurista" en su artículo 15.

[8] Ley 5/2012, de 6 de julio, de mediación en asuntos civiles y mercantiles.
    Artículo 11.2. El mediador deberá estar en posesión de título oficial universitario o de formación profesional superior y contar con formación específica para ejercer la mediación, que se adquirirá mediante la realización de uno o varios cursos específicos impartidos por instituciones debidamente acreditadas, que tendrán validez para el ejercicio de la actividad mediadora en cualquier parte del territorio nacional.

[9] 5. El delegado de protección de datos será designado atendiendo a sus cualidades profesionales y, en particular, a sus conocimientos especializados del Derecho y la práctica en materia de protección de datos y a su capacidad para desempeñar las funciones indicadas en el artículo 39.

libre circulación de estos datos y por el que se deroga la Directiva 95/46/ CE—, fórmula que no precisa la normativa nacional[10]).

En este caso, en la medida en un abogado asuma como tal las funciones de DPD, al no haber previsión normativa concreta, se consideran aplicables las normas deontológicas profesionales, dado que las funciones que desarrollan dichos delegados son eminentemente jurídicas (artículo 39 del Reglamento General de Protección de Datos[11]).

Mayor complejidad presenta, sin embargo, el régimen de la administración concursal, a la que se accede en virtud de la condición de abogado (previa observancia de los requisitos fijados en el artículo 27 de la Ley

---

[10]   Ley Orgánica 3/2018, de 5 de diciembre, de Protección de Datos Personales y garantía de los derechos digitales.
"Artículo 35. Cualificación del delegado de protección de datos.
El cumplimiento de los requisitos establecidos en el artículo 37.5 del Reglamento (UE) 2016/679 para la designación del delegado de protección de datos, sea persona física o jurídica, podrá demostrarse, entre otros medios, a través de mecanismos voluntarios de certificación que tendrán particularmente en cuenta la obtención de una titulación universitaria que acredite conocimientos especializados en el derecho y la práctica en materia de protección de datos".

[11]   "1. El delegado de protección de datos tendrá como mínimo las siguientes funciones:
a) informar y asesorar al responsable o al encargado del tratamiento y a los empleados que se ocupen del tratamiento de las obligaciones que les incumben en virtud del presente Reglamento y de otras disposiciones de protección de datos de la Unión o de los Estados miembros;
b) supervisar el cumplimiento de lo dispuesto en el presente Reglamento, de otras disposiciones de protección de datos de la Unión o de los Estados miembros y de las políticas del responsable o del encargado del tratamiento en materia de protección de datos personales, incluida la asignación de responsabilidades, la concienciación y formación del personal que participa en las operaciones de tratamiento, y las auditorías correspondientes;
c) ofrecer el asesoramiento que se le solicite acerca de la evaluación de impacto relativa a la protección de datos y supervisar su aplicación de conformidad con el artículo 35;
d) cooperar con la autoridad de control;
e) actuar como punto de contacto de la autoridad de control para cuestiones relativas al tratamiento, incluida la consulta previa a que se refiere el artículo 36, y realizar consultas, en su caso, sobre cualquier otro asunto.
2. El delegado de protección de datos desempeñará sus funciones prestando la debida atención a los riesgos asociados a las operaciones de tratamiento, teniendo en cuenta la naturaleza, el alcance, el contexto y fines del tratamiento".

Concursal, de 9 de julio), pero que cuenta en la propia norma legal con un régimen de responsabilidad específico (artículo 36).

También genera dudas en su interpretación y aplicación el régimen de los contadores partidores, abogados incluidos en una lista colegial, designados por la autoridad judicial para el ejercicio de una función que no necesariamente ha de calificarse como "*propia*" de la Abogacía.

Las zonas de incertidumbre que generan las múltiples actividades profesionales, en lo que a la aplicación de la disciplina deontológica se refiere, podrían resolverse en pro de su aplicación en todos aquellos casos en los que se considere que se ha producido, en el ejercicio de la función que en cada caso se haya desplegado, una vulneración de las normas deontológicas propias de la profesión, que serían así de aplicación aunque se haya aplicado otro régimen de responsabilidad, incluida la penal.

Esta posibilidad ha sido reiteradamente admitida por el Tribunal Constitucional.

Así, en el ya citado Auto 141/2004 —en el que inadmitió un recurso de amparo contra decisiones adoptadas por corporaciones profesionales de la Abogacía— declaró:

> "2. La jurisprudencia constitucional ha declarado reiteradamente que el principio non bis in idem se configura como un derecho fundamental, integrado en el derecho al principio de legalidad en materia penal y sancionadora del art. 25.1 CE, que en su vertiente material impide sancionar en más de una ocasión el mismo hecho con el mismo fundamento (STC 2/2003, de 16 de enero, FJ 3) y que, en una de sus más conocidas manifestaciones, supone que no recaiga duplicidad de sanciones —administrativa y penal— en los casos en que se aprecie identidad de sujeto, hecho y fundamento, según se declaró ya en la STC 2/1981, de 30 de enero (FJ 4). La garantía material de no ser sometido a bis in idem sancionador tiene como finalidad evitar una reacción punitiva desproporcionada, en cuanto dicho exceso punitivo hace quebrar la garantía del ciudadano de previsibilidad de las sanciones, pues la suma de la pluralidad de sanciones crea una sanción ajena al juicio de proporcionalidad realizado por el legislador y materializa la imposición de una sanción no prevista legalmente (STC 2/2003, de 16 de enero, FJ 3).
>
> 3. Pero la misma jurisprudencia constitucional admite la posibilidad de la doble sanción —penal y administrativa— en los supuestos en que, en el seno de una relación de supremacía especial de la Administración con el sancionado, esté justificado el ejercicio del ius puniendi por los Tribunales y a su vez la potestad sancionadora por la Administración (STC 2/1981, de 30 de enero, FJ 4; 94/1986, de 8 de junio, FJ 4; y 112/1990, de 18 de junio, FJ 3), potestad que, en ese caso, se basa, por lo tanto, en un fundamento distinto del genérico ius puniendi del Estado o en un interés distinto: el garantizar a través de la sanción que el servicio a los ciudadanos y a la sociedad se preste en condiciones adecuadas (SSTC 234/1991, de 10 de diciembre, FJ 2; y AATC 721/1984, de 21 de noviembre, FJ 2; 150/1984, de 7 de marzo, FJ 3; 781/1985, de 13 de noviembre, FJ 3; y 1264/1988, de 21 de noviembre, FJ 2).

4. La existencia de esa relación de especial sujeción de los profesionales con respecto al Colegio profesional al que se ha encomendado legalmente velar por la ética y dignidad profesional y ejercer la facultad disciplinaria está expresamente reconocida en la jurisprudencia constitucional: SSTC 153/1996, de 30 de septiembre, FJ 3; 286/1993, de 4 de octubre, FJ 4; 219/1989, de 21 de diciembre, FFJJ 2, 3 y 5. En esta última Sentencia declaramos que la relación de los profesionales colegiados con los Colegios Profesionales es una muy característica relación constituida sobre la base de la delegación de potestades públicas en entes corporativos dotados de amplia autonomía para la ordenación y control del ejercicio de actividades profesionales, que tiene fundamento expreso en el art. 36 de la Constitución, esto es, una relación de sujeción especial".

En la STC 188/2005, de 4 de julio, se reafirmó en su jurisprudencia, en los siguientes términos:

"d) Este Tribunal ha abordado el juego del principio non bis in idem dentro de las llamadas relaciones de sujeción o de supremacía especial, afirmando que: "La existencia de esta relación de sujeción especial tampoco basta por sí misma, sin embargo, para justificar la dualidad de sanciones. De una parte, en efecto, las llamadas relaciones de sujeción especial no son entre nosotros un ámbito en el que los sujetos queden despojados de sus derechos fundamentales o en el que la Administración pueda dictar normas sin habilitación legal previa. Estas relaciones no se dan al margen del Derecho, sino dentro de él y por lo tanto también dentro de ellas tienen vigencia los derechos fundamentales y tampoco respecto de ellas goza la Administración de un poder normativo carente de habilitación legal, aunque ésta pueda otorgarse en términos que no serían aceptables sin el supuesto de esa especial relación (vid., entre otras, SSTC 2/1987, 42/1987 y, más recientemente, STC 61/1990). Para que sea jurídicamente admisible la sanción disciplinaria impuesta en razón de una conducta que ya fue objeto de condena penal es indispensable, además, que el interés jurídicamente protegido sea distinto y que la sanción sea proporcionada a esa protección" (STC 234/1991, de 10 de diciembre, FJ 2)".

En definitiva, en la práctica no jurisdiccional es de plena aplicación la normativa deontológica profesional siempre y cuando no se incurra en un *bis in ídem* prohibido constitucionalmente. Esta duplicidad prohibida podría surgir en cualquier vertiente de la actividad profesional que se realice por un abogado; en aquellas actividades que se inserten con claridad en el artículo 542 de la LOPJ, será más sencillo proceder a la aplicación de las normas deontológicas profesionales.

En aquellas otras que han sido expuestas a lo largo del presente informe, su aplicación será posible si se advierte que la actividad del profesional colegiado ha podido infringir, además de las normas que disciplinan esa concreta actividad y que podría generar la correspondiente exigencia de responsabilidad, los bienes jurídicos protegidos por la normativa profesional, en su vertiente deontológica.

Se trata, por tanto, de una labor de deslinde casuístico, que exigiría, en su caso, de un refuerzo de las potestades de investigación de oficio por parte de las Corporaciones profesionales.

Deber de capacitación tecnológica para los abogados: una especial consideración a la ciberseguridad y su vinculación con el secreto profesional del abogado
(Informe 6/2019)

Sumario: I. INTRODUCCIÓN: EL DEBER DE FORMACIÓN DEL ABOGADO. II. SOBRE SI EXISTE UNA OBLIGACIÓN DEONTOLÓGICA DE CAPACITACIÓN TECNOLÓGICA PARA LA ABOGACÍA. 1. La postura continental. 2. La postura norteamericana. III. LA SEGURIDAD DE LA INFORMACIÓN Y EL SECRETO PROFESIONAL. IV. LA CAPACITACIÓN DEL ABOGADO ANTE RIESGOS DE SEGURIDAD. 1. En Estados Unidos. 2. En España. 3. La experiencia escocesa. V. CONCLUSIONES.

I. INTRODUCCIÓN: EL DEBER DE FORMACIÓN DEL ABOGADO

El artículo 40.2 de la Constitución Española contiene un mandato para los poderes públicos de fomentar una política que garantice la formación y readaptación profesionales.

En lo que respecta a la abogacía, el debate en torno a la necesaria formación continua y actualización permanente de conocimientos no es nuevo, aunque en estos últimos años ha vuelto a tomar fuerza gracias a la aparición de lo que se viene denominando "transformación digital" o "transformación tecnológica" de la abogacía. Este aspecto recupera este viejo debate acerca de la correspondiente necesidad de que los abogados se adapten a este nuevo escenario, donde la sociedad conectada en la que vivimos aporta nuevas exigencias de conocimientos a los profesionales, tanto jurídicos como a nivel de usuario.

Así las cosas, y en lo que respecta a la responsabilidad de liderar esta misión, se ha venido considerando que los Colegios de Abogados son los agentes idóneos para capacitar a los profesionales de la abogacía en todos los ámbitos y, como no, también en el de la tecnología. Así se puede deducir de lo que señala el artículo 5.j) de la Ley 2/1974, de 13 de febrero, sobre Colegios Profesionales, cuando reserva a estas entidades las funciones de organizar actividades y servicios comunes de interés para los colegiados, de carácter profesional, formativo, cultural, asistencial y de previsión y otros análogos, proveyendo al sostenimiento económico mediante los medios necesarios.

O, en este mismo sentido, la Sentencia del Tribunal Supremo de fecha 16 de julio de 2018, cuando, en referencia a la obligación de colegiación profesional, afirma que "[ ] el establecimiento por el legislador de la colegiación obligatoria para el ejercicio de una profesión conforme al art. 3.2 de la Ley 2/74, responde a una valoración y se justifica por un interés público de que su ejercicio se ajuste a las normas o reglas que aseguren tanto la eficacia como la eventual responsabilidad en tal ejercicio, para cuya efectividad se atribuyen al colegio las funciones de tutela del interés de quienes son destinatarios de los servicios prestados por los profesionales que lo integran [...]".

En línea con lo anterior, el Estatuto General de la abogacía otorga a las instituciones colegiales las facultades de formación profesional permanente, entendiendo que dicha formación es uno de los fines esenciales de los Colegios de Abogados (art. 3), los cuales —según se indica— podrán organizar actividades formativas adecuadas para lograr dichos objetivos de capacitación (art. 4 letras g) e i)).

En este mismo sentido, la Ley 34/2006, de 30 de octubre, sobre el acceso a las profesiones de Abogado y Procurador de los Tribunales, insiste en la importancia de la formación práctica de estos profesionales. En efecto, en referencia a esta circunstancia, el Considerando III de dicha Ley afirma que, en tanto en cuanto se les considera colaboradores fundamentales en la impartición de justicia, la calidad del servicio que prestan redunda directamente en la tutela judicial efectiva que nuestra Constitución garantiza a la ciudadanía. Y por ello se exige que quede garantizada de forma objetiva su capacidad para prestar la adecuada asistencia jurídica, lo que en una sociedad conectada debe —sin duda— incluir unas habilidades tecnológicas suficientes para poder lograr ese objetivo.

Esta previsión encuentra también reflejo en la regulación de los aspectos deontológicos de la profesión. Así, el Preámbulo del Código Deontológico de la Abogacía (en su versión de mayo de 2019) también se refiere a este aspecto cuando dice que "debe tenerse siempre presente la alta función que la sociedad ha confiado a la Abogacía, que supone nada menos que la defensa efectiva de los derechos individuales y colectivos cuyo reconocimiento y respeto constituye la espina dorsal del propio Estado de Derecho".

No obstante estas previsiones normativas, sigue abierto el debate —no sobre la necesidad, que es clara— si no sobre el derecho de los profesionales de la abogacía a exigir (y, por consiguiente, la correspondiente obligación de que se les ofrezca) una formación específica determinada en, de un lado, el manejo de las tecnologías y, de otro lado, en los aspectos jurídicos del uso derivado de la misma.

Una discusión de esta naturaleza y alcance no solo es clave para el futuro de la profesión, sino que debe abordarse con prontitud, ya que en la sociedad actual (calificada por los expertos como "sociedad 4.0") y, sobretodo, en la sociedad futura que está por venir, se espera de los abogados que dispongan de conocimientos técnicos y jurídicos adecuados para el correcto desempeño de su profesión y, en consecuencia, de la adecuada protección del derecho a la defensa (a lo que el Estatuto General de la Abogacía se refiere como "la aplicación de la ciencia y técnica jurídicas").

Dentro de este ámbito relativo a los aspectos formativos y de capacitación de la abogacía española, uno de los extremos a los que se concede mayor relevancia y, por tanto, sobre los que más se debate, es el que tiene que ver con la ciberseguridad de los despachos de abogados.

En efecto, fue a raíz de varios incidentes de ciberseguridad que afectaron a empresas prestadoras de servicios jurídicos (en particular las revelaciones que se produjeron en el caso conocido como el de los "papeles de Panamá", y poco después con el cierre del despacho responsable de la fuga de información que se produjo; y el ciberataque al despacho británico DLA Piper), cuando la abogacía internacional tomó verdadera conciencia de la importancia de proteger adecuadamente la información digital entregada por sus clientes, que se almacena y custodia en base a, entre otros, el principio de confianza que rige la relación abogado-cliente[1].

En España, esta preocupación ya se incluyó en la antigua Estrategia de Ciberseguridad Nacional de 2013, cuando en la Línea de Acción 4 se afirmaba que el Gobierno de España iba a abordar una serie de medidas dirigidas a lograr el objetivo de potenciar las capacidades para detectar, investigar y perseguir las actividades terroristas y delictivas en el ciberespacio, sobre la base de un marco jurídico y operativo eficaz. Entre ellas, destacaba, a los efectos que ahora nos interesa, la de *asegurar a los profesionales del Derecho el acceso a la información y a los recursos que les proporcionen el nivel necesario de conocimientos en el ámbito judicial para la mejor aplicación del marco legal y técnico asociado. En este sentido, es especialmente importante la cooperación*

---

[1]   https://www.abogacia.es/2016/04/26/10-preguntas-a-francisco-perez-bes-el-grado-de-concienciacion-sobre-ciberseguridad-de-los-bufetes-todavia-es-bajo/

con el Consejo General del Poder Judicial, la Abogacía del Estado, la Fiscalía Gene-
ral del Estado, la Fiscalía Coordinadora de la Criminalidad Informática y el Consejo
General de la Abogacía Española.

Cabe recordar que, fruto de la previsión ahí recogida, el Consejo General de la Abogacía Española y el Instituto Nacional de Ciberseguridad de España, suscribieron un convenio por medio del cual se sentaban unas bases de colaboración en el apoyo y difusión de acciones preventivas y reactivas en la abogacía. Asimismo, también esta materia se incluyó en el Plan Estratégico de la Abogacía Española 2017-2020, de manera que mientras que en su medida 37 se recoge un compromiso de formación del abogado en competencias técnicas y habilidades digitales, la medida 94 se centra específicamente en el desarrollo de acciones de capacitación en ciberseguridad[2].

En el año 2019, el Gobierno aprobó una nueva Estrategia Nacional de Ciberseguridad (ENCS), en cuyo Capítulo 3 ("propósito, principios y objetivos para la ciberseguridad"), se incluye un Objetivo II que lleva por título "uso seguro y fiable del ciberespacio frente a su uso ilícito o malicioso".

El citado Objetivo II de la ENCS se compone —asimismo— de varias líneas de acción, de entre las cuales destacamos, a los efectos que ahora interesan, la número 3, la cual está dedicada al refuerzo de las capacidades de investigación y persecución de la cibercriminalidad.

Esta línea de acción 3 tiene como objetivo principal el de garantizar la seguridad ciudadana y la protección de los derechos y libertades en el ciberespacio, lo que se persigue a través de una serie de medidas

---

[2]   94.- Programa de ciberseguridad para Colegios, despachos y comunicaciones entre abogados:
La profesión de abogado es definida, en gran medida, por la relación de confianza entre abogado y cliente. Por ello, el secreto profesional es fundamental para realizar la labor de defensa en una época como la actual en que los ataques a la seguridad de las redes de información transforman la protección de las comunicaciones de los abogados en una obligación para el Consejo y los Colegios de Abogados. La Abogacía Española elaborará un programa para abordar la problemática de la seguridad digital en el sector. En este sentido, promoverá el uso de estándares, tales como la metodología ENS-ISO 27001, así como programas de concienciación y protección frente a ciberataques, en colaboración con otras entidades públicas o privadas, e incrementando la coordinación con el Instituto Nacional de Ciberseguridad (INCIBE) así como el Centro Criptológico Nacional, y sus equipos de respuesta ante emergencias informáticas (CERT).

de acción concretas, de entre las cuales las números 5 y 7 están directamente relacionadas con las necesidades formativas y de capacitación de los abogados en ciberseguridad, como seguidamente procedemos a detallar:

En cuanto a la primera de las medidas de acción citadas (esto es, la número 5), ésta tiene por objetivo el procurar a los operadores jurídicos el acceso a información y recursos materiales que aseguren una mejor aplicación del marco jurídico y técnico relacionado con la lucha contra la cibercriminalidad, al objeto de que se les dote de mayores capacidades para la investigación y enjuiciamiento de los hechos ilícitos que correspondan.

Mientras que la segunda de las medidas mencionadas (esto es, la número 7) persigue asegurar a los profesionales del Derecho y a las Fuerzas y Cuerpos de Seguridad del Estado el acceso a los recursos humanos y materiales que les proporcionen el nivel necesario de conocimientos para la mejor aplicación del marco legal y técnico asociado.

II. SOBRE SI EXISTE UNA OBLIGACIÓN DEONTOLÓGICA DE CAPACITACIÓN TECNOLÓGICA PARA LA ABOGACÍA

1. *La postura continental*

La Ley Orgánica 3/2018, de 5 de diciembre, de Protección de Datos Personales y garantía de los derechos digitales ha reconocido un derecho a la educación digital.

En efecto, el artículo 83 de la norma señala, a los efectos que aquí interesan, lo siguiente:

3. Los planes de estudio de los títulos universitarios, en especial, aquellos que habiliten para el desempeño profesional en la formación del alumnado, garantizarán la formación en el uso y seguridad de los medios digitales y en la garantía de los derechos fundamentales en Internet.

4. Las Administraciones Públicas incorporarán a los temarios de las pruebas de acceso a los cuerpos superiores y a aquéllos en que habitualmente se desempeñen funciones que impliquen el acceso a datos personales materias relacionadas con la garantía de los derechos digitales y en particular el de protección de datos.

En lo que respecta a la formación de los abogados, la Exposición de Motivos II de la antes citada Ley 34/2006, de acceso a la abogacía, ya recuerda que la necesidad de una real y efectiva capacitación profesional de los abogados, en su condición de necesarios colaboradores en el ejercicio de la tutela judicial efectiva, ha sido una reivindicación constante de los representantes de esta profesión.

Atendido lo anterior, podemos afirmar que es cierto que las referencias que contiene esta Ley están pensadas para garantizar unas competencias mínimas acreditadas que permitan al titulado acceder al ejercicio de la profesión tras la superación de una prueba de conocimientos. Pero no es menos cierto que no excluyen las exigencias de formación en temas relacionados con el uso y el impacto de las nuevas tecnologías.

En particular debemos hacer mención especial al tema de las competencias en seguridad de la información. En este escenario, el profesional de la abogacía tiene unas obligaciones de protección de la información de su organización, reforzadas por una serie de obligaciones éticas que, como abogado, le aplican de forma obligatoria, entre las que destaca claramente la de la protección del secreto profesional.

En este caso, las actuaciones del profesional de la abogacía quedan encuadradas, en primer lugar, dentro de las propias de un estándar mercantil de diligencia de un ordenado empresario en la gestión de una actividad profesional o empresarial. De ahí que la actividad propia de un abogado deba estar respaldada por un seguro de responsabilidad civil que cubra las posibles contingencias derivadas de un inadecuado asesoramiento jurídico al cliente o de una mala praxis que le cause algún daño, entre lo que se encuentra —claro está— la pérdida, revelación o acceso inconsentido a la información confidencial de sus clientes.

En relación con esto último podría traerse a colación la reciente modificación del artículo 49 del Código de Comercio, que pasa a incluir una serie de obligaciones relacionadas con la información no financiera de determinadas organizaciones, entre las que destacan la referente a la gestión de riesgos, área ésta donde los riesgos informáticos son cada vez mayores en número, pero también en relevancia y complejidad. O la Ley 1/2019, de 20 de febrero, de Secretos Empresariales, que también incide directamente en las necesidades de protección de la información empresarial.

Pero volviendo al asunto que ahora nos ocupa, el artículo 42.2 del Estatuto General de la abogacía exige al abogado un deber de información consistente en actuar con diligencia y atenerse a las exigencias técnicas adecuadas a la tutela del asunto que le haya sido encomendado, permitiéndole que se auxilie de colaboradores y otros compañeros, quienes —afirma el artículo— actuarán bajo su responsabilidad[3].

Aunque quizás sea en el ámbito deontológico europeo donde esta obligación de capacitación se recoja de una manera más clara: así, el artículo 5.8 del código de la abogacía europea (CCCB) exige que el Abogado mantenga actualizados y desarrolle sus conocimientos y competencias profesionales teniendo en cuenta la dimensión europea de su profesión.

En España este precepto ha encontrado reflejo en el Código Deontológico de la Abogacía Española publicado en mayo de 2019, cuyo Preámbulo afirma que *quienes ejercen la Abogacía sólo pueden encargarse de un asunto cuando cuenten con la capacidad adecuada para ejercer su asesoramiento y defensa de una manera real y efectiva, para incrementar constantemente sus conocimientos jurídicos y para solicitar el auxilio de los más expertos, cuando lo precise.*

Y, más concretamente, el artículo 12.B.4, en el que se ha introducido un principio de prudencia que parece inspirado en la exigencia de diligencia y honestidad del abogado a la hora de prestar su asesoramiento profesional a un cliente, lo que también se recoge en el Código Deontológico de la Abogacía Europea, cuando en su apartado 3.1.3 prohíbe que el abogado acepte encargarse de un asunto sin la cooperación de un Abogado competente al respecto si sabe, o debería saber, que carece de la pericia necesaria.

Dicho principio de prudencia se expresa de la forma siguiente: "no debe aceptarse ningún asunto si uno no se considera apto para dirigirlo, a menos que se colabore con quien lo sea, informando al cliente, con carácter previo, de la identidad del colaborador"[4].

A la vista de esta redacción, a nuestro juicio, la aptitud en la dirección del asunto no sólo se circunscribe a los conocimientos técnicos del abogado, sino que puede hacerse extensivo a aspectos organizativos y de infraestructura. Dicho de otro modo, la ausencia en el despacho de sistemas informáticos que incluyan un nivel mínimo de seguridad para garantizar una protección razonable de la información facilitada por el cliente en virtud de su naturaleza, puede considerarse un elemento que debe ser valorado

---

[3]   *2. El abogado realizará diligentemente las actividades profesionales que le imponga la defensa del asunto encomendado, ateniéndose a las exigencias técnicas, deontológicas y éticas adecuadas a la tutela jurídica de dicho asunto y pudiendo auxiliarse de sus colaboradores y otros compañeros, quienes actuarán bajo su responsabilidad.*

[4]   https://www.abogacia.es/wp-content/uploads/2019/05/Codigo-Deontologico-2019.pdf

por el abogado a la hora de aceptar, o no, el encargo del cliente. Y a esta conclusión se llega al entender que la carencia de tecnología adecuada para la gestión de los riesgos a los que se enfrenta el despacho en cada momento, puede poner en serio peligro los principios de independencia y de confianza recogidos en el código deontológico de la abogacía española (en sus artículos 2 y 4), amén del secreto profesional (artículo 5).

También, y en este mismo sentido, la Carta de Principios Esenciales de la Abogacía Europea incluye, como Principio (g) una afirmación según la cual un abogado no puede aconsejar o representar a su cliente sino ha recibido una formación adecuada.

Este Principio añade que la formación de postgrado es una herramienta importante de cara a permitir a la abogacía su adaptación a los nuevos avances tecnológicos, donde —de alguna manera— lo que se parece querer fomentar es la figura de la formación especializada como herramienta adecuada para lograr el objetivo antes descrito[5].

No obstante, de una lectura detenida de dicho precepto no parece poder concluirse que la Abogacía europea sostenga que es necesario desarrollar formación de postgrado específica centrada en exclusiva en los aspectos jurídicos de las nuevas tecnologías. Antes al contrario, la redacción dada por la citada Carta parece referirse a la oportunidad (que también podríamos entender como necesidad) de que la formación de postgrado del abogado incluya entre sus contenidos aquellos aspectos que se consideren necesarios para lograr unas competencias tecnológicas y jurídicas suficientes y adecuadas, con independencia del sector en el que se desarrolle dicha formación de postgrado.

Así pues, a la vista de las regulaciones anteriores, podemos concluir que tanto en el deber de diligencia profesional general como, en particular, de las exigencias deontológicas para la Abogacía, se deriva una obligación de formación y capacitación adecuada para poder prestar al cliente los servicios que demanda con la calidad exigible. Pero no es menos cierto que, tomando en consideración que las actuales actuaciones profesionales actuales tienen un alto componente tecnológico, los abogados deben adquirir unas mínimas competencias tecnológicas. Es decir, no se trata de capacitar a los abogados en conocimientos técnicos avanzados, sino de formarles en aquellos aspectos que, con carácter mínimo, se van a demandar

---

[5]   Aprobado en la Sesión Plenaria del CCBE el 25.11.2006.

a un profesional del Derecho para garantizar la diligencia profesional en sus actuaciones.

O, dicho con otras palabras, no se trata de convertir a todos los abogados en especialistas tecnológicos (o "ciberabogados" como en ocasiones se les ha calificado), sino de evitar que existan profesionales cuyas carencias y desconocimiento en el uso habitual y normal de la tecnología pongan en riesgo la calidad y el rigor profesional exigible a una práctica profesional, lo que algunos han denominado "analfabetismo digital".

En relación con lo anterior, si pudiéramos considerar al Derecho Digital como una rama del derecho en la que un abogado pudiera especializarse, podríamos aplicar el artículo 6.4 del código deontológico. Este artículo —recordemos— exige que cuando en una comunicación comercial de un abogado se incluya como argumento publicitario una mención a la especialización profesional en una determinada materia, deberá poder acreditarse la veracidad de tal extremo a través del cumplimiento de una serie de requisitos relacionados con una previa y suficiente formación y experiencia profesional.

En particular, dicho artículo se expresa de la siguiente manera:

Las menciones que a la especialización en determinadas materias se incluyan en la publicidad deberán responder a la posesión de títulos académicos o profesionales, a la superación de cursos formativos de especialización profesional oficialmente homologados o a una práctica profesional prolongada que las avalen

Evidentemente, este artículo trata de evitar que, desde el punto de vista publicitario y de promoción de la actividad del despacho, surjan profesionales de la abogacía que se presenten ante el público de los consumidores como expertos en determinadas disciplinas que, por su extrema novedad, complejidad técnica o falta de desarrollo suficiente en la sociedad, no pueda acreditarse un mínimo de competencias que garanticen el nivel de servicio que se espera o, por lo menos, cubrir las expectativas que las afirmaciones difundidas por ese profesional haya podido crear entre el público al que se dirigen o alcanzan. Nos referimos, por ejemplo, a aspectos tales como tecnologías disruptivas (comúnmente conocidas como *DisTech*), dentro de las cuales podemos, a día de hoy, incluir tales como la inteligencia artificial o los aspectos legales derivados de la tecnología cuántica; aunque también en otras materias que, aunque algo más desarrolladas, no es posible acreditar una formación o una trayectoria profesional relevante, como ha venido ocurriendo con, por ejemplo, la ciberseguridad o el blockchain.

2. La postura norteamericana

En el año 2013, la American Bar Association (ABA) emitió una Resolución en la que se introdujo la necesidad de que la abogacía adaptase su actividad profesional a una nueva realidad social. En esta realidad, y en esto debemos coincidir con la opinión de nuestros colegas norteamericanos, Internet se ha convertido en el ecosistema habitual donde la industria (concepto este que incluye tanto a los propios despachos de abogados como a sus clientes) presta sus servicios y comercializa sus productos[6].

En la práctica y dentro de esta obligación de competente defensa y asesoramiento del cliente (norma 1.1), esta actualización de las normas de la ABA ha llevado a que 36 estados *hayan modificado sus reglas de comportamiento para incluir, como requisito exigible, la* capacitación tecnológica del abogado. Y lo hace dentro de la interpretación que la ABA considera debe darse al concepto *maintaining competence* que utiliza para referirse a la obligación del abogado de mantenerse actualizado, tanto técnicamente (esto es, en la aplicación del Derecho) como tecnológicamente (conociendo los beneficios y riesgos que ofrece la tecnología).

Dentro de las previsiones contempladas en la Resolución antes indicada, y en particular en lo relacionado con la obligación de que el abogado preste un asesoramiento adecuado a su cliente, destaca la relativa a la necesidad de tener la formación y conocimientos suficientes para una correcta representación de aquel. Y lo hace utilizando la siguiente redacción:

> *"to maintain the requisite knowledge and skill, a lawyer should keep abreast of changes in the law and its practice, including the benefits and risks associated with relevant technology [...]".*

Esta postura de la abogacía norteamericana parece acertada y no hizo más que anticiparse a recoger una obviedad, como es la de que en tanto en cuanto la tecnología se ha convertido en un elemento esencial de la sociedad conectada, debe serlo también en la práctica diaria de la abogacía. No en vano desde hace ya algún tiempo venimos siendo testigos del inicio de un proceso de transformación digital de la Abogacía, en el cual estos profesionales vienen utilizando Internet para prestar sus servicios y a comunicarse entre ellos y con sus clientes (donde, por ejemplo, podemos destacar

---

[6]   https://www.americanbar.org/content/dam/aba/administrative/ethics_2020/2012_hod_annual_meeting_105a_filed_may_2012.authcheckdam.pdf

la proliferación de aplicaciones, plataformas de abogacía colaborativa o *marketplaces* para abogados), pero también para relacionarse, por ejemplo, con la administración de justicia a través de su Sede Judicial electrónica.

En este caso, la inclusión de la referencia antes indicada pretende ser un recordatorio de que los abogados deben mantenerse al tanto de las evoluciones tecnológicas que pueden afectar a su ejercicio. Tal obligación, lejos de parecer de nuevo cuño, se presenta como parte de las obligaciones éticas generales consistentes en mantener un nivel de competencia profesional adecuado a las nuevas circunstancias del caso y necesidades del cliente.

III. LA SEGURIDAD DE LA INFORMACIÓN Y EL SECRETO PROFESIONAL

Como afirmaba la Presidenta del Consejo General de la Abogacía Española, Dª Victoria Ortega, durante su intervención en el Senado Internacional de Colegios de Abogados, dentro de los actos del 60º Congreso de la Unión Internacional de Abogados (UIA) durante su sesión de 29 de octubre de 2016: "el secreto profesional constituye la esencia y el principio fundamental del derecho de defensa. Cualquier norma que pretenda suprimirlo o limitarlo implica una merma del derecho a la defensa y por consiguiente afectaría al propio Estado de Derecho. Y desde luego, ninguna Abogacía del mundo podría consentirlo".

Efectivamente, y así lo contempla el Código Deontológico, el secreto profesional constituye uno de los pilares fundamentales de la profesión de abogado[7]. Y, como no podría ser de otro modo, tal relevancia así también se recoge tanto en la Ley Orgánica del Poder Judicial (en adelante LOPJ) como en la normativa colegial.

Por otro lado, la seguridad de las comunicaciones se ha reconocido recientemente como un derecho digital protegido por el artículo 82 de la Ley Orgánica de Protección de Datos y Garantías de los Derechos Digitales

---

[7] Perviven como valores fundamentales en el ejercicio de la profesión de abogado la independencia, la libertad, la dignidad, la integridad, el servicio, el secreto profesional, la transparencia y la colegialidad.

(LOPDGDD), cuando reconoce el derecho de los usuarios a la seguridad de las comunicaciones que transmitan y reciban a través de Internet[8].

Sin intención de profundizar en el análisis general de esta figura, al no ser el objeto principal de este informe, sí debemos recordar los preceptos concretos donde se regula el secreto profesional. Y es que en lo que a la ciberseguridad se refiere —entendida ésta en su sentido más amplio como es el de la seguridad de la información— la información que custodia el abogado es el activo principal sobre el que debe girar la obligación de secreto, y de la que se derivan la responsabilidad legal y deontológica de aquél llegado el caso de que tal protección fracase.

En efecto, en lo que a la normativa legal se refiere, el artículo 542.3 de la LOPJ (y con idéntica redacción el artículo 32.1 del Estatuto General de la Abogacía) obliga a los abogados a guardar secreto de todos los hechos o noticias de que conozcan por razón de su actuación profesional, estableciendo, asimismo, un nivel de protección tal, que permite al abogado negarse a declarar sobre los mismos.

En cuanto al alcance y límites del secreto profesional, el Prólogo del Código Deontológico de la Abogacía Española le dedica estas palabras:

El secreto profesional y la confidencialidad son deberes y a la vez derechos que no constituyen sino concreción de los derechos fundamentales que el ordenamiento jurídico reconoce a sus propios clientes y a la defensa como mecanismo esencial del Estado de Derecho. Todo aquello que le sea revelado por su cliente, con todas sus circunstancias, más todo aquello que le sea comunicado por un compañero con carácter confidencial, deberá mantenerlo en secreto, salvo las situaciones excepcionales previstas.

Así las cosas, podemos afirmar que el secreto profesional, en su doble dimensión como derecho y como deber, comprende cualquier confidencia y propuesta que el abogado reciba, durante su actuación profesional, por parte de su cliente, pero también de la parte adversa y de los compañeros. El alcance objetivo de este aspecto es el de incluir todos los hechos y documentos de que haya tenido noticia o haya remitido o recibido por razón de cualquiera de las modalidades de su actuación profesional, tal y como se encarga de señalar el artículo 5 del Código Deontológico de la Abogacía Española.

---

[8]   Ley Orgánica 3/2018, de 5 de diciembre, de Protección de Datos Personales y garantía de los derechos digitales. BOE nº 294 de 6 de diciembre de 2018.

Asimismo, el secreto profesional ampara las comunicaciones y negociaciones orales y escritas de todo tipo, con independencia del medio o soporte utilizado; e incluye las comunicaciones que se remiten o reciben a o desde otro abogado, de manera que no puede ser facilitada al cliente ni aportada a los Tribunales ni utilizada en cualquier otro ámbito.

Huelga decir que, en la totalidad de los casos, el abogado será receptor de comunicaciones, documentos y archivos en formato electrónico.

No obstante, también cabe recordar que este aspecto del secreto profesional no es un ámbito ilimitado. Antes al contrario, existen excepciones a esta obligación, que se recogen en el artículo 5.3 del Código Deontológico. Se trata de, por ejemplo, aquellos casos en lo que así lo autoricen expresamente el remitente y el destinatario. O para aquellos otros supuestos en los que sea el remitente quien deje expresa constancia de que dichas comunicaciones no se sujetan al secreto profesional. Y también en otras circunstancias en las que pueda extraerse determinada información de la obligación de secreto profesional, como aquellos casos en los que la Junta de Gobierno del Colegio de Abogados pueda autorizarlo discrecionalmente, siempre que concurra causa grave y previa resolución motivada con audiencia de los interesados.

De igual modo, también otros artículos de la normativa colegial vinculan el secreto profesional a la obligación genérica de diligencia profesional que se espera de un profesional de la abogacía. Así, por ejemplo, podemos destacar entre otros el artículo 42.1 del Estatuto General de la Abogacía Española, que incluye una referencia a la obligación de la abogacía de cumplir la misión de defensa que le sea encomendada *con el máximo celo y diligencia y guardando el secreto profesional.*

Pues bien, es en relación a este extremo relativo a la exigencia de confidencialidad y diligencia en la custodia de la información que nos confiere el cliente, donde la ciberseguridad juega un papel relevante, tanto en lo que se refiere a la formación técnica del profesional de la Abogacía, como en el nivel de diligencia exigible y aplicado al caso concreto.

En lo que a estos elementos se refiere, el entorno digital, los riesgos y amenazas inherentes a aquel, son aspectos cuyo desconocimiento bien podría entenderse como una actuación que no se adecúa a los parámetros de diligencia exigible al abogado durante la fase de captación, almacenamiento y custodia de la información protegida por el secreto profesional. Situación que, por otro lado, también se ve afectada por la obligación deontológica de hacer uso responsable y diligente de la tecnología de la

información y la comunicación, debiendo extremar el cuidado en la preservación de la confidencialidad y del secreto profesional, tal y como se
incluye, por primera vez, en el Código Deontológico (art. 21.2).

Si comparamos este aspecto con lo que se prescribe para la abogacía
norteamericana, otro de los aspectos que pueden destacarse a los efectos que ahora nos interesan, tiene que ver con la obligación explícita
que se establece, para los abogados americanos, de proteger eficazmente la confidencialidad de la información de sus clientes. Este extremo se
exige de la siguiente manera en la norma de conducta 1.6. ("confidentiality of information") de la citada American Bar Association, cuando
en su apartado c) señala que:

> A lawyer shall make reasonable efforts to prevent the inadvertent or unauthorized
> disclosure of, or unauthorized access to, information relating to the representation of
> a client.

Como puede fácilmente observarse, la normativa deontológica norteamericana goza, en este caso, de mayor concreción que la genérica obligación de diligencia que contempla la normativa española al regular el secreto profesional. Es más, la ABA considera que el nivel de esfuerzo exigible
para prevenir una fuga de información debe ser el "razonable" al caso y a
la situación concreta ante la que nos encontremos, para lo cual se exige
con carácter previo, un análisis inicial de los riesgos que amenazan a la
información que el abogado pasa a custodiar.

Y para poder realizar, de manera eficaz, un adecuado análisis de riesgos,
será imprescindible tener unos conocimientos mínimos de las amenazas
que, en Internet, pueden poner en peligro la integridad, disponibilidad
o confidencialidad de tal información. Sin ello no será posible aplicar las
medidas preventivas y reactivas, tanto técnicas como organizativas, que requieran la protección de los datos que nos ofrece el cliente. Ni solicitar a
un experto el asesoramiento adecuado en relación a los riesgos previamente identificados.

Sin embargo, este nivel de prevención va más allá en la Resolución de la
ABA, la cual añade, además de la utilización de instrumentos tecnológicos
que garanticen la seguridad de esa información, la posibilidad de que los
propios clientes puedan exigir, en determinados casos, un refuerzo en las
medidas de seguridad implantadas, a tenor del grado de confidencialidad
de la información tratada. Esta medida no hace más que reafirmar nuestra afirmación anterior en lo que se refiere a la necesidad de realizar un
análisis previo dirigido a determinar el alcance de las medidas que deben
implantarse, según el caso.

IV. LA CAPACITACIÓN DEL ABOGADO
ANTE RIESGOS DE SEGURIDAD

1. En Estados Unidos

En el informe publicado por Hanover Research en el año 2015 se debatía sobre cuál debe ser el rol del abogado en la gestión de las ciberamenazas de sus clientes, que dicen así: "in the past, many companies believed that cybersecurity could be managed primarily by IT staff and risk management. While some may still hold that belief, the question has largely shifted from wheter lawyers should be involved in a company's cybersecurity efforts to when lawyers should become involved"[9].

Esta afirmación se refuerza al analizar el *NIST handbook* del Gobierno estadounidense, donde divide la gestión de la ciberseguridad en tres funciones: controles técnicos, controles de gestión y controles operativos. Y de lo que el informe anteriormente citado concluye que los abogados son parte esencial en la planificación de la ciberseguridad, pues el conocimiento de las leyes y de los procedimientos es esencial durante todas estas fases.

En fecha 1 de mayo de 2019, la comisión de ética profesional del Colegio de Abogados de Maine, emitió una resolución en la que analizaba cuáles eran las responsabilidades de un abogado en el caso de haber sufrido una fuga de información derivada de un incidente de ciberseguridad, basándose en la Opinión Formal nº 483, que la ABA emitió el 17 de octubre de 2018.

Al igual que afirma la ABA en su opinión, la Resolución a la que hemos hecho referencia sostiene, en primer lugar, que un abogado debe realizar "esfuerzos razonables" al objeto de evitar una fuga de datos ("lawyers should take reasonable efforts to avoid a data breach").

Esto nos lleva a concluir que, desde una óptica deontológica, los abogados deben aplicar las medidas preventivas adecuadas para evitar verse afectados por un incidente de ciberseguridad que desemboque en una brecha de información o en una fuga de datos personales. Pero, igualmente, debe proceder obligatoriamente a llevar a cabo una serie de actuaciones previstas tanto en la normativa legal como deontológica al objeto de minimizar el posible daño, así como de informar adecuadamente a terceros (clientes afectados y al regulador, principalmente) de determinados aspectos rela-

---

[9]   Bodenheimer, David. How lawyers help meet cyberthreats. Hanover Research, 2015.

cionados con los riesgos de acceso inconsentido a tal información por parte de terceros no autorizados a ello.

La Resolución del Colegio de Maine iba más allá, y entra a valorar tres aspectos que considera fundamentales para poder clarificar el alcance de la responsabilidad deontológica del abogado en relación a los deberes de prevención ante un incidente de ciberseguridad ocurrido en su despacho: la capacitación tecnológica del abogado, la defensa del secreto profesional y la formación al resto de miembros del despacho.

En cuanto al primero de estos aspectos, la Resolución se refiere a la necesidad de que los abogados dispongan de una capacitación profesional tecnológica específica, afirmando que no hay excusa para lo que denomina "incompetencia tecnológica", entendido esto como una exigencia de que cualquier abogado tenga un conocimiento mínimo y básico, y unas competencias mínimas en la tecnología que se emplea durante el ejercicio de la abogacía.

En palabras literales de la Resolución, para que un abogado que actúa utilizando elementos tecnológicos pueda prestar un servicio competente debe tener *a baseline understanding of, and competence in, the technology used in the practice of law must be maintained by every lawyer.*

Como puede observarse (y así hemos mencionado anteriormente), las referidas exigencias no son una obligación de tener conocimientos tecnológicos profundos ni avanzados, sino tan solo suficientes para garantizar un nivel de competencia adecuado en la prestación de los servicios a sus clientes. En este caso, el Colegio de Abogados de Maine, al igual que los del resto de estados, diseñan este requisito de manera que sean los propios profesionales los que, en interés de su propia responsabilidad, cumplan con su obligación deontológica como abogado.

Partiendo de la postura del Colegio de Maine, el Colegio de Florida ha implementado un sistema obligatorio de actualización de conocimientos en el sentido de que cada 3 años todos los abogados ahí colegiados deben asistir a una formación de tres horas centrada específicamente en manejo de tecnología ("in approved technology programs")[10]. Esta iniciativa derivó de la modificación de la normativa colegial tras la sentencia emitida por la Corte Suprema de Florida, de fecha 29 de septiembre de 2016, en la que, tras la propuesta de modificación de la normativa interna del Colegio a ini-

---

[10]   https://www.lawsitesblog.com/2016/10/florida-becomes-first-state-mandate-tech-cle.html

ciativa del Colegio de abogados de Florida (Florida Bar), ordena adaptar la normativa colegial a los principios sugeridos por la ABA, en este caso en lo relacionado con las competencias tecnológicas de los abogados, como hemos analizado anteriormente.

En segundo lugar, destaca la obligación de proteger el secreto profesional durante un incidente de ciberseguridad, de manera que si como consecuencia de un incidente de tal naturaleza (provocado por un ciberataque o por cualquier otra circunstancia) se produjera una fuga de información (personal o no), la responsabilidad por no haber protegido adecuadamente la información del cliente recaería sobre el abogado.

Por último, el abogado debe formar y supervisar las actividades de los miembros del despacho en relación a sus obligaciones de salvaguardar la información del cliente ante riesgos que puedan dar lugar a su pérdida o a una revelación pública inconsentida.

2. *En España*

En España, y dentro del ámbito de la protección de datos personales, podemos remitirnos a la obligación que recoge el artículo 28.1 de la Ley Orgánica 3/2018, de 5 de diciembre, de Protección de Datos Personales y garantía de los derechos digitales, donde el legislador establece como presupuesto básico en la protección de la información personal, el del principio de la responsabilidad proactiva.

Gracias a esta exigencia, corresponde a los responsables y encargados del tratamiento de datos de carácter personal, la implementación de aquellas medidas técnicas y organizativas apropiadas que sirvan para garantizar y acreditar que el tratamiento que hacen de dicha información es adecuado y conforme con la normativa sobre protección de datos.

La adopción de tales medidas, así como su efectividad, deberán ser acreditadas ante el regulador en el caso de que se hubiera producido alguna situación en la que haya tenido lugar algún tipo de fuga o pérdida de información personal.

Adicionalmente, en el caso de que algún despacho obtenga la certificación conforme al Esquema Nacional de Seguridad (ENS), debería cumplir con las exigencias que marca el Real Decreto 3/2010, de 8 de enero, por el que se regula el Esquema Nacional de Seguridad en el ámbito de la Administración Electrónica, el cual también contempla la necesidad de formación.

3. La experiencia escocesa

En 2019, la Law Society of Scotland, creó una acreditación a través de la cual los abogados escoceses y los paralegales reconocidos que puedan demostrar un nivel determinado de experiencia en la aplicación del derecho en el ámbito tecnológico ("legal technology"), puedan considerarse oficialmente expertos en esta materia[11].

Tal experiencia deberá ser acreditada, tanto a través de la experiencia profesional que pueda demostrarse, como a través de las publicaciones realizadas y de las recomendaciones que terceras personas hagan de ti. Y si el comité evaluador lo considera suficiente, se concede al profesional que lo solicite el reconocimiento de experto en esta materia.

Esta fórmula resulta interesante a los efectos de poder establecer un mecanismo que permita, a los que se presenten en el mercado como expertos en alguna de las materias que caen bajo el ámbito de lo que puede denominarse "derecho digital", a acreditar la veracidad de sus afirmaciones, lo que en España hemos visto cuando nos hemos referido a la prohibición establecida en el artículo 6.4 del código deontológico de la abogacía española, cuando se refiere a los límites de la publicidad de los abogados.

Siguiendo con las características de la iniciativa escocesa, la validez de la acreditación de la Law Society es de tres años, una vez transcurridos los cuales el especialista deberá obtener una nueva acreditación, previo el pago de 300 libras esterlinas y siguiendo el procedimiento establecido a tal efecto.

V. CONCLUSIONES

Es importante tomar conciencia, y adaptar las normativas legales y deontológicas, a una realidad donde los clientes esperan, y tienen derecho, a que su abogado tenga conocimientos mínimos suficientes —por lo menos básicos— en las nuevas tecnologías, en el manejo de las mismas, así como de sus implicaciones jurídicas.

Dentro de las competencias formativas que ostentan los Colegios de Abogados, es recomendable que se incluyan itinerarios a través de los cua-

---

[11]   https://www.lawscot.org.uk/members/career-growth/specialisms/accredited-legal-technologist/

les se ofrezca a los abogados colegiados formación en el uso de aquellas tecnologías que puedan tener impacto en el ejercicio habitual de la profesión, como puede ser la ofimática, uso de correo electrónico, y otros sistemas idóneos para poder ejercer la abogacía de manera eficaz y eficiente, pero sobre todo con seguridad.

También deben diseñarse y llevarse a cabo, por parte de los Colegios de Abogados y de sus Consejos, actividades continuas de concienciación y sensibilización en materia de ciberseguridad, protección de la información y gestión de riesgos tecnológicos, para dar cumplimiento a las previsiones recogidas en la Estrategia Nacional de Ciberseguridad, así como en la normativa legal y deontológica aplicables.

Deberá fomentarse el desarrollo de pólizas de seguro de responsabilidad civil adecuadas para los despachos de abogados, que cubran los posibles riesgos tecnológicos que puedan afectar al normal desarrollo de su actividad, tanto a nivel interno como en la relación con sus clientes.

Deberá potenciarse el desarrollo de buenas prácticas y de códigos de conducta que permitan a los despachos de abogados desarrollar políticas internas adecuadas en materia de protección de la información y ciberseguridad, que puedan, además, incardinarse dentro de sistemas de Responsabilidad Social Empresarial en los que aquellos puedan incorporarse, fomentando la adopción de sellos de calidad especialmente destinados a la gestión de riesgos y protección de la información (pe. ISO 27001, 19600, etc.).

Desde las instituciones colegiales deberá apoyarse la formación reglada universitaria (pe. Masters) así como sistemas de certificación que incorporen a su programa formativo itinerarios de capacitación de los profesionales de la abogacía en temas relacionados con la ciberseguridad (pe. Compliance, DPO, CISO).

Tribunales de Instancia
(Informe 7/2019)

Sumario: I. INTRODUCCIÓN. II. LAS COSTURAS DE UN MODELO OBSOLETO. III. LOS ÓRGANOS UNIPERSONALES, PUNTOS NEGROS DEL SISTEMA ACTUAL. IV. A LA BÚSQUEDA DE LA EFICIENCIA Y DE LA EFICACIA. V. LA PROPUESTA DE LOS TRIBUNALES DE INSTANCIA EL MODELO DE 2011 EL MODELO DE 2014. 1. El modelo de 2011. 2. El modelo de 2014. VI. LOS PROS Y LOS CONTRAS. VII. CONCLUSIONES.

I. INTRODUCCIÓN

El sistema judicial español, del que tanto se habla hoy en día, viene siendo objeto de crítica por dos razones fundamentalmente. La primera es la politización del sistema, que se concreta en el modo de elección de los vocales del Consejo General del Poder Judicial, y la segunda es la excesiva lentitud en la respuesta judicial.

El sistema de elección de los vocales del Consejo General del Poder Judicial ha sido objeto de críticas prácticamente desde el momento mismo de la promulgación de la Ley Orgánica del Poder Judicial, de 1 de julio de 1985, que instauró un sistema en virtud del cual los veinte vocales del Consejo eran elegidos en su totalidad por las Cortes Generales. Ese sistema ha sido criticado porque, correspondiendo al Pleno del Consejo General del Poder Judicial la elección, por mayoría simple, de los principales cargos judiciales de nombramiento discrecional (Presidente y Vicepresidente del Tribunal Supremo, Presidentes de Sala y Magistrados del Tribunal Supremo, dos Magistrados del Tribunal Constitucional, Presidentes de Tribunales Superiores de Justicia, Presidentes de Sala de Tribunales Superiores de Justicia y Presidentes de Audiencias Provinciales) se ha afirmado que, mediante el control del Consejo General del Poder Judicial, las fuerzas políticas pueden llegar a controlar también estos nombramientos, de forma que la elección para estos puestos que integran la cúpula judicial, puede responder más a intereses o afinidades de carácter político, que al principio de mérito y capacidad.

Las críticas a este sistema, con sus diversas modalidades, han venido desde varios sectores del mundo jurídico, pero las más aceradas han procedido de los propios Jueces y Magistrados españoles que, desde hace más de treinta años, vienen reclamando poder elegir ellos, directamente, a los doce vocales de origen judicial. Claro que el modelo que defienden los jueces españoles también tiene sus críticos, que lo acusan de corporativista, es decir, de que sería un Consejo que defendería a ultranza los intereses profesionales de los Jueces. Se trata de una crítica bastante infundada, como lo demuestra el hecho de que las Salas de Gobierno (escalón gubernativo judicial inmediatamente inferior al Consejo General del Poder Judicial) del Tribunal Supremo, Audiencia Nacional y Tribunales Superiores de Justicia, tienen una composición mixta entre miembros natos y miembros elegidos por los propios Jueces y Magistrados y nunca ha habido críticas de corporativismo en su quehacer cotidiano.

A pesar de que se trata de una polémica que dura ya más de treinta años, es lo cierto que, no por ello, ha perdido actualidad. Recientemente, hemos visto como en la Subcomisión del Congreso de los Diputados para la reforma de la Justicia, se ha debatido nuevamente sobre este tema, aunque, también como siempre, sin resultados concretos.

Por último, no faltan tampoco quienes afirman que si todo lo que se nos ofrece es un dilema entre un Consejo politizado o un Consejo corporativista, lo mejor es suprimir el Consejo General del Poder Judicial e instaurar un sistema de nuevo cuño, en el que sea un órgano colegiado formado por jueces, abogados, procuradores, letrados de la Administración de Justicia, catedráticos de Universidad y políticos el que, cada vez que haya que hacer un nombramiento judicial discrecional, se reúnan y, por el sistema de mayoría que se estime oportuno (cualificada, simple o reforzada), lleven a cabo, con la debida transparencia y objetividad, el nombramiento de que se trate.

Pero, como decíamos al principio, la segunda (o la primera) gran crítica que se hace al sistema judicial español es la lentitud de la respuesta judicial, lentitud que, en ocasiones, ha alcanzado cinco o más años de espera hasta obtener un pronunciamiento judicial firme que, con carácter definitivo, ponga fin a un determinado litigio.

Junto a la lentitud, pero muy relacionada con ella, se atribuye también a nuestro sistema una impredecibilidad en la respuesta judicial que provoca, a su vez, una inseguridad jurídica, muy negativa para la credibilidad del propio sistema.

II. LAS COSTURAS DE UN MODELO OBSOLETO

La división del territorio nacional en más de 400 partidos judiciales (431 para ser exactos), procede del Siglo XIX. A finales del mismo, nuestro país tenía una población que no llegaba a los 20.000.000 de habitantes y, evidentemente, la comunicación entre la población española era muy distinta a la actual y mucho más difícil.

Hace más de 115 años, la población española se encontraba distribuida de una forma muy diferente a la actual y fue esa concreta distribución poblacional la que se tuvo en cuenta para la creación de los partidos judiciales. Se trataba de acercar, en lo posible, el Juez al ciudadano y con esa idea de cercanía se crearon los mencionados partidos judiciales.

Desde entonces, la población española ha crecido más del doble, situándose en el entorno de los 46.500.000 de habitantes, habiéndose producido, además, una redistribución de la población, de modo que ha habido un auténtico éxodo del campo a la ciudad y, en la actualidad, los flujos migratorios internos y externos van concentrando la población en la capital de España y en las zonas de la costa mediterránea, al tiempo que amplias áreas del centro peninsular se han ido despoblando, sin que se vislumbre, al menos a corto plazo, un cambio de tendencia en dichos ciclos migratorios.

Por otra parte, la comunicación entre los distintos puntos de la geografía nacional ha mejorado de forma exponencial, de manera que puntos geográficos que antaño estaban prácticamente incomunicados, ahora gozan de unas infraestructuras modernas que hacen que el traslado a la capital de la provincia, sea cual sea ésta, o a los núcleos urbanos más importantes de la misma, pueda hacerse normalmente en menos de dos horas.

Esta notabilísima transformación de la sociedad española, sin embargo, no ha producido un cambio en el modelo organizativo de los viejos partidos judiciales, que han permanecido inmutables durante casi doscientos años.

Ante el imparable aumento de la litigiosidad, la política que se ha venido (y se viene) siguiendo, es la de la creación de nuevos órganos judiciales, de tal forma que desde la promulgación de la Ley 38/1988, de 28 de diciembre, de Demarcación y Planta Judicial, ésta última se ha duplicado e, incluso, se han ¡do creando órganos judiciales unipersonales de nuevo cuño, especializados, que no estaban contemplados en el diseño inicial.

A pesar de esos esfuerzos y de la constante creación de nuevas unidades judiciales, es lo cierto que existe una opinión generalizada entre los distintos operadores jurídicos, desde hace ya bastante tiempo, consistente en que el modelo judicial vigente, especialmente en lo que se refiere a los órganos unipersonales, ha agotado ya todas sus virtualidades y no es posible seguir con el mismo.

El constante aumento de órganos jurisdiccionales unipersonales (la más reciente muestra la tenemos en el Real Decreto 902/2017, de 13 de octubre, de creación de noventa y tres juzgados y plazas judiciales, así como la previsión presupuestaria para el presente año 2018, de crear más de 300 plazas de jueces y magistrados), no está arreglando el problema de la lentitud judicial, por lo que la solución no consiste en un mero incremento de medios materiales y personales, sino que es necesario reconocer que la organización judicial existente, especialmente en lo que se refiere a la primera instancia, es obsoleta y no responde a las necesidades actuales.

Desde luego (y, a nuestro juicio, eso es clave), a la solución del problema no ayuda en absoluto la dispersión de competencias que hoy en día existe sobre la materia de la Administración de Justicia. El Consejo General del Poder Judicial, el Ministerio de Justicia y las Comunidades Autónomas, con competencias transferidas en materia de medios materiales y personales, coexisten en este ámbito y la falta de coordinación entre ellos es también, desgraciadamente, algo muy habitual.

No son pocos los casos en los que se crean Juzgados en el Boletín Oficial del Estado, pero las Comunidades Autónomas con competencias transferidas no hacen las dotaciones económicas necesarias para su puesta en marcha material, con lo que siete u ocho años después de la creación del Juzgado, éste sigue sin existir en el mundo real.

También se producen casos en los que el Consejo General del Poder Judicial acuerda reforzar un determinado Juzgado, por ejemplo, con una comisión de servicios, con o sin relevación de funciones, y el Ministerio de Justicia dice que no hay dotación presupuestaria suficiente para implantarla para, seguidamente, decir que sí la hay para otra comisión de servicio que le resulte de mayor interés, produciéndose una confusión de competencias e intereses que redundan en un descrédito generalizado del sistema.

Uno de los ejemplos más claros de descoordinación, es el que se ha producido recientemente con la especialización de los juzgados de primera instancia en materia de cláusulas suelo, donde la medida impulsada desde el Consejo General del Poder Judicial, además de haber sido recurrida, entre otros, por algunos de los jueces afectados, Consejo General de la Abogacía Española, Colegios de Abogados y algún que otro colectivo, ante la Sala Tercera del Tribunal Supremo, no ha sido apoyada por varias Comunidades Autónomas, al tiempo que el Ministerio de Justicia ha condicionado su apoyo al cumplimiento de determinadas condiciones que, en muchos casos, no se han cumplido.

Estos ejemplos indican, bien a las claras, que la organización judicial existente, parcheada con comisiones de servicios, con o sin relevación de funciones, o con Jueces de Adscripción Territorial, creados en un momento puntual en el que, como consecuencia de la crisis económica, no existían plazas que ofrecer en propiedad a los jueces que salían de la Escuela Judicial, simplemente no funciona, en la medida en que no resuelve dos problemas fundamentales: la lentitud en la respuesta judicial y la sobrecarga de trabajo que soportan un gran número de órganos jurisdiccionales unipersonales. Más adelante, volveremos sobre este extremo.

Esa incapacidad del modelo existente, para dar una respuesta adecuada al aumento constante de la litigiosidad (según los últimos datos facilitados por el Consejo General del Poder Judicial, los asuntos ingresados en los Juzgados y Tribunales españoles aumentaron en un 1'14 por ciento en el pasado año 2017 y, en el primer trimestre de 2018, han ingresado 1.505.681 asuntos, es decir, un 0'2% más que en el mismo período del año anterior), ha sido denunciada por los expertos, desde hace ya algún tiempo.

Concretamente, en marzo del año 2010, el Consejo de Ministros creó una Comisión Institucional, con el objeto de determinar, estudiar y proponer los elementos esenciales para la elaboración de una nueva Ley de Planta y Demarcación Judicial. Dicha Comisión Institucional creyó llegado el momento de "*reorientar el proceso y abordar un cambio de modelo*" y, para ello, formuló cinco recomendaciones esenciales:

– Superación del partido judicial como base del modelo

– Extensión de la organización colegiada

– Creación de tribunales de base o primer grado

– Creación de Tribunales de Instancia

– Atribución de la investigación penal al Ministerio Fiscal

Para los miembros de la citada Comisión Institucional, la nueva organización de la planta que se recomendaba, permitiría trasladar las ventajas del actual sistema de organización colegiada a los tradicionales "juzgados" que, de esta forma, "*podrán estructurarse como un único tribunal, con el número de jueces que sea preciso, con un presidente y con una oficina que preste servicio a todos ellos*".

Este nuevo modelo, por tanto, se hace descansar sobre la doble idea de: a) unos tribunales de base o primer grado, pensados para el conocimiento de aquellos asuntos que no revisten una especial complejidad y cuyas plazas podrían cubrirse con los primeros escalones de la carrera judicial, siguiendo el modelo de los antiguos Juzgados Municipales y Comarcales o de Distrito; y b) los Tribunales de Instancia, configurados como tribunales especializados ubicados en los núcleos urbanos más importantes, que permitirían implantar un nuevo modelo que atienda principalmente a la naturaleza del asunto a enjuiciar y que supondría, en la práctica, la desaparición de los Juzgados unipersonales.

Ello no obstante, para los miembros de la referida Comisión Institucional de 2010, la regla general de actuación de los jueces integrantes de los Tribunales de Instancia habría de continuar siendo la *"decisión unipersonal"*, sin descartarse en absoluto la idea de que pudiera adoptarse la forma colegiada de decisión, en aquellos asuntos de mayor envergadura.

Sobre la base de estas ideas, el 27 de julio de 2011, el Gobierno presentó al Congreso de los Diputados un proyecto de ley orgánica, por la que se modifica la Ley Orgánica 6/1985, de 1 de julio, el Poder Judicial, para la creación de los Tribunales de Instancia. Sin embargo, en el mes de septiembre del mismo año, se disolvieron las Cortes Generales y se convocaron elecciones generales *por lo que*, el mencionado proyecto de ley quedó aparcado.

Celebradas las elecciones generales el 20 de noviembre de 2011 y constituido el nuevo Gobierno, por acuerdo del Consejo de Ministros de 2 de marzo de 2012, se creó una nueva Comisión Institucional, esta vez mucho más ambiciosa, ya que a la misma se le pedía que elaborara una propuesta de texto articulado, tanto de Ley Orgánica del Poder Judicial, como de Ley de Demarcación y Planta Judicial.

En el borrador de texto articulado de Ley Orgánica del Poder Judicial, elaborado por esta segunda Comisión Institucional, se rescata la idea de los Tribunales de Instancia, también con el objetivo de dotar de mayor agilidad y eficacia a nuestro sistema judicial. El nuevo proyecto, no obstante, es más radical que el anterior porque, por un lado, suprime los Juzgados de Paz y no opta por un sistema de Justicia de Base o de primer grado, sino que configura un Tribunal de Instancia (o mejor sería decir de Primera Instancia), que abarca todos los órdenes jurisdiccionales y, por otro lado, no sólo suprime los Juzgados y órganos unipersonales, sino que aboga también por la supresión de los partidos judiciales, atribuyendo a los nuevos Tribunales de Instancia una circunscripción territorial de ámbito provincial. Es decir, se suprimen los partidos judiciales y se configuran los nuevos Tribunales de Instancia con competencia territorial provincial, en todos los órdenes jurisdiccionales, civil, penal, contencioso-administrativo y social.

Esta última propuesta, a pesar de ser informada positivamente, entre otros, por el propio Consejo General del Poder Judicial, no llegó a ser proyecto de ley y quedó aparcada en los cajones del Ministerio de Justicia y ahí sigue, a día de hoy.

III. LOS ÓRGANOS UNIPERSONALES, PUNTOS NEGROS DEL SISTEMA ACTUAL

Por lo que acabamos de señalar, es claro que el modelo actual falla por su base, es decir, por los órganos unipersonales o Juzgados. Es verdad que no todos los órganos unipersonales funcionan mal o con retrasos, pero sí es claro que son órganos judiciales unipersonales los que presentan un mayor grado o nivel de colapso o atasco.

Existen estudios elaborados a propósito de la prevención de riesgos laborales y protección de la salud de los jueces, que ponen de manifiesto la existencia de un número muy elevado de órganos unipersonales que soportan cargas de trabajo muy por encima de lo que los propios servicios de prevención de riesgos laborales consideran razonable.

Estos estudios no hacen más que corroborar lo que ya se ha dicho en relación con la obsolescencia del modelo y con el fracaso del llamado *"incrementalismo"*. Dicho de otra forma, no tiene mucho sentido incidir en la creación de más y más Juzgados, cuando el problema principal son, precisamente, los juzgados y su particular funcionamiento.

Dentro de la actual organización judicial española, existen 308 órganos colegiados, mientras que el número de órganos unipersonales distribuidos por todo el territorio nacional, es de 3.658 Juzgados.

Si tomamos como referencia el llamado "módulo de entrada", fijado para cada tipo de órgano judicial por acuerdo del Pleno del Consejo General del Poder Judicial de 9 de octubre de 2003, que determina el número de nuevos asuntos por año que, razonablemente, puede soportar un Juzgado, se observa que, por encima de este módulo existe, hoy en día, una multiplicidad de órganos unipersonales, cuya carga de trabajo se sitúa por encima del 150% del indicado módulo.

Si hacemos un breve repaso por las diferentes Comunidades Autónomas, podemos observar lo siguiente:

a) En Andalucía, de un total de 659 órganos unipersonales, 158, es decir, el 23,98 %, alcanzan el 150% de la carga de trabajo.

b) En Aragón, de un total de 100 órganos unipersonales, 18 están al 150% o más del indicador relativo a la carga de trabajo, es decir, un 18%.

c) En Asturias, también con un número de 100 órganos unipersonales, sólo el 5% alcanza el 150% de la carga de trabajo.

d) En Baleares, con 94 órganos unipersonales, 20 alcanzan el 150% de la carga de trabajo, es decir, un 21'98%.

e) En Canarias, con 180 órganos unipersonales, 41 de ellos están en el 150% o más de la carga de trabajo, es decir, un 2278%.

f) En Cantabria, con 52 órganos unipersonales, sólo 7 llegan al 150% de la carga de trabajo, es decir, el 13'46%.

g) En Castilla y León, de 210 órganos unipersonales, 31 llegan al 150% de la carga de trabajo, esto es, un 1476%.

h) En Castilla-La Mancha, de un total de 137 órganos unipersonales, 23 están en el 150% o más de la carga de trabajo, es decir, un 1679%.

i) En Cataluña, de un total de 570 órganos unipersonales, 90 están en el 150% o más de la carga de trabajo, es decir, un 1579 %.

j) En la Comunidad Valenciana, de un total de 378 órganos unipersonales, 107 llegan al 150% o más de la carga de trabajo, es decir, un 28'31%.

k) En Extremadura, con 80 órganos unipersonales, sólo 4 llegan al 150% de la carga de trabajo, es decir, un 5%.

l) En Galicia, con 236 órganos unipersonales, 30 están en el 150% o más de la carga de trabajo, es decir, un 1271%.

m) En Madrid, con 481 órganos unipersonales, 144 llegan al 150% o más de la carga de trabajo, es decir, un 29'94 %.

n) En la Región de Murcia, con 110 órganos unipersonales, 26 alcanzan el 150% de la carga de trabajo, es decir, un 23'64%.

o) En la Comunidad Foral de Navarra, de un total de 40 órganos unipersonales, 6 de ellos alcanzan el 150 % de la carga de trabajo, es decir, un 15%.

p) En el País Vasco, con 155 órganos unipersonales, 25 alcanzan el 150% de la carga de trabajo, es decir, un 16'13%.

q) En La Rioja, de un total de 24 órganos unipersonales, 3 alcanzan el 150% de la carga de trabajo, es decir, un 12'50%.

r) Finalmente, en la Audiencia Nacional, de un total de 20 órganos unipersonales, sólo 1 está en el 150% de la carga de trabajo.

Desde una perspectiva más general, de todos los órganos unipersonales existentes en España, 739 se hallan en un 150% o más de la carga de trabajo, es decir, un 20'38% o, lo que es lo mismo, algo más de la quinta parte. De entre ellos, los órganos unipersonales que soportan una mayor carga de trabajo, son los Juzgados de Primera Instancia, con 507 Juzgados que alcanzan el indicador del 150% de la carga de trabajo, lo que representa el 73'69% del total de dichos Juzgados. Es decir, de los 739 Juzgados con una carga de trabajo del 150% del módulo, 507 son Juzgados de Primera Instancia.

Si nos fijamos ahora en la distribución territorial, de los 739 órganos unipersonales que están en el 150% o más de la carga de trabajo, 158 se ubican en la Comunidad Autónoma de Andalucía, 144 en Madrid, 107 en la Comunidad Valenciana y 90 en Cataluña, distribuyéndose los restantes por las otras Comunidades Autónomas.

Según el propio Presidente del Consejo General del Poder Judicial, en su reciente comparecencia ante la Comisión de Justicia del Congreso de los Diputados, el pasado 20 de junio de 2018, el 60% de los Juzgados españoles están sobrecargados, es decir, están en una carga de trabajo que supera el 100% del módulo razonablemente previsto para ellos.

De todo ello se puede concluir claramente que el modelo actual no funciona porque, de un mayor incremento de órganos unipersonales no se sigue necesariamente una reducción del tiempo de respuesta de la Justicia.

Si tomamos los últimos indicadores clave del propio Consejo General del Poder Judicial, el número de asuntos en trámite en los Juzgados de Primera Instancia, a nivel nacional, ha aumentado en un 13'8% respecto del año 2016, lo que acredita la evidente insuficiencia del modelo del *"incrementalismo"* y, en suma, su rotundo fracaso.

Así pues, si una de las principales críticas al modelo de Justicia actual es el de la lentitud de la respuesta judicial, queda claro, con los datos que hemos manejado, que el modelo actual no funciona, es ineficiente, enormemente caro y generador de múltiples desigualdades.

Todo eso era ya sabido, al menos desde 2011, pero no se observa ninguna reacción en el Poder Político, más bien, todo lo contrario, como demuestra claramente el Real Decreto 902/2017, de 13 de octubre, de creación de noventa y tres juzgados y plazas judiciales, así como la previsión presupuestaria para el presente año 2018, de crear más de 300 plazas de jueces y magistrados.

IV. A LA BÚSQUEDA DE LA EFICIENCIA Y DE LA EFICACIA

Como acabamos de ver, el modelo tradicional (que los Tribunales de Instancia están llamados a superar), se basa, en lo que hemos llamado *"incrementalismo"*, es decir, a mayor cantidad de asuntos ingresados en los distintos órganos jurisdiccionales, mayor creación de nuevas unidades judiciales. Pero, como hemos visto también, el mero incremento de Juzgados unipersonales, con una plantilla y medios distribuidos en un modelo de compartimentos estanco, en lugar de proporcionar eficacia y eficiencia a la organización judicial, genera constantes disfunciones y lo hace, además, desde el momento mismo en que un asunto ingresa en un Juzgado concreto ya que, como es sobradamente conocido, el reparto de un asunto a un determinado Juzgado, en lugar de a otro del mismo partido judicial, puede ocasionar diferencias injustificadas no sólo en la rapidez y agilidad de su tramitación, sino también en la calidad de su resolución.

Veamos lo que supone, en la práctica, la creación de nuevas "unidades judiciales". Ante el incremento, por ejemplo, de la litigiosidad en el orden jurisdiccional civil, la respuesta tradicional ha sido siempre la creación de un nuevo Juzgado, con un coste medio de algo más de 230.000 euros, mientras que con los Tribunales de Instancia la inversión podría consistir en reforzar únicamente la Sección de Civil con uno o dos magistrados lo que, evidentemente, supone un coste mucho menor.

La creación de un nuevo Juzgado supone, además de los medios personales a los que nos hemos referido, el coste del edificio o las dependencias donde se va a ubicar físicamente y los medios materiales necesarios (despachos, mesas, sillas, ordenadores, armarios, material de oficina, etc., etc., etc.), mientras que la creación de una o dos plazas de Juez o Magistrado, es una política muchísimo más económica y eficiente.

Es decir, "más Jueces" no debe suponer siempre "más Juzgados", de modo que la racionalización del modelo y la búsqueda de la eficiencia en el manejo de los fondos públicos aconsejan que el primer nivel de respuesta de la organización de la organización judicial opere de una forma colegiada, como ocurre en las demás instancias judiciales, sumándonos, de esta forma, a la línea de reforma que han emprendido también otros países de nuestro entorno democrático.

El objetivo fundamental de los Tribunales de Instancia, por tanto, es simplificar el acceso del ciudadano a la Justicia y mejorar el funcionamiento del primer escalón de nuestro sistema jurisdiccional, superando el modelo actual basado en los tradicionales Juzgados que ha provocado, con el paso del tiempo, una proliferación de órganos judiciales con idéntica competencia en cada partido judicial y, por derivación, una innecesaria dispersión de medios y de esfuerzos.

El modelo basado en los Tribunales de Instancia, de naturaleza colegiada, como dice la Exposición de Motivos del proyecto de Ley de 2011, permite una mayor racionalidad en el ejercicio de la jurisdicción, facilita el establecimiento de criterios judiciales comunes, potencia la confiabilidad, se acomoda a las nuevas pautas de funcionamiento de la nueva Oficina Judicial, facilita la introducción de un primer nivel de especialización y dota de mayor flexibilidad a la planta judicial, permitiendo adaptarla a las necesidades reales de cada momento.

La extensión de la organización colegiada, como modelo de organización y funcionamiento basado en la colegiación de esfuerzos, aporta simplicidad al modelo y permite optimizar los recursos. La creación de órganos especializados en la primera instancia, desplegados en el territorio de manera que se combine la proximidad al ciudadano con el aprovechamiento de las infraestructuras existentes y las tecnologías de la información y la comunicación, supone una reorganización más eficiente de las personas y de los medios materiales actuales, que ya están a disposición de la Administración de Justicia, permitiendo, además, optimizar también los avances organizativos y funcionales obtenidos y que pueden obtenerse con el despliegue de la Nueva Oficina Judicial.

En suma, el modelo de los Tribunales de Instancia tiende a superar la lógica *"incrementalist#* que se ha venido siguiendo (y que, como hemos visto con la reciente creación de noventa y tres nuevos Jugados y plazas judiciales, se sigue todavía) para hacer frente al incremento de la litigiosidad, ya que esta lógica se ha mostrado claramente insuficiente para la reducción de los tiempos de respuesta e ineficiente, también, desde una perspectiva económica, al aumentarse el gasto público sin que ello se corresponda con una mejor reordenación de los medios.

El impacto económico positivo de los Tribunales de Instancia se manifiesta, además, en los beneficios sistémicos tanto por el lado de la oferta de la Administración de Justicia (colegiación de esfuerzos y especialización), como de la demanda (mayor seguridad jurídica por parte de la ciudadanía, al verse reducida la diversidad resolutiva potencial que supone un sistema de justicia atomizado en multitud de juzgados con criterios jurisdiccionales, muchas veces no coincidentes).

Por tanto, desde el punto de vista de la eficiencia, cabe siempre esperar un impacto positivo al producirse un significativo incremento de la seguridad jurídica y de la certidumbre, que genera efectos positivos de carácter sistémico, en cuanto fortalece el marco legal e institucional en el que se desarrolla el modelo económico.

Los beneficios sistémicos del modelo del Tribunal de Instancia, además, son aplicables a una pluralidad de agentes económicos y sociales, independientemente de su magnitud y forma jurídica. Por el contrario, esta reforma reduciría, en el medio plazo, los costes de entrada asociados a la atomización del actual sistema de la Administración de Justicia, basado en el juzgado unipersonal.

En suma, desde el punto de vista de la organización y funcionamiento, la colegiación es mucho más eficiente por adaptarse mejor a la nueva Oficina Judicial, favoreciendo resultados homogéneos en los tiempos de tramitación y resolución y permitiendo una adaptación más ágil de la planta judicial a las necesidades del momento y, desde una óptica jurisdiccional, la composición colegiada permite la unificación de criterios en la interpretación y aplicación del Derecho.

Si la eficiencia consiste en "hacer más con menos", es claro que el modelo de los Tribunales de Instancia se adapta mucho mejor a esta idea o principio que, por lo demás, no es un mero desiderátum, sino que obliga también a las Administraciones Públicas (aunque obviamente el Consejo General del Poder Judicial no sea una de ellas, ni tampoco la Administración de Justicia en sí misma considerada), conforme a lo dispuesto en el artículo 3.1 j) de la Ley 40/2015, de 1 de octubre, de Régimen Jurídico del Sector Público.

Los Tribunales de Instancia, por tanto, están llamados a superar esa política consistente en incrementar constantemente el número de unidades judiciales, siendo sus objetivos fundamentales los siguientes:

a) La mejora de la respuesta de los juzgados y tribunales, eliminando las disfunciones generadas por la atribución de la resolución de los asuntos en primera instancia a unidades judiciales independientes, que funcionan como compartimentos estancos, pese a dar servicio a la misma población.

b) Evitar las dilaciones innecesarias y el despilfarro en el denominado "esfuerzo procesal".

c) La racionalización de la distribución de efectivos y carga de trabajo de los tribunales.

d) La reducción de costes derivados de considerar cada unidad judicial como un compartimento estanco, que multiplica y reproduce un esquema organizativo de personal de forma automática, sin importar la cantidad y la clase de trabajo que cada una de esas unidades soporte en un momento dado.

e) La seguridad jurídica derivada de la previsibilidad y no sólo de las resoluciones judiciales, sino también de que la tramitación de los asuntos sea la misma, lo que redunda en la inexistencia de desigualdades y dilaciones indebidas, proscritas por la Constitución.

f) El ajuste y adaptación de los Tribunales de Instancia a la Nueva Oficina Judicial.

V. LA PROPUESTA DE LOS TRIBUNALES DE INSTANCIA

Llegados a este punto, tenemos ahora que preguntarnos cómo se configuran los Tribunales de Instancia, es decir, cómo funcionarían en la práctica, pues solo ha habido proyectos normativos pero no regulaciones concretas aprobadas por el legislador.

Como hemos visto antes, ha habido dos modelos teóricos de Tribunales de Instancia, básicamente. El modelo que cristalizó en el proyecto de Ley de 2011 y el que se refleja en el anteproyecto de Ley de 2014. Veamos ambos, por separado.

1. *El modelo de 2011*

En el modelo de 2011, los Tribunales de Instancia se integran por Secciones, entre las que se distinguen:

a) Aquéllas que tienen carácter necesario, que se denominan Secciones Generales, y que son la Sección Civil y la Sección de Instrucción y que pueden constituir una Sección Única.

b) Aquéllas que tienen carácter contingente, es decir, que podrán existir o no. Son las Secciones de Enjuiciamiento Penal, de lo Mercantil, de Violencia sobre la Mujer, de lo Contencioso-Administrativo, de lo Social, de Menores y de Vigilancia Penitenciaria.

La composición del Tribunal de Instancia, por otra parte, es la siguiente:

a) El Presidente del Tribunal de Instancia, que será elegido por los propios Jueces integrantes del Tribunal.

b) El Presidente de Sección, que sólo existirá en aquellas Secciones que cuenten con ocho o más jueces y que será el más antiguo en el escalafón. En aquellas Secciones que cuenten con un número inferior a ocho, el Presidente del Tribunal de Instancia asumirá, además, las funciones del Presidente de Sección.

c) Los jueces o magistrados, en el número que determine la Ley de Planta y Demarcación para cada una de las Secciones que lo integren. Las plazas de jueces de los Tribunales de Instancia se designarán por numeración cardinal dentro de la misma Sección.(por ejemplo, Juez número 2 de la Sección de Instrucción).

d) La categoría de los jueces y/o magistrados que se integran en el Tribunal de Instancia dependerá, fundamentalmente, de la clase de Secciones a las que estén adscritos, con el criterio de a mayor especialización, mayor categoría.

e) Las Juntas de Jueces de Tribunal de Instancia o de Sección.

f) Finalmente, desde el punto de vista de la organización judicial, el Tribunal de Instancia tiene naturaleza jurídica orgánica (y no funcional), puesto que la creación y configuración de su estructura básica, han de venir establecidas por una disposición de carácter general.

Desde la perspectiva de la demarcación territorial, el modelo de 2011 distingue tres posibles ámbitos

a) El partido judicial, donde existirá siempre un Tribunal de Instancia en su capital, de la que tomará, además, su nombre.

b) Partidos judiciales de una misma provincia, es decir, podrá establecerse también que algunas de las Secciones especializadas que integren los Tribunales de Instancia extiendan su jurisdicción a uno o a varios partidos judiciales de la misma provincia (fenómeno conocido como de la "comarcalización" judicial).

c) Partidos judiciales de provincias limítrofes de la misma Comunidad Autónoma, esto es, se prevé también que alguna de las Secciones especializadas que se integran en los Tribunales de Instancia, extiendan su jurisdicción a uno o varios partidos judiciales de provincias limítrofes, dentro del ámbito de un mismo Tribunal Superior de Justicia.

d) Con carácter general, no obstante, se prevé que la demarcación territorial de las Secciones especializadas, sea el provincial.

Por otra parte, desde el punto de vista de su funcionamiento, hay que decir que en lo que se refiere a la competencia objetiva, existe un claro paralelismo entre las competencias de los actuales órganos jurisdiccionales unipersonales y las competencias de las Secciones del Tribunal de Instancia.

Por ejemplo, a las Secciones Civiles y a las Secciones Únicas, Civiles y de Instrucción, se les atribuyen las mismas materias que actualmente tienen los Juzgados de Primera Instancia y, por extensión, los Juzgados de Primera Instancia e Instrucción y lo mismo puede decirse, en cuanto a la competencia objetiva, de las Secciones de Enjuiciamiento Penal, de lo Contencioso-Administrativo, de lo Social, de Menores y de Vigilancia Penitenciaria.

Desde el punto de vista de su funcionamiento jurisdiccional, y ahí está una de las claves del sistema de los Tribunales de Instancia, la generalidad de los Juzgados unipersonales desaparece y son reemplazados por Jueces y Magistrados con plena capacidad jurisdiccional individual, pero integrantes de un Tribunal de Instancia dividido en Secciones orgánicas.

El cambio de paradigma consiste, por tanto, en que la colegiación no se extiende al ejercicio de las funciones jurisdiccionales, pese a que las competencias legales se residencian en las respectivas Secciones del Tribunal de Instancia. Es decir, aunque las competencias de los Juzgados pasan a residenciarse en las Secciones correspondientes, éstas no adoptan resoluciones jurisdiccionales como tales. La consecuencia fundamental consiste en que, aunque la Sección es el órgano jurisdiccional en el que reside la competencia objetiva y territorial, las concretas decisiones judiciales las adopta individualmente el Juez n° 3 (por poner un ejemplo), de la Sección de Instrucción o de Enjuiciamiento Penal del Tribunal de Instancia de Valladolid.

Esto quiere decir que los eventuales recursos que puedan interponerse contra dicha resolución deberán dirigirse contra tales resoluciones individuales, por lo que no es exacto (ni correcto) equiparar, a efectos procesales, los actuales Juzgados con las Secciones de los Tribunales de Instancia, ya que estas últimas no adoptan resoluciones judiciales. La equiparación correcta, desde el punto de vista procesal, es entre los actuales Juzgados y los jueces y magistrados que se integran en las correspondientes Secciones del Tribunal de Instancia.

Finalmente, en este modelo acabado de Tribunal de Instancia, es fundamental el desarrollo de la Nueva Oficina Judicial, así como la existencia de una Unidad Procesal de Apoyo Directo (UPAD, en sus siglas en español), para cada Sección del Tribunal de Instancia, aunque es preciso que en función de la dimensión que puedan alcanzar algunas de esas Secciones, puedan existir varias UPAD.

A ello tampoco empece el desarrollo de la otra modalidad de Nueva Oficina Judicial, los Servicios Comunes Procesales, con sus tres modalidades de Servicio Común General, Servicio Común de Ordenación del Procedimiento y Servicio Común de Ejecución, ya que esta unificación de tareas en los Servicios Comunes incentiva, a su vez, la organización colegiada de los juzgados a los que asisten.

2. El modelo de 2014

El modelo de Tribunal de Instancia previsto en el anteproyecto de ley de 2014, por su parte, presenta novedades importantes. Como hemos dicho antes, las más notables son la desaparición de los partidos judiciales y la provincialización de toda la primera instancia judicial.

Desde el punto de vista de su estructura y composición, en el modelo de 2014 los Tribunales Provinciales de Instancia se componen de una Sala de lo Civil, una Sala de lo Penal, una Sala de lo Contencioso-Administrativo y una Sala de lo Social, además de una Sala de Asuntos Generales.

Por su parte, las Salas de los Tribunales Provinciales de Instancia se podrán integrar por Secciones colegiadas y por Unidades judiciales. Las Unidades judiciales serán servidas por un único juez y se identificarán en la Sala mediante numeración cardinal. Las Secciones colegiadas serán servidas por un mínimo de tres jueces y se identificarán en la Sala mediante numeración ordinal.

En cuanto a los asuntos que deban conocer los Tribunales Provinciales de Instancia, en formación colegiada o unipersonal, serán determinados por las respectivas leyes procesales.

En cuanto a la composición del Tribunal Provincial de Instancia, el modelo de 2014, propone la siguiente:

a) El Presidente del Tribunal Provincial de Instancia, que ostenta la representación del Poder Judicial en la provincia. Podrá presidir cualquiera de sus Salas o Secciones y presidirá siempre la Sala de Asuntos Generales. Se elegirá por el Consejo General del Poder Judicial, por mayoría simple, para un mandato de cinco años, renovable por un mandato más.

b) El Presidente de Sala. Cada una de las Salas de que se compone el Tribunal de Instancia será presidida por un Presidente de Sala, que será elegido por el Consejo General del Poder Judicial, por un mandato de cinco años, renovable. Si fueren menos de 20, la Presidencia la ocupará el más antiguo en el escalafón.

c) Presidentes de Sección. Las Secciones colegiadas que pueden integrar las Salas de Justicia de los Tribunales Provinciales de Instancia serán presididas por el Juez más antiguo en el escalafón.

d) Los Jueces, en el número que se establezca en la Ley de Planta y Demarcación. Los Jueces de los Tribunales Provinciales de Instancia podrán estar destinados en Unidades Judiciales, servidas por un solo Juez, o en Secciones colegiadas, formadas al menos por tres Jueces.

e) El Consejo General del Poder Judicial podrá reordenar y reasignar a los Jueces de los Tribunales Provinciales de Instancia en los casos de desigual entrada de asuntos o reforma legislativa. También son posibles los cambios de destino dentro del mismo Tribunal, siempre que los mismos tengan lugar con ocasión de vacante y por razones del servicio.

Por lo que se refiere a la estructura de los Tribunales Provinciales de Instancia, el modelo de 2014 presenta las siguientes especificidades:

a) Como hemos visto antes, las Salas de Justicia de los Tribunales Provinciales de Instancia se podrán integrar por Secciones colegiadas y por Unidades judiciales, pudiendo especializarse unas y/u otras para el conocimiento de determinados asuntos, siempre que se justifique su existencia por razón del volumen de asuntos o de la materia.

b) Como Secciones o Unidades especializadas, el modelo prevé las siguientes: (i) En las Salas de lo Civil, las especializadas de lo Mercantil y Familia; (¡i) En las Salas de lo Penal, las de Instrucción, Enjuiciamiento de lo penal, Violencia sobre la mujer, Menores, Ejecución de penas y medidas de seguridad y Delitos económicos; (iii) En la Sala de lo Contencioso-Administrativo, la de Tributario.

Desde el punto de vista de las competencias que han de asumir los Tribunales Provinciales de Instancia, existe un paralelismo entre las competencias de los actuales órganos jurisdiccionales unipersonales y las Salas de aquéllos, aunque con algunos matices:

a) La desaparición propuesta de los Juzgados de Paz, supone que toda la competencia en materia civil y penal, cualquiera que sea la naturaleza o entidad del asunto, será conocida por los Tribunales Provinciales de Instancia, ya sea a través de las Unidades Judiciales, ya sea a través de las secciones colegiadas. Quedan a salvo, lógicamente, los casos de aforamiento.

b) Se prevé, como hemos visto también, una Sala de Asuntos Generales, que estará formada por el Presidente, los Presidentes de Sala y el Juez más antiguo y el Juez más moderno de cada una de ellas. La competencia de esta Sala será el conocimiento de las causas de recusación, así como aquellas otras que les atribuyan las leyes.

Ya hemos visto antes que el modelo de 2014 establece que la demarcación territorial de los Tribunales Provinciales de Instancia será la provincia, salvo en el caso de Ceuta y Melilla, que tendrán su propio Tribunal de Instancia si bien, de forma excepcional, también se contempla la posibilidad de que una Sección colegiada de una Sala del Tribunal Provincial de Instancia, pueda extender su jurisdicción a dos o más provincias de una misma Comunidad Autónoma.

Los Tribunales Provinciales de Instancia tomarán el nombre de la correspondiente provincia, en cuya capital tendrán su sede oficial, pudiéndose también establecer sedes desplazadas, en atención a determinadas circunstancias.

El modelo de los Tribunales de Instancia es un modelo ya conocido y valorado por los distintos operadores jurídicos y, en términos generales, ha merecido una acogida favorable, en términos generales.

Desde el lado de los propios Jueces y Magistrados, hay que destacar las Conclusiones de las Jornadas de Presidentes de Tribunales Superiores de Justicia de España, celebradas en Logroño, en el año 2016, donde, dentro de las 24 medidas para una Justicia más ágil y eficaz al servicio de los ciudadanos, destacan las siguientes:

— *"Insistimos una vez más en la necesidad de la reforma de la estructura organizativa judicial hacia una colegiación de los órganos jurisdiccionales unipersonales. La apuesta por este modelo organizativo supondrá evidentes ventajas: dará mejor respuesta a la correcta distribución de cargas de trabajo al hacerse en un marco organizativo homogéneo; permitirá compartir recursos e información, al tiempo que reducir costes, duplicidades y tiempo; e introducirá mayor flexibilidad interna para atender situaciones coyunturales de bolsas de asuntos. Asimismo, potenciará la especialización, la previsibilidad de respuestas y, consiguientemente, la seguridad jurídica".*

- *"Hasta que se lleve a cabo esta reforma, proponemos que los actuales partidos judiciales operen funcionalmente de modo colegiado, superando definitivamente el actual esquema de Juzgados numerados y separado".*

- *"Estimamos que debe replantearse la actual distribución territorial de órganos judiciales, para ajustarla a una realidad en la que ¡a proximidad física de los juzgados a los ciudadanos ya no puede ser el criterio fundamental de planificación. La mejora de las infraestructuras de comunicación y la implantación de las nuevas tecnologías permiten obtener mejores resultados que en el pasado con una menor dispersión geográfica. Resulta más adecuado atender a criterios de eficiencia relacionados con una mejor distribución de las cargas de trabajo y dotación de los órganos colegiado".*

Por otra parte y sin dejar el lado judicial, en las Conclusiones de las XXVII Jornadas Nacionales de Juezas y Jueces Decanos de España, celebradas en Bilbao, los días 16 al 18 de octubre de 2017, se dice que:

"Los jueces decanos apostamos por la sustitución del Partido Judicial por el Tribunal o Tribunales de instancia como nuevo modelo de distribución territorial de los órganos judiciales de instancia, que merece una favorable acogida en cuanto motor de la creación de nuevas plazas judiciales posibilitando que la planta judicial española se acerque a la media europea de jueces por habitante y la distribución más equitativa de /as cargas de trabajo.

Este modelo de organización territorial de la justicia de instancia debe, en todo caso, asegurar el respeto a la titularidad de las plazas judiciales actualmente existentes en cada uno de los órdenes jurisdiccionales, un reparto de asuntos entre todos sus integrantes basado en criterios objetivos y no de oportunidad, con carga de trabajo predefinida y que la designación de su presidente o decano se realice, como hasta ahora se ha venido efectuando en los órganos judiciales de instancia, por todos los jueces y magistrados que lo integren".

Desde el lado de los Abogados, también el modelo de los Tribunales de Instancia ha merecido una acogida favorable, si bien con algunas puntualizaciones importantes.

La más importante hace referencia al ámbito territorial que hayan de tener los Tribunales de Instancia que, conforme al proyecto de 2014, era provincial y que el Consejo General de la Abogacía Española considera que no tiene por qué ser necesariamente provincial. Los abogados españoles consideran que las poblaciones de cada provincia que por sus características lo requieran, han de tener su propio Tribunal de Instancia, con una demarcación apropiada a sus características.

Se sugiere también que la denominación sea la de Tribunales de Primera Instancia, porque se ajusta con mayor precisión a lo que se quiere que sean, es decir, Salas de Justicia de Primera Instancia y, además, porque esta denominación es más acorde con la tradición judicial española.

También los Procuradores se han mostrado favorables a la implantación de los Tribunales de Instancia, lo mismo que los Graduados Sociales y los Letrados de la Administración de Justicia, por lo que puede afirmarse que el modelo que encarnan los Tribunales de Instancia tiene una general aceptación entre todos los operadores jurídicos.

Por otra parte, existe hoy en España algún ensayo de Tribunal de Instancia que, además, está teniendo mucho éxito, como es el caso de los Juzgados de lo Mercantil de Barcelona.

En fecha 10 de junio de 2014, la Sala de Gobierno del Tribunal Superior de Justicia de Cataluña aprobó, por unanimidad, el Protocolo de Estatuto de funcionamiento de los Juzgados Mercantiles de Barcelona, con la denominación de Estatuto del Tribunal de Primera Instancia de lo Mercantil de Barcelona.

Dicho estatuto se basa en la voluntad de los jueces de lo Mercantil de la capital catalana, de actuar colegiadamente en los casos más importantes y de forma coordinada en los demás, si bien, en tanto no se produzcan las reformas legales correspondientes, cualquiera de los jueces de lo Mercantil es independiente para tomar la decisión que considere acorde con la Ley, aunque sea en contra de la mayoría.

Los hitos más relevantes de este Protocolo son los siguientes:

El Tribunal de Instancia mercantil de Barcelona se compone de una Sección general, que agrupa a todos los jueces de lo mercantil que integran la planta judicial de Barcelona y cuatro subsecciones especializadas, cada una de ellas formada por los jueces especializados correspondientes.

Con el fin de coordinar el funcionamiento del Tribunal y solventar las posibles discrepancias de criterios en las materias no objeto de especialización, en particular en las materias concúrsales, el Delegado del Decano actuará simultáneamente como coordinador del Tribunal.

Hasta que no haya una reforma legal, lógicamente, todas las resoluciones tienen que ser firmadas por el juez que las dicta pero, en los asuntos de mayor dificultad o de mayor importe económico, los jueces de cada sección se comprometen a someter a consideración no vinculante las cuestiones de índole jurídico que puedan plantearse a la hora de dictar las resoluciones definitivas. Aunque el juez, obviamente, no está sometido al criterio de la mayoría, se compromete a hacer constar en su resolución el sentido de la opinión mayoritaria y a hacer un esfuerzo especial de justificación, en caso de discrepancia.

Cada Sección debe identificar los asuntos que deban estar sujetos a consideración colegiada y los días de la deliberación. Igualmente, deberán ser sometidos a consideración colegiada los criterios interpretativos respecto de los que se hayan tenido posiciones discrepantes. Los asuntos que no deban ser sometidos a consideración colegiada, serán resueltos de forma unipersonal, pero la resolución deberá ser comunicada al coordinador y los miembros de la Sección deberán reunirse al menos una vez al mes, con el fin de dar cuenta y discutir los criterios.

Los Jueces de lo Mercantil de Barcelona, se comprometen, en aras de la eficacia, a resolver los asuntos en plazos razonables. En el caso de las medidas cautelares, sin audiencia, en el plazo de cinco días; en el caso de medidas cautelares, con audiencia, en el plazo de un mes y, para la resolución, en el plazo de quince días. En el caso de juicios ordinarios, el plazo no debe ser superior a los seis meses, para señalar la audiencia previa, dos meses para señalar el juicio y otros dos meses para la sentencia. En ningún caso el plazo debe ser superior a doce meses, desde el reparto del asunto hasta la notificación de la sentencia.

Por último, con el fin de dotar de mayor seguridad jurídica y hasta que no haya jurisprudencia sólida sobre ciertas materias, en particular en materia concursal, los miembros del Tribunal se comprometen, en primer lugar, a dar cuenta de los asuntos de especial relevancia que hayan resuelto en el período anterior y, en segundo lugar, a debatir los diferentes criterios interpretativos, con el fin de consensuar las mismas soluciones legales, especialmente en lo referente a los criterios de realización de las liquidaciones, tanto de unidades productivas como de elementos aislados del patrimonio del deudor y en los criterios de aplicación en sede de calificación.

Con esa finalidad, el coordinador del tribunal deberá convocar a todos sus miembros a una reunión quincenal, primero, para someter a consideración de todos sus miembros los criterios interpretativos en materias que se repiten con frecuencia y, segundo, para dar cuenta de las diferentes resoluciones dictadas que sean de especial interés y de los criterios seguidos en ellas, con el fin de que los demás miembros del Tribunal tengan conocimiento de dichos criterios.

Este Protocolo fue aprobado por la Comisión Permanente del Consejo General del Poder Judicial el 15 de julio de 2014 y revisado por acuerdo de la mencionada Comisión Permanente, de 18 de febrero de 2016, en el sentido de introducir la posibilidad de petición, por parte de la mitad de los jueces, de convocatoria del Tribunal para tratar algunas materias sometidas a especialización, así como del compromiso de elaborar un informe de situación sobre el funcionamiento del Tribunal.

El Consejo General del Poder Judicial afirma, en esta última resolución, que la denominación de Tribunal de Primera Instancia de lo Mercantil, lo seguirá siendo a efectos de carácter meramente organizativo, sin que en ningún caso posea trascendencia jurídica.

Por todo ello, puede afirmarse que, más allá de adhesiones teóricas a la organización de la primera instancia a través de los Tribunales de Instancia, es lo cierto que existe ya en la práctica un buen ejemplo de organización de este modelo, con unos resultados muy positivos hasta el momento.

VI. LOS PROS Y LOS CONTRAS

Los beneficios y ventajas que supondría la implantación de los Tribunales de Instancia, con las matizaciones que se han expresado, especialmente en lo relativo a su circunscripción territorial, han sido ya detalladamente expuestos en los apartados anteriores.

Sin ánimo de ser reiterativos, la extensión de la organización colegiada, mediante la implantación del Tribunal de Instancia, permite una mayor racionalidad en el ejercicio de la jurisdicción, facilita el establecimiento de criterios comunes entre los miembros del Tribunal y, por tanto, potencia la confiabilidad en nuestro sistema de Justicia y, además, se acomoda perfectamente a las pautas de funcionamiento que rigen en la Nueva Oficina Judicial. La colegiación facilita, además, la introducción de un primer nivel de especialización en la distribución de asuntos, compatible con la especialización de los propios Tribunales y dota de mayor flexibilidad a la planta judicial, permitiendo adaptarla a las necesidades de cada momento. (Exposición de Motivos del proyecto de ley de 2011).

Además, supondría también una mejora en el gobierno interno de los Juzgados, respecto del actual sistema de los Jueces Decanos, facilitando el logro de dos objetivos fundamentales: a) la creación de plazas de jueces y magistrados, en lugar de Juzgados, con la consiguiente optimización del presupuesto; y b) la consiguiente disminución progresiva de la denominada "Justicia interina", esto es, de los Jueces sustitutos y Magistrados suplentes en el primer nivel procesal.

Ahora bien, el estudio de esta nueva figura de los Tribunales de Instancia no está exento de problemas y críticas.

La primera, ya hemos aludido a ella, es la que se refiere al ámbito territorial que hayan de tener los Tribunales de Instancia. Si en el proyecto de ley de 2011, para la creación de los Tribunales de Instancia, se mantenían los partidos judiciales, agrupándose los distintos órganos judiciales existentes en los mismos en un único Tribunal de Instancia, el anteproyecto de 2014, suprimía los partidos judiciales y establecía un Tribunal de Instancia en cada provincia y lo hacía, entre otros motivos, porque ya se había producido, de forma exitosa, una provincialización de los órdenes jurisdiccionales social y contencioso-administrativo, sin que se hubiera producido contestación alguna desde ninguno de los sectores afectados.

Ya hemos visto también cómo el Consejo General de la Abogacía Española criticó duramente la supresión de los partidos judiciales, argumentando que los partidos judiciales españoles son demarcaciones con una larga tradición que responden bien y fielmente al cometido de acercar la Justicia al ciudadano y de estructurarla de un modo operativo y lógico, en evitación de desplazamientos innecesarios, duplicidades, comunicaciones, etc.

Se achaca a la provincialización generalizada de los Tribunales de Instancia, que no se tenga en cuenta que supone el alejamiento de la Justicia respecto al ciudadano, así como el modo de vida de muchos abogados, procuradores, funcionarios, empleados, etc., etc., que optaron en su momento por establecerse en esos lugares (cabeza de partido judicial), precisamente porque ello permitía el desarrollo de su profesión y de su *modus vivendi*, y tampoco se tiene en cuenta el impacto económico negativo que se produciría en los municipios que vieran suprimida su capitalidad del partido judicial, ni de la excesiva concentración de servicios en los grandes núcleos de población, favoreciéndose así la despoblación de amplios territorios y municipios, en beneficio de las grandes concentraciones urbanas.

Los abogados españoles no aciertan a comprender cómo la supresión de los partidos judiciales podría ayudar a la reducción de los tiempos de respuesta y alertan del clamor popular existente en los Ayuntamientos y Colegios de Abogados en favor de la conservación de los partidos judiciales.

La eliminación del carácter provincial de los Tribunales de Instancia contribuiría indudablemente a la aceptación por parte de la abogacía española del modelo del Tribunal de Instancia.

La supresión de los partidos judiciales es, sin duda, otro de los aspectos controvertidos del anteproyecto de 2014, habiendo recibido severas críticas procedentes de distintos ámbitos. Desde la Administración Local se ha alertado de los inconvenientes que la reforma originará en localidades que en la actualidad son sedes de partidos judiciales, pero sin ser capital de provincia. Los Juzgados han sido para esas poblaciones uno de los elementos vertebradores de la vida en ellos y su supresión implicaría no sólo una pérdida de rango institucional, sino que afectará también a la vida económica de dichas localidades.

La supresión de los partidos judiciales ha sido también criticada con dureza por los Colegios de Abogados y Procuradores, quienes han resaltado el alejamiento de la Justicia para el justiciable que no viva en las capitales de provincia.

A ello ha de unirse el hecho, indiscutible, de que en no pocos partidos judiciales se ha llevado a efecto en los últimos años un intenso proceso de remodelación de Palacios de Justicia y construcción de edificios públicos, destinados a albergar las sedes judiciales, con una importantísima inversión pública que, de seguir adelante con la provincialización programada, quedaría totalmente sin efecto.

También el Consejo General del Poder Judicial se ha preguntado si la provincialización de la primera instancia judicial es la mejor solución y si no sería posible la pervivencia de órganos judiciales que desarrollen actividad jurisdiccional fuera de las sedes de los Tribunales Provinciales de Instancia, aparte de las sedes desplazadas de los mismos. En este sentido, el Consejo General del Poder Judicial propone la creación de Tribunales de Instancia con un ámbito territorial inferior al provincial, en un área metropolitana o área de influencia urbana concreta, agrupando municipios próximos.

Una de las pegas que, además, ha observado el Consejo General del Poder Judicial es que la introducción de los Tribunales Provinciales de Instancia incide y podría vulnerar las atribuciones propias de las Comunidades Autónomas, con competencias de Justicia asumidas, puesto que a ellas les corresponde elaborar las propuestas de demarcaciones judiciales de sus respectivos ámbitos territoriales y la determinación de la capitalidad de las demarcaciones judiciales. Por ello, resulta necesario mantener la participación de las Comunidades Autónomas en la demarcación y planta judicial.

También critica el Consejo General del Poder Judicial que el anteproyecto de 2014 no haya tomado en consideración la idea de establecer unos Tribunales de Base o de proximidad, servidos por jueces de los primeros escalones de la Carrera Judicial, que se encarguen del despacho de los asuntos civiles, penales y contencioso-administrativos de una menor entidad o complejidad. Para el Consejo General, estos Tribunales de Base o proximidad, de ámbito local o comarcal, en la línea de lo que se proponía en el proyecto de 2011, podrían ser de gran utilidad para la resolución de estos asuntos.

Por último, también aboga el Consejo del Poder Judicial, no sólo por las Salas desplazadas de los Tribunales Provinciales de Instancia, sino también por el desplazamiento geográfico de sus Secciones colegiadas o Unidades Judiciales.

Otro de los importantes problemas que plantea la instauración de los Tribunales de Instancia, es de orden técnico-jurídico y se refiere a su problemático encaje con la inamovilidad judicial y el derecho fundamental al juez natural predeterminado por la Ley, previstos en la Constitución española.

Partiendo de la base de que la garantía más importante y esencial de la independencia judicial es, justamente, la inamovilidad de los Jueces, que impide que un juez incómodo o díscolo pueda ser apartado del conocimiento de un determinado asunto, la prevista reasignación de efectivos dentro del Tribunal de Instancia, por necesidades del servicio, podría poner en cuestión esas garantías establecidas en la propia Constitución.

Este tema fue afrontado tanto por el proyecto de 2011, como por el de 2014. El proyecto de 2011, afrontó la cuestión de la adscripción funcional de los jueces dentro de cada Sección, tomando como modelo el de la adscripción de los magistrados de las Secciones funcionales de las Audiencias Provinciales, si bien, dada la constitución unipersonal del órgano jurisdiccional, ello habría de ir acompañado de unas garantías reforzadas del principio de inamovilidad judicial, consistentes, por una parte, en la suficiente justificación del acuerdo de cambio de adscripción, mediante una resolución motivada del Presidente del Tribunal de Instancia y, por otra parte, en la ulterior autorización del cambio de adscripción por el Consejo General del Poder Judicial. Esta última autorización del Consejo, obviamente, sería fiscalizable por la Sala Tercera del Tribunal Supremo.

En el proyecto de 2014, se remarca que un aspecto esencial de los Tribunales Provinciales de Instancia es el de su flexibilidad, con el fin de po-

sibilitar las sustituciones de los Jueces de un mismo Tribunal y su reasignación para adaptarse a las necesidades que vayan surgiendo todo ello, claro
está, sin menoscabo de la inamovilidad judicial. El anteproyecto de 2014
es consciente de que uno de los problemas principales que puede suscitar
su propia concepción del Tribunal Provincial de Instancia es, justamente,
el de la merma de las garantías actualmente existentes y, en particular, el
menoscabo de la inamovilidad de los Jueces, principio íntimamente ligado
con el derecho al juez natural predeterminado por la Ley.

Para conjurar estos riesgos, el anteproyecto de 2014 se aparta de la línea
seguida por el proyecto de 2011, que establecía una adscripción funcional de los Jueces dentro de cada Sección. El proyecto de 2014 distingue
entre los jueces de las Unidades Judiciales y los Jueces de las Secciones
colegiadas. Se fijan unas normas para la provisión de las plazas de Jueces
en las Secciones colegiadas y otras, cuando se trata de plazas de Jueces en
las Unidades Judiciales, de tal forma que, dentro del Tribunal Provincial
de Instancia, unos jueces tendrán como destino las Unidades Judiciales
y otros, las Secciones colegiadas. En este sentido, las Salas de Gobierno,
anualmente y con unos criterios objetivos, establecerán los turnos precisos
para la composición y el funcionamiento de las Unidades Judiciales y las
Secciones colegiadas, como sucede en la actualidad en relación con las
Secciones funcionales de las Audiencias Provinciales.

El establecimiento de estos turnos no puede implicar una modificación de la estructura del Tribunal, debiendo ser respetadas las Unidades
o Secciones judiciales existentes. Corresponderá a las Salas de Gobierno
respectivas, al inicio de cada año judicial, aprobar las normas de reparto
y las de sustitución, así como proponer al Consejo General del Poder
Judicial las modificaciones que sean necesarias, por razones de servicio,
de las Unidades o Secciones judiciales que conforman sus distintas Salas
de Justicia.

En cuanto a la reordenación interna de los Tribunales Provinciales de
Instancia, corresponde al Consejo General del Poder Judicial, limitando
los supuestos a dos: una desigual entrada de asuntos y una reforma legislativa. La reordenación se hará con respeto al principio de voluntariedad y,
en su defecto, por el orden inverso de escalafón. De esa forma, quedaría
salvaguardado el principio de inamovilidad judicial.

De lo dicho hasta aquí se desprende que, aun existiendo algún que otro
problema, los aspectos positivos de los Tribunales de Instancia, superan
con creces a los negativos.

VII. CONCLUSIONES

No obstante la favorable acogida que el modelo de los Tribunales de Instancia ha tenido (y sigue teniendo) entre el colectivo judicial, es decir, desde el propio Consejo General del Poder Judicial a los Presidentes de Tribunales Superiores de Justicia, Presidentes de Audiencia Provincial y Jueces Decanos, hasta las Asociaciones Profesionales de Jueces, así como entre el resto de los operadores jurídicos, como los Consejos Generales de la Abogacía y Procuraduría y la mayoría de Colegios de Abogados y Procuradores, es lo cierto que, desde la perspectiva gubernamental y política, está teniendo mucho más peso la protesta generalizada procedente del mundo local que, por el momento, ha conseguido paralizar cualquier iniciativa tendente a la efectiva implantación de los Tribunales de Instancia.

Hace aproximadamente un año, las cuatro Asociaciones Judiciales mayoritarias plantearon un documento con 14 reivindicaciones básicas, para una mejora de la Justicia y, entre ellas, pedían la implantación de los Tribunales de Instancia, respetando las exigencias de independencia e inamovilidad, garantizando el acceso a la Justicia de todas las personas. A pesar de ello, no se ha vislumbrado ninguna iniciativa política gubernamental o legislativa, que se proponga atender a esta reivindicación.

Más bien, todo lo contrario, como lo demuestra el hecho de la promulgación del Real Decreto 902/2017, de 13 de octubre, de creación de noventa y tres Juzgados y plazas judiciales, así como el proyecto de Presupuestos Generales del Estado para el presente año de 2018, que en este momento está en el correspondiente trámite parlamentario y que, como es sabido, prevé la creación de 300 plazas judiciales más. Es decir, la política actual sigue apostando por el *"incrementalismo"* no obstante los resultados negativos que dicha política está produciendo.

Afirmaba Federico Carlos Sainz de Robles Rodríguez, primer Presidente del Consejo General del Poder Judicial (1980-1985), que si el Poder Judicial consiste únicamente en el ejercicio de las potestades jurisdiccionales por cada órgano jurisdiccional, es muy difícil admitir que la organización en la que se integran los titulares de los órganos judiciales, constituya verdaderamente un Poder del Estado, en el sentido del artículo 1.2 de la Constitución, puesto que para ejercer legítimamente aquellas potestades jurisdiccionales, basta con la autoridad que emana del ordenamiento jurídico.

Lo que queda por saber es si, al quedar la eficacia de la Justicia bajo la competencia del Poder Ejecutivo, es decir, si al quedar toda la organización instrumental (lo que el Tribunal Constitucional ha llamado la administración de la Administración de Justicia) bajo la competencia del Gobierno y de las Comunidades Autónomas, con competencias transferidas en materia de Justicia, no queda gravemente afectada la propia independencia del Juez, puesto que, de un modo u otro, su trabajo depende de aquella organización instrumental.

Una organización de medios humanos y materiales que tiene por finalidad última administrar Justicia, con unos intereses y finalidades claros y concisos, no puede ejercer de forma independiente el Poder del Estado que le ha sido conferido, si su propia eficacia, la disponibilidad de medios precisos y necesarios para su ejercicio, depende de otro Poder distinto, con otros intereses y finalidades completamente diferentes. Esta es una de las perversiones del sistema judicial actual y, acaso, de nuestra democracia, puesto que se hacen valer por encima de los intereses de la Justicia, otros intereses, que pueden ser tan válidos y necesarios como los del Poder Judicial, pero que en ningún modo pueden interferir en el ejercicio del Poder Judicial, que tiene (ha de tener) otras finalidades y cometidos distintos a los del Poder Ejecutivo.

Esta dicotomía en la que se halla instalada nuestra Justicia desde los albores de la democracia española, allá por 1978, está siendo una losa demasiado pesada para poder poner nuestra Justicia al día. Desde hace mucho (demasiado) tiempo, se está oyendo que la Justicia es la gran olvidada del proceso democrático español y de la modernización generalizada que ha experimentado nuestro país, desde el advenimiento de la democracia y la entrada de España en el Mercado Común, hoy Unión Europea. Mientras que otros servicios públicos y poderes del Estado, han experimentado un proceso evolutivo constante, nuestra Justicia parece haberse quedado detenida en el Siglo XIX, sin que los esfuerzos que se han hecho para ponerla al día hayan tenido el resultado deseado. Se ha invertido mucho dinero, en edificios nuevos, sistemas informáticos (por cierto, desconectados entre sí), reclutamiento de medios humanos, etc., pero la Justicia en España sigue siendo lenta, desigual, anquilosada y, a veces, incomprensible.

En cualquier caso, es lo cierto que el modelo del Tribunal de Instancia que hemos estudiado en este trabajo, parece ser un modelo que puede arreglar un poco las cosas, en la medida que, como hemos dicho más atrás, supone:

   a) Una racionalización del modelo y una búsqueda de la eficiencia, que claramente aconsejan que el primer nivel de la organización judicial opere de forma colegiada, como ocurre con la segunda instancia.

b) La simplificación del acceso del ciudadano a la Justicia (un solo Tribunal donde ahora hay varios Juzgados diferentes) y una mejora del funcionamiento del primer escalón del sistema jurisdiccional, introduciendo fórmulas más eficientes de gestión y organización, evitando la dispersión de medios y esfuerzos por la proliferación de órganos con idéntica competencia en cada partido judicial.

c) La superación de las disfunciones que genera la organización judicial en órganos unipersonales, desde el momento mismo del reparto inicial de los asuntos, por la atribución de la resolución de los litigios en primera instancia a unidades judiciales independientes, que funcionan como auténticos compartimentos estanco, pese a dar servicio a la misma población, disfunciones que llegan a ocasionar diferencias injustificadas en la tramitación y resolución de los asuntos, en función de que éstos hayan recaído en un juzgado u otro del mismo partido judicial.

d) Mayor racionalidad de la organización colegiada en el ejercicio de la jurisdicción, al facilitar el establecimiento de criterios judiciales comunes entre los miembros del Tribunal de Instancia, lo que potencia la seguridad jurídica derivada de la previsibilidad, no sólo de las resoluciones judiciales, sino de la igual forma de tramitación de todos los asuntos, con repercusión en el sistema económico.

e) La acomodación de la organización colegiada a las pautas de funcionamiento de la nueva oficina judicial.

f) Dotación de una mayor flexibilidad a la planta judicial, al permitir la organización colegiada adaptarse a las necesidades de cada momento sin necesidad de crear nuevas unidades judiciales, ni incrementar tampoco el gasto inherente.

En suma, desde el punto de vista de la organización y funcionamiento, la colegialidad es mucho más eficiente por adaptarse mejor a la nueva Oficina Judicial, favoreciendo resultados homogéneos en los tiempos de tramitación y resolución y permitiendo una adaptación más ágil de la planta judicial a las necesidades del momento y, desde una óptica jurisdiccional, la composición colegiada permite la unificación de criterios en la interpretación y aplicación del Derecho.

Si la eficiencia consiste en "hacer más con menos", es claro que el modelo de los Tribunales de Instancia se adapta mucho mejor a esta idea o principio que, por lo demás, no es un mero desiderátum, sino que obliga también a las Administraciones Públicas, aunque con el limitado alcance que tiene con respecto a la Administración de Justicia y el Poder Judicial el mandato del artículo 3.1.j) de la Ley 40/2015, de 1 de octubre, de Régimen Jurídico del Sector Público.

Por último, decir que los modelos teóricos diseñados para la implantación del Tribunal de Instancia han tenido ya alguna aplicación práctica muy exitosa, como lo acredita la experiencia de los Juzgados de lo Mercantil de Barcelona, a la que nos hemos referido más atrás.

Lo único que hace falta es la voluntad política que, en el fondo, es lo que ha faltado siempre para poner al día nuestro sistema de Justicia.

Análisis jurídico de las huelgas de jueces
(Informe 8/2019)

Sumario: I. INTRODUCCIÓN. II. LA REGULACIÓN. III. EL DEBATE DOCTRINAL SOBRE EL DERECHO DE HUELGA DE LOS JUECES. IV. LA POSICIÓN DEL CONSEJO GENERAL DEL PODER JUDICIAL. V. LAS DEMANDAS DE LOS JUECES. 1. Reforzar la independencia del Consejo General del Poder Judicial. 2. Modernización de la Administración de Justicia: calidad y eficacia. 3. Condiciones profesionales. VI. LOS HECHOS CONSUMADOS. VII. CONCLUSIONES.

I. INTRODUCCIÓN

De unos años a esta parte, el malestar de los Jueces y Magistrados españoles con sus condiciones de trabajo y con la politización que sufren sus órganos de gobierno, especialmente el Consejo General del Poder Judicial, ha ido en aumento hasta el punto de que se han convocado varias huelgas y paros parciales de protesta contra el *statu quo* actual.

La última de ellas, el 19 de noviembre de 2018, es decir, hace justo un año, obedeció a una convocatoria conjunta de cuatro asociaciones de jueces (Asociación Profesional de la Magistratura, Asociación Judicial Francisco de Vitoria, Jueces y Juezas para la Democracia y Foro Judicial Independiente) a la que se sumaron tres asociaciones de fiscales (Asociación de Fiscales, Unión Progresista de Fiscales y Asociación Profesional Independiente de Fiscales).

En dicha convocatoria conjunta, se hacían toda una amplia serie de reivindicaciones relativas a: (i) el reforzamiento de la independencia judicial; (ii) la modernización de la Administración de Justicia; y (iii) la mejora de las condiciones profesionales.

El éxito de esta última huelga de 2018 fue muy importante, con un seguimiento de algo más del 60% de los miembros de la Carrera Judicial y de casi un 40% de la Carrera Fiscal, según datos proporcionados por el autodenominado Comité de Seguimiento de los Paros.

Además y por primera vez, el Ministerio de Justicia decidió detraer a los Jueces y Fiscales que secundaron la huelga la parte del salario correspondiente a ese día de paro.

Esta huelga siguió a otros paros parciales producidos en mayo de ese mismo año 2018 y a otras huelgas llevadas a cabo en años anteriores.

Ante esta situación, que se viene repitiendo en los últimos años, se plantean varias cuestiones que es necesario analizar. En primer lugar, hay que volver a preguntarse si, desde el punto de vista estrictamente jurídico, cabe hablar de una huelga de jueces, en tanto que detentadores de un Poder del Estado. Pero, al mismo tiempo, también es necesario preguntarse por qué protestan los Jueces y Fiscales y si es razonable que una situación como la que denuncian dichos profesionales se perpetúe en el tiempo sin que se afronten los problemas planteados y sin que se dé una respuesta satisfactoria a los mismos.

II. LA REGULACIÓN

El Diccionario del Español Jurídico define la huelga como un derecho constitucional al abandono del puesto de trabajo, como medio de presión para la defensa de los derechos laborales.

En palabras del Tribunal Constitucional (STC 11/1981, de 8 de abril), la huelga es:

> *"una perturbación que se produce en el normal desenvolvimiento de la vida social y en particular en el proceso de producción de bienes y servicios que se lleva a cabo de forma pacífica y no violenta, mediante un concierto entre los trabajadores y los demás intervinientes en dicho proceso. En este sentido amplio, la huelga puede tener por objeto reivindicar mejoras en las condiciones económicas o en general en las condiciones de trabajo, y puede suponer también una protesta con repercusión en otras esferas o ámbitos".*

Desde el punto de vista de su regulación, existe una primera norma constituida por el Real Decreto-ley 17/1977, de 4 de marzo, sobre relaciones de trabajo, que regula el derecho de huelga en su Título I, aunque circunscrito al "ámbito de las relaciones laborales", es decir, a aquellas relaciones profesionales regidas por el Derecho del Trabajo.

La Constitución Española de 1978, "reconoce" el derecho de huelga en su artículo 28.2 y lo configura como un derecho subjetivo y fundamental, al establecer que:

> *"Se reconoce el derecho a la huelga de los trabajadores para la defensa de sus intereses. La ley que regule el ejercicio de este derecho establecerá las garantías precisas para asegurar el mantenimiento de los servicios esenciales de la comunidad".*

El Tribunal Constitucional, en la mencionada sentencia de 1981, afirma que la libertad de huelga significa no sólo el levantamiento de las especícas prohibiciones existentes antes de marzo de 1977, sino también que el Estado ha de permanecer neutral y dejar las consecuencias del fenómeno a la aplicación de las reglas del ordenamiento jurídico.

El Alto Tribunal dice también, al examinar la constitucionalidad del mencionado Real Decreto-ley 17/1977, que:

> *"además de ser un derecho subjetivo, la huelga se consagra como un derecho constitucional, lo que es coherente con la idea del Estado social y democrático de Derecho ( ) que, entre otras significaciones tiene la de legitimar medios de defensa a los intereses de grupos y estratos de la población socialmente dependientes, y entre los que se cuenta el otorgar reconocimiento constitucional a un instrumento de presión que la experiencia secular ha mostrado ser necesario para la afirmación de los intereses de los trabajadores en los conflictos socioeconómicos, conflictos que el Estado no puede excluir, pero a los que sí puede y debe proporcionar los adecuados cauces institucionales".*

Ello no obstante los pronunciamientos y las afirmaciones del Tribunal Constitucional sobre el derecho de huelga se circunscriben a las "relaciones de trabajo", que son las que regula el anteriormente mencionado Real Decreto-ley 17/1977, de 4 de marzo, y no entran en el examen de la constitucionalidad de la huelga en otras relaciones profesionales, como las que pueden afectar a los funcionarios públicos y menos aún a los Jueces y Magistrados.

En relación con los funcionarios públicos, el Alto Tribunal se limita a decir que:

> *"el eventual derecho de huelga de los funcionarios públicos no está regulado y, por consiguiente, tampoco prohibido".*

A pesar de que el mencionado artículo 28.2 de la Constitución, que reconoce el derecho de huelga de los trabajadores, remite al legislador orgánico la regulación de este derecho fundamental y el establecimiento de las garantías necesarias para asegurar el mantenimiento de los servicios esenciales de la comunidad, es lo cierto que el único intento serio de dar una regulación completa a este derecho fundamental fue el proyecto de ley de huelga y medidas de conflicto, publicado de 1992, que llegó incluso a ser aprobado por el Senado, pero que no prosperó al convocarse anticipadamente las elecciones generales en el mes de junio de 1993.

Desde esta lejana fecha, no ha habido ningún intento de regular este derecho fundamental de forma completa, no obstante haber habido mayorías absolutas parlamentarias durante este largo período de tiempo de más de 26 años.

Lo que sí ha habido es alguna regulación sectorial y así, para los funcionarios públicos, el artículo 15.c) de la Ley 7/2007, de 12 de abril, del Estatuto Básico del Empleado Público (hoy artículo 15.c) del Real Decreto Legislativo 5/2015, de 30 de octubre, por el que se aprueba el texto refundido de la Ley del Estatuto Básico del Empleado Público), dispone que los empleados públicos tienen, entre otros, los siguientes derechos individuales que se ejercen de forma colectiva:

> c) Al ejercicio de la huelga, con la garantía del mantenimiento de los servicios esenciales de la comunidad.

Pero, es lo cierto que este derecho que ahora sí se reconoce a los funcionarios públicos y que presenta un cierto carácter expansivo, no aparece recogido para los Jueces y Magistrados en la Ley Orgánica del Poder Judicial, que es la norma que, de conformidad con lo dispuesto en el 122.1 de la Constitución Española, regula el estatuto jurídico de los Jueces y Magistrados de carrera.

Lo que sí establece la Constitución, en su artículo 127.1, es la prohibición de que los Jueces y Magistrados, así como los Fiscales, mientras se hallen en activo, pertenezcan a ningún sindicato o partido político, aunque sí pueden pertenecer a Asociaciones profesionales.

III. EL DEBATE DOCTRINAL SOBRE EL DERECHO DE HUELGA DE LOS JUECES

Tradicionalmente, la doctrina laboralista mayoritaria ha vinculado el derecho de huelga con el derecho, también fundamental, a la libertad de sindicación.

El artículo 7 de la Constitución dispone que:

> "Los sindicatos de trabajadores y las asociaciones empresariales contribuyen a la defensa y promoción de los intereses económicos y sociales que les son propios. Su creación y el ejercicio de su actividad son libres dentro del respeto a la Constitución y a la ley. Su estructura interna y funcionamiento deberán ser democráticos".

A su vez, como hemos visto antes, el derecho a la huelga se regula en el apartado 2 del artículo 28 de la Constitución, cuyo apartado primero regula el derecho, también fundamental, a la libertad de sindicación:

> "Todos tienen el derecho a sindicarse libremente. La ley podrá limitar o exceptuar el ejercicio de este derecho a las Fuerzas o Institutos armados o a los demás Cuerpos

sometidos a disciplina militar y regulará las peculiaridades de su ejercicio para los funcionarios públicos. La libertad sindical comprende el derecho a fundar sindicatos y a afiliarse al de su elección, así como del derecho de los sindicatos a formar confederaciones y a fundar organizaciones sindicales internacionales o a afiliarse a las mismas. Nadie podrá ser obligado a afiliarse a un sindicato".

No han sido pocos los autores que han considerado que el derecho a la libre sindicación y el derecho de huelga tienen una misma ubicación en la Constitución Española porque ambos derechos persiguen la misma finalidad, esto es, la defensa de los intereses de los trabajadores.

Y esto es importante porque de la prohibición de pertenecer a sindicatos, que el artículo 127.1 de la Constitución impone a los Jueces y Fiscales, estos autores han deducido la prohibición implícita de que estos colectivos puedan hacer huelga.

Además, en el caso de los Jueces, se ha sostenido también que, conforme a lo dispuesto en el artículo 117.1 de la Constitución, si la Justicia emana del pueblo y se administra en nombre del Rey por Jueces y Magistrados integrados en el Poder Judicial, independientes, inamovibles, responsables y sometidos únicamente al imperio de la Ley, ello supone necesariamente que los Jueces y Magistrados ejercen sus funciones desde una posición de delegación por el titular de la soberanía, por lo que es impensable y contrario al espíritu constitucional que esas funciones recibidas directamente del pueblo soberano, puedan quedar en suspenso a causa de meras reivindicaciones profesionales o de mejora de las condiciones de trabajo o de cualquier otro tipo, ya que ello supondría la dejación de unas atribuciones que, en sí mismas, son irrenunciables.

Por tanto y como este Consejo General de la Abogacía Española tuvo ya ocasión de afirmar, en un informe de su Comisión Jurídica de 2011:

"una huelga de quienes son y ejercen un Poder constitucional del Estado no sería sino una dejación de sus deberes constitucionales y un abandono de funciones y responsabilidades atribuidas por la Ley Fundamental y cuyo ejercicio no puede quedar en suspenso".

Otro argumento, no menor, que se ha puesto encima de la mesa para defender la imposibilidad de que los Jueces y Magistrados tengan derecho a la huelga es, justamente, que el ejercicio del mismo colisionaría con otros derechos, fundamentales y protegidos constitucionalmente, señaladamente el derecho fundamental a la tutela judicial efectiva proclamado en el artículo 24.1 de la Constitución.

Como ha dicho el Tribunal Supremo, a propósito de un pretendido derecho a la huelga de los abogados del turno de oficio:

"... no son derechos absolutos e ilimitados, sino que tales derechos, ni en su alcance ni en su jerarquía, ni en su limitabilidad ostentan igual significación, por lo que resulta necesario, en los supuestos de colisión eventual de derechos de naturaleza fundamental, establecer una gradación jerárquica entre los mismos, por lo que la situación de conflicto denunciada, atendiendo a las características de los derechos en pugna, debe resolverse en este caso a favor del proclamado en el repetidamente citado artículo 24 de nuestra Ley Fundamental, no sólo porque en el mismo se reconocen una serie de derechos sin los cuales no se concibe la existencia de un Estado de Derecho, sino porque aquellos protegen intereses generales, mientras que con la huelga se trata de defender intereses que, por muy respetables y fundados que sean, afectan al grupo que los plantea" (SSTS de 28 de noviembre de 1990, 29 de mayo de 1995, 21 de marzo de 1996 y 21 de septiembre de 2000).

Por tanto, si el Tribunal Supremo mantiene esta línea jurisprudencial en relación con la pretendida huelga de abogados que ejercen el turno de oficio, con mayor razón esta doctrina jurisprudencial puede (y debe) extrapolarse al caso de los Jueces y Magistrados.

Sin embargo y a pesar de la solidez de estos argumentos, existen también otras posiciones doctrinales mucho más favorables a la posibilidad de que los Jueces y Magistrados (y también los Fiscales) puedan ir a la huelga, especialmente a la luz de la jurisprudencia de la Sala Cuarta sobre el derecho de huelga en general, que presenta una clara evolución hacia una interpretación amplia y expansiva del concepto de la huelga.

Estos autores, de entre los que destacan ANTONIO OJEDA AVILÉS y EMILIO ROMERO MARTÍN, defienden que el silencio de la Ley Orgánica del Poder Judicial sobre el derecho de huelga de los Jueces no puede interpretarse como un silencio negativo, sino permisivo.

Para ello argumentan que, aunque es cierto que los Jueces y Magistrados detentan y ejercen un Poder del Estado, también lo es que, en lo que se refiere a su estatuto profesional, se asemejan mucho a los funcionarios públicos, a los que sí se reconoce este derecho fundamental a partir de la Ley Orgánica 11/1985, de Libertad Sindical y, de forma expresa, a partir del artículo 15.c) de la Ley 7/2007, de 12 de abril, del Estatuto Básico del Empleado Público, hoy artículo 15.c) del Real Decreto Legislativo 5/2015, de 30 de octubre, por el que se aprueba el texto refundido de la Ley del Estatuto Básico del Empleado Público.

Estos autores se basan también en que el Tribunal Constitucional afirmó en su momento que el eventual derecho a la huelga de los funcionarios públicos no estaba prohibido, lo mismo que tampoco está prohibido ahora en la Ley Orgánica del Poder Judicial, el derecho a la huelga de los Jueces.

Como dice el citado ANTONIO OJEDA AVILÉS, afirmar que, puesto que el derecho de huelga se encuentra ínsito en el derecho fundamental de libertad sindical, no puede estar fuera de él, *"parece a todas luces una mutilación innecesaria que, en todo caso, excede de lo declarado por el Tribunal Constitucional"*.

La prueba más evidente de lo anterior es que no sólo los sindicatos pueden convocar huelgas, sino que también lo pueden hacer los comités de empresa, los delegados de personal, las asambleas y grupos de trabajadores o, incluso, las Instituciones políticas, como es el caso del Govern de la Generalitat de Catalunya, con sus extravagantes "paros de país", por mucho que las convocatorias hayan sido hechas formalmente por sindicatos, comités y asociaciones independentistas.

Por tanto, para este sector doctrinal, es más que discutible el fundamento de que, como quiera que los Jueces no pueden sindicarse, porque lo prohíbe expresamente la Constitución, tampoco pueden hacer huelga.

Por el contrario, sostienen que la huelga es un derecho fundamental y no puede privarse a nadie de él por un simple silencio del Legislador, de tal forma que, si la Constitución consagra un derecho, ha de hacerse lo posible para que ese derecho pueda ejercitarse, sin que sea necesario interponer leyes de desarrollo, dada la fuerza normativa directa que tiene la Constitución. Estos autores, en fin, concluyen que:

> *"en definitiva y frente a las posiciones que niegan del derecho de huelga a jueces, magistrados y fiscales, y a salvo de una prohibición expresa, afirmamos su ejercicio libremente y de acuerdo con el artículo 28 de la Constitución, que no necesita para su aplicación norma de desarrollo y goza de la protección que le otorga el artículo 53 del texto constitucional, sin perjuicio de la salvaguarda de los servicios esenciales".*

De este modo, el derecho de huelga, por su trascendencia constitucional y protección, por tratarse de un derecho fundamental reconocido en el artículo 28 del texto constitucional, dentro de la Sección I del Capítulo II del Título I, debe interpretarse en el sentido más favorable para su ejercicio. No deben existir trabas para su aplicación a los colectivos de Jueces y Fiscales, garantizando siempre los servicios esenciales.

Sin embargo, este sector también reconoce que el ejercicio del derecho de huelga, en el caso de los Jueces, plantea serios problemas, sobre todo por su repercusión en el ámbito procesal, lo que necesita una reflexión en profundidad, y en todo caso, una regulación expresa.

Lo que es dudoso, incluso para estos autores, es afirmar sin más la existencia del derecho a falta de pronunciamientos expresos en este sentido del orden jurisdiccional laboral o, incluso, del propio Tribunal Constitucional, aunque prevalecería siempre la innecesariedad de una regulación específica que, aunque es deseable, no es imprescindible por la directa aplicación del artículo 28.2 de la Constitución.

Entre estas dos posiciones doctrinales, nosotros creemos que mientras no exista una previsión expresa en la Ley Orgánica del Poder Judicial, que regule, en su caso, la huelga de los Jueces y Magistrados, así como las garantías precisas para asegurar el mantenimiento del servicio esencial de la Justicia, no es posible hablar materialmente de un derecho de huelga de los Jueces y Magistrados en nuestro país.

Esta es la posición que, además, ha mantenido el órgano de gobierno de los Jueces y Magistrados.

IV. LA POSICIÓN DEL CONSEJO GENERAL DEL PODER JUDICIAL

El órgano de gobierno de los Jueces, como es comúnmente sabido, es el Consejo General del Poder Judicial y el mismo no ha sido ajeno a este conflicto y ha tomado postura respecto del mismo, desde un lejano acuerdo de su Comisión Permanente, 18 de abril de 2001.

En aquel entonces, el Magistrado Juez-Decano de los Juzgados de Cáceres solicitó al Consejo General del Poder Judicial que se pronunciara sobre la legalidad del ejercicio del derecho de huelga por los Jueces y Magistrados y, en fecha 18 de abril de 2001, la Comisión Permanente del citado órgano de gobierno acordó lo siguiente:

> *"el tenor genérico, amplio y abierto de la cuestión planteada impide que el Consejo General del Poder Judicial se pueda pronunciar sobre esta cuestión en estos momentos y desde la perspectiva de tan genérica consulta, si bien debe destacar que **el derecho de huelga es un derecho de configuración legal**, por lo que si se adopta la correspondiente iniciativa legislativa, el Consejo expresaría su parecer en el ejercicio de la competencia de informe que le atribuye la Ley Orgánica 6/1985, de 1 de julio del Poder Judicial, parecer que, por respeto a los titulares de la potestad legislativa, no es procedente anticipar". (La negrita es nuestra).*

A principios del año 2009, las Asambleas de Jueces y Magistrados de las provincias de Almería, Huelva, Las Palmas, Santa Cruz de Tenerife, Alicante, Ciudad Real, A Coruña, Pontevedra, Ibiza, Murcia, Castilla-La Mancha, Cuenca, Extremadura, la Reunión de Jueces y Magistrados de la provincia de Málaga, la Asamblea de Magistrados de Teruel, Castilla-La Mancha, la Junta provincial de Jueces de Girona, Jueces y Magistrados de la provincia de Tarragona, la Asamblea de Jueces del Partido Judicial de Majadahonda, el Juez de Primera Instancia e Instrucción Único de Solsona (Lleida), así como las Asociaciones Judiciales *"Francisco de Vitoria"* y *"Foro Judicial Independiente"*, dirigieron las correspondientes comunicaciones y peticiones al Consejo General del Poder Judicial con el objeto de que por este órgano de gobierno se fijaran servicios mínimos imprescindibles para atender debidamente a los ciudadanos durante la jornada de huelga, prevista para el 18 de febrero de dicho año 2009, y que ésta se tuviera por convocada, en forma y plazo legal.

El Pleno del Consejo General del Poder Judicial, reunido al efecto, mediante acuerdo de 9 de febrero de 2009, determinó lo siguiente:

> *1.- El Consejo General del Poder Judicial, como establece el artículo 122.2 de la Constitución, es el órgano de gobierno del mismo, y en cuanto tal, ejerce y ejercerá las competencias que le son legalmente atribuidas.*
>
> *2.- Con independencia de las cuestiones que pudieran suscitarse en relación al reconocimiento del derecho de huelga de jueces y magistrados, lo cierto es que **el ejercicio de ese posible derecho carece, en el momento actual, de soporte normativo**. Ninguno de los escritos presentados contiene una referencia al marco regulador del referido ejercicio, limitándose a una simple mención a los artículos 3 y 4 del Real Decreto-ley 17/1977, de 4 de marzo, cuya posible aplicación a las peticiones que se efectúan, aparece huérfana de cualquier motivación. Esta norma se refiere a un tipo distinto de relaciones jurídicas, sin que por tanto puedan encuadrarse en ella las medidas que se pretenden.*
>
> *3.- La conclusión obligada de lo expuesto, se traduce en que **el Consejo General del Poder Judicial no puede acceder a las peticiones que se le formulan** y consiguientemente, no puede proceder a la fijación de servicios mínimos, ni a tener por tales aquellos que pudieran señalar quienes suscriben los escritos.*
>
> *4.- El Consejo, en el cumplimiento de sus funciones, velará siempre para que mediante el ejercicio de la función jurisdiccional, se garantice el derecho a la tutela de los ciudadanos.*
>
> *Por las razones expuestas, el Pleno del Consejo General del Poder Judicial ACUERDA: NO haber lugar a las pretensiones formuladas, y por ello resuelve que NO PROCEDE: A) Tener por anunciada la convocatoria de huelga; B) Fijar servicios mínimos ni tener por tales los que pudieran señalar los que suscriben los diferentes escritos". (La negrita es nuestra).*

Este acuerdo del Pleno del Consejo General del Poder Judicial puede considerarse como la "posición oficial" e inamovible del órgano de gobierno de los Jueces y Magistrados en este tema.

Así, ante los escritos de aviso de convocatoria de huelga de Jueces y Magistrados, para el siguiente 8 de octubre de 2009 remitidos al Consejo

por la *Asociación Profesional de la Magistratura*, la Junta de Jueces de Ibiza y
la Asamblea de Magistrados de la provincia de A Coruña, la Comisión Permanente del Consejo General del Poder Judicial lo que hace es remitirse
al anterior acuerdo del Pleno y reitera que el ejercicio del hipotético derecho de huelga de Jueces y Magistrados carece, en el momento actual, de
soporte normativo y, en su consecuencia, no procede tener por anunciada
la huelga, ni fijar servicios mínimos, ni tener por tales los que pudieran
señalar los que suscriben dichos escritos.

Tres años más tarde, con motivo de otra convocatoria de huelga general
para el 14 de noviembre de 2012, la Asociación Judicial *Jueces para la Democracia* solicitó al Consejo General del Poder Judicial la fijación de servicios
mínimos y la Comisión Permanente, mediante acuerdo de 8 de noviembre
de 2012, se remitió nuevamente al acuerdo del Pleno de 9 de febrero de
2009 y lo mismo puede decirse de la convocatoria de huelga para el día 20
de febrero de 2013, promovida por las Asociaciones Judiciales "*Francisco
de Vitoria*", *Jueces para la Democracia*, *Foro Judicial Independiente*, así como la
Asociación Profesional Independiente de Fiscales y la Unión Progresista de
Fiscales, puesto que el Acuerdo de la Comisión Permanente, en este caso
de fecha 13 de febrero de 2013, se remite de nuevo al acuerdo del Pleno
de 9 de febrero de 2009.

Así llegamos al último año 2018, en el que tienen lugar, por una parte,
una serie de paros parciales y una jornada de huelga para el día 22 de
mayo, convocados en esta ocasión por *la Asociación Profesional de la Magistratura, Juezas y Jueces para la Democracia*, Asociación Judicial *Francisco de Vitoria*
y *Foro Judicial Independiente*. El acuerdo de la Comisión Permanente de 17
de mayo de dicho año se remite nuevamente a lo ya dicho por el Pleno
en las anteriores ocasiones y rechaza la procedencia de adoptar servicios
mínimos.

Lo mismo ocurre con la convocatoria de huelga para el día 19 de noviembre del mismo año 2018, convocada en este caso por las Asociaciones
Judiciales *Asociación Profesional de la Magistratura, Asociación Judicial Francisco
de Vitoria, Juezas y Jueces para la Democracia y Foro Judicial Independiente*, a la
que se sumaron la Asociación de Fiscales, la Unión Progresista de Fiscales
y la Asociación Profesional Independiente de Fiscales. En este caso, el último del que se tiene constancia, el acuerdo fue de la Comisión Permanente
de 8 de noviembre de 2018, que rechazó la fijación de servicios mínimos, a
la par que ordenó dirigir un oficio a los Presidentes del Tribunal Supremo,
Audiencia Nacional y Tribunales Superiores de Justicia, con el fin de que
remitieran al Consejo la relación de Jueces y Magistrados que hubieran co-

municado su decisión de secundar la huelga, así como las incidencias que pudieran producirse durante la jornada.

Llama mucho la atención que, entre los Jueces que secundaron esta última huelga, se hallan Magistrados del Tribunal Supremo, varios de ellos de su Sala de lo Social.

Por tanto, una vez examinados los acuerdos del órgano de gobierno de los Jueces y como conclusión de todo ello, podemos afirmar que la posición oficial del Consejo General del Poder Judicial en relación con la huelga de los Jueces es la que se contempla en el acuerdo del Pleno de 9 de febrero de 2009, que se resume en un nítido rechazo a la posibilidad de que los Jueces y Magistrados puedan hacer huelga, al carecer del sustento normativo necesario y esta "posición "oficial", es la que se ha mantenido inalterable hasta el día de hoy.

A pesar de ello, tampoco hay constancia de que ninguno de los Jueces o Magistrados que han secundado alguna de las huelgas que hemos reseñado haya sido sancionado por "ignorancia inexcusable en el cumplimiento de los deberes judiciales" o por "inasistencia injustificada a los actos procesales que estuvieren señalados con audiencia pública", actos procesales que han tenido que ser suspendidos como consecuencia de las distintas huelgas habidas. Las conductas que hemos entrecomillado aparecen descritas en la Ley Orgánica del Poder Judicial como constitutivas de infracciones muy grave y grave, respectivamente.

V. LAS DEMANDAS DE LOS JUECES

Como decíamos al principio de este informe, también es necesario preguntarse por qué protestan los Jueces (y Fiscales) y si es razonable que una situación como la que denuncian dichos colectivos se perpetúe en el tiempo sin que se afronten los problemas planteados y sin que se dé una respuesta satisfactoria a los mismos.

Más que nunca cobran ahora actualidad unas palabras del primer presidente del Consejo General del Poder Judicial, Federico Carlos Sáinz de Robles y Rodríguez, cuando, de forma retórica, se preguntaba si es posible hablar seriamente de la independencia del Poder Judicial en España, cuando la "eficacia" de ese Poder se hace depender de otro Poder distinto.

Los Jueces españoles protestan por la politización de la Justicia, reivindican la modernización del aparato judicial y piden una mejora en sus condiciones de trabajo. Esas reivindicaciones son ya endémicas y se oyen desde hace muchos años, sin que se observe movimiento alguno en el Poder Político.

Pero, detengámonos un momento en esta tabla reivindicativa. Las siete organizaciones convocantes de la huelga del pasado 19 de noviembre de 2018, resumieron sus demandas en catorce puntos, agrupados en tres grandes líneas de trabajo:

1. *Reforzar la independencia del Consejo General del Poder Judicial*

1.- Sistema de elección de los vocales de procedencia judicial por los jueces y juezas, asegurando la igualdad de género y la presencia de las minorías. Sustitución del sistema presidencialista por el colegiado del órgano. Dedicación exclusiva de los vocales y recuperación de las competencias que tenía con anterioridad a la Ley Orgánica 4/2013.

Cabe decir, al respecto, que el Consejo de Europa y la Red Europea de Consejos, de la que España forma parte, ha dejado muy claro que los Consejos de Justicia han de estar formados mayoritariamente por Jueces y que éstos han de ser elegidos por sus pares.

Por otra parte, el Grupo de Estados contra la Corrupción (GRECO), recomendó realizar una evaluación del marco legislativo que rige el Consejo General del Poder Judicial y sus efectos sobre la independencia real y percibida de este órgano respecto de cualquier influencia indebida, con vistas a subsanar las deficiencias detectadas y en la Cuarta Ronda de Evaluación, de 21 de junio de 2019, publicada recientemente, se observa que "la recomendación no se ha cumplido".

Por otra parte, la sustitución del sistema presidencialista actual por el colegiado, la dedicación exclusiva de los vocales y la recuperación de competencias se han visto recogidas en la reforma de la Ley Orgánica 4/2018, de 28 de diciembre, de reforma de la Ley Orgánica del Poder Judicial,

2.- El Consejo General del Poder Judicial debe amparar de modo efectivo a lo miembros de la Carrera Judicial de cualquier ataque recibido que afecte a su independencia. Resulta llamativa la escasa utilización del procedimiento de amparo previsto en los artículos 14 de la Ley Orgánica del Poder Judicial y 318 del Reglamento 2/2011 por parte de los jueces y juezas.

Llama la atención la forma en la que el actual Consejo General del Poder Judicial ha utilizado este instrumento, no amparando a Jueces que lo han pedido y amparando a otros, *motu proprio*, que no lo habían solicitado.

3.- Nombramientos de altos cargos judiciales: Definir previamente los perfiles de los puestos a cubrir. Proceso transparente, con fijación de unos criterios objetivos basados en el mérito y la capacidad e igualdad de género. Limitación de mandatos: el nombramiento será prorrogable por una sola vez. Exigencia de motivación no solo respecto a los méritos del designado/a, sino también en relación de los demás aspirantes. En los nombramientos de Magistrados del Tribunal Supremo y Presidentes de Tribunales Superiores de Justicia será precisa una mayoría cualificada.

Esta reivindicación ha sido recogida, parcialmente, en Ley Orgánica 4/2018, de 28 de diciembre, a la que antes nos hemos referido.

4.- Supresión de los magistrados designados por los Parlamentos autonómicos.

Esta demanda no ha sido acogida, por el momento.

2. *Modernización de la Administración de Justicia: calidad y eficacia*

En este segundo apartado reivindicativo, se ponen de manifiesto las carencias que persistentemente se contemplan en la organización judicial española y que, afectan a la eficacia de nuestra Justicia. Son las siguientes:

5.- Plan de inversión suficiente y prolongado a fin de conseguir un servicio público que asegure la calidad de la respuesta, rapidez en la solución y garantías de los derechos fundamentales, todo ello en el marco de una organización judicial rigurosa y eficiente.

6.- Para la modernización de la Administración de Justicia es preciso un importante esfuerzo inversor. Un plan decenal de inversiones prorrogable, destinado, entre otros aspectos, a:

– Incrementar el número de jueces y juezas, equiparándolo a la media europea, convocando al menos 250 plazas en cada uno de los próximos cuatro años (incluyendo el turno libre y el cuarto turno).

– Modernizar los edificios judiciales

– Implantar el expediente judicial útil y operativo que facilite el ejercicio de la función jurisdiccional, dotando a jueces y juezas de los medios técnicos necesarios para poder desempeñar su función jurisdiccional usando las nuevas tecnologías.

– Procurar los medios necesarios para hacer efectivos los derechos reconocidos en las leyes (así, el Estatuto de la Víctima y en la Ley de Enjuiciamiento Criminal, sobre el derecho a la interpretación y traducción de en los procesos penales, entre otros).

7.- Racionalización de la planta judicial:

– Implantación de los Tribunales de Instancia, respetando las exigencias de independencia e inamovilidad, garantizando el acceso a la justicia de todas las personas. Mientras tanto, deberán crearse órganos judiciales suficientes para atender al incremento de litigiosidad, habida cuenta de que en los últimos años no se han creado juzgados.

– Eliminación de la figura de las adscripciones forzosas.

– Evitar la precarización judicial, suprimiendo las figuras de sustitución y refuerzo en el período de prácticas formativas, respetando escrupulosamente el derecho-deber a una formación inicial y una adecuada formación para ejercer en las jurisdicciones especializadas.

8.- Revisión de la oficina judicial sobre las experiencias piloto. Invertir en su implantación, atendiendo a los principios de eficiencia, coordinación y delimitación de funciones. La oficina judicial tiene como finalidad apoyar y facilitar el trabajo de los órganos jurisdiccionales, por lo que en supuestos de controversia deberá establecerse la intervención de los órganos de gobierno del Poder Judicial para adoptar la oportuna decisión

9.- Compatibilizar los distintos sistemas de gestión procesal existentes en todo el territorio nacional, según la Comunidad Autónoma de que se trate.

10.- Dotación de medios materiales adecuados a los funcionarios públicos con competencias en la lucha contra la corrupción, ampliando las plantillas, reforzando especialmente el auxilio de los órganos judiciales y fiscales que investigan causas de este tipo (unidades de Policía Judicial, de auxilio de la Agencia Tributaria y de la Intervención General del Estado).

Ya hemos dicho en otras ocasiones que el actual reparto de competencias en materia de Justicia es totalmente ineficiente y es necesario hacer un replanteamiento del mismo. Mientras eso no se haga, nos tememos que el panorama va a seguir siendo el mismo.

3. Condiciones profesionales

11.- Convocatoria inmediata de la mesa prevista en la Ley de Retribuciones y reclamar las mejoras salariales que permitan recuperar los recortes de los últimos siete años.

Ha habido ya algunas iniciativas al respecto, aunque no han cristalizado en ningún acuerdo conocido.

12.- Reclamar la recuperación del régimen de vacaciones y permisos vigente al momento de la supresión y reducción por la Ley Orgánica 8/2012, de 27 de diciembre, así como el permiso de paternidad.

Esta demanda fue acogida íntegramente en la Ley Orgánica 4/2018, de 28 de diciembre.

13.- Implantación urgente de unas cargas máximas de trabajo, con la participación de las asociaciones judiciales en la fijación de las mismas y la adopción de medidas preventivas frente a los riesgos psicosociales.

La implantación urgente de las cargas máximas de trabajo se llevó a cabo por el Pleno del Consejo General del Poder Judicial, celebrado el 29 de noviembre de 2018, diez días después de la huelga, aunque la entrada en vigor de las nuevas cargas de trabajo se demoró al presente año 2019 y, con anterioridad, el Consejo ya había aprobado la adopción de medidas preventivas frente a los riesgos psicosociales.

14.- Garantizar una adecuada asistencia de la Mutualidad General Judicial (MUGEJU) para resolver la problemática específica planteada en todo momento por los jueces y juezas.

También esa reivindicación se ha ido acogiendo de forma paulatina, mediante una actualización de las prestaciones que proporciona la Mutualidad General Judicial.

Por su parte, los Fiscales apoyan a los Jueces y Magistrados en las peticiones que hacen referencia a la independencia real del Consejo General del Poder Judicial y, para la Carrera Fiscal, reivindican verdadera independencia para gestionar su propio presupuesto, así como un catálogo de cursos de formación, permisos de maternidad y paternidad, etc.

Los Fiscales piden también recuperar la capacidad adquisitiva perdida durante estos últimos años, mediante unos salarios justos y equitativos, una distribución justa del complemento de productividad, unas guardias adecuadamente retribuidas y un catálogo de enfermedades reconocidas.

Así pues, podemos concluir que, en parte, algunas de las reivindicaciones de los Jueces han sido acogidas de forma inmediata, mediante reformas legislativas o acuerdos del Consejo General del Poder Judicial, mientras que las peticiones que hacen referencia a una mayor inversión en los medios materiales, y también humanos, que se requieren para hacer frente a los constantes retos que presenta la necesaria modernización del aparato judicial han sido ignoradas de forma sistemática, salvo algunas, raras, excepciones.

VI. LOS HECHOS CONSUMADOS

Volviendo ahora al debate sobre la huelga de los Jueces, aun cuando la mayor parte de la doctrina científica y, fundamentalmente, el propio Consejo General del Poder Judicial consideran que los Jueces no pueden hacer huelga en España, unos porque creen que ese derecho no asiste a quienes detentan, por directa delegación del pueblo soberano, uno de los tres poderes en que se divide el Estado de Derecho y el órgano de gobierno de los Jueces porque entiende que no es posible ejercer ese derecho sin una norma reguladora que lo sustente, lo cierto es que la huelga de los Jueces es ya un hecho consumado y, además, reiterado, que presenta las características que son propias de ese mecanismo de presión para la defensa de los intereses corporativos de los Jueces.

A pesar de que el artículo 127.1 de la Constitución prohíbe a los Jueces pertenecer a partidos políticos o sindicatos, sí les permite asociarse y, como hemos dicho ya antes, la convocatoria de huelga no tiene por qué ser una exclusiva de los sindicatos, sino que también puede llevarse a cabo por otros colectivos distintos como, por ejemplo, las distintas Asociaciones Judiciales.

Mediante la utilización de ese instrumento de presión, que es la huelga, los Jueces españoles no sólo han conseguido que algunas de sus demandas hayan sido acogidas tanto por el Legislador como por los órganos integrantes del Poder Ejecutivo, sino que, además, el Ministerio de Justicia ha procedido también a detraer a los Jueces que siguieron el último paro, la parte proporcional de su salario, lo que es una de las características más significativas que integran el derecho de huelga.

Por tanto y por la vía de los hechos consumados, puede afirmarse hoy que en España los Jueces no sólo pueden hacer huelga, sino que ya la han hecho y no una, sino varias veces.

Y todo ello al margen del Derecho, lo que no deja de ser paradójico tratándose, precisamente, del colectivo judicial, cuyo único sometimiento es "al imperio de la Ley", y al margen también de los dictados de su órgano de Gobierno, que nunca ha permitido tener por convocadas las huelgas de Jueces y Magistrados, ni tampoco fijar servicios mínimos.

Ello no obstante y a pesar de la posición del Consejo General del Poder Judicial, es lo cierto que, en lo que es un claro ejemplo de insubordinación, muchos Jueces y Magistrados, incluso del Tribunal Supremo y de su Sala de lo Social, han hecho huelga en España sin que se les haya abierto expediente alguno por "ignorancia inexcusable en el cumplimiento de los deberes judiciales", que es una falta muy grave, o por "inasistencia injustificada a los actos procesales que estuvieren señalados con audiencia pública", que constituye una falta grave.

Y, por supuesto, todo ello sin perjuicio de la legitimidad de las reivindicaciones y demandas de la Carrera Judicial, todas ellas muy lógicas y razonables.

No son las demandas y reivindicaciones, sino la forma de conseguirlas lo que ha suscitado y suscita dudas, cuando no seguridades, en cuanto a su falta de encaje jurídico.

Nos encontramos ante un vacío legal que ha sido aprovechado para, mediante la política de los hechos consumados, traer la huelga del Poder Judicial a España y todo ello sin que los otros dos Poderes, el Legislativo y el Ejecutivo, se hayan dado por aludidos.

VII. CONCLUSIONES

PRIMERA.- El derecho a la huelga es un derecho subjetivo y fundamental, reconocido en el artículo 28.2 de la Constitución Española de 1978. Entre otras significaciones, tiene la de legitimar medios de defensa de intereses de grupos y estratos de la población socialmente dependientes.

SEGUNDO.- Desde el punto de vista de su regulación, el ejercicio del derecho a la huelga en España, 41 años después de la promulgación de la Constitución, todavía no ha sido desarrollado mediante la correspondiente Ley Orgánica. El único intento al respecto fue el proyecto de Ley de Huelga de 1992, que no prosperó a causa de la convocatoria anticipada de elecciones generales en el mes de junio de 1993.

TERCERA.- La principal norma existente sobre la huelga está constituida por el preconstitucional Real Decreto-ley 17/1977, de 4 de marzo, sobre relaciones de trabajo, que regula el derecho de huelga en su Título I, aunque circunscrito al "ámbito de las relaciones laborales" es decir, a las relaciones profesionales regidas por el Derecho del Trabajo.

CUARTA.- Por lo que se refiere a los Jueces y Magistrados, el artículo 122.1 de la Constitución remite la determinación de su estatuto jurídico a la Ley Orgánica del Poder Judicial, si bien el artículo 127.1 les prohíbe, mientras se hallen en servicio activo, pertenecer a partidos políticos o sindicatos, aunque sí pueden pertenecer a asociaciones profesionales.

QUINTA.- La Ley Orgánica del Poder Judicial no contempla, ni regula, el derecho a la huelga de los Jueces y Magistrados, por lo que existe una situación de vacío legal sobre esta cuestión. Por el contrario, el Estatuto Básico del Empleado Público sí reconoce el derecho a la huelga de los funcionarios públicos.

SEXTA.- Ante esta situación de vacío legal, por lo que respecta a los Jueces y Magistrados españoles, la doctrina científica se encuentra dividida. El sector mayoritario sostiene la imposibilidad de que los Jueces y Magistrados puedan hacer huelga, al ejercer sus funciones desde una posición de delegación por parte de quién es el titular de la soberanía, de tal modo que una huelga de quienes ejercen y son un Poder del Estado sería una dejación de sus propios deberes constitucionales y un abandono de funciones y responsabilidades atribuidas directamente por la Constitución. Además, una huelga de Jueces y Magistrados colisionaría frontalmente con otros derechos fundamentales, como es el derecho a la tutela judicial efectiva.

SÉPTIMA.- Otro sector doctrinal, quizás minoritario, ante la ausencia de una prohibición expresa y ante el reconocimiento de la huelga en la Constitución como un derecho subjetivo y fundamental, afirma la posibilidad de que los Jueces y Magistrados hagan huelga, puesto que el artículo 28.2 de la Constitución no precisa para su aplicación de ninguna norma de desarrollo, aunque es deseable que la haya.

OCTAVA.- El Consejo General del Poder Judicial, máximo órgano de gobierno de los Jueces, considera por su parte que el derecho de huelga es un derecho de configuración legal, de modo que, ante la ausencia de previsión alguna en la Ley Orgánica del Poder Judicial, ni en ninguna otra Ley, los Jueces y Magistrados españoles no pueden hacer huelga y, por tanto, dicho órgano de gobierno ha rechazado siempre las solicitudes que se le han dirigido de tener por anunciadas convocatorias de huelgas o fijar servicios mínimos, por falta de soporte normativo.

NOVENA.- Ello no obstante, desde el año 2009, es lo cierto que ha habido varias huelgas de Jueces y Magistrados en España, sin que exista constancia alguna de que se haya procedido a abrir ningún expediente disciplinario a ningún Juez o Magistrado por haber secundado alguna de estas huelgas, ni por ignorancia inexcusable en el cumplimiento de los deberes judiciales, ni tampoco por inasistencia injustificada a los actos procesales señalados, coincidentes con el día de la huelga.

DÉCIMA.- La última de las huelgas llevadas a cabo se produjo el 19 de noviembre de 2018 y fue convocada por cuatro Asociaciones de Jueces, a la que se sumaron tres Asociaciones de Fiscales. Esta huelga tuvo un seguimiento de algo más del 60% de los miembros de la Carrera Judicial y a ella se sumaron varios Magistrados del Tribunal Supremo, algunos de ellos pertenecientes a la Sala Cuarta, de lo Social, de dicho Alto Tribunal.

DECIMOPRIMERA.- En dicha convocatoria se hacían toda una serie de reivindicaciones, peticiones y demandas, hasta un total de catorce, que afectaban a tres grandes áreas: (i) reforzamiento de la independencia judicial; (ii) modernización de la Administración de Justicia, y (iii) mejora de las condiciones profesionales.

DECIMOSEGUNDA.- Como consecuencia directa de la huelga del 19 de noviembre de 2018, algunas, no pocas, de las demandas solicitadas por los Jueces y Magistrados fueron acogidas tanto por el Legislador, como diversos órganos integrantes del Poder Ejecutivo. Además, el Ministerio de Justicia procedió a detraer a los huelguistas la parte proporcional de su salario, lo que, de hecho, supone todo un reconocimiento tácito del derecho de los Jueces a la huelga.

DECIMOTERCERA.- No deja de ser paradójico y muy llamativo que los integrantes del Poder Judicial, sometidos únicamente al imperio de la Ley, al margen de los dictados de su órgano de gobierno, que nunca ha permitido tener por convocadas huelgas, ni fijar servicios mínimos, hayan seguido la vía de los hechos consumados para traer la huelga de los Jueces a España, como no deja de ser llamativo también que el Consejo General del Poder Judicial, ante una situación de clara insubordinación a sus determinaciones, no haya incoado ningún expediente disciplinario, ni siquiera unas actuaciones previas, por ignorancia inexcusable en el cumplimiento de los deberes judiciales o por la inasistencia injustificada a los actos procesales que estuvieren señalados con audiencia pública.

DECIMOCUARTA.- Sin perjuicio de la legitimidad de las demandas y reivindicaciones de los integrantes del Poder Judicial, todas ellas muy lógicas y razonables, es lo cierto que el camino elegido por este colectivo para alcanzarlas se sitúa claramente al margen de la Ley.

DECIMOQUINTA.- Mientras no exista en la Ley Orgánica del Poder Judicial una previsión expresa que regule, en su caso, el ejercicio del derecho de huelga por los Jueces y Magistrados, así como las garantías precisas para asegurar el mantenimiento del servicio esencial de la Justicia, no es posible hablar de un derecho de huelga de los Jueces y Magistrados en nuestro País.

DECIMOSEXTA.- En su consecuencia y en la misma línea en la que se ha posicionado el Consejo General del Poder Judicial, el Consejo General de la Abogacía Española entiende que no existe en España un derecho a la huelga de los integrantes del Poder Judicial, por falta de soporte normativo.

DECIMOSÉPTIMA.- Ante el vacío legal existente en la materia, el Consejo General de la Abogacía Española considera absolutamente imprescindible que el Legislador aborde esta cuestión y regule, de una vez por todas, tanto el ejercicio de derecho de huelga en España, en sus vertientes objetiva y subjetiva, como la configuración de las medidas y garantías que son precisas para asegurar el mantenimiento de los servicios esenciales de la comunidad que puedan verse afectados y ello con el objeto, entre otros, de evitar que en aras de una interpretación expansiva del derecho a la huelga, se llegue a una situación como la actual, en la que colectivos tan relevantes como los que integran uno de los tres Poderes del Estado, puedan hacer huelgas por la vía de los hechos consumados, al margen de la Ley y al margen también de los acuerdos de su órgano de gobierno.

Abogacía pro bono y su incidencia en el Turno de Oficio
(Informe 9/2019)

Sumario: I. LA HISTORIA DE LA ABOGACÍA: DE LA CARIDAD AL SERVICIO PÚBLICO PASANDO POR LA BENEFICENCIA. II. LA OFERTA DE ASESORAMIENTO. III. LA FUNDACIÓN PRO BONO ESPAÑA. IV. LA ABOGACÍA Y EL MERCADO DE SERVICIOS JURÍDICOS. V. LOS INTENTOS DE "PRIVATIZACIÓN" DEL TURNO DE OFICIO Y LA ASISTENCIA JURÍDICA GRATUITA. VI. EL PRO BONO Y SU ENCUADRA-MIENTO EN EL SISTEMA. VII. CONCLUSIONES.

Pro bono: su encuadre en el sistema español de asistencia jurídica. La Fundación Pro Bono España.

Es fácil ser bueno; lo difícil es ser justo.
Víctor Hugo.

I. LA HISTORIA DE LA ABOGACÍA: DE LA CARIDAD AL SERVICIO PÚBLICO PASANDO POR LA BENEFICENCIA

En el derecho español histórico el instrumento jurídico para proteger a los pobres que no podían pagarse un abogado[1] fue el llamado *"beneficio de pobreza"*. Esta pobreza era, en origen, un concepto jurídico relacionado con la caridad y se expedían *"pasaportes de pobre de solemnidad"*, para quienes eran considerados tales, que permitían a sus titulares acceder a casas de misericordia y asilos, tener abogado y comer la sopa boba. En tiempos pasados, como relata Cid Cebrián[2], con cita de la *"Política para corregidores y señores de vasallos, en tiempos de paz y de guerra y para jueces eclesiásticos y seglares"* de Castillo de Bobadilla, era posible que fuera obligado el procurador a serlo de pobres y el médico a curarlos de balde. Y efectivamente, la asistencia sanitaria gratuita solo se prestaba a quienes tenían su cartilla de *"pobres de solemnidad"*, aunque los que podían pagar una parte de sus gastos tenían una zona reservada en las instituciones de beneficencia.

---

[1] Cosano Alarcón, Juan Pedro, *El abogado de pobres*, Premio Abogados de Novela, Martínez Roca Narrativa, Barcelona, 2014. Premio CGAE.

[2] Cid Cebrián, Miguel, *La justicia gratuita. Realidad y perspectiva de un derecho constitucional*, Pamplona, 1995.

Y es que existían varias clases de pobres. Como señala Maza Zorrilla[3], *"en la sociedad del Antiguo Régimen se distinguen tres categorías de pobres: de solemnidad, vergonzantes y marginados. Al primer grupo pertenecían* "aquellos pobres oficialmente reconocidos como tales", antiguos funcionarios, empleados, cesantes y sus viudas, que se vieron empujados a la indigencia en un momento específico y por un motivo concreto, y que obtenían el *"reconocimiento oficial de su pobreza mediante declaración ante notario", para así conseguir "los socorros y atenciones institucionales". Lejos de este grupo se hallaban "los otros pobres, los real y absolutamente pobres, que no pueden acceder al notario ni al hospital ni a centro benéfico alguno porque ni siquiera son considerados como tales por la sociedad". Se trataría, de un lado, de los vergonzantes o secretos, que, aunque "sumidos en la pobreza", no estaban dispuestos a exponer a la sociedad que habían caído en la pobreza; y, de otro, los marginados, en donde, a causa de la falta de trabajo, se integraba "esa masa campesina y jornalera que, en períodos críticos, abandona forzosamente sus ocupaciones para engrosar el caprichoso anillo de la pobreza y marginación social"*[4].

La caridad como móvil para el ejercicio de la abogacía tiene orígenes tan ilustres como Las Partidas. Ya entonces se decía que la asistencia gratuita de los considerados pobres se prestaba *"por amor a Dios"*, es decir, en razón de la virtud teologal de la caridad. Y el sistema evoluciona mediante dos modos para proveer a quienes lo necesitaban de un defensor.

Por una parte, a partir del siglo XIII, se crean oficios expresamente encargados de la defensa de pobres. Valga como ejemplo el creado en Zamora en 1274, cuando se organiza el Tribunal de la Corte, por Alfonso X el Sabio, con dos abogados para estos litigios. Esta es la línea que siguen los Reyes Católicos en las Cortes de Toledo en 1480 para las Chancillerías. El sistema no terminaba de resultar eficaz por lo corto de los gajes asignados a los abogados.

Pero, junto a esta fórmula, un segundo modelo obliga a los Colegios a prestar el servicio de pobres donde no lo hubiera por oficio, como disponen las Ordenanzas de los Abogados y Procuradores de 1495, dictadas por los Reyes Católicos. En esta línea se enmarca, por ejemplo, el caso de Málaga, ya que el 24 de diciembre de 1498, una Real Cédula de los Reyes Católicos obliga al Consejo, Justicia y Regimiento de esta ciudad que *"en cada año eligiese su Ayuntamiento un Letrado y un Procurador para que siguiesen*

---

[3]   Maza Zorrilla, Elena, *Pobreza y asistencia social en España, siglos XVI al XX. Aproximación histórica,* Universidad de Valladolid, Valladolid,1979.

[4]   La cita completa en Bádenas Zamora, Antonio, *El derecho a la justicia de balde en la Ley de Enjuiciamiento Civil de 1855,* AHDE, tomo LXXXIV, 2014.

la causa de los pobres, huérfanos y presos de la cárcel, cuya elección hiciese perpetua-mente pagándoles de sus Propios y Rentas, al primero 1.000 maravedíes y al otro 500 por salario de cada año". Por su parte, la Congregación de los Abogados de la Corte y Consejos de su Majestad, fundada en Madrid en 1596, había previsto en sus estatutos la presencia de ocho abogados para el patrocinio de los pobres[5].

Como se aprecia el sistema oscila entre la prestación del servicio por parte de los poderes públicos y la obligación impuesta a los abogados para prestarlo si no hubiera "*abogado de pobres*", si se permite esta dicotomía ana-crónica. Se entendía que la obligación de prestar asistencia a quien tuviera el beneficio de pobreza constituía el contrapeso de la reserva legal en ex-clusiva de las tareas de defensa a los abogados y procuradores. De ahí su nombre, turno de oficio.

Nos encontramos en la época en la que de la caridad llegamos a la be-neficencia, entendida como un servicio público incipiente. Señala Peréz Gálvez[6] que "*la palabra "beneficencia" se forma del adverbio latino bene, y del verbo facere, que juntos expresan la virtud y el acto de hacer el bien. Es de moderna introducción, tanto en la acepción general, como en la jurídica, pues en su lugar se empleaba antes la de caridad, en que predomina más el sentimiento cristiano, porque da a entender que el hacer bien a otro es un acto de amor a Dios y al prójimo. Desde que el socorro de la desgracia bajo sus diferentes aspectos ha venido a formar un sistema completo, la expresión beneficencia es la que ha sustituido para señalar gené-ricamente la institución de la caridad general, y para designar con un solo nombre los establecimientos en que se ejerce con sujeción a las leyes y reglamento".*

La definición inicial de beneficencia, señala Bádenes Gasset[7], puede partir del artículo 2 del Real Decreto de 14 de marzo de 1899 cuando de-fine las instituciones de beneficencia del siguiente modo: "*los establecimien-tos y asociaciones permanentes destinados a la satisfacción gratuita de necesidades intelectuales o físicas y las fundaciones sin aquel carácter de permanencia, aunque con destino semejante".* Mas sencilla es la definición de Jordana de Pozas, que estima que es: "*la prestación gratuita de bienes o auxilios a los que no teniéndolos*

---

[5]   Suárez Bilbao, Fernando, *Génesis de una institución colegial: la Congregación y Colegio de Abogados de la Corte de Madrid (1596-1732),* Dykinson, Madrid, 2005.

[6]   *Peréz Gálvez, Juan Francisco, Génesis y evolución histórico-jurídica de la beneficencia y aten-ción a los invidentes en España, Revista de Derecho de la Pontificia Universidad Católica de Valparaíso XXVI, semestre II, pp. 327-389, Valparaíso, Chile, 2005.*

[7]   Bádenes Gasset, Ramón, Voz: *Beneficencia,* en Nueva Enciclopedia Jurídica Seix, vol. III, Barcelona, 1989.

tampoco se los pueden procurar". Y distingue entre la beneficencia privada o particular, es decir, la que depende exclusivamente de la iniciativa de los individuos y se caracteriza por ser la forma primitiva de ayuda del que tenía para subsistir al que no tenía o tenía en mísera parte, la beneficencia mixta, y la beneficencia pública, legal u oficial, entendida como aquella que se ejerce con carácter de función pública y cuyo patrimonio está constituido con las prestaciones exigidas coactivamente a los particulares[8].

Como se aprecia, la legislación en la materia incluye tanto la beneficencia privada como la pública, conjunto que se consolida con la Ley de Beneficencia de 20 de junio de 1849 y su Reglamento de 14 de marzo de 1899[9]. Y así, la Ley de 20 de julio de 1849, que sigue la línea de La Ley de 27 de diciembre de 1821, dispone en su artículo 1: "*Los establecimientos de beneficencia son públicos. Se exceptúan únicamente, y se consideran como particulares si cumpliesen con el objeto de su fundación, los que se costeen exclusivamente con fondos propios, donados o legados por particulares, cuya dirección y administración esté confiada a corporaciones autorizadas por el Gobierno*".

Desde este punto de vista se puede trazar una línea evolutiva en el sistema de la beneficencia, línea evolutiva que se aprecia con especial claridad en el aspecto sanitario[10], en el que "*la beneficencia ocuparía uno de los peldaños de la escala evolucionista, más concretamente el situado tras la caridad y antes de los ocupados por la asistencia social, la seguridad social y el bienestar social*". El resultado llegó a ser el siguiente: el Estado desarrollará directamente ciertos servicios mediante los denominados "*establecimientos públicos*" en régimen de prestación directa, pero, además, ejercerá un control sobre la beneficencia privada, para la que exigió la previa constitución de una persona jurídica del tipo "*fundación*" sobre la que ejercía la tutela administrativa. Este dato de la personificación resulta de gran relevancia, como se verá.

Hasta la Ley de Enjuiciamiento Civil de 1855 el acceso a la defensa de oficio se basaba o bien en el reconocimiento y la tasación de pobreza, o bien en el arbitrio judicial, entendido en su recto sentido. El límite de la

---

[8]   Las citas procedes de Bádenas Gasset, op. cit. y de Guasp, Jaime, *La beneficencia como objeto formal de la actividad administrativa*, en Estudios en homenaje a Jordana de Pozas, Madrid, Instituto de Estudios Políticos, 1962.

[9]   Merece también ser citada la Instrucción de 27 de enero de 1885 sobre organización, régimen, gobierno y administración superior de los establecimientos de beneficencia general.

[10]   Aznar López, Manuel, *En torno a la beneficencia y su régimen jurídico*, en Revista Española de Derecho Administrativo, 92, Madrid, 1996.

pobreza se cifraba en los solicitantes que no superasen los ciento cincuenta ducados o doscientos si la solicitante era viuda. Se dispuso entonces que debían valorarse por el Juez tanto los límites cuantitativos como las demás circunstancias económicas, es decir, escasez de la renta, sueldo, salario o rendimientos industriales, y personales, como lugar de residencia, situación familiar y estado del domicilio en el que more el solicitante[11].

El sistema se mantiene en la Ley de Enjuiciamiento Civil de 1881, en que aún se accedía a la justicia gratuita mediante una declaración de pobreza, calculada sobre el *"jornal de un bracero"*. De esta forma llega a calificarse de privilegio procesal, como señalaba Guasp, aun cuando hoy resulta dudoso que el beneficio de pobreza pueda ser un calificado como un privilegio[12]. En el siglo XX la organización de la Administración de Justicia quedaba en manos de los Secretarios, fedatarios públicos que gestionaban el cobro del arancel[13]. Este arancel por derechos de vista, vigente desde el siglo XVIII, constituía el modo de financiar la Administración de Justicia, con la sola excepción de los Jueces y Fiscales y su retribución. Y es en este marco en el que los Colegios de Abogados se ven obligados a prestar sus servicios, al ser considerados como una institución de beneficencia particular, situación que ha perdurado, en algunos casos, hasta nuestros días.

---

[11]   Bádenas Zamora, Antonio, *El derecho a la justicia de balde en la Ley de Enjuiciamiento Civil de 1855*, AHDE, tomo LXXXIV, 2014. A efectos comparativos cita el autor a Javier María Díez de Ulzurrun, que ofrece un panorama de los salarios de entonces: *"el jornal del campesino oscilaba entre los 5,50 y los 7 reales, en las Comandancias militares, un comandante de primera clase cobraba 16.000 reales anuales; un capitán primero 12.000 reales, y un teniente 6.000 reales; en la Guardia Civil, un coronel cobraba 36.000 reales; el capitán primero 20.000 reales; el teniente 8.000 reales y un guardia civil de primera clase 3.102 reales"*.

[12]   Guasp, Jaime, *Derecho Procesal Civil*, 4ª edición, revisada y adaptada por Aragoneses, Pedro, Tomo I, Introducción, parte general y procesos declarativos y de ejecución ordinarios, Civitas, Madrid, 1998, págs. 541 a 556. Señala: *"No es difícil, hallar el fundamento del reconocimiento de ese derecho que tantas y tan variadas denominaciones ha tenido. Su existencia está justificada por los propios principios del derecho natural y de la equidad y por las exigencias de la justicia social de nuestra época. De forma más o menos amplia, siempre ha sido reconocido en todos los ordenamientos jurídicos, aunque con las fórmulas hoy inaceptables de tratarse de un 'beneficio' y por consecuencia de un 'privilegio procesal'"*.

[13]   Sobre la historia del sistema resulta imprescindible el volumen de Bádenas Zamora, Antonio, *El patrocinio del justiciable pobre en la España liberal (1833-1868)*, Dykinson, Madrid, 2005.

La evolución hacia la Justicia entendida como servicio público y financiada mediante los presupuestos generales del Estado, es un logro muy cercano del Estado Social y Democrático de Derecho. El nuevo modelo tiene su plasmación en la Ley de 8 de junio de 1947 sobre organización del secretariado y personal auxiliar y subalterno de la Administración de Justicia, ya que solo desde entonces quienes gestionaban los aspectos no jurisdiccionales del servicio adquieren la condición de funcionarios y pasan a ser retribuidos por el Estado[14]. La recaudación de tasas mediante efectos timbrados se regulaba por el Decreto 1035/59, de 18 de junio, por el que se convalida y regula la exacción de las tasas judiciales, que había permitido la supervivencia de estas tasas, recaudadas conforme al arancel, al amparo de la Ley de 26 de diciembre de 1958, reguladora de tasas y exacciones parafiscales[15]. Fue después sustituida por el gravamen de actos jurídicos documentados[16]. Finalmente, el arancel se suprimirá por la Ley Orgánica 6/1985, de 1 de julio, del Poder Judicial.

Paralela a esta historia corre la de la Abogacía. Pervivía el entendimiento de que la obligación de prestar asistencia a quien no tuviera medios para pagar su defensa suponía una carga u obligación personal impuesta a abogados y procuradores, casi a título de prestación personal de trabajo forzoso[17]. Y, en todo caso los abogados no recibían por su trabajo ni retribución

---

[14]   Un relato más completo puede encontrarse en el interesante estudio de Ortuño Muñoz, Pascual, *Del arancel a la modernidad, pasando por las tasas y desplazamientos (notas históricas sobre el modelo de oficina judicial español)*, Conferencia inaugural del Curso 2011 en la Escuela Judicial Española, Madrid, 2011. Accesible en www.juecesdemocracia.es.

[15]   Sobre el particular véase el informe de Palma Fernández, José Luis, *La posible implantación del copago en la justicia*, Informe 5/2012, en *Informes de la Comisión Jurídica del Consejo General de la Abogacía Española*, 2012, pag 97 y ss, Abogacía Española y Tirant Lo Blanch, Valencia, 2013.

[16]   El Tribunal Constitucional por Sentencia 141/1988, de 12 de julio, declaró inconstitucional y nulo el inciso del artículo 57.1 del antiguo texto refundido de la Ley del impuesto de transmisiones patrimoniales y actos jurídicos documentados, aprobado por Real Decreto Legislativo 3050/1980, de 30 de diciembre, que privaba de efecto en los Tribunales, prohibiendo incluso su admisión ante ellos, a los documentos sujetos al impuesto si no se justificaba el pago del tributo. La ratio decidendi de la sentencia se basa en el razonamiento de que no cabe establecer tasas judiciales que no tengan vinculación con el objeto y finalidad del proceso: su finalidad recaudatoria no está vinculada con el concreto servicio público sobre el que las tasas recaen.

[17]   Buena muestra de lo expuesto es el informe del Tribunal de Cuentas de 1985 que destaca por sus peculiaridades el sistema del Colegio de Abogados de Barcelona.

ni indemnización, hasta fecha tan reciente como 1974, siendo, ya en esta época, los únicos profesionales que se veían obligados por Ley a prestar un servicio en estas condiciones. Las causas de excusa, por otra parte, estaban estrictamente tasadas y estas obligaciones aún se reflejaban en el Estatuto de la Abogacía, aprobado por Real Decreto 2090/1982, de 24 de julio[18].

Podría decirse que el entendimiento del turno de oficio como servicio público en sentido estricto tiene su origen en el año 1974, cuando se empieza a pagar la subvención por los servicios del turno de oficio a los Colegios de Abogados[19]. El sistema se basa en la Ley 42/1974, de 28 de noviembre, de Bases, Orgánica de la Justicia, que dedica la Base XXI a los Abogados y Procuradores y se desarrolla por la Ley 49/1974, de 19 de diciembre, de Presupuestos Generales del Estado para 1975, que dispone: *"Artículo cincuenta y seis. El Gobierno, a propuesta del Ministro de Justicia, previo informe del de Hacienda, regulará el procedimiento a seguir en la distribución del crédito consignado en el Presupuesto de aquel Departamento, con destino a la indemnización de las actuaciones de Abogados y Procuradores en turno de oficio"*.

En el mismo año se pone en práctica el sistema y comienzan a pagarse las subvenciones, sin más reflejo legal o reglamentario que el que se ha expuesto[20]. Es decir, no existe en este momento una *"publicatio"* del servicio

---

El turno de oficio era obligatorio para todos los colegiados, pero cabía renunciar a los asuntos que correspondían abonando al Colegio la cantidad de 1000 pesetas (los datos son de julio de 1983) para que el caso fuera asumido por el grupo de letrados sustitutos. En el informe se refleja que un 26% de los colegiados se quejaba por tener que pagar al Colegio para ser sustituidos. Como se aprecia en este caso el sistema resultaba peligrosamente semejante a la imposición de una prestación personal forzosa. Tribunal de Cuentas, Informe número 32, de 17 de junio de 1985, que el Pleno del Tribunal de Cuentas eleva a las Cortes Generales. Accesible en www.tcu.es.

[18]   El Estatuto dedica al turno de oficio los artículos 57 y siguientes. En particular, el artículo 59 dispone: *"La defensa profesional de oficio y la de asistencia al detenido no podrá excusarse sino por causa justificada, que apreciará la Junta de Gobierno"*.

[19]   Ley 42/1974, de 28 de noviembre, de Bases, Orgánica de la Justicia. Base XXI: De los Abogados y Procuradores. *"En los casos de defensa de oficio, se establecerá la retribución que por tal servicio corresponda satisfacer"*. En la misma norma consta la intervención preceptiva, exclusiva y excluyente de los citados en toda clase de procesos, acentuando su función de defensa de los derechos y garantías individuales. Y se señala con claridad: *"Artículo 88. Dos. Cuando los Abogados y Procuradores actúen de oficio en defensa y representación de quienes, por carecer de bienes de fortuna, sean declarados exentos del pago de sus honorarios o derechos, serán retribuidos por el Estado"*.

[20]   Como se refleja en el informe del Tribunal de Cuentas de 1985 en 1979 se concedió una subvención total de 896.460.000 pesetas, de las cuales 512.460.000 se

en sentido expreso. Quizá esta sea la razón por la que la calificación del turno de oficio como servicio público no se ha abierto paso hasta tiempos cercanos[21].

En todo caso, ocurre con el servicio de asistencia jurídica gratuita lo que ocurre con el resto: de la beneficencia evolucionamos al servicio público. Como señalaba el Consejo de Estado en su Dictamen 935/1993, de 14 de marzo de 1994, en el expediente sobre la extinción del Real Patronato, Iglesia y Hospital del Buen Suceso:

> *"Ha ocurrido con este Hospital lo que con tantos otros establecimientos de beneficencia fundados por los reyes y prelados de otros tiempos, cuando la labor asistencial corría a cargo de la sociedad y de la Iglesia, y no estaba muy clara la distinción entre lo público y lo privado, entre lo que era del rey y lo que pertenecía al reino. Entonces tenían una función que cumplir; pero ahora, cuando la caridad ha sido reemplazada por la justicia social y la beneficencia por el servicio público, aquellas instituciones, que unas veces fueron de fundación regia y otras se colocaron bajo el real patronato (que no significaba otra cosa sino jurisdicción exenta y derecho de presentación, como se ve en la Bula de Clemente VII), han perdido su razón de ser, sobre todo las que tenían cierto carácter público, y están llamadas a desaparecer, por muy lamentable que sea este fenómeno desde el punto de vista arqueológico".*

En la configuración final del servicio son esenciales los pronunciamientos de los Tribunales y del Consejo de Estado, más en este caso que en otros a falta de una declaración legal de "*publicatio*". Enmarcando este tema dentro del sistema de garantías que establece la Constitución Española para los derechos fundamentales se impone, en primer lugar, una constatación: el derecho a ser defendido de manera gratuita no aparece como tal derecho fundamental de manera expresa en nuestra Constitución. La asistencia jurídica gratuita no aparece en nuestra Constitución como un derecho fundamental reconocido a los ciudadanos y tampoco entre las garantías enumeradas en el artículo 24, que no son pocas.

En un principio, por tanto, parece que su protección no se sujeta a lo previsto en el artículo 53 de la Constitución y que su reconocimiento no es objeto de especial atención por los poderes públicos. Sin embargo, los términos en que la jurisprudencia se expresa asemejan su configuración a la

---

instrumentaron a través de un suplemento de crédito para indemnización de los servicios de asistencia al detenido. La cuantía no dejó de incrementarse, ya que en 1994 alcanzaba a 8000 millones de pesetas para el Estado en su conjunto.

[21] Collado Martínez, Rosa María, *La configuración constitucional y legal del derecho de defensa: la asistencia jurídica gratuita como servicio público, en* Historia de la Abogacía Española, director Muñoz Machado, Santiago, 2 vols., Aranzadi, Madrid, 2015.

de estos derechos y, en particular, el Tribunal Constitucional ha aceptado la vía del recurso de amparo como oportuna para proteger las vulneraciones de este derecho en cuanto pudieran causar indefensión.

En todo caso, el derecho a la asistencia jurídica gratuita, que inicialmente carece del estatuto propio de los derechos fundamentales, lo alcanza en la jurisprudencia del Tribunal Constitucional a través de su conexión con el artículo 24 de la Constitución. Teniendo en cuenta que el artículo 119 dispone: "*Artículo 119. La justicia será gratuita cuando así lo disponga la Ley, y, en todo caso, respecto de quienes acrediten insuficiencia de recursos para litigar*".

No es el momento oportuno para reseñar la doctrina completa del Tribunal Constitucional en la materia. Baste decir que los aspectos básicos se centran en delimitar el contenido esencial del derecho, concebido como un derecho prestacional de configuración legal, y fijar los límites que el legislador puede imponer para salvaguardar la eficacia del sistema de asignación de recursos públicos y garantizar el acceso de los ciudadanos a la justicia. Es esencial para el tema la Sentencia 16/1994, de 17 de febrero de 1994[22], que fija un núcleo indisponible que supone que "*la justicia gratuita debe reconocerse a quienes no puedan hacer frente a los gastos originados por el proceso (incluidos los honorarios de los Abogados y los derechos arancelarios de los Procuradores, cuando su intervención sea preceptiva o necesaria en atención a las características del caso) sin dejar de atender a sus necesidades vitales y a las de su familia*". El Tribunal Constitucional, en esta y otra sentencias[23] insiste en dejar claramente establecida la responsabilidad pública en cuanto existe un deber positivo del Estado de garantizar el derecho de acceso a la justicia o, lo que es lo mismo, el derecho de acceso a la tutela judicial efectiva.

Y en la misma línea de argumentación jurídica se manifiestan el Tribunal Supremo, por ejemplo, en Sentencia de 21 de septiembre de 2000, en la que aclara que el precepto "*ha de ser analizado con las mismas pautas que los preceptos relativos a los derechos fundamentales*", basándose en la tesis de la directa vinculación entre los derechos reconocidos en el artículo 24 de la Constitución y los reconocidos en relación con la insuficiencia de recursos para litigar. Así lo ha entendido también el Consejo de Estado en su Dictamen 1059/2013, de 19 de diciembre de 2013, del Consejo de Estado en Pleno, sobre el expediente relativo al anteproyecto de Ley de Asistencia

---

[22]   Son también de gran relevancia las Sentencias 95/2003, de 10 de junio de 2003 y 12/1998, de 15 de enero de 1998.

[23]   *Bachmaier, Lorena, La asistencia jurídica gratuita*, 2ª ed., Comares, Granada, 1999.

Jurídica Gratuita[24], por citar el último de una larga línea doctrinal en el mismo sentido.

La configuración de la asistencia jurídica como un derecho prestacional se plasma en los Acuerdos sobre justicia gratuita y turno de oficio que se firmaron el 13 de febrero de 1990 en Madrid con los Colegios de Abogados y Procuradores, origen de un anteproyecto de Ley sobre el beneficio de ayuda legal[25] que se convirtió, tras algunas modificaciones y con la incorporación de los Acuerdos de 1994[26], en el germen de la actual Ley 1/1996, de 10 de enero, de asistencia jurídica gratuita. En su momento se planteó la creación de un nuevo cuerpo de funcionarios, llamados Abogados Sociales, para atender estas demandas de justicia gratuita. La idea no fructificó, probamente por el costo que suponía. Resultaba más sensato encomendar la tarea a las corporaciones ya constituidas, es decir, los Colegios de Abogados y Procuradores.

La Ley 1/1996, de 10 de enero, de asistencia jurídica gratuita, ha permitido un desenvolvimiento pacífico del sistema. Los Colegios de Abogados se ocupan de la gestión del servicio, por encomienda del Estado[27]. Designan defensores, se ocupan de la especialización y capacitación de los abogados y justifican el uso de las subvenciones, ofreciendo además los datos estadísticos necesarios[28].

En estas etapas iniciales el servicio se mantiene en las líneas clásicas, es decir, asesoramiento a un justiciable y para un proceso en concreto, en la línea que podría calificarse de procesal. Pero a finales de los 90 comenza-

---

[24]   Puede consultarse en www.consejo-estado.es tanto este como todos los demás sobre el tema.

[25]   Los firmantes fueron Enrique Múgica, Ministro de justicia y Antonio Pedrol Rius, Presidente del Consejo General de la Abogacía Española.

[26]   La Ley 1/1996, de 10 de enero fue precedida por la Ley 25/1986, de 14 de diciembre, de supresión de tasas judiciales. Unos años después las tasas revivieron en la Ley 10/2012, de 20 de noviembre, por la que se regulan determinadas tasas en el ámbito de la Administración de Justicia y del Instituto Nacional de Toxicología y Ciencias Forenses

[27]   Las decisiones finales corresponden a unos nuevos órganos administrativos, las Comisiones de Asistencia Jurídica Gratuita, formalmente responsables de la decisión final, que cuentan con representación de las Administraciones, los Colegios y la Jurisdicción.

[28]   La obligación impuesta por las normas de justificar los importes y ofrecer datos estadísticos se ha instrumentado a través del Observatorio de la Justicia Gratuita publicado anualmente por el Consejo General de la Abogacía en colaboración con la editorial Wolters Kluwer (antes La Ley).

ron a aparecer los servicios de orientación jurídica[29] destinados a colectivos especialmente vulnerables. Con los servicios de asistencia y orientación a presos, mujeres, menores, mayores, emigrantes y otros grupos, la Abogacía trata de anticiparse al reconocimiento por el Estado de las demandas de la sociedad, en muchos casos mediante convenios con las Administraciones públicas que subvencionan el servicio de forma parcial, pero en muchos otros a instancia de los Colegios de Abogados y pagados con sus propios fondos. Bien en cierto que todos aquellos servicios se expanden por imitación. Lo usual es que sea el propio Colegio de Abogados quien lo presta, a iniciativa propia y con sus propios recursos, poco después la Administración más cercana se implica y asume parte de la financiación mediante subvención. Con el paso del tiempo se desarrolla el mismo servicio por otros Colegios de Abogados hasta terminar por cerrar el entramado.

Podría considerarse esta expansión de la oferta jurídica como un primer paso hacia el servicio público en el Estado Social. La abogacía abandona el modelo procesal, según el cual la asistencia se presta en el seno de un proceso concreto y para un concreto justiciable, y se encamina hacia un modelo en que la igualdad de oportunidades ante la Ley permite ofrecer servicios a los grupos en que se integra el individuo[30].

Pero en este camino la Abogacía institucional ha encontrado algunos competidores, ya que la oferta de servicios jurídicos gratuitos no deja de ampliarse. *En cierto modo el abandono del modelo procesal implicaba un riesgo. Por decirlo de otra forma: la cualificación profesional como Abogado se requiere para una actuación ante los Tribunales. Si se trata de un asesoramiento previo, no parece imprescindible esta calificación y bastará con la ayuda de licenciados en derecho, en el mejor de los casos, o de especialistas en el grupo de que se trate, en algunos casos con dudosa preparación.* Por otra parte, el éxito del modelo llevaba en si el germen de su ampliación: la prestación de servicios gratuitos por parte de los Abogados se extiende después a psicólogos, asistentes sociales y peritos. Y posteriormente a asociaciones, fundaciones y organización no guberna-

---

[29]   En el Informe sobre la asistencia jurídica a los extranjeros en España del Defensor del Pueblo se cita como ejemplo el Servicio de Asesoramiento y Orientación para Inmigrantes en Zaragoza, surgido de la iniciativa de los abogados del Colegio, preocupados por la situación legal y la indefensión en la que se encontraban los inmigrantes en Zaragoza. Véase Tribunal de Cuentas, *Informe sobre la asistencia jurídica a los extranjeros en España*, Madrid, Defensor del Pueblo, 2005. Accesible en www.tcu.es.

[30]   Collado Martínez, Rosa María, *La asistencia jurídica gratuita en el Estado social*, Abogados, *Revista del Consejo General de la Abogacía, número 83, diciembre de 2013.*

mentales que en un primer momento prestan los servicios de balde para pasar después a recibir las correspondientes subvenciones, una vez creada la necesidad.

Es importante retener que la prestación de asistencia jurídica gratuita en el modelo español, basada en la Ley de Asistencia Jurídica Gratuita, reúne todas las características de un auténtico servicio público. Se presta a todos los ciudadanos que lo solicitan, y también en algunos casos a los extranjeros. Y se presta en razón de un criterio objetivo: la situación económica de los solicitantes, aun cuando cabe una apreciación subjetiva acorde con la jurisprudencia constitucional, que posibilita efectuar el reconocimiento excepcional del derecho a personas cuya situación económica excede del módulo legal pero que, sin embargo, afrontan unas circunstancias de una u otra índole que deben ser ponderadas y que hacen conveniente ese reconocimiento. No se juzga, por tanto, la bondad de la pretensión ni las razones que llevan a un determinado individuo a solicitar asesoramiento legal, de modo que tanto puede conseguirlo un hombre acusado de maltratar a su pareja como la pareja maltratada de este. Y desde este punto de vista el ciudadano se configura como un auténtico usuario del servicio.

Y es imprescindible destacar que son también beneficiarias de asistencia jurídica gratuita algunas personas jurídicas, consideradas por el legislador como merecedoras de tal beneficio. Así lo dispone el artículo 2 de la Ley 1/1996, de 10 de enero, de asistencia jurídica gratuita, que incluye en su ámbito subjetivo:

> "Artículo 2. Ámbito personal de aplicación.
>
> En los términos y con el alcance previstos en esta ley y en los tratados y convenios internacionales sobre la materia en los que España sea parte, tendrán derecho a la asistencia jurídica gratuita:
>
> a) Los ciudadanos españoles, los nacionales de los demás Estados miembros de la Unión Europea y los extranjeros que se encuentren en España, cuando acrediten insuficiencia de recursos para litigar.
>
> b) Las Entidades Gestoras y Servicios Comunes de la Seguridad Social, en todo caso.
>
> c) Las siguientes personas jurídicas cuando acrediten insuficiencia de recursos para litigar:
>
> 1.º Asociaciones de utilidad pública, previstas en el artículo 32 de la Ley Orgánica 1/2002, de 22 de marzo, reguladora del Derecho de Asociación
>
> 2.º Fundaciones inscritas en el Registro Público correspondiente".

En este, caso la acreditación de insuficiencia de recursos para litigar se computa del siguiente modo: "*artículo 3.5. Se reconocerá el derecho de asistencia jurídica gratuita a las personas jurídicas mencionadas en el apartado c) del artículo anterior, cuando careciendo de patrimonio suficiente el resultado contable de la entidad en cómputo anual fuese inferior a la cantidad equivalente al triple del indicador público de renta de efectos múltiples".* La previsión se completa con la disposición adicional segunda de la Ley 1/1996, de 10 de enero, de asistencia jurídica gratuita, que lo concede a la Cruz Roja Española, a las Asociaciones de Consumidores y Usuarios y a las asociaciones de utilidad pública que tengan como fin la promoción y defensa de los derechos de las personas con discapacidad señaladas en el artículo 1.2 de la Ley 51/2003, de 2 de diciembre, de igualdad de oportunidades, no discriminación y accesibilidad universal de las personas con discapacidad[31]. Y, además, y con independencia de la existencia de recursos para litigar, se reconoce el derecho de asistencia jurídica gratuita a las asociaciones que tengan como fin la promoción y defensa de los derechos de las víctimas del terrorismo, señaladas en la Ley 29/2011, de 22 de septiembre, de reconocimiento y protección integral a las víctimas del terrorismo.

El derecho a la asistencia jurídica gratuita se concede, en todo caso y sin necesidad de acreditar insuficiencia de recursos a trabajadores y beneficiarios de la Seguridad Social, a las víctimas de violencia de género, de terrorismo y de trata de seres humanos en aquellos procesos que tengan vinculación, deriven o sean consecuencia de su condición de víctimas, así como a los menores de edad y las personas con discapacidad intelectual o enfermedad mental cuando sean víctimas de situaciones de abuso o maltrato y a quienes a causa de un accidente acrediten secuelas permanentes que les impidan totalmente la realización de las tareas de su ocupación laboral o profesional habitual y requieran la ayuda de otras personas para realizar las actividades más esenciales de la vida diaria.

---

[31]   Ley 1/1996, de 10 de enero, de Asistencia Jurídica Gratuita
    "Disposición adicional segunda.
    Sin perjuicio de lo dispuesto en el artículo 2, la Cruz Roja Española tendrá reconocido el derecho a la asistencia jurídica gratuita, sin necesidad de acreditar insuficiencia de recursos para litigar.
    Igual derecho asistirá a las Asociaciones de Consumidores y Usuarios, en los términos previstos en el artículo 2.2 de la Ley 26/1984, de 19 de julio, para la Defensa de los Consumidores y Usuarios.
    También se reconoce el derecho a la asistencia jurídica gratuita, sin necesidad de acreditar insuficiencia de recursos para litigar, a las asociaciones de utilidad pública que tengan como fin la promoción y defensa de los derechos de las personas con discapacidad señaladas en el artículo 1.2 de la Ley 51/2003, de 2 de diciembre, de igualdad de oportunidades, no discriminación y accesibilidad universal de las personas con discapacidad".

De forma coherente con este concepto, el servicio se financia por partidas asignadas a título de subvenciones en los Presupuestos Generales del Estado y de las Comunidades Autónomas con competencias en la materia[32]. Existen, en algunos casos, convenios específicos para la prestación de servicios de asistencia jurídica gratuita a grupos de personas concretas, ya sean presos, menores, mayores, víctimas de violencia de género, etc.

Pero, y es importante destacar este dato, estas decisiones sobre la mayor o menor necesidad de protección de algunos ciudadanos están avaladas por decisiones del legislador.

Valga como ejemplo la Ley Orgánica 1/2004, de 28 de diciembre, de Medidas de Protección Integral contra la Violencia de Género, que dispone:

> *"Artículo 20. Asistencia jurídica.*
>
> *1. Las víctimas de violencia de género tienen derecho a recibir asesoramiento jurídico gratuito en el momento inmediatamente previo a la interposición de la denuncia, y a la defensa y representación gratuitas por abogado y procurador en todos los procesos y procedimientos administrativos que tengan causa directa o indirecta en la violencia padecida. En estos supuestos, una misma dirección letrada deberá asumir la defensa de la víctima, siempre que con ello se garantice debidamente su derecho de defensa. Este derecho asistirá también a los causahabientes en caso de fallecimiento de la víctima, siempre que no fueran partícipes en los hechos. En todo caso, se garantizará la defensa jurídica, gratuita y especializada de forma inmediata a todas las víctimas de violencia de género que lo soliciten.*
>
> *2. En todo caso, cuando se trate de garantizar la defensa y asistencia jurídica a las víctimas de violencia de género, se procederá de conformidad con lo dispuesto en la Ley 1/1996, de 10 enero, de Asistencia Jurídica Gratuita".*

La norma impone nuevas obligaciones a los Colegios de Abogados y Procuradores, tanto en materia de especialización para los Letrados como en materia de designación inmediata de asesor[33]. Y el sistema se completa con el derecho de información de las víctimas, cubierto por el artículo 18,

---

[32] Las competencias en la materia no han sido asumidas por las Comunidades Autónomas de Castilla y León, Murcia, Castilla-La Mancha, Baleares y Extremadura, en las que el Estado sigue ejerciendo la totalidad de las funciones de gestión, así como en las Ciudades de Ceuta y Melilla.

[33] Ley Orgánica 1/2004, de 28 de diciembre, de Medidas de Protección Integral contra la Violencia de Género:
"Artículo 20. Asistencia jurídica.
1.(…).
3. Los Colegios de Abogados, cuando exijan para el ejercicio del turno de oficio cursos de especialización, asegurarán una formación específica que coadyuve al ejercicio profesional de una defensa eficaz en materia de violencia de género.

que incluye el *"asesoramiento adecuado a su situación personal, a través de los servicios, organismos u oficinas que puedan disponer las Administraciones Públicas"*, a través de *"servicios sociales de atención"* que deben crear Ayuntamientos y Corporaciones Locales[34].

---

4. Igualmente, los Colegios de Abogados adoptarán las medidas necesarias para la designación urgente de letrado o letrada de oficio en los procedimientos que se sigan por violencia de género y para asegurar su inmediata presencia y asistencia a las víctimas.

5. Los Colegios de Procuradores adoptarán las medidas necesarias para la designación urgente de procurador o procuradora en los procedimientos que se sigan por violencia de género cuando la víctima desee personarse como acusación particular.

6. El abogado o abogada designado para la víctima tendrá también habilitación legal para la representación procesal de aquella hasta la designación del procurador o procuradora, en tanto la víctima no se haya personado como acusación conforme a lo dispuesto en el apartado siguiente. Hasta entonces cumplirá el abogado o abogada el deber de señalamiento de domicilio a efectos de notificaciones y traslados de documentos.

7. Las víctimas de violencia de género podrán personarse como acusación particular en cualquier momento del procedimiento si bien ello no permitirá retrotraer ni reiterar las actuaciones ya practicadas antes de su personación, ni podrá suponer una merma del derecho de defensa del acusado".

[34] Ley Orgánica 1/2004, de 28 de diciembre, de Medidas de Protección Integral contra la Violencia de Género

"Artículo 19. Derecho a la asistencia social integral.

1. Las mujeres víctimas de violencia de género tienen derecho a servicios sociales de atención, de emergencia, de apoyo y acogida y de recuperación integral. La organización de estos servicios por parte de las Comunidades Autónomas y las Corporaciones Locales, responderá a los principios de atención permanente, actuación urgente, especialización de prestaciones y multidisciplinariedad profesional.

2. La atención multidisciplinar implicará especialmente:

a) Información a las víctimas.

b) Atención psicológica. c) Apoyo social.

d) Seguimiento de las reclamaciones de los derechos de la mujer.

e) Apoyo educativo a la unidad familiar.

f) Formación preventiva en los valores de igualdad dirigida a su desarrollo personal y a la adquisición de habilidades en la resolución no violenta de conflictos.

g) Apoyo a la formación e inserción laboral.

3. Los servicios adoptarán fórmulas organizativas que, por la especialización de su personal, por sus características de convergencia e integración de acciones, garanticen la efectividad de los indicados principios.

4. Estos servicios actuarán coordinadamente y en colaboración con los Cuerpos de Seguridad, los Jueces de Violencia sobre la Mujer, los servicios sanitarios y las instituciones encargadas de prestar asistencia jurídica a las víctimas, del ámbito geográfico correspondiente. Estos servicios podrán solicitar al Juez las medidas urgentes que consideren necesarias.

5. También tendrán derecho a la asistencia social integral a través de estos servicios sociales los menores que se encuentren bajo la patria potestad o guarda y custodia de la persona

Otro ejemplo puede encontrarse en los derechos de las víctimas. En efecto, la incorporación de nuevos derechos para las víctimas procede de la reforma de la Ley 1/1996, de 10 de enero, de Asistencia Jurídica Gratuita, que tuvo lugar mediante el Real Decreto-ley 3/2013, de 22 de febrero, por el que se modifica el régimen de las tasas en el ámbito de la Administración de Justicia y el sistema de Asistencia Jurídica Gratuita. La implantación de una tasa, hoy derogada, tuvo como contrapartida la ampliación de los sujetos con derecho a asistencia jurídica gratuita.

La norma citada se expresa así en el artículo 2 del Real Decreto-ley 3/2013, de 22 de febrero:

Artículo 2. Modificación de la Ley 1/1996, de 10 de enero, de Asistencia Jurídica Gratuita.

Uno. Se añaden las siguientes letras al artículo 2:

"g) Con independencia de la existencia de recursos para litigar, se reconoce el derecho de asistencia jurídica gratuita, que se les prestará de inmediato, a las víctimas de violencia de género, de terrorismo y de trata de seres humanos en aquellos procesos que tengan vinculación, deriven o sean consecuencia de su condición de víctimas, así como a los menores de edad y las personas con discapacidad psíquica cuando sean víctimas de situaciones de abuso o maltrato.

Este derecho asistirá también a los causahabientes en caso de fallecimiento de la víctima, siempre que no fuera el agresor.

A los efectos de la concesión del beneficio de justicia gratuita, la condición de víctima se adquirirá cuando se formule denuncia o querella, o se inicie un procedimiento penal, por alguno de los delitos a que se refiere este apartado, y se mantendrá mientras permanezca en vigor el procedimiento penal o cuando, tras su finalización, se hubiere dictado sentencia condenatoria. El beneficio de justifica gratuita se perderá en caso de sentencia absolutoria firme o archivo firme del procedimiento penal, sin la obligación de abonar el coste de las prestaciones disfrutadas gratuitamente hasta ese momento.

h) Con independencia de la existencia de recursos para litigar, se reconoce el derecho de asistencia jurídica gratuita a quienes a causa de un accidente acrediten secuelas permanentes que les impidan totalmente la realización de las tareas de su ocupación

---

agredida. A estos efectos, los servicios sociales deberán contar con personal específicamente formado para atender a los menores, con el fin de prevenir y evitar de forma eficaz las situaciones que puedan comportar daños psíquicos y físicos a los menores que viven en entornos familiares donde existe violencia de género.

6. En los instrumentos y procedimientos de cooperación entre la Administración General del Estado y la Administración de las Comunidades Autónomas en las materias reguladas en este artículo, se incluirán compromisos de aportación, por parte de la Administración General del Estado, de recursos financieros referidos específicamente a la prestación de los servicios.

7. Los organismos de igualdad orientarán y valorarán los programas y acciones que se lleven a cabo y emitirán recomendaciones para su mejora".

laboral o profesional habitual y requieran la ayuda de otras personas para realizar las actividades más esenciales de la vida diaria, cuando el objeto del litigio sea la reclamación de indemnización por los daños personales y morales sufridos".

En esta línea se mueven la Ley 26/2015, de 28 de julio, de modificación del sistema de protección a la infancia y a la adolescencia, y la Ley 29/2011, de 22 de septiembre, de Reconocimiento y Protección Integral a las Víctimas del Terrorismo[35].

A estas decisiones del legislador estatal sobre grupos o colectivos merecedores de una especial protección han venido a sumarse los legisladores autonómicos en nuevas líneas. Valga como ejemplo la Ley 3/2016, de 22 de julio, de Protección Integral contra LGTBIfobia y la Discriminación por Razón de Orientación e Identidad Sexual en la Comunidad de Madrid, que prevé medidas de apoyo y asistencia jurídica, encomendadas al Programa Madrileño de Información y Atención LGTBI de la Comunidad de Madrid, y desarrolladas en estos términos:

"Artículo 10. Apoyo y protección a personas LGTBI y su entorno familiar.

1. La Comunidad de Madrid garantizará, mediante las organizaciones LGTBI regionales con experiencia en la materia y el Programa de Información y Atención LGTBI, que pasará a denominarse Programa Madrileño de Información y Atención LGTBI, dependiente de la Consejería competente en materia de servicios sociales, la información, atención, formación, sensibilización y asesoramiento especializado en relación a las personas LGTBI, con especial atención a su entorno familiar y relacional. A través de dichas asociaciones y Programa se llevarán a cabo las siguientes funciones, sin perjuicio de las que puedan establecerse reglamentariamente:

---

[35] Ley 29/2011, de 22 de septiembre, de Reconocimiento y Protección Integral a las Víctimas del Terrorismo. Principios rectores y derechos de la víctima de terrorismo ante los Tribunales españoles
"Artículo 48. Derecho a la asistencia jurídica gratuita.
1. Las víctimas del terrorismo a que se refiere el artículo 4, en sus apartados 1 y 2, que acrediten insuficiencia de recursos para litigar, en los términos establecidos en la Ley 1/1996, de 10 de enero, de Asistencia Jurídica Gratuita, tienen derecho a la representación y defensa gratuitas por Abogado y Procurador en todos los procesos y procedimientos administrativos que tengan causa directa o indirecta en la situación que provoca la citada condición. En estos supuestos, una misma dirección letrada asumirá la defensa de la víctima.
Este derecho asistirá también a las personas a que se refiere el artículo 4 en caso de fallecimiento de la víctima.
2. En todo caso, se garantizará la asistencia jurídica gratuita de forma inmediata a todas las víctimas del terrorismo que lo soliciten, sin perjuicio de que si no se les reconoce con posterioridad el citado derecho, deberán abonar al Abogado y al Procurador, en su caso, los honorarios devengados por su intervención".

a) Prestar información, orientación y asesoramiento, incluido el legal y de asistencia psicológica y social a las personas LGTBI, en todas las etapas de su vida, con inclusión de sus familiares y personas allegadas en relación con las necesidades de apoyo específicamente ligadas a su orientación sexual o identidad de género.

(...)".

En este camino transitan todas las Comunidades Autónomas. Por poner otros ejemplos, la Ley foral 12/2009, de 19 de noviembre, de no discriminación por motivos de identidad de género y de reconocimiento de los derechos de las personas transexuales y la Ley 12/2015, de 8 de abril, de igualdad social de lesbianas, gais, bisexuales, transexuales, transgénero e intersexuales y de políticas públicas contra la discriminación por orientación sexual e identidad de género en la Comunidad Autónoma de Extremadura.

Y aún quedaría por citar la progresiva asunción de servicios de asistencia jurídica por parte de las Corporaciones Locales, asunto al que se hará mención posteriormente.

De lo expuesto hasta ahora se pueden deducir dos conclusiones iniciales. La primera es que la primitiva concepción de la asistencia jurídica como un derecho en el marco de un proceso se ha visto ampliamente superada por una concepción de la llamada *"asistencia jurídica integral"*, que incluye junto al asesoramiento para la defensa de los derechos el estudio general del estatus del protegido, sus derechos a tratamientos sanitarios o psicológicos, las posibles ayudas o subvenciones y el resto de los beneficios que el ordenamiento confiere a quien forma parte de uno de estos colectivos. Otra cuestión es a quién se encomienda la prestación de estos servicios de *"asistencia jurídica integral"*, que parece exigir, según algunas normas bienintencionadas, una mayor sensibilización que la mera y fría prestación de asesoramiento en derecho.

La segunda conclusión afecta a la ampliación del campo de sujetos dignos de protección y su difuminación. El sistema clásico se refiere al ciudadano, entendido como tal, sujeto individual que pretende defenderse en un proceso, frente a un despido, frente a una sanción o frente a una particular situación jurídica. Las nuevas normas se ocupan de grupos o colectivos, sin que resulte relevante su situación personal, su nivel de renta o su desprotección objetiva. Como se puede apreciar, la protección se dispensa por las Administraciones no a quien puede acreditar su situación de necesidad para acceder a la defensa en derecho sino a quien pertenece al grupo, sea cual sea su situación personal o patrimonial. Por decirlo de otro modo merece idéntica protección la mujer víctima de violencia de género cuyos medios económicos le permiten acceder a un abogado que aquella que no puede permitírselo. Este proceso de sustitución de la figura del ciudadano por la figura del grupo puede llegar a tener consecuencias indeseadas en las decisiones sobre gestión de los recursos públicos y su asignación. Pero lo que es evidente es que tiene gran incidencia sobre la configuración del servicio.

II. LA OFERTA DE ASESORAMIENTO

Asistimos en este momento, como se ha visto, a un gran despliegue de la demanda de asesoramiento, paralelo a un incremento de la oferta de asesoramiento. Las causas son varias, empezando por la propia complejidad del ordenamiento jurídico. Resulta literalmente imposible leer lo que se publica en un solo día en el Boletín Oficial del Estado, el Diario Oficial de la Unión Europea y los Boletines de las Comunidades Autónomas. Y, por tanto, resulta muy difícil conocer el derecho aplicable. La aplicación del derecho se ha convertido en una tarea de detectives que indagan en las fuentes buscando la norma aplicable.

Otro de los factores que contribuyen es el fenómeno de expansión de los estatutos específicos aplicables a las víctimas. Se observa que se multiplican las normas especiales para grupos de ciudadanos que son considerados como víctimas. Desde las víctimas del terrorismo y las de la violencia de género, el fenómeno se amplía para incluir a quienes sufren determinadas enfermedades, los niños víctimas de acoso escolar, los discapacitados o personas con capacidades especiales, los adultos víctimas de acoso laboral, quienes sufren un desahucio y un sinfín de posibilidades adicionales. Incluso, como se verá, se ha llegado a calificar de "víctimas" susceptibles y necesitadas de protección jurídica a los animales.

Y para cada uno de estos grupos existen demandas de asesoramiento y ofertas jurídicas especializadas. En un principio cualquiera podría pensar que son los abogados quienes responden a estas demandas, pero es oportuno preguntarse si esta respuesta inicial es correcta. Quedó ya establecido que tanto el Estado como las Comunidades Autónomas se ocupan de ofrecer asistencia jurídica gratuita y asesoramiento para ciudadanos en general y para grupos en particular, pero no son los únicos. Resulta imposible incorporar a este informe todos los datos, por su magnitud, de modo que habrán de bastar algunas notas.

Empezando por las personas jurídico-públicas son muchos los Ayuntamientos que ofrecen asesoría jurídica gratuita a sus vecinos, Ayuntamientos que en tiempos hubieran sido considerados como parte integrante del sistema de establecimientos de "*beneficencia pública*". No pretende este informe ofrecer una información completa del sistema sino, simplemente, relatar algunos ejemplos.

Un primer ejemplo: el Ayuntamiento de Guía, Canarias[36], ofrece a sus vecinos asesoramiento gratuito, un sistema complementario del Turno de Oficio, según la noticia, que no especifica quien lo presta. Al parecer, en el caso del Ayuntamiento de Eibar[37], que ha creado un servicio gratuito de asesoramiento jurídico para personas mayores, el consejo jurídico se prestará por parte de despachos eibarreses de abogados, quienes, tras las consultas, repercutirán al Ayuntamiento el coste de las mismas. El asesoramiento, que abarca compraventas, dependencia, pensiones, impuestos, vivienda, etc., se podrá solicitar una vez al año por cada unidad convivencial. Y la iniciativa se encuadra en la Ley 12/2008, del 5 de diciembre, de Servicios Sociales del País Vasco, que ofrece en su cartera de servicios sociales los servicios de información y orientación, el servicio de información social a la infancia y la adolescencia en situación de desprotección y el servicio de información y atención a mujeres víctimas de violencia doméstica o por razón de sexo.

El Ayuntamiento de Barcelona[38] ofrece también un servicio público y gratuito de asesoramiento, de atención personalizada que abarca temas de derecho de familia, arrendamientos, derecho penal, mediación civil y familiar y derecho administrativo. Cuenta con 15 servicios de orientación jurídica básica, prestados por el Colegio de Abogados de Barcelona tras un Convenio firmado en 2010.

Las fronteras no son obstáculo para la asunción de los servicios. El Ayuntamiento de Madrid ha tratado de impulsar un sistema de asesoramiento jurídico para los refugiados llamado "*Asistencia Jurídica Gratuita a los refugiados en Grecia*". Se trata de que los letrados de los colegios de abogados de Lesbos, Atenas y Pireo puedan informar, asesorar y acompañar a las personas refugiadas que llegan a Grecia, que desconocen las leyes y actualmente no reciben ningún tipo de asistencia legal y para ello contó con el apoyo del

---

[36]   https://www.que.es/ciudades/canarias/el-ayuntamiento-de-guia-ofrece-a-los-vecinos-asesoramiento-juridico-gratuito.html

[37]   https://www.elcorreo.com/gipuzkoa/personas-mayores-asesoramiento-20181120204122-nt.html

[38]   https://w30.bcn.cat/APPS/portaltramits/portal/channel/default.html?&stpid= 20100001481&style=ciudadano&language=es

Ilustre Colegio de Abogados de Madrid[39]. En el mismo Ayuntamiento, por cierto, se ha suscitado no hace mucho un conflicto por la prestación del servicio de asistencia jurídica gratuita al que se hará mención posteriormente.

Además, diversas organizaciones, asociaciones, fundaciones y entidades se suman a esta oferta de servicios de balde. Valgan como muestra algunos ejemplos.

El Comité Español de Representantes de Personas con Discapacidad ofrece un Servicio de Orientación Jurídica[40] para las personas, familias y entidades en supuestos de discriminaciones y tratos desiguales de gravedad, sufridos por razón exclusiva de discapacidad. Se precisa que: "*el CERMI, por insuficiencia de medios, solo atiende los casos derivados de controversias o disputas de carácter jurídico en los que la discapacidad sea un elemento nuclear y determinante. Quedan, pues, descartados los supuestos en los que la presencia de la discapacidad es un factor más de problema, pero no supone la razón de ser de la discriminación o el trato desigual*" y que "*la orientación jurídica del CERMI se limita a un primer consejo y recomendaciones de actuación a la persona o entidad que hayan solicitado el apoyo*". No se especifica quién presta este asesoramiento, ni consta si quienes se ocupan de ello son abogados.

Cáritas Española ha publicado una "*Guía sobre Vulneraciones de derechos laborales en el sector agrícola, la hostelería y los empleos del hogar*"[41]. El objetivo general de la investigación es establecer el marco jurídico en que se desenvuelven estos tres grupos de trabajadores, limitando el estudio a personas que participan en los programas de Cáritas para conocer su situación de vulnerabilidad y la posibilidad de que sean lesionados sus derechos laborales. Una de las conclusiones es que: "*Se ha normalizado la vulneración de los derechos laborales en estos tres sectores. Las personas que trabajan en ellos se encuentran desprotegidas y no se sienten "legitimadas" para acceder al Estado de derecho*".

La Confederación Nacional de Trabajadores, CNT[42], ha abierto un programa contra la precariedad, ofreciendo asesoría laboral a los trabajadores. El sindicato ha creado un servicio gratuito que se instalará en tres barrios de la ciudad de Córdoba, con la finalidad de detectar y denunciar

---

[39]   https://www.lainformacion.com/espana/refugiados-asistencia-Grecia-ICAM-Ayuntamiento_0_955105322/

[40]   https://www.cermi.es/es/orientacion

[41]   https://www.caritas.es/producto/vulneraciones-de-derechos-laborales-en-el-sector-agricola-la-hosteleria-y-los-empleos-del-hogar/

[42]   https://www.diariocordoba.com/noticias/cordobalocal/cnt-va-barrios-ofrecer-asesoria-laboral-trabajadores_1250836.html

vulneraciones de los derechos de los trabajadores[43]. Y la Federación de Servicios de la Unión General de Trabajadores[44] ofrece a sus afiliados un Gabinete de Abogados especialistas en todos los ámbitos relacionados con las reclamaciones en materia laboral incluidas las reclamaciones contra la Seguridad Social, servicio jurídico, por cierto, gratuito.

La Asociación de Víctimas del Terrorismo cuenta también un servicio de asistencia jurídica, formado, en este caso, por *"tres letrados de alta cualificación y experimentados en materia legal vinculada al terrorismo"*, que se ocupan de asesorar a las víctimas[45], actividad complementaria a la asistencia que se presta desde el Ministerio del Interior y desde el Ministerio de Justicia en relación con estas mismas víctimas del terrorismo, sistema completo y complejo que se describe en la Ley 29/2011, de 22 de septiembre, de Reconocimiento y Protección Integral a las Víctimas del Terrorismo.

Capítulo aparte merece el sistema de asistencia a las víctimas de violencia de género. Todas y cada una de las Comunidades Autónomas cuentan con su propio sistema de servicio público gratuito, que se completa con los servicios ofrecidos por los Ayuntamientos. Un buen ejemplo es el sistema creado por la Comunidad Autónoma de Andalucía en la Ley 13/2007, de 26 de noviembre, de medidas de prevención y protección integral contra la violencia de género, modificada por la Ley 7/2018, de 30 de julio, por la que se modifica la Ley 13/2007, de 26 de noviembre, de medidas de prevención y protección integral contra la violencia de género. Por una parte, garantiza la asistencia letrada, en estos términos:

> *"Artículo 35. Asistencia letrada.*
>
> *1. La Administración de la Junta de Andalucía garantizará a las mujeres víctimas de violencia de género el derecho a la orientación jurídica, y a la defensa y asistencia legal, que se asumirán por una misma dirección letrada especializada y una misma representación procesal, desde el momento en que se requiera, y abarcará todos los procesos y procedimientos que tengan causa directa o indirecta en la violencia de género hasta su finalización, incluida la ejecución de la sentencia. Este mismo derecho asistirá también a los causahabientes en caso de fallecimiento de la mujer, de acuerdo con la legislación vigente y desarrollo reglamentario.*
>
> *2. La Administración de la Junta de Andalucía garantizará la asistencia letrada, mediante turno de guardia de los letrados y las letradas durante las 24 horas del día, especializada en violencia de género, a través de los Colegios de Abogados de Andalucía".*

---

[43]   http://www.federaciondeservicios.org/atencion-juridica
[44]   http://www.federaciondeservicios.org/atencion-juridica
[45]   https://avt.org/asociacion/departamentos

Pero esta asistencia letrada que gestionan los Colegios de Abogados se completa con un sistema de atención integral especializada y multidisciplinar, regulado por el artículo 34 y que incluye también la "*Información, asesoramiento y atención jurídica*" y los servicios municipales organizados como "*Centros municipales de información a la mujer*".

Alcanzó cierta notoriedad el caso de doña Juana Rivas, asesorada por doña Francisca Granados, directora de la Unidad de la Mujer del Ayuntamiento de Maracena. Doña Juana Rivas ha sido condenada por la Audiencia de Granada a cinco años de prisión por dos delitos de sustracción de menores, en las personas de sus propios hijos. Uno de los argumentos utilizados por la defensa se basaba en que la acusada llevó a cabo la acción no por dolo sino por imprudencia, dado que carecía de conocimientos legales y actuó en base al asesoramiento recibido de otras personas. La Sentencia de 7 de marzo de 2019 de Sección Primera de la Audiencia de Granada considera que "*tal alegación exculpatoria no puede tener éxito*". Al parecer, quienes son ahora sus abogados han previsto el indulto.

El Ilustre Colegio de Abogados de Granada presentó una querella por presunto delito de intrusismo contra su asesora, que conoció el Juzgado número 3 de Granada. Se argumenta que la Orden de 22 de marzo de 2006, por la que se establece el procedimiento y las bases reguladoras de la concesión de subvenciones por el Instituto Andaluz de la Mujer a Ayuntamientos, Mancomunidades de Municipios y Consorcios para el mantenimiento de los centros municipales de información a la mujer, solo exige que la persona que preste asesoramiento jurídico sea licenciada en derecho[46], de modo que no es imprescindible que sea Abogado o Abogada. En el Auto del Juzgado de Instrucción número 3 de Granada, que archiva las Diligencias Previas abiertas por presunto delito de intrusismo, se expone: "*Si bien es cierto que toda la legislación vigente establece que para el ejercicio de la abogacía es obligatoria la colegiación en un colegio de abogados, dicha colegiación al menos en su configuración actual no constituye título oficial, por lo que el hecho*

---

[46]   Orden de 22 de marzo de 2006, por la que se establece el procedimiento y las bases reguladoras de la concesión de subvenciones por el Instituto Andaluz de la Mujer a Ayuntamientos, Mancomunidades de Municipios y Consorcios para el mantenimiento de los centros municipales de información a la mujer. Según el artículo 4.3a de esta orden estos centros deberán contar con "*personal técnico cualificado para la promoción de igualdad de oportunidades; debiendo disponer de una persona especializada en información y animación socio cultural, contratada a jornada completa, con categoría profesional de, al menos, titulada de grado medio. Así mismo deberán contar con otra persona para asesoramiento jurídico, licenciada en Derecho*".

de que una persona titulada en derecho pudiera hipotéticamente ejercer la abogacía sin estar incorporado como ejerciente en un colegio de abogados español podrá dar lugar a una sanción disciplinaria, pero no configura el delito de intrusismo previsto y penado en el artículo 403 del Código Penal".

Por Auto de 3 de octubre de 2018 la Sección 1ª de la Audiencia Provincial de Granada archiva el recurso de apelación contra el Auto del Juzgado de Instrucción número 3 de Granada, y dispone: *"La querellada ha realizado labores de asesoramiento, según consta en las documentales aportadas así como en la grabación que consta en las actuaciones en la que participa en una rueda de prensa, junto con la Letrada que asistía a Juana Rivas, manifestando la misma que "como asesora jurídica, y en mi calidad de directora de igualdad del Ayuntamiento de Maracena…"… Ciertamente las labores desempeñadas por la querellada, que es licenciada en Derecho y ocupa una plaza de Asesora Jurídica en el Ayuntamiento de Maracena, han sido la de asesoramiento jurídico a una vecina de la localidad a la que acompañaba a los juzgados, a las ruedas de prensa, etc., pero esta labor de asesoramiento no constituye un acto exclusivo de la profesión de abogado, y así nos lo viene a decir la STS, Sala 2ª, nº 934/2006 de 29 de Septiembre, que revocó parcialmente la sentencia de instancia y absolvió a la acusada del delito de intrusismo por el que estaba condenada"… aunque la acusada —según lo más arriba expuesto— "asesorara" a sus víctimas, tal asesoramiento no constituye un acto exclusivo de la profesión de Abogado. Piénsese que el objeto del mismo se desarrollaba en el plano meramente administrativo, y nunca en el judicial ( )".*

La oferta sigue completándose con la expansión en la red. Al parecer existe ya un sistema de micromecenazgo o crowfunding para financiar la contratación de abogados[47].

Se suma a lo expuesto la labor de asesoramiento gratuito que ofrecen las Clínicas Jurídicas de las Universidades[48], que en este momento y salvo

---

[47]   https://murciaeconomia.com/art/45969/la-moda-del-crowdfunding-llega-a-los-juzgados

[48]   Según los datos que ofrece su plataforma la Red universitaria española de Clínicas Jurídicas incluye: CEDAT de la Universidad Rovira i Virgili de Tarragona, Clínica Jurídica de la Universidad Pablo de Olavide, Clínica jurídica del Máster en protección jurídica de las personas y los grupos vulnerables. Universidad de Oviedo, Clínica Jurídica dels Negocis (URV) del Màster Universitari de Dret de l'Empresa i de la Contractació (MUDEC), Clínica Jurídica de Icade, Universidad Pontificia de Comillas, Clínica Jurídica Loiola de la Universidad de Deusto, Clínica Jurídica per la Justicia Social de la Universidad de València, Clínica Jurídica Villanueva del Centro Universitario Villanueva, Clínica Jurídica de la Universidad Internacional de La Rioja, Clínica Jurídica de la Universitat de les Illes Balears, Clínica Legal de

error u omisión, ya son 19. Por poner dos ejemplos, en la Universidad Pontificia de Comillas, ICADE, los alumnos pueden participar en un programa llamado Street Law/Derecho en la calle[49], que pretende *"empoderar a las personas y colectivos en situación más desfavorecida, formándoles para que sean conscientes de sus derechos y ayudándoles a resolver las dudas que puedan tener sobre los mismos"*. A estos efectos ofrece charlas sobre temas socio-jurídicos para las personas y colectivos en situación de riesgo o exclusión, impartidas por Despachos de Abogados y antiguos alumnos. Versan sobre temas como *"Alquileres, hipotecas"*, *"¿Cómo te puedes montar tu propio negocio?"*, *"Entrada y salida de España; arraigo; residencia temporal y trabajo; régimen sancionador; Expulsión y devolución, reagrupación familiar y regularización de menores"*, *"Régimen general de contratación laboral"* o *"Ayudas públicas"*. En la Clínica Jurídica del Instituto de Empresa[50] alumnos y profesores colaboran con Despachos de Abogados en programas pro-bono de ayuda a refugiados, gestión de recursos para solicitantes de asilo o búsqueda de recursos jurídicos innovadores para el financiamiento sostenible de entidades sociales.

Estas posibilidades, con ser muchas, no son todas. Varios Despachos de Abogados han creado sus propias fundaciones, cuyo objeto social guarda relación con las prestaciones propias de servicios de asesoramiento y abogacía. Un buen ejemplo es la Fundación Garrigues, que entre otros fines se plantea colaborar activamente para contribuir al bienestar social de los colectivos menos favorecidos. En el mismo Despacho tienen también un sistema de Abogacía Pro Bono, orientado a entidades sin ánimo de lucro con fines y actividades benéficos, asistenciales, culturales o educativos. Según la informacion ofrecida por el propio despacho *"durante el año 2016 Garrigues prestó asesoramiento legal pro bono a 58 entidades sin ánimo de lucro (lo que representa un incremento del 15 % sobre el número de entidades que se beneficiaron del programa en el año 2015) en proyectos de áreas tan diversas como: constitución de entidades, modificaciones de estatutos, asesoramiento en materia de contratación, asesoramiento recurrente en materia mercantil, fiscal y laboral, asesoramiento en materia de subvenciones de entidades públicas, asesoramiento en temas*

---

la Facultad de Derecho de la Universidad de Alcalá, Dret al Dret: Univ. Barcelona, Legal Clinic de IE University, Universidad Carlos III de Madrid, Universidad del País Vasco (UPV/EHU), Universidad Europea de Madrid, Universidad Miguel Hernández de Elche, Clínica del Observatorio de Derechos Humanos de la Universidad de Valladolid y Clínica Jurídica de Acción Social de la Universidad de Salamanca.

[49]   https://www.icade.comillas.edu/es/street-law
[50]   https://www.ie.edu/es/law-school/areas/educacion-clinica-juridica/

inmobiliarios, asesoramiento integral a entidades que apoyan el emprendimiento y, de forma novedosa en ese año, asesoramiento a entidades sin ánimo de lucro nacionales e internacionales en casos de defensa de derechos humanos". Otro ejemplo es la Fundación Legalitas[51], entidad sin ánimo de lucro, creada en 2013 en el marco de la responsabilidad social corporativa, con la vocación de apoyar a los colectivos más vulnerables de la sociedad y de manera singular a los menores. Entre otros fines trata de desarrollar y modernizar las normas de protección del menor, tanto en el ámbito escolar como en las redes. Basten estos dos ejemplos para apreciar hasta qué punto se ha extendido el fenómeno: la mayor parte de los Despachos de cierta entidad ofrecen trabajo pro bono[52].

En el caso de la Fundación Fernando Pombo se orienta a la promoción y defensa de los derechos humanos, del Estado de derecho y de los valores democráticos, así como a la *"asistencia jurídica gratuita mediante el trabajo pro bono"*. Entre sus últimos proyectos se puede destacar la elaboración y edición de la *"Guía práctica de asistencia jurídica en centros de internamiento de extranjeros"*, que pretende posibilitar que los abogados y entidades sociales que prestan orientación y asesoramiento jurídico a personas migrantes dispongan de una herramienta útil y práctica que les permita ofrecer una atención más eficaz, contribuyendo así a fortalecer la protección jurídica de este colectivo. Recientemente ha creado una criptodivisa propia, destinada en una primera fase, a financiar proyectos pro bono, una criptomoneda llamada Pombo[53]. y se describe de este modo: *"Una vez que se adquieren los Pombos, el comprador tiene que seleccionar el proyecto que desea financiar y, a través de un contrato inteligente, su aportación queda registrada y los tokens (unidad de moneda virtual) son transferidos al monedero virtual de cada una de las iniciativas sociales disponibles"*. Cada moneda da derecho a una hora de trabajo

---

[51]   http://www.fundacionlegalitas.com/
[52]   Este aspecto suscita la crítica de los defensores del turno de oficio, que estiman que solo las grandes firmas pueden permitirse el lujo de dedicar sus recursos a este modo de Abogacía. Vease, por ejemplo, García Barroso, Tania, A fondo: pro-bono, GARCÍA, Tania: *A Fondo: Pro bono,* Abogados de Valladolid. Revista semestral del Ilustre Colegio de Abogados de Valladolid, segundo semestre, 2018. Ilustre Colegio de Abogados de Valladolid, Valladolid,2018.
       https://www.icava.org/public/Attachment/2019/2/Revista_diciembre_2018.pdf
[53]   En la primera emisión se lanzaron 350 Pombos, que fueron suscritos por CEMEX, EBN Banco, FordEspaña, Fundación Bancaria Ibercaja, Fundación Botín, Fundación Mutua Madrileña, Grupo Romeu, IBM, Macsa ID y Mutualidad de la Abogacía.   https://www.economistjurist.es/noticias-juridicas/nace-la-primera-criptomoneda-del-sector-legal-el-pombo/

pro bono de un abogado del despacho para asesorar en uno o varios de los proyectos identificados. Los Pombos se podrán adquirir en paquetes de 35 unidades a un precio conjunto de 1.000 euros..

Semejante finalidad tiene la Fundación Thomson Reuters, en un proyecto denominado TrustLaw, que "*nace para promover la práctica del pro bono con el fin de lograr un cambio social. Este servicio gratuito permite que las organizaciones sin ánimo de lucro y las empresas sociales se concentren en la consecución de sus objetivos, se expandan a nuevos países y consigan un mayor impacto sin tener que destinar sus recursos al asesoramiento jurídico*".

Los Colegios de Abogados han organizado también programas pro bono. Como ejemplo, véase el caso del Ilustre Colegio de Abogados de Madrid, que canaliza las actividades a través del Centro de Responsabilidad Social del ICAM[54]. El modelo, creado en 2008 y con más de diez años de andadura, cuenta con la colaboración de casi 1.200 abogados y abogadas que participan como voluntarios, según la propia fuente. Se trata de una "*plataforma de intercambio de información que cuenta con varios programas pro bono en materia de formación y asesoría jurídica, y asimismo colabora con las clínicas jurídicas de distintas universidades, procurando asistir jurídicamente a las entidades sociales y colectivos en riesgo de exclusión social, no amparados por la Ley 1/1996 de Asistencia Jurídica Gratuita, como actividad complementaria que apoya el acceso a la justicia*". Entre otras actividades ofrece un programa pro bono sobre "*Conocimientos Constitucionales y Socioculturales*" y otro llamado "*Conoce tus Leyes*", dirigidos a la población inmigrante residente en España. Es precisamente el Centro de Responsabilidad Social de la Abogacía Madrileña quien ha publicado tres estudios sobre el tema del pro bono, entendido como un voluntariado social con el fin de promover la mejora de los derechos y el acceso a la justicia y a la asistencia legal en aquellas comunidades más necesitadas[55].

---

[54]   http://crsa.icam.es/web3/cache/CRSA_index.html

[55]   Los estudios son: Barranco, Avilés, Maria del Carmen, De Asis Roig, Rafael, Iglesias Garzón, Alberto, "*Estudio sobre el pro bono en la Comunidad de Madrid*", Ilustre Colegio de Abogados de Madrid, Madrid, 2014; "*Guía para la implementación y la gestión del trabajo pro bono*" Centro de Responsabilidad Social de la Abogacía Madrileña, Ilustre Colegio de Abogados de Madrid, Madrid, 2014 y Diego Blázquez Martín, Diego, Cuenca Gómez, Patricia, Iglesias Garzón, Alberto, "*Guía sobre cómo crear, organizar, gestionar y conducir una clínica jurídica en una facultad de derecho*", Ilustre Colegio de Abogados de Madrid, Madrid, 2014.

Por citar algún otro ejemplo valga el del Colegio de Abogados de Baleares, que ha puesto en marcha un programa de Abogacía Pro Bono[56] que permite poner en contacto a los colegiados interesados con los demandantes y beneficiarios, que son "*entidades sociales sin ánimo de lucro y fines de interés social que requieran servicios pro bono en aquellos aspectos no cubiertos por sus asesorías jurídicas o por otros medios*". El programa no abarca a las personas físicas, aunque desarrolla actividades de formación jurídica destinadas a "*las personas en riesgo de exclusión social y/o a las organizaciones sin ánimo de lucro que las representan*". Presta especial atención a la colaboración con las Clínicas Jurídicas y la promoción de los derechos humanos[57].

III. LA FUNDACIÓN PRO BONO ESPAÑA

A estas ofertas de servicios jurídicos vino a sumarse otra que resultó especialmente polémica, la ***Fundación Pro Bono España***[58]. En julio de 2018 publicaban los medios[59] la creación de la Fundación Pro Bono España[60], con participación de 28 despachos nacionales e internacionales[61]. Operaría, según estas mismas noticias, bajo el lema: "*sumando al pro bono jurídico*", con tres objetivos principales, según su propia descripción:

---

[56]   https://probono.icaib.org/
[57]   https://probono.icaib.org/que-hacemos/
[58]   Esta es su página de LinkedIn https://www.linkedin.com/company/fundacion-pro-bono-espana/
[59]   Entre otras muchas noticas, véase, https://www.expansion.com/juridico/actualidad-tendencias/2018/06/28/5b34ff4f22601d896e8b45a8.html
[60]   Fue designado presidente don José Luis de Castro y vicepresidente don Valentín García.
[61]   En el patronato fundador se encuentran Allen & Overy, Andersen Tax & Legal, Arinsa, Ashurst, BLP Abogados, Bufete Barrilero y Asociados, Clifford Chance, Cuatrecasas, De Castro, Dentons, DLA Piper, Elzaburu, Ejaso ETL Global, Eversheds Sutherland Nicea, Garrigues, Huerta & Solana, King & Wood Mallesons, Latham & Watkins, Lean Abogados, MA Abogados, Pérez-Llorca, Ramón y Cajal Abogados, Roca Junyent, RCD, Sagardoy, Toda & Nel-lo, Watson, Farley & Williams, y White & Case. Al parecer, su aportacion a la dotación fundacional oscila entre los 3.000 y los 15.000 euros. En este momento la Fundacon cuenta con 37 despachos: Allen & Overy, Andersen Tax & Legal, Arinsa, Ashurst, Barrilero, Bird & Bird, BLP, Clifford Chance, Clifford Hendel, Cuatrecasas, De Castro, Dentons, DLA Piper, Elzaburu, Estudio Jurídico Ejaso, Eversheds, Garrigues, Huerta & Solana, Jones Day, King & Wood Mallesons, Latham & Watkins, Lean Abogados, MA Abogados, Pérez-Llorca, Ramón y Cajal Abogados, Roca Junyent, Rousaud Costas Duran, Sagardoy, Toda & Nel-lo, Watson, Farley & Williams, y White & Case.

- Facilitar el acceso a los servicios profesionales de asesoramiento y asistencia jurídica especializada a entidades o colectividades de personas que, por razones económicas o de otra índole, tengan dificultades para acceder a dichos servicios;

- Dotar a todos los actores implicados —abogacía, universidades y tercer sector— de las herramientas necesarias para crear sinergias y multiplicar el alcance de su trabajo.

- Ofrecer a todos los profesionales del Derecho un cauce de participación efectiva con el propósito común de promover la justicia y la igualdad real de todos los ciudadanos ante la Ley.

La noticia suscitó inmediatas reacciones, muchas de ellas críticas[62], comenzando por la de ALTODO, La Asociación de Letrados por un Turno de Oficio Digno, que estimaba que suponía un peligro para el sistema del turno de oficio, expresando sus dudas sobre la compatibilidad con el sistema de asistencia jurídica gratuita, sobre la posible duplicidad de servicios y sobre la calidad de la prestación que recibiría el usuario. Otros comentarios versaban sobre su régimen fiscal y la aplicabilidad de la Ley 49/2002, de 23 de diciembre, de régimen fiscal de las entidades sin fines lucrativos y de los incentivos fiscales al mecenazgo[63]

El 10 de julio de 2018 la Junta de Gobierno del Colegio de Abogados de Madrid publicó un comunicado[64] haciendo constar que el Decano había tenido conocimiento del proyecto y *"exigió a los promotores que en los estatutos*

---

[62] https://www.elconfidencial.com/empresas/2018-07-10/fundacion-pro-bono-espana-abogados-turno-oficio_1587366/

[63] https://confilegal.com/20180712-sobre-la-nueva-fundacion-probono-espana/ El ofrecimiento de servicios jurídicos a menor precio del normal en el mercado pudiera, se sugiere, constituir un supuesto de competencia desleal

[64] Comunicado de la Junta de Gobierno relativo a la creación de la Fundación pro-bono España y el Día de la Justicia Gratuita
"Conocedora de la reciente creación por una treintena de despachos de la Fundación Pro Bono España.
Conocedora además de que entre sus fines y objetivos, la citada Fundación concreta: 1) facilitar el acceso a los servicios profesionales de asesoramiento y asistencia jurídica especializada a entidades o colectividades de personas que, por razones económicas o de otra índole, tengan dificultades para acceder a dichos servicios; 2) dotar a todos los actores implicados —abogacía, universidades y tercer sector— de las herramientas necesarias para crear sinergias y multiplicar el alcance de su trabajo; y 3) ofrecer a todos los profesionales del Derecho un cauce de participación efectiva con el propósito común de promover la justicia y la igualdad real de todos los ciudadanos ante la Ley.

de la Fundación Pro Bono España explicitaran que entre sus actividades quedarían expresamente excluidas aquellas que pudieran entrar siquiera mínimamente en con-

---

Y conocedora, por último, del debate que se ha producido en los últimos días en la Abogacía madrileña, no sólo pero especialmente entre los compañeros del turno de oficio.

La Junta de Gobierno del Ilustre Colegio de Abogados de Madrid manifiesta:

1. *Los promotores de esta iniciativa le trasladaron al Decano, de forma detallada, el proyecto, su desarrollo y su razón de ser.*

2. *Sin perjuicio de considerar que se trata de un proyecto loable, el Decano les exigió a los promotores que en los estatutos de la Fundación Pro Bono España explicitaran que entre sus actividades quedarían expresamente excluidas aquellas que pudieran entrar siquiera mínimamente en conflicto con el Turno de Oficio (TO) y la Asistencia Jurídica Gratuit*

3. *Los promotores informaron con posterioridad al Decano que en este sentido habían procedido, aunque nunca había estado en su ánimo realizar actividades propias del TO y de la asistencia jurídica gratuita.*

4. *Esta Junta de Gobierno no permitirá jamás —como no deberían permitirlo las autoridades competentes— que un servicio público esencial para la ciudadanía como son el TO y la asistencia jurídica gratuita, pueda ser controlado por entidades o fundaciones privadas.*

5. *La justicia gratuita tiene un mandato constitucional de obligado cumplimiento, mientras el 'pro bono' dependerá siempre del voluntarismo de las personas o entidades que en un determinado momento decidan prestarlo para satisfacer bienes protegidos por los derechos humanos, siempre dentro de una argumentación de responsabilidad social y con una imperatividad jurídica menor. Por tanto, no puede haber competencia ni conflicto de intereses que ponga en duda el trabajo que realizan los abogados del TO.*

Por lo expuesto, la Junta de Gobierno del Ilustre Colegio de Abogados de Madrid quiere subrayar:

El TO es posiblemente el servicio público que mejor funciona en España, con mayor eficiencia y sin apenas quejas.

1. *No habrá dignidad para la Abogacía si no hay retribuciones adecuadas ni garantía del cobro puntual del trabajo realizado por los compañeros y compañeras del Turno.*

2. *El TO sustenta un derecho constitucional fundamental.*

3. *La gestión del TO, como servicio público esencial y en atención a su finalidad, se encomienda por la Ley 1/1996, de 10 de enero, a los Colegios de Abogados.*

4. *Las Administraciones deben ser conscientes de la labor de este servicio público del TO y, en consecuencia, están obligadas a dotar a la Justicia Gratuita de medios suficientes y adecuados.*

5. *Los compañeros del TO son profesionales altamente cualificados que no buscan medallas ni protagonismos: ejercen por verdadera vocación para defender los derechos de los ciudadanos más desfavorecidos.*

6. *Los compañeros del TO llevan a cabo una labor admirable, sin reloj, defendiendo como nadie los valores superiores del ordenamiento jurídico recogidos en la Constitución: su tarea y su función es imprescindible y encomiable en las cárceles, en los centros de detención, en los juzgados, en los CIE y en sus propios despachos.*

flicto con el Turno de Oficio (TO) y la Asistencia Jurídica Gratuita". Añadía el comunicado que "*Esta Junta de Gobierno no permitirá jamás —como no deberían permitirlo las autoridades competentes— que un servicio público esencial para la ciudadanía como son el TO y la asistencia jurídica gratuita, pueda ser controlado por entidades o fundaciones privadas. La justicia gratuita tiene un mandato constitucional de obligado cumplimiento, mientras el 'pro bono' dependerá siempre del voluntarismo de las personas o entidades que en un determinado momento decidan prestarlo para satisfacer bienes protegidos por los derechos humanos, siempre dentro de una argumentación de responsabilidad social y con una imperatividad jurídica menor. Por tanto, no puede haber competencia ni conflicto de intereses que ponga en duda el trabajo que realizan los abogados del TO*".

En noviembre de 2018 se celebró una reunión en el ICAM de Madrid con participación de representantes de la Fundación Pro Bono España y de las asociaciones de abogados, tras la cual el Colegio expresó "*su firme compromiso de combatir cualquier intento de privatización del Turno de Oficio*". Se concluyó que la Fundación Pro Bono no podía realizar ningún tipo de actividad ni asesoramiento jurídico a ningún tipo de persona física y que "*las actividades Pro Bono se realizarán estrictamente respecto de aquellas asociaciones sin ánimo de lucro que no tengan derecho a asistencia jurídica gratuita, sean o no de utilidad pública*"[65]. Se publicarían, además, sus Estatutos.

Así se ha hecho. En lo que interesa, el artículo 5 de los Estatutos dispone:

"Artículo 5.- Fin y actividades.

La Fundación tiene como fin promover y desarrollar la actividad jurídica pro bono en España, actividad que consiste en facilitar el acceso a los servicios profesionales de asesoramiento y asistencia jurídica especializada a entidades o colectividades de personas que, por razones económicas o de otra índole, tengan dificultades para acceder a dichos servicios.

El desarrollo de la actividad de la Fundación no interferirá en la prestación obligatoria del servicio de asistencia gratuita por parte de los Colegios de Abogados en los términos previstos en la Ley 1/1996, de 10 de enero, sino que la complementará cuando resulte necesario en el marco de la relación de colaboración que existe entre los Colegios de Abogados y la Fundación".

---

7. *Esta Junta de Gobierno defiende de manera activa y constante, en primera línea, el valor de los compañeros del turno; y siempre va a estar enfrente de aquellas administraciones o actores de la sociedad civil que sean desafectos e insensibles con el TO".*

[65] Estos son los términos del compromiso expreso y escrito de la Fundación Pro Bono.

En junio de 2019 la Fundación celebro su primer año. El 6 de noviembre de 2019 se celebró la primera Jornada Anual sobre el Pro Bono en España, de la mano de la Fundación Pro Bono España, en el marco de la European Pro Bono Week[66].

IV. LA ABOGACÍA Y EL MERCADO DE SERVICIOS JURÍDICOS

Procede, a los efectos de tratar de encuadrar el pro bono, un referencia a la Abogacía en cuanto prestadora de servicios, tratando de distinguir el régimen jurídico de la abogacía en cuanto gestora de un servicio público y la Abogacía en el ejercicio particular de la profesión.

En primer lugar, los datos. Este es el censo de abogados en el año 2018, en referencia tomada del boletín estadístico que publica anualmente el Consejo General del Poder Judicial. Según *"La Justicia dato a dato"*[67] en España había, en 2018, 154.573 Abogados, cifra desglosada de este modo:

Abogados residentes:	144.212
Abogados no residentes	10.361
Total de Abogados	154.573
Colegiados no ejercientes	102.071

Según esta misma fuente hay 27,8 Abogados por Juez, 1,8 Procuradores por Juez y 62,5 Abogados por Fiscal. El número de Graduados Sociales es de 17.264. El número de efectivos de la Abogacía del Estado es de 156 en los Servicios Centrales y 129 en los Servicios Periféricos.

El presupuesto total de la Administración de Justicia asciende a 4.057.015.422 euros. Y el presupuesto destinado a Asistencia Jurídica Gratuita es de 299.789.366 euros[68].

Otro dato interesante procede de la Unión Europea, en su *"Cuadro de Indicadores de la Justica en la Unión Europea"*[69]. Según lo publicado en 2018,

---

[66]   https://www.economistjurist.es/marketing-juridico-habilidades-abogacia/el-pro-bono-legal-revoluciona-el-mundo-de-la-abogacia-en-espana/

[67]   http://www.poderjudicial.es/cgpj/es/Temas/Estadistica-Judicial/Estudios-e-Informes/Justicia-Dato-a-Dato/

[68]   http://www.poderjudicial.es/cgpj/es/Temas/Estadistica-Judicial/Estudios-e-Informes/Justicia-Dato-a-Dato/

[69]   https://ec.europa.eu/commission/presscorner/detail/es/IP_18_3932

España es uno de los países europeos que tienen una mayor ratio de abogados por habitantes, en concreto cerca de 300 letrados por cada 100.000 habitantes, lo que significa 3 abogados por cada 1000 ciudadanos. Una cifra solo superada por Chipre, Luxemburgo, Grecia e Italia. En el otro extremo, Suecia y Letonia con apenas 50 abogados por cada 100.000 habitantes. Holanda y Francia cuentan con 100 abogados por cada 100.000 habitantes.

Y por terminar con los datos, uno procedente del XIII Informe del Observatorio de Justicia Gratuita[70], que corresponde al año 2018. Según estos datos: "*A 31 de diciembre de 2018 los abogados adscritos al Turno de Oficio fueron 46.130. Por servicios, más de 38.500 abogadas y abogados desarrollan su actividad profesional en Asistencia Letrada al Detenido y 21.132 están adscritos al Servicio de Violencia de Género. Los letrados y letradas adscritos al Servicio de Extranjería son 1.575 abogados. ( ) A 31 de diciembre de 2018, los 83 Colegios de Abogados tenían censados 143.205 letrados y letradas ejercientes, lo que supone **que más del 32% de los abogados y abogadas esté prestando el Servicio de Asistencia Jurídica Gratuita. Prácticamente, uno de cada tres abogados está adscrito al Turno de Oficio**".*

Como ya se ha expuesto, hay sustanciales diferencias entre la prestación del servicio de turno de oficio y el ejercicio de la Abogacía, tan sustanciales que la normativa en materia de defensa de la competencia no resulta de aplicación al primero[71]. Esta postura, reiteradamente sostenida por el Consejo General de la Abogacía Española, ha sido asumida en su integridad por el Tribunal Supremo[72]. En efecto, la Sala de lo Contencioso-Administrativo del Tribunal Supremo ha dictado en 2019 dos sentencias en las que establece que el servicio de asistencia jurídica gratuita que prestan los abogados del turno de oficio, cuya organización compete a los Colegios de Abogados, no está sometido a las normas de la competencia.

En la primera de ellas, la Sentencia número 955/2019 de 1 de julio de 2019, de la Sala Tercera, se resuelve el recurso contra la resolución de la Sala de Competencia de la Comisión Nacional de los Mercados y la Competencia contra el Colegio de Abogados de Guadalajara, en relación con

---

[70]   XIII Informe del Observatorio de la Justicia Gratuita, Abogacía Española-Wolters Kluwer 2018,
Estadística completa 2014-2018, Madrid, 2019.

[71]   Collado Martínez, Rosa María, *La competencia como piedra filosofal: sobre la organización territorial de los servicios públicos del turno de oficio en relación con la normativa de defensa de la competencia*, en "¿Hay derecho?", Madrid, mayo de 2015.

[72]   Las sanciones anuladas por la Audiencia Nacional y el Tribunal Supremo suponían 59.983 euros para el CGAE y 30.000 euros para el Colegio de Abogados de Guadalajara.

la prestación de los servicios del turno de oficio. La segunda, la Sentencia número 1.068/2019, de 15 de julio de 2019, desestima el recurso presentado por la Administración General del Estado contra la Sentencia de la Audiencia Nacional, en relación con la actuación y regulación de los Colegios de Abogados en sus funciones de organización del turno de oficio, siendo la parte recurrida el Consejo General de la Abogacía Española[73]. Ha entendido el Tribunal Supremo que la prestación de servicios en el turno de oficio es una actividad administrativa sujeta a derecho administrativo, de modo que no existe conducta que lesione la Ley 15/2007, de 3 de julio, de Defensa de la Competencia.

No procede en este informe abundar en esta argumentación. Baste señalar que el ámbito objetivo de la normativa en materia de defensa de la competencia[74] no se extiende al servicio público del turno de oficio ya que la prestación de los servicios del turno de oficio por parte de algunos de los abogados colegiados no supone en sentido estricto ejercicio libre de la profesión, sino que se constituye en una forma de ejercicio privado de actividades públicas. La organización de estos servicios por parte de los Colegios de Abogados es una encomienda de servicio público, instrumentada mediante la Ley 1/1996, de 10 de enero, de Asistencia Jurídica Gratuita. Y precisamente en razón de este mandato del legislador la actividad de los Colegios profesionales, en orden a organizar la prestación de este servicio público, resulta ser una conducta exenta de las prohibiciones estableci-

---

[73]   Por Sentencia de la Sala de lo Contencioso-administrativo Tribunal Superior de Justicia del País Vasco se estimó el recurso presentado por el Colegio de la Abogacía de Bizkaia frente a la resolución de la Autoridad Vasca de la Competencia de 20 de marzo de 2017, que le imponía una sanción de 100.000 euros por haberse negado a inscribir a una colegiada con despacho principal en Madrid en los turnos de oficio y asistencia al detenido de Bilbao, Getxo y Barakaldo. Y por Sentencia de la Sala de lo Contencioso-administrativo del Tribunal Superior de Justicia de Andalucía se asumieron los argumentos presentados por el Colegio de Abogados de Málaga frente a la Agencia de Defensa de la Competencia de Andalucía.

[74]   La Ley 15/2007, de 3 de julio, de Defensa de la Competencia, en su artículo 4, fija las excepciones a las prohibiciones de determinadas conductas, en estos términos:
"Artículo 4. Conductas exentas por Ley.
1. Sin perjuicio de la eventual aplicación de las disposiciones comunitarias en materia de defensa de la competencia, las prohibiciones del presente capítulo no se aplicarán a las conductas que resulten de la aplicación de la Ley.
2. Las prohibiciones del presente capítulo se aplicarán a las situaciones de restricción de competencia que se deriven del ejercicio de otras potestades administrativas o sean causadas por la actuación de los poderes públicos o las empresas públicas sin dicho amparo legal".

das por la Ley 15/2007, de 3 de julio. La organización de los servicios de asistencia jurídica gratuita por parte de los Colegios de Abogados es una obligación establecida por una norma con rango de Ley.

El único vínculo en común se encuentra en la actividad intelectual de *"asesoramiento, concordia y defensa de los intereses jurídicos ajenos, públicos o privados"* y se justifica porque la decisión del legislador estatal de encomendar la gestión del servicio a los Colegios de Abogados tiene su fundamento en la necesidad de adscribir al servicio a los abogados que se encuadran en los Colegios, ya que resultan ser los profesionales idóneos para el desempeño de esta específica función pública.

De lo expuesto hasta ahora se puede deducir el importe de la cuantía que el Estado está dispuesto a invertir en la asistencia jurídica gratuita. Como se ha señalado, el presupuesto total llega a los 299.789.366 euros, dato que tiene en cuenta las aportaciones estatales y las de las Comunidades Autónomas con competencias transferidas. La dotación presupuestaria de este servicio público se gestiona por los Abogados adscritos al turno de oficio, a través del Consejo General de la Abogacía Española y los Colegios de Abogados.

No hay datos sobre las asignaciones presupuestarias en la oferta de servicios gratuitos que corresponden a las Administraciones Públicas en los variados servicios de orientación jurídica. Es notorio que muchos servicios de *"asesoramiento integral"* se prestan a determinados grupos o colectivos, bien mediante la adjudicación de contratos de servicios bien mediante la subvención directa. Pero lo cierto es que, si se toma como ejemplo el caso de las víctimas de la violencia de género, buena parte de los recursos públicos destinados al asesoramiento se encauzan hacia asociaciones, fundaciones y organizaciones de *"beneficencia"*, en detrimento de la asignación que correspondería a una defensa jurídica profesional, encomendada a los Abogados a través de sus colegios. Es oportuno destacar que los Colegios de Abogados exigen para la prestación de los servicios de asesoramiento especializado la superación de unos cursos y el cumplimiento de los requisitos fijados en la Orden del Ministerio de Justicia de 3 de junio de 1997[75].

---

[75] En Sentencia de 18 de diciembre de 2018 la Sala de lo Contencioso-Administrativo del Tribunal Superior de Justicia de Cataluña, Sección Cuarta, desestima el recurso presentado por el Colegio de Abogados de Tarrasa y estima que la Orden del Ministerio de Justicia de 3 de junio de 1997, que fija los requisitos generales mínimos de formación y especialización necesaria para prestar el servicio de asistencia jurídica gratuita, dictada en aplicación del artículo 25 de la Ley 1/1996, de

El régimen jurídico de esas otras entidades se enmarca en un movimiento más amplio: el voluntariado. La Ley 45/2015, de 14 de octubre, de Voluntariado[76], constituye la cabecera del grupo normativo aplicable y define el voluntariado de este modo:

> "Artículo 3. Concepto de voluntariado.
>
> 1. A los efectos de la presente Ley, se entiende por voluntariado el conjunto de actividades de interés general desarrolladas por personas físicas, siempre que reúnan los siguientes requisitos:
>
> a) Que tengan carácter solidario.
>
> b) Que su realización sea libre, sin que tengan su causa en una obligación personal o deber jurídico y sea asumida voluntariamente.
>
> c) Que se lleven a cabo sin contraprestación económica o material, sin perjuicio del abono de los gastos reembolsables que el desempeño de la acción voluntaria ocasione a los voluntarios de acuerdo con lo establecido en el artículo 12.2.d).
>
> d) Que se desarrollen a través de entidades de voluntariado con arreglo a programas concretos y dentro o fuera del territorio español sin perjuicio de lo dispuesto en los artículos 21 y 22.
>
> 2. Se entiende por actividades de interés general, aquellas que contribuyan en cada uno de los ámbitos de actuación del voluntariado a que hace referencia el artículo 6

---

10 de enero, tiene carácter básico. Señala el Tribunal: *"Esta norma tiene el carácter básico, al ser competencia del Estado y exige tres años de formación y especialización"*. Los requisitos de acceso al turno de oficio no pueden ser modificados por los Colegios de Abogados, en lo que afecta a la cualificación profesional.

[76]   La norma citada define las entidades de voluntarios y el régimen jurídico aplicable. Una agrupación de voluntarios es una entidad de voluntariado, en el sentido en que lo define la Ley 45/2015, de 14 de octubre, de Voluntariado:

"Artículo 13. De las entidades de voluntariado.

1. Tendrán la consideración de entidades de voluntariado las personas jurídicas que cumplan los siguientes requisitos:

a) Estar legalmente constituidas e inscritas en los Registros competentes, de acuerdo con la normativa estatal, autonómica o de otro Estado miembro de la Unión Europea de aplicación.

b) Carecer de ánimo de lucro.

c) Estar integradas o contar con voluntarios, sin perjuicio del personal de estructura asalariado necesario para el funcionamiento estable de la entidad o para el desarrollo de actuaciones que requieran un grado de especialización concreto.

d) Desarrollar parte o la totalidad de sus actuaciones mediante programas de voluntariado diseñados y gestionados en el marco de las actividades de interés general, que respeten los valores, principios y dimensiones establecidos en el artículo 5 y se ejecuten en alguno de los ámbitos recogidos en el artículo 6.

2. En todo caso tendrán la consideración de entidades de voluntariado las federaciones, confederaciones o uniones de entidades de voluntariado legalmente constituidas en el ámbito estatal o autonómico o de la Unión Europea".

a mejorar la calidad de vida de las personas y de la sociedad en general y a proteger y conservar el entorno.

3. No tendrán la consideración de actividades de voluntariado las siguientes:

a) Las aisladas o esporádicas, periódicas o no, prestadas al margen de entidades de voluntariado.

b) Las ejecutadas por razones familiares, de amistad o de buena vecindad.

c) Las que se realicen en virtud de una relación laboral, funcionarial, mercantil o de cualquier otra mediante contraprestación de orden económico o material.

d) Los trabajos de colaboración social a los que se refiere el Real Decreto 1445/1982, de 25 de junio, por el que se regulan diversas medidas de fomento del empleo.

e) Las becas con o sin prestación de servicios o cualquier otra actividad análoga cuyo objetivo principal sea la formación.

f) Las prácticas no laborales en empresas o grupos empresariales y las prácticas académicas externas.

4. Tendrán la consideración de actividades de voluntariado, aquellas que se traduzcan en la realización de acciones concretas y específicas, sin integrarse en programas globales o a largo plazo, siempre que se realicen a través de una entidad de voluntariado. Asimismo también tendrán tal consideración, las que se realicen a través de las tecnologías de la información y comunicación y que no requieran la presencia física de los voluntarios en las entidades de voluntariado".

Es preciso recordar que el artículo 149.1. 1ª de la Constitución dispone que el Estado tiene competencia exclusiva en "*la regulación de las condiciones básicas que garanticen la igualdad de todos los españoles en el ejercicio de los derechos y en el cumplimiento de los deberes constitucionales*" y que el grupo normativo se completa con la Ley 43/2015, de 9 de octubre, del Tercer Sector de Acción Social, que define las entidades de este modo:

"Artículo 2. Concepto.

1. Las entidades del Tercer Sector de Acción Social son aquellas organizaciones de carácter privado, surgidas de la iniciativa ciudadana o social, bajo diferentes modalidades, que responden a criterios de solidaridad y de participación social, con fines de interés general y ausencia de ánimo de lucro, que impulsan el reconocimiento y el ejercicio de los derechos civiles, así como de los derechos económicos, sociales o culturales de las personas y grupos que sufren condiciones de vulnerabilidad o que se encuentran en riesgo de exclusión social.

2. En todo caso, son entidades del Tercer Sector de Acción Social las asociaciones, las fundaciones, así como las federaciones o asociaciones que las integren, siempre que cumplan con lo previsto en esta Ley. Para la representación y defensa de sus intereses de una forma más eficaz, y de acuerdo con la Ley Orgánica 1/2002, de 22 de marzo, reguladora del derecho de asociación, y con su normativa específica, las entidades del Tercer Sector de Acción Social podrán constituir asociaciones o federaciones que, a su vez, podrán agruparse entre sí".

El régimen jurídico del voluntariado es difuso, como se aprecia. Pero quizá el precepto que puede arrojar cierta claridad sobre el asunto es el artículo 4 de la Ley 45/2015, de 14 de octubre, de Voluntariado. Dispone:

"Artículo 4. Límites a la acción voluntaria.

1. La realización de actividades de voluntariado no podrá ser causa justificativa de extinción del contrato de trabajo.

2. La realización de actividades de voluntariado tampoco podrá sustituir a las Administraciones públicas en el desarrollo de funciones o en la prestación de servicios públicos a los que están obligadas por ley".

Puede así deducirse que los voluntarios y las entidades de voluntariado son solo medios auxiliares y como bien expresa la Ley 45/2015, de 14 de octubre, de Voluntariado, no sustituyen a las Administraciones. Si el Estado está obligado, como lo está, a prestar un servicio público de asistencia jurídica gratuita a determinados ciudadano,s la prestación por parte de entidades, asociaciones o fundaciones de voluntarios no podrá, en modo alguno, sustituir a las Administraciones.

Un último argumento se ha de valorar para la descripción del mercado de servicios jurídicos. La posibilidad de que el ofrecimiento gratuito de servicios jurídicos suponga un acto de competencia desleal[77]. En efecto la Ley

---

[77] Se ha sugerido la aplicación analógica al caso del supuesto de hecho contemplado en la Sentencia de la Audiencia Provincial de Asturias de 4 de noviembre de 2015. El Colegio de Veterinarios de Asturias demandó a una Fundación denominada "Amigos del Perro" que obtenía ventajas competitivas en la prestación de servicios en razón de su mejor tratamiento fiscal. Así se expresa: *"No se cuestiona que la demandada puede llevar a cabo estas labores de modo complementario a su objeto social y deviene irrelevante el debate sobre si las normas de honorarios del Colegio de Veterinarios tienen o no carácter vinculante. Lo decisivo es que al amparo de la Ley 49/2002 la Fundación tributa por los ingresos provenientes de aquellas labores al tipo del 10%, mientras que por las mismas las clínicas veterinarias lo hacen al tipo del 25%, apareciendo obvia y por ende significativa la ventaja competitiva que supone operar bajo uno u otro tipo. ( ) De modo meridiano y no contradicho el informe pericial revela que los servicios veterinarios low cost desde 2011 han sido la principal fuente de ingresos de la Fundación, excediendo la cifra de negocios de las explotaciones económicas no exentas y ajenas al objeto estatutario al 40% de los ingresos totales de la entidad, incumpliendo así el requisito establecido en el artículo 3. 3 de la Ley 49/2002. Al obtenerse la sobredicha ventaja competitiva en el mercado bajo el marco de esta norma, pero con infracción de la misma, nos encontramos ante un acto de competencia desleal ex artículo 15 de la Ley de C. D. 3/1991 y el acogimiento de la acción ha de ser confirmado".* Véase Abellán Albertos, Antonio, Sobre la nueva Fundación ProBono España, Confilegal, 12 de julio de 2018. https://confilegal. com/wp-content/uploads/2018/06/Antonio-Abell%C3%A1n-Albertos-1.jpg

3/1991, de 10 de enero, de Competencia Desleal regula en su artículo 17 la venta a pérdida[78]. La regulación de la venta a pérdida en España ha sido interpretada por el Tribunal de Justicia de la Unión Europea en Sentencia del 19 de octubre de 2017, que declaró no conforme al derecho europeo la prohibición de la venta a pérdida tal y como se regula por el artículo 14 de la Ley 7/1996 de 15 de enero, de Ordenación del Comercio Minorista.

V. LOS INTENTOS DE "PRIVATIZACIÓN" DEL TURNO DE OFICIO Y LA ASISTENCIA JURÍDICA GRATUITA

Uno de los argumentos que esgrimen las asociaciones de abogados en contra de la actividad pro bono es que es el primer paso para una posible privatización de los servicios de asistencia jurídica gratuita. No es solo el afán de entregar al sector privado todo lo que es susceptible de ser privatizado, sino también el poco conocimiento de la materia, cuya configuración constitucional y legal dista mucho de ser clara, llevan a estos intentos.

El planteamiento es simple: si la prestación de asesoramiento jurídico es, en términos estrictos, la prestación de un servicio, se habrá de sujetar a las reglas del mercado y de la competencia, de modo que ninguna razón obliga a encomendar a los Colegios de Abogados la prestación de los servicios si existen empresas y despachos que pueden asumir la tarea de forma más eficiente y barata. No es el momento de exponer todos los argumentos que permiten diferenciar entre el turno de oficio, servicio público, y la prestación de servicios jurídicos como actividad profesional[79], que son

---

[78]   Ley 3/1991, de 10 de enero, de Competencia Desleal
        "Artículo 17. Venta a pérdida.
        1. Salvo disposición contraria de las leyes o de los reglamentos, la fijación de precios es libre.
        2. No obstante, la venta realizada bajo coste, o bajo precio de adquisición, se reputará desleal en los siguientes casos:
        a) Cuando sea susceptible de inducir a error a los consumidores acerca del nivel de precios de otros productos o servicios del mismo establecimiento.
        b) Cuando tenga por efecto desacreditar la imagen de un producto o de un establecimiento ajenos.
        c) Cuando forme parte de una estrategia encaminada a eliminar a un competidor o grupo de competidores del mercado".
[79]   Collado Martínez, Rosa María, *La asistencia jurídica gratuita como garantía del derecho a la tutela judicial efectiva*, en *"España constitucional (1978-2018): trayectorias y perspectivas"*, Centro de Estudios Políticos y Constitucionales, Pendás Benigno (Dir), Tomo III, págs. 2667 a 2679, Madrid 2018.

muchos y convincentes. Pero si es oportuno dejar constancia de que, aunque el Estado mantiene en sus términos la configuración del turno como servicio público encomendado a los Colegios de Abogados, no ocurre lo mismo con Comunidades Autónomas o Ayuntamientos.

El primer caso que se planteó fue la adjudicación mediante concurso público del Servicio de Orientación Jurídica Gratuita de la Comunidad de Madrid en el año 2008. Por Resolución del Secretario General Técnico de la Secretaria de Familia y Asuntos Sociales de 18 de diciembre de 2008 se convocó un concurso para el contrato de servicios *"Orientación Jurídica para personas mayores"*. Tras el recurso de reposición presentado por el Colegio de Abogados de Madrid, que fue estimado, se suspendió la adjudicación[80]. El argumento fundamental residía en que el servicio se prestaba por el Colegio de Abogados mediante convenio con la Comunidad Autónoma.

En el año 2016 la Comunidad Autónoma de Aragón[81] utilizó el mismo procedimiento para el Servicio de Orientación Jurídica de las víctimas de violencia de género, servicio prestado desde siempre por los Colegios de Abogados de la Comunidad[82]. Se publicó en el Boletín Oficial de Aragón el 26 de abril de 2016 la convocatoria de un concurso público para el servicio de asesoramiento jurídico a las mujeres dependiente del Instituto Aragonés de la Mujer, con un presupuesto de 131.274 euros y un plazo de ejecución de dos años, susceptibles de prórroga. Un segundo contrato estaba previsto para el servicio de guardia para violencia doméstica por un importe de 72.474,28 euros, también con un plazo de ejecución de dos años y la posibilidad de prórroga de otros dos. El Colegio de Abogados de Aragón recurrió el anuncio de licitación ante el Tribunal Administrativo de Contratos Públicos de Aragón, por entender incorrecta la calificación del contrato como contrato de servicios, entendiendo además que existe una reserva legal específica para la prestación de estos servicios, atribuidos por Ley a los Colegios de Abogados y Procuradores.

El concurso quedó desierto y el Gobierno de Aragón optó por contratar a los Colegios de Abogados para la prestación del servicio, que se realizará bajo la dirección y supervisión del Instituto Aragonés de la Mujer en sus sedes de Huesca, Teruel y Zaragoza.

---

[80]   Ya había sido adjudicado a la empresa Legalitas.
[81]   La norma actualmente vigente, innovadoras en muchos de sus aspectos, es la Ley 9/2017, de 19 de octubre, por la que se regulan los servicios de asesoramiento y orientación jurídicos gratuitos de Aragón.
[82]   Al parecer, fue inicialmente seleccionada una empresa llamada "Atencia"

Los Servicios Jurídicos del Consejo General de la Abogacía[83] emitieron un informe el 11 de marzo de 2017 con un "Análisis de la convocatoria por parte de Administraciones Públicas de procedimientos de contratación de servicios de asistencia jurídica"[84]. El informe partía de un análisis de la legislación vigente, en particular, el texto refundido de la Ley de Contratos del Sector Público, aprobado por el Real Decreto Legislativo 3/2011, de 14 de noviembre, la Directiva 2014/24/UE del Parlamento Europeo y del Consejo, de 26 de febrero de 2014, sobre contratación pública y por la que se deroga la Directiva 2004/18/CE y la Ley 1/1996, de 10 de enero, de Asistencia Jurídica Gratuita. Sus conclusiones eran las que siguen:

> *"Conclusiones*
>
> *A la vista de las anteriores consideraciones, cabe formular las siguientes conclusiones:*
>
> *1. Las Administraciones Públicas no pueden acudir al contrato de servicios para externalizar la prestación de servicios de su competencia a los ciudadanos.*
>
> *2. Las Administraciones Públicas pueden emplear un contrato de gestión de servicios públicos para la prestación en régimen de gestión indirecta de los servicios de su competencia.*
>
> *3. Solo los servicios que puedan considerarse servicios públicos pueden ser objeto de contratación.*
>
> *4. Los convenios de colaboración sí pueden emplearse para la canalización de la prestación de un servicio de asesoramiento jurídico a los ciudadanos o a colectivos específicos.*
>
> *5. Los Colegios no pueden participar en los procedimientos de contratación del sector público, en cuanto no están habilitadas por su normativa reguladora para prestar servicios en el mercado a título oneroso en régimen de competencia.*
>
> *6. Los servicios encomendados por la Ley 1/1996 a los Colegios de Abogados no pueden ser objeto de licitación por las Administraciones Públicas, ni de asunción para su gestión por ellas, ya sea de manera directa, ya sea de manera indirecta".*

La asistencia jurídica a las mujeres víctimas de la violencia de género se prestaba en la Comunidad Autónoma de Castilla-La Mancha por los Colegios de Abogados, tras el convenio suscrito entre el Instituto de la Mujer y el Consejo de la Abogacía el 30 de enero de 2013. La partida presupuestaria para los años 2013 y 2014 suponía un total de 250.000 euros.

---

[83]   Se puede citar el informe?

[84]   Véase, además, Santamaría Pastor, Juan, Vázquez Cobos, Carlos y Cuesta de Loño, Pilar, *La participación de las administraciones públicas como licitadores en los procedimientos de contratación pública*, Grupo de Contratos Públicos de Gómez-Acebo Pombo Abogados S.L.P, nº 70, Madrid.

Por Decreto 48/2018, de 10 de julio, por el que se regula la concesión directa de una subvención, se adjudica al programa "*Prevención e intervención integral en materia de agresiones y abusos sexuales en Castilla-La Mancha*" que será prestador por la Asociación de Mujeres para la Formación y el Desarrollo. El Decreto justifica la subvención señalando que la Asociación es una entidad sin ánimo de lucro, creada en 1996 que se ocupa de los programas de intervención en los casos de abuso de menores, "*única entidad de la Región que en este momento mantiene activos los recursos humanos y materiales para la ejecución e actuaciones de atención y prevención*". En la Resolución de 19 de julio de 2018, del Instituto de la Mujer de Castilla-La Mancha, de concesión directa de una subvención a la Asociación de Mujeres para la Formación y el Desarrollo para la realización del proyecto denominado "*Prevención e intervención integral en materia de agresiones y abusos sexuales en Castilla-La Mancha*", se fija la partida presupuestaria, que alcanza los 229.979 euros para los ejercicios 18 y 19.

Los Colegios de Abogados de Castilla La Mancha[85] expresaron sus reservas mediante un comunicado del Consejo de la Abogacía de Castilla La Mancha sobre la asistencia jurídica a víctimas de agresiones sexuales, emitido el 11 de septiembre de 2018, señalando que la asistencia jurídica a víctimas de agresiones sexuales se cubre de forma gratuita por los seis Colegios de Abogados existentes en la región, al igual que la asistencia letrada en juicio a mujeres víctimas de violencia sexual y manifestando su profundo malestar. El Colegio de Abogados de Toledo[86] mostró su rechazo argumentando que la asistencia a las víctimas se presta por el turno de oficio y según la Ley de Asistencia Jurídica Gratuita, mediante convenio. Y en semejantes términos se expresaron el resto de los Colegios de Abogados. Los Colegios han recurrido las decisiones de la Junta de Comunidades.

Un último y reciente apunte sobre la materia. El 24 de mayo de 2019, dos días antes de las elecciones municipales, la Concejalía de Equidad, Derechos Sociales y Empleo del Ayuntamiento de Madrid[87] publicó el concurso para la adjudicación del Servicio de Orientación Jurídica (SOJ) Municipal abierto a "*todas las personas naturales o jurídicas, españolas o extranjeras*

---

[85]   https://www.consejoabogacia.es/comunicado-del-caclm-sobre-la-asistencia-juridica-a-victimas-de-agresiones-sexuales/

[86]   https://www.abc.es/espana/castilla-la-mancha/toledo/ciudad/abci-abogados-toledo-muestran-total-rechazo-convenio-atencion-juridica-victimas-sexuales-201809141951_noticia.html

[87]   https://www.europapress.es/madrid/noticia-psoe-opone-privatizacion-servicio-orientacion-juridica-augura-afectara-mas-necesitados-20190821114938.html

a título individual o en unión temporal de empresarios, que acrediten su solvencia económica, financiera y técnica...". El objeto del contrato se define como "*orientación jurídica generalista para personas usuarias de los Centros de Servicios Sociales y para las personas socias de los Centros Municipales de Mayores*".

El servicio se prestaba desde 1989 por el Ilustre Colegio de Abogados de Madrid mediante convenio, pero el Ayuntamiento estima que debe quedar sujeto a la libre concurrencia en la contratación de servicios públicos, por aplicación de las Directivas del Parlamento Europeo y del Consejo 2014/23/UE y 2014/24/UE, de 26 de febrero de 2014. Así lo han entendido la Intervención del Ayuntamiento de Madrid y sus servicios jurídicos.

El Colegio de Abogados de Madrid presentó un recurso contra esta decisión ante el Tribunal Superior de Justicia de Madrid, instando la suspensión ante el Tribunal Administrativo de Contratación Pública de la Comunidad de Madrid. La apertura de ofertas, prevista para el 10 de julio fue suspendida y aplazada hasta el 21 de agosto de 2019. El procedimiento fue recurrido también por ALTODO. Se presentaron dos empresas Accem, una organización sin ánimo de lucro dedicada a la defensa de los derechos, la atención y el acompañamiento de persona en riesgo de exclusión social y Law and Business Enterprises Worldwide, que obtuvo más puntos en el apartado económico, con una oferta casi un 20 por ciento más baja sobre el presupuesto de licitación. Ha resultado adjudicatario el bufete Law and Business Enterprises Worldwide S.L.[88].

El Colegio de Abogados de Madrid[89] emitió un comunicado el 10 de septiembre de 2019 haciendo constar que "*el Servicio de Orientación Jurídica (SOJ) es un servicio público cuya gestión y prestación viene encomendada de forma exclusiva y excluyente a los Colegios de Abogados, por la Ley 1/1996 de 10 de enero, de Asistencia Jurídica Gratuita, con la finalidad de garantizar la independencia, permanencia, solvencia y calidad de este servicio público, manteniéndolo alejado de intereses privados*" y que "*algunas corporaciones municipales han ofrecido su colaboración a los Colegios de Abogados, proporcionando espacios físicos y financiación con la finalidad de acercar el servicio al ciudadano. Una de esas corporaciones ha sido el Ayuntamiento de Madrid, mediante convenio firmado con el Colegio de Abogados de Madrid, que desde 1989, y salvo algún breve período, ha venido prestando este servicio de forma ejemplar*". Entiende el Colegio de Abogados que los

---

[88] https://www.cronicamadrid.com/noticia/1280751/capital/madrid-ficha-para-la-asistencia-juridica-gratuita-al-abogado-de-manos-limpias.html

[89] https://www.abogacia.es/2019/09/10/comunicado-de-la-junta-de-gobierno-del-colegio-de-madrid-sobre-el-proceso-de-privatizacion-del-soj-municipal/

Ayuntamientos "*pueden colaborar en la prestación de este servicio, pero no sustituir a los Colegios de Abogados ni apropiarse de funciones y competencias que correspon-den exclusivamente a éstos*", sobre todo cuando se pretende "*salvaguardar el derecho de los ciudadanos a recibir un asesoramiento jurídico imparcial, objetivo y de calidad, sin intereses privados o meramente comerciales que puedan alterar la esencia y finalidad del servicio, y garantizar su derecho de acceso a la justicia en condiciones de igualdad con quienes tienen medios*". No existe aún resolución judicial sobre el asunto

VI. EL PRO BONO Y SU ENCUADRAMIENTO EN EL SISTEMA

En el Plan Estratégico de la Abogacía Española, "*Abogacía 2020*" las referencias al pro bono se encuadran en el "*Eje 4: Una Abogacía comprometida con la sociedad*". El Plan concilia la tradición con las nuevas formas y, en este sentido se señala que la clave del sistema y su primer objetivo, el acceso universal a la justicia, se basan en la Proyección del modelo español de Asistencia Jurídica Gratuita (AJG)[90]. Esto no es obstáculo para el desarrollo del objetivo 2, la Abogacía de interés público, que se expresa de este modo:

"Objetivo 2: Abogacía de interés público
116.- Impulso institucional de la litigación de interés público:
(…)
117.- Desarrollo de proyectos de Abogacía pro bono:
La Abogacía Española es consciente de la importancia que la responsabilidad social puede jugar hoy en día en un mundo en que tanto operadores públicos como privados deben remar juntos para proteger y promover de modo efectivo derechos y libertades. En este sentido, la Abogacía pro bono –tradición extendida en los despachos de abogados tanto de los países anglosajones como, cada vez más, de la Europa continental– ocupa un espacio diferenciado respecto a la Asistencia Jurídica Gratuita, que revela un compromiso adicional con la sociedad de los abogados que la practi-

---

[90]   Plan estratégico de la Abogacía Española
"*Objetivo 1: Acceso universal a la justicia*
111.- Proyección del modelo español de Asistencia Jurídica Gratuita (AJG): El sistema español de Asistencia Jurídica Gratuita, inherentemente vinculado a la cláusula del Estado social de Derecho, es uno de los más avanzados de los que existen en la Unión Europea. Garantiza el acceso universal a la justicia, como materialización del derecho fundamental a la tutela judicial efectiva, asistiendo a un amplísimo número de ciudadanos que carecen de recursos para litigar. El éxito del modelo de Asistencia Jurídica Gratuita español recomienda incorporarlo en la estrategia de cooperación de la Abogacía Española. El Consejo General promocionará el sistema en foros europeos e internacionales, así como la transferencia de tecnología en materia de Expediente Electrónico de Justicia Gratuita".

can. Por esta razón, el Consejo General impulsará programas pro bono, colaborando con las organizaciones de acción social y entidades con obra social que trabajan con colectivos vulnerables. Esta actividad se desarrollará prioritariamente en áreas de actividad profesional no jurisdiccional a las que no llega por tanto la Asistencia Jurídica Gratuita".

Como se aprecia, la Abogacía pro bono se vincula directamente con la responsabilidad social corporativa, entendida como una forma de medición del desempeño, rendición de cuentas e inmersión en la comunidad. Como señala el mismo Plan Estratégico: "*Los Colegios de Abogados realizan actividades de responsabilidad social desde hace siglos. En este sentido, la responsabilidad social de la Abogacía está en el ADN de su base corporativa. Los abogados han ejercido, desde sus orígenes y por compromiso social, funciones no retribuidas de defensa legal de personas sin recursos. Por tanto, resulta lógico y natural que la Abogacía Española participe de forma más activa en los actuales foros y plataformas de RSC, con el fin de colaborar en este ámbito con empresas responsables, incluidos grandes despachos y empresas de servicios legales*".

Procede en este sentido la cita del Libro Verde "*Fomentar un Marco Europeo para la Responsabilidad Social de las Empresas*", de 2011[91], que define el concepto en estos términos: "*Ser socialmente responsable no significa solamente cumplir plenamente las obligaciones jurídicas, sino también ir más allá de su cumplimiento invirtiendo 'más' en el capital humano, el entorno y las relaciones con los interlocutores. La experiencia adquirida con la inversión en tecnologías y prácticas comerciales respetuosas del medio ambiente sugiere que ir más allá del cumplimiento de la legislación puede aumentar la competitividad de las empresas. La aplicación de normas más estrictas que los requisitos de la legislación del ámbito social, por ejemplo, en materia de formación, condiciones laborales o relaciones entre la dirección y los trabajadores, puede tener también un impacto directo en la productividad. Abre una vía para administrar el cambio y conciliar el desarrollo social con el aumento de la competitividad*".

Se ha de partir, por tanto, de la compatibilidad entre el servicio público de asistencia jurídica gratuita y la labor pro bono. El marco propio de la acción pro bono se encuadra, entonces, en las entidades de voluntariado y las entidades del tercer sector. Como ha expresado Nieto Guzmán de Lázaro: "*constituiría la prestación por la Abogacía de forma voluntaria y gratuita, de un determinado asesoramiento dirigido a colectivos en situación de marginalidad o exclusión social y entidades sin ánimo de lucro (ONGs, asociaciones, fundaciones)*

---

[91]   Libro Verde Fomentar un Marco Europeo para la Responsabilidad Social de las Empresas, (2001). COM (2001) 366 final.

Espacios donde no llega la justicia gratuita, ni menos aún el despacho privado "de pago" —inaccesible por completo para quien es aquí el destinatario—; así como a muchas de tales entidades que carecen de medios para tener una asesoría jurídica propia o que teniéndola, resulta insuficiente para atender sus múltiples necesidades, en ocasiones transversales y multidisciplinares, que bien pueden precisar de un apoyo y acompañamiento en su función"[92].

En semejante sentido se expresa García Barroso[93] en la reflexión publicada con motivo del XII Congreso Nacional de la Abogacía, celebrado en Valladolid. Señala que: *"El pro bono nace como una actividad altruista que ciertos profesionales prestan a organizaciones sin ánimo de lucro que lo necesitan o a sus beneficiarios. Al igual que ocurre con el turno de oficio, se trata de una actividad que se despliega de forma voluntaria, pero en este caso no reporta un beneficio económico. El sector al que va destinado es muy concreto, ya que se centra en las entidades sociales u organizaciones de colectivos sin ánimo de lucro, es decir, que reciben una ayuda por la que no pagan una contraprestación económica. ( ) ¿Quién puede beneficiarse? Tendrán acceso a esta actividad las organizaciones sin ánimo de lucro o sus beneficiarios que tengan sede en el Estado español. También podrán hacerlo aquellas organizaciones que estén en proceso de constitución y necesiten asesoramiento durante su creación".*

El pro bono sería, en estos términos, complementario de la actividad pública, en el sentido ya expuesto por el artículo 4 de la Ley 45/2015, de 14 de octubre, de Voluntariado, es decir, *"la realización de actividades de voluntariado tampoco podrá sustituir a las Administraciones públicas en el desarrollo de funciones o en la prestación de servicios públicos a los que están obligadas por ley"*. Procede, por tanto, explicitar con mayor precisión quienes pueden ser destinatarios de la actividad pro bono.

Coinciden los autores en que se han de descartar las personas físicas, cubiertas siempre por la Ley de Asistencia Jurídica Gratuita. Como ya se expresó, tras las reuniones celebradas en el Colegio de Abogados de Madrid

---

[92]   Nieto Guzmán de Lázaro, Luis, *Paz, justicia e instituciones fuertes. La Abogacía "Pro Bono" y el compromiso con la sociedad,* Abogacía Española, número 114, Madrid, 2019.

[93]   *García Barroso, Tania, A fondo: pro-bono, Abogados de Valladolid. Revista semestral del Ilustre Colegio de Abogados de Valladolid, segundo semestre, 2018. Ilustre Colegio de Abogados de Valladolid, Valladolid,2018. A la introducción sigue un debate entre dos abogados, Jesús Redondo Blanco y Daniel Domínguez Repiso, en el que uno se muestra a favor y el otro en contra del pro bono.*
        https://www.icava.org/public/Attachment/2019/2/Revista_diciembre_2018.pdf.

entre los representantes de la Fundación Pro Bono España y las asociaciones de abogados, la Junta de Gobierno del Colegio manifestó: "*Sin perjuicio de considerar que se trata de un proyecto loable, el Decano les exigió a los promotores que en los estatutos de la Fundación Pro Bono España explicitaran que entre sus actividades quedarían expresamente excluidas aquellas que pudieran entrar siquiera mínimamente en conflicto con el Turno de Oficio (TO) y la Asistencia Jurídica Gratuita*". Se concluyó que la Fundación Pro Bono no podía realizar ningún tipo de actividad ni asesoramiento jurídico a ningún tipo de persona física y que "*las actividades Pro Bono se realizarán estrictamente respecto de aquellas asociaciones sin ánimo de lucro que no tengan derecho a asistencia jurídica gratuita, sean o no de utilidad pública*".

De lo expuesto se desprende que el pro bono no tiene como objetivo el asesoramiento a personas físicas, protegidas por la Ley de Asistencia Jurídica Gratuita[94]. Sin embargo, a nadie se le oculta que asesorar gratuitamente a las mujeres víctimas de la violencia de género en cuanto grupo o colectivo especialmente vulnerable supone, sin duda, asesorar a las mujeres como persona física, a todas y cada una de ellas. El caso ya citado de los "**Centros municipales de información a la mujer**" de la Comunidad Autónoma de Andalucía en su defensa de doña Juana Rivas pone de manifiesto la delgada línea que separa el asesoramiento a colectivos y el asesoramiento a justiciables.

Son, por tanto, beneficiarias, como destaca la propia Fundación en su web, "*aquellas entidades sin ánimo de lucro constituidas o en proceso de constitución que pertenezcan al tercer sector social y desarrollen actividades de interés general*"[95] y así lo dispone el artículo 5 de sus Estatutos.

Será preciso, en primer término, hacer referencia a las entidades que ya disfrutan del beneficio de asistencia jurídica gratuita. Como ya se expuso en este informe son las citadas en el artículo 2 de la Ley 1/1996, de 10 de

---

[94] Así se ha reflejado expresamente en los Estatutos de la Fundación Pro Bono España. "*Artículo 5.- Fin y actividades.*
La Fundación tiene como fin promover y desarrollar la actividad jurídica pro bono en España, actividad que consiste en facilitar el acceso a los servicios profesionales de asesoramiento y asistencia jurídica especializada a entidades o colectividades de personas que, por razones económicas o de otra índole, tengan dificultades para acceder a dichos servicios.
El desarrollo de la actividad de la Fundación no interferirá en la prestación obligatoria del servicio de asistencia gratuita por parte de los Colegios de Abogados en los términos previstos en la Ley 1/1996, de 10 de enero, sino que la complementará cuando resulte necesario en el marco de la relación de colaboración que existe entre los Colegios de Abogados y la Fundación".

[95] https://www.probonoespana.org/que-hacemos/nuestro-trabajo-pro-bono/

enero, de asistencia jurídica gratuita, que incluye en su ámbito subjetivo a las Asociaciones de utilidad pública, previstas en el artículo 32 de la Ley Orgánica 1/2002, de 22 de marzo, reguladora del Derecho de Asociación y las Fundaciones inscritas en el Registro Público correspondiente.

A las citadas en términos genéricos se suman, por disposición expresa de la Ley la Cruz Roja Española, las Asociaciones de Consumidores y Usuarios, las asociaciones de utilidad pública que tengan como fin la promoción y defensa de los derechos de las personas con discapacidad señaladas en el artículo 1.2 de la Ley 51/2003, de 2 de diciembre, y las asociaciones que tengan como fin la promoción y defensa de los derechos de las víctimas del terrorismo, señaladas en la Ley 29/2011, de 22 de septiembre, de reconocimiento y protección integral a las víctimas del terrorismo[96].

Todas ellas disfrutan de asistencia jurídica gratuita, como dispone el artículo 3.5 la Ley 1/1996, de 10 de enero, de asistencia jurídica gratuita, siempre que: "*cuando careciendo de patrimonio suficiente el resultado contable de la entidad en cómputo anual fuese inferior a la cantidad equivalente al triple del indicador público de renta de efectos múltiples*". En el año 2019 el IPREM en cómputo anual se mantiene entre los 6.454,03 euros y los 7.519,59 euros, de manera que los solicitantes deberían acreditar que carecen de patrimonio suficiente y que su resultado es inferior, en el peor de los casos, a 22.558,77 euros anuales. Procede, por tanto, analizar el resto de los requisitos.

.

---

[96]   Se ha de valorar que la Ley 49/2002, de 23 de diciembre, de régimen fiscal de las entidades sin fines lucrativos y de los incentivos fiscales al mecenazgo, concede un régimen fiscal privilegiado a determinadas entidades, en estos términos:
"*Artículo 2. Entidades sin fines lucrativos.*
Se consideran entidades sin fines lucrativos a efectos de esta Ley, siempre que cumplan los requisitos establecidos en el artículo siguiente:
a) Las fundaciones.
b) Las asociaciones declaradas de utilidad pública.
c) Las organizaciones no gubernamentales de desarrollo a que se refiere la Ley 23/1998, de 7 de julio, de Cooperación Internacional para el Desarrollo, siempre que tengan alguna de las formas jurídicas a que se refieren los párrafos anteriores.
d) Las delegaciones de fundaciones extranjeras inscritas en el Registro de Fundaciones.
e) Las federaciones deportivas españolas, las federaciones deportivas territoriales de ámbito autonómico integradas en aquéllas, el Comité Olímpico Español y el Comité Paralímpico Español.
f) Las federaciones y asociaciones de las entidades sin fines lucrativos a que se refieren los párrafos anteriores".

Son asociaciones de utilidad pública, según el artículo 32 de la Ley de la Ley Orgánica 1/2002, de 22 de marzo[97]:

"Artículo 32. Asociaciones de utilidad pública.

1. A iniciativa de las correspondientes asociaciones, podrán ser declaradas de utilidad pública aquellas asociaciones en las que concurran los siguientes requisitos:

*a) Que sus **fines estatutarios tiendan a promover el interés general, en los términos definidos por el artículo 31.**3 de esta Ley, y sean de carácter cívico, educativo, científico, cultural, deportivo, sanitario, de promoción de los valores constitucionales, de promoción de los derechos humanos, de asistencia social, de cooperación para el desarrollo, de promoción de la mujer, de protección de la infancia, de fomento de la igualdad de oportunidades y de la tolerancia, de defensa del medio ambiente, de fomento de la economía social o de la investigación, de promoción del voluntariado social, de defensa de consumidores y usuarios, de promoción y atención a las personas en riesgo de exclusión por razones físicas, sociales, económicas o culturales, y cualesquiera otros de similar naturaleza*[98]:

b) Que su actividad no esté restringida exclusivamente a beneficiar a sus asociados, sino abierta a cualquier otro posible beneficiario que reúna las condiciones y caracteres exigidos por la índole de sus propios fines.

c) Que los miembros de los órganos de representación que perciban retribuciones no lo hagan con cargo a fondos y subvenciones públicas.

No obstante lo dispuesto en el párrafo anterior, y en los términos y condiciones que se determinen en los Estatutos, los mismos podrán recibir una retribución adecuada por la realización de servicios diferentes a las funciones que les corresponden como miembros del órgano de representación.

d) Que cuenten con los medios personales y materiales adecuados y con la organización idónea para garantizar el cumplimiento de los fines estatutarios.

e) Que se encuentren constituidas, inscritas en el Registro correspondiente, en funcionamiento y dando cumplimiento efectivo a sus fines estatutarios, ininterrumpidamente y concurriendo todos los precedentes requisitos, al menos durante los dos años inmediatamente anteriores a la presentación de la solicitud.

2. Las federaciones, confederaciones y uniones de entidades contempladas en esta Ley podrán ser declaradas de utilidad pública, siempre que los requisitos previstos en el apartado anterior se cumplan, tanto por las propias federaciones, confederaciones y uniones, como por cada una de las entidades integradas en ellas".

Y son fundaciones, según la Ley 50/2002, de 26 de diciembre, de Fundaciones.

---

[97]   El artículo 33 de la Ley refleja expresamente entre los derechos de las asociaciones de utilidad pública el de disfrutar de *"Asistencia jurídica gratuita en los términos previstos en la legislación específica"*.

[98]   Negritas de la autora.

"Artículo 2. Concepto.

1. Son fundaciones las organizaciones constituidas sin fin de lucro que, por voluntad de sus creadores, tienen afectado de modo duradero su patrimonio a la realización de fines de interés general.

2. Las fundaciones se rigen por la voluntad del fundador, por sus Estatutos y, en todo caso, por la Ley.

Artículo 3. Fines y beneficiarios.

1. Las fundaciones deberán perseguir **fines de interés general, como pueden ser, entre otros, los de defensa de los derechos humanos, de las víctimas del terrorismo y actos violentos, asistencia social e inclusión social, cívicos, educativos, culturales, científicos, deportivos, sanitarios, laborales, de fortalecimiento institucional, de cooperación para el desarrollo, de promoción del voluntariado, de promoción de la acción social, de defensa del medio ambiente, y de fomento de la economía social, de promoción y atención a las personas en riesgo de exclusión por razones físicas, sociales o culturales, de promoción de los valores constitucionales y defensa de los principios democráticos, de fomento de la tolerancia, de desarrollo de la sociedad de la información, o de investigación científica y desarrollo tecnológico**[99].

2. La finalidad fundacional debe beneficiar a colectividades genéricas de personas. Tendrán esta consideración los colectivos de trabajadores de una o varias empresas y sus familiares.

3. En ningún caso podrán constituirse fundaciones con la finalidad principal de destinar sus prestaciones al fundador o a los patronos, a sus cónyuges o personas ligadas con análoga relación de afectividad, o a sus parientes hasta el cuarto grado inclusive, así como a personas jurídicas singularizadas que no persigan fines de interés general.

4. (…)".

Si se examinan con atención las definiciones de asociaciones de utilidad pública y de fundación se aprecia que los fines protegidos, cubiertos como se ha dicho por la asistencia jurídica gratuita, son los que siguen:

- Fines de interés general
- Fines cívicos
- Fines de defensa de los derechos humanos, de las víctimas del terrorismo y actos violentos
- Fines educativos
- Fines científicos
- Fines de asistencia social e inclusión social
- Fines culturales
- Fines deportivos

---

[99]   Negritas de la autora.

- Fines sanitarios
- Fines de promoción de los valores constitucionales
- Fines de promoción de los derechos humanos
- Fines de asistencia social e inclusión social
- Fines de cooperación para el desarrollo
- Fines de promoción de la mujer
- Fines de fortalecimiento institucional
- Fines de protección de la infancia
- Fines de fomento de la igualdad de oportunidades y de la tolerancia
- Fines de defensa del medio ambiente
- Fines de fomento de la economía social o de la investigación
- Fines de promoción del voluntariado social
- Fines de fomento de la tolerancia
- Fines de desarrollo de la sociedad de la información,
- Fines de defensa de consumidores y usuarios
- Fines de promoción y atención a las personas en riesgo de exclusión por razones físicas, sociales, económicas o culturales
- Y, además, cualesquiera otros de similar naturaleza.

Como se aprecia es difícil concebir un fin de interés general que no esté cubierto por estas cláusulas. Y lo cierto es que son pocos los casos en los que se deniega la asistencia jurídica gratuita. Uno de ellos afecta a determinadas agrupaciones de ecologistas que carecen de la condición de asociaciones de utilidad pública, de modo que no son susceptibles de ser beneficiarias del beneficio. Así lo ha expresado por Auto de 23 de noviembre de 2015 la Sala de lo Contencioso-Administrativo del Tribunal Superior de Justicia de la Comunidad Valenciana, denegando el derecho a Colla Ecologista La Carrasca y por Auto de 17 de febrero de 2016 a "Salvem L'aqüifer del Molinar"[100]. Entiende el Tribunal que la legitimación no se desprende de forma directa de la Ley 27/2006, de 18 de julio, por la que se

---

[100]   Un tercer caso semejante se planteó ante la solicitud de asistencia jurídica gratuita por parte de Ecologistas en Acción-Almería, en la que la Comisión Provincial de Asistencia Jurídica Gratuita desestimo la pretensión por resolución de 6 de noviembre de 2015. Los solicitantes no eran una asociación de utilidad pública.

regulan los derechos de acceso a la información, de participación pública y de acceso a la justicia en materia de medio ambiente, que incorpora al ordenamiento el Convenio de Aarhus[101] sino que debe interpretarse de forma integrada con la Ley de la Ley Orgánica 1/2002, de 22 de marzo, de Asociaciones. Un tercer caso semejante se planteó ante la solicitud de asistencia jurídica gratuita por parte de Ecologistas en Acción-Almería, en la que la Comisión Provincial de Asistencia Jurídica Gratuita desestimo la pretensión por resolución de 6 de noviembre de 2015. Los solicitantes no eran una asociación de utilidad pública.

A los efectos de encuadrar el sistema del pro bono es oportuno además, hacer una breve referencia a su tratamiento fiscal. Se ha planteado en forma de consulta vinculante elevada a la Dirección General de Tributos y resuelta por resolución V0920-16[102]. El planteamiento es el siguiente: "*la consultante tiene como actividad principal la prestación de servicios jurídicos remunerados. No obstante, con la intención de promover a nivel institucional la participación de sus abogados en acciones sociales dentro de la comunidad donde desarrolla su actividad, ha puesto en marcha un programa de trabajo 'pro bono' cuyos ámbitos de actuación son el asesoramiento a instituciones o entidades sin ánimo de lucro prestando servicios de formación jurídica a colectivos desfavorecidos de forma gratuita*". En cuanto al tratamiento de las prestaciones de servicios realizadas en el marco del programa de servicios objeto de consulta se plantea el régimen fiscal a efectos del Impuesto sobre el Valor Añadido. Con cita de la jurisprudencia del Tribunal de Justicia de la Unión Europea y amplio razonamiento concluye:

> "*3.- De la información facilitada en el escrito de consulta se deduce que los servicios de trabajo pro bono prestados por la consultante se dirigen a la promoción de la firma, por cuanto contribuye a mejorar su percepción por parte de la opinión pública en general, y a la atención para los profesionales de la entidad, captando profesionales con talento que tengan inquietudes sociales, todo ello dirigido al mejor cumplimiento a los fines empresariales propios de la consultante.*
>
> *En tales circunstancias, y de acuerdo con los criterios establecidos en los apartados anteriores, no resulta procedente entender que la prestación del servicio de asesoramiento y formación gratuitos satisface necesidades privadas, dado que su finalidad consiste, en última instancia, en la provisión de un servicio que sirve primordialmente a los fines de la empresa.*

---

[101] La ley de justicia gratuita deja fuera a las organizaciones medioambientales. https://elpais.com/sociedad/2014/03/14/actualidad/1394817090_544361.html

[102] https://petete.minhafp.gob.es/consultas/

> *En consecuencia, el referido servicio de asesoramiento y formación ha de considerarse completamente afecto al desarrollo de la actividad empresarial o profesional y al margen del supuesto de autoconsumo a que se refiere el artículo 12.3° de la Ley 37/1992".*

Procede, finalmente, una reflexión sobre la posible evolución del sistema.

Existen supuestos y situaciones en las que la asistencia jurídica gratuita pudiera resultar tan necesaria como lo es ahora para detenidos y acusados. Uno de estos casos podría ser la privación de libertad para personas en las que se ha diagnosticado un trastorno psíquico severo. Por Sentencia del Tribunal Constitucional 132/2010, de 2 diciembre, se ha declarado inconstitucional el inciso *'el internamiento, por razón de trastorno psíquico, de una persona que no esté en condiciones de decidirlo por sí, aunque esté sometida a la patria potestad o a tutela, requerirá autorización judicial'* del artículo 763.1 de la Ley de Enjuiciamiento Criminal y el inciso *'la autorización será previa a dicho internamiento, salvo que razones de urgencia hicieren necesaria la inmediata adopción de la medida'* del párrafo segundo del artículo 763.1[103]. En los casos

---

[103] Ley de Enjuiciamiento Criminal
"*Artículo 763 Internamiento no voluntario por razón de trastorno psíquico*
1. El internamiento, por razón de trastorno psíquico, de una persona que no esté en condiciones de decidirlo por sí, aunque esté sometida a la patria potestad o a tutela, requerirá autorización judicial, que será recabada del tribunal del lugar donde resida la persona afectada por el internamiento.
La autorización será previa a dicho internamiento, salvo que razones de urgencia hicieren necesaria la inmediata adopción de la medida. En este caso, el responsable del centro en que se hubiere producido el internamiento deberá dar cuenta de éste al tribunal competente lo antes posible y, en todo caso, dentro del plazo de veinticuatro horas, a los efectos de que se proceda a la preceptiva ratificación de dicha medida, que deberá efectuarse en el plazo máximo de setenta y dos horas desde que el internamiento llegue a conocimiento del tribunal.
En los casos de internamientos urgentes, la competencia para la ratificación de la medida corresponderá al tribunal del lugar en que radique el centro donde se haya producido el internamiento. Dicho tribunal deberá actuar, en su caso, conforme a lo dispuesto en el apartado 3 del artículo 757 de la presente Ley.
2. El internamiento de menores se realizará siempre en un establecimiento de salud mental adecuado a su edad, previo informe de los servicios de asistencia al menor.
3. Antes de conceder la autorización o de ratificar el internamiento que ya se ha efectuado, el tribunal oirá a la persona afectada por la decisión, al Ministerio Fiscal y a cualquier otra persona cuya comparecencia estime conveniente o le sea solicitada por el afectado por la medida. Además, y sin perjuicio de que pueda practicar cualquier otra prueba que estime relevante para el caso, el tribunal deberá examinar por sí mismo a la persona de cuyo internamiento se trate y oír el dictamen de un facultativo por él designado. En todas las actuaciones, la

de internamiento no voluntario no está prevista la actuación de abogado de oficio, salvo solicitud expresa. Y en cuanto resulta ser una privación de libertad la presencia de abogado parece necesaria.

En la misma línea la Fundación Abogacía Española ha prestado atención al caso de las personas presas en el extranjero y ha organizado una jornada sobre su situación. El Plan Estratégico de la Abogacía fija en entre sus objeticos el número 121 que se refiere a la *"Ampliación del Programa de protección y repatriación de presos en el extranjero"*, en el que, entre otras acciones se atiende a las solicitudes de traslado, indulto, repatriaciones en circunstancias humanitarias y reinserción en la sociedad española.

En la Ciudad de Melilla la Asociación Española Contra el Cáncer y el Colegio de Abogados colaborarán juntos en un nuevo turno para la prestación de asistencia jurídica gratuita a los enfermos de cáncer, a los efectos de proporcionar asistencia de tipo laboral y jurídica para los enfermos y la familia, de forma gratuita.

Pero en otros casos la justificación no parece tan evidente. En abril de 2018 un equipo de abogados presentó ante el Ilustre Colegio de Abogados de Barcelona una propuesta pionera: la creación de un turno de oficio específico para la defensa y protección de los animales, dentro del turno penal, atendiendo a su especial vulnerabilidad. Al parecer, presentarán su propuesta ante el Consejo de la Abogacía Catalana (CICAC).

---

persona afectada por la medida de internamiento podrá disponer de representación y defensa en los términos señalados en el artículo 758 de la presente Ley.
En todo caso, la decisión que el tribunal adopte en relación con el internamiento será susceptible de recurso de apelación.
4. En la misma resolución que acuerde el internamiento se expresará la obligación de los facultativos que atiendan a la persona internada de informar periódicamente al tribunal sobre la necesidad de mantener la medida, sin perjuicio de los demás informes que el tribunal pueda requerir cuando lo crea pertinente.
Los informes periódicos serán emitidos cada seis meses, a no ser que el tribunal, atendida la naturaleza del trastorno que motivó el internamiento, señale un plazo inferior.
Recibidos los referidos informes, el tribunal, previa la práctica, en su caso, de las actuaciones que estime imprescindibles, acordará lo procedente sobre la continuación o no del internamiento.
Sin perjuicio de lo dispuesto en los párrafos anteriores, cuando los facultativos que atiendan a la persona internada consideren que no es necesario mantener el internamiento, darán el alta al enfermo, y lo comunicarán inmediatamente al tribunal competente".

VII. CONCLUSIONES

1. El pro bono puede encuadrarse en el mercado de servicios jurídicos en España siempre y cuando se entienda como una prestación subsidiaria, destinada a proteger los intereses de determinadas personas jurídicas a las que no alcanza el servicio público. Sin embargo, se ha de valorar que una extensión indebida del pro bono y su fomento podría suponer que los Colegios de Abogados compitan con sus propios Colegiados para abarcar la demanda de asesoramiento.

2. La Abogacía institucional ha de mantener una firme posición en defensa de la profesionalidad y calidad técnica de los servicios jurídicos de asesoramiento prestados por los Abogados, en el entendimiento de que no todos los servicios jurídicos son idóneos para el fin perseguido. La formación y especialización son la mejor garantía del servicio ofrecido a los ciudadanos, que resulta para los usuarios, gratuito.

3. La calificación de las asociaciones y fundaciones y su interés público ya consta en normas con rango legal, ponderando sus fines y medios. La prestación de justicia gratuita debe tener en cuenta estos fines ya cubiertos y protegidos por el ordenamiento.

4. El paso de la beneficencia al servicio público supuso para la ciudadanía un gran logro. La mera demostración de la necesidad de la prestación permite al justiciable acceder al derecho de justicia gratuita, con independencia de la valoración que merezca su pretensión. El juicio sobre la bondad o maldad del fin perseguido y su acomodo a los fines perseguidos por el benefactor queda desplazado por un sistema objetivo de servicio público. La importancia de este avance, esencial en el Estado Social y Democrático de Derecho, no debe verse cuestionada por una sustitución del sujeto. Es el ciudadano quien debe obtener justicia y no los grupos o colectividades, porque esta sustitución supone una valoración, ya sea implícita o explícita, de la bondad de sus objetivos ¿o de sus especiales características configuradoras? Y, en caso de que esta valoración sea necesaria corresponde hacerla al legislador, que define los intereses generales y se expresa mediante normas con rango de ley.

Igualdad de género y actos procesales. El ejercicio de las abogadas durante el periodo de embarazo, parto y lactancia
(Informe 10/2019)

Sumario: I. INTRODUCCIÓN. CONTEXTO. LAS MUJERES EN LA ABOGACÍA. II. LA MATERNIDAD (O PATERNIDAD) Y EL DERECHO A LA LIBRE ELECCIÓN DE ABOGADO. III. EL DERECHO Y DEBER DE DEFENSA JURÍDICA. 1. Naturaleza de estas actuaciones: Vistas y comparecencias. 1.1. Posibilidad de establecer criterios generales orientativos para el señalamiento de las vistas y trámites equivalentes. 1.2. Suspensiones. IV. CONCLUSIONES.

Se solicita informe acerca de las medidas que podrían fomentarse desde el Consejo General de la Abogacía Española dentro del marco legal para facilitar el ejercicio de la abogacía a las abogadas durante el periodo de embarazo, parto y lactancia (a los que hay que asimilar los casos de adopción) particularmente en relación con sus actuaciones ante los Tribunales de Justicia.

I. INTRODUCCIÓN. CONTEXTO. LAS MUJERES EN LA ABOGACÍA

Según datos del Consejo General de la Abogacía, desde que la primera mujer (María Ascensión Chirivella) se colegió el 12 de enero de 1922 en el Colegio de Abogados de Valencia la presencia de las mujeres en la abogacía se ha ido incrementando de forma muy importante en estos casi 100 años. Si en 2001 las mujeres constituían el 33% de los abogados españoles, esta cifra llegaba al 40% en 2010, y al 44% en 2016. También es muy relevante el dato de que entre los abogados ejercientes con menos de cinco años de antigüedad, el número de mujeres abogadas es mayoría, representando (en 2017) el 53% del total y haciendo descender la edad media de los abogados españoles. Por último, hay que subrayar que el 40% de los miembros de las Juntas de Gobierno de los Colegios de Abogados ya son mujeres.

Sin embargo, en la macroencuesta realizada por Metroscopia en el año 2017 para el Consejo General de la Abogacía aparecen algunas sombras importantes. Así, nada menos que el 78% de los encuestados reconoce que son los hombres quienes gozan de una mejor situación para compaginar la vida laboral y personal. Además, el 72% expresa su disconformidad con los medios de conciliación laboral y familiar con los que cuenta en la actualidad. Existe un consenso sobre que los planes de igualdad, los permisos de maternidad y paternidad o la flexibilidad horaria, entre otros, siguen siendo insuficientes para permitir compaginar la vida laboral y la familiar. En todo caso, la disconformidad con estas medidas es mucho más alta entre las abogadas que entre los abogados.

También es interesante destacar aquellas respuestas en las que difieren abogados y abogadas. Así mientras que el 67% de los hombres no cree que en la abogacía predominen los comportamientos machistas, la mayoría de las abogadas (62%) cree justo lo contrario. El 64% de ellos cree además que en la abogacía existe menos machismo que en el conjunto de la sociedad española, mientras que la mayoría de ellas piensa que hay el mismo nivel de machismo o incluso más.

En cuanto a la brecha salarial entre hombres y mujeres también aparece en el estudio. Así —controlando otras variables como experiencia, edad o formación— las abogadas percibirían, de forma aproximada, unos ingresos mensuales 450 euros inferiores a los de sus compañeros abogados. En cuanto a la percepción, el doble de abogados que de abogadas (61% frente al 31%) creen que las retribuciones son más o menos iguales entre hombres y mujeres mientras que el 62% de ellas considera que son los hombres quienes tienen mayores ingresos.

Por último, y en relación con lo anterior, la mayoría de las mujeres (77%) consideran que existe un techo de cristal que limita su desarrollo profesional mientras que solo lo piensa el 40% de los hombres. Y, a los efectos que aquí nos interesan, es muy destacable que nada menos que tres de cada cuatro abogadas (77%) considere que no tener hijos ni familiares a quienes cuidar es un aspecto importante para lograr el éxito profesional mientras que entre los abogados solo uno de cada dos (54%) piensa lo mismo.

Por su parte, un estudio del Observatorio de La Caixa sostiene que mientras que el 37,7% de las madres solicitaron una reducción de jornada o trabajar a tiempo parcial al reincorporarse a sus trabajos tan solo la solicitaron un 4% de los padres. Concluye que aunque las medidas de conciliación están disponibles, en la práctica muchos padres varones tienen la percepción de que su capacidad para usarlas libremente está limitada.

A la vista de estos datos, el margen de mejora parece todavía muy amplio. Asimismo, hay que poner de relieve que solo el 36% de los encuestados considera suficiente la labor que desempeña el CGAE en las políticas de igualdad.

La cuestión es determinar en qué medida puede el CGAE dentro del marco legal impulsar medidas para favorecer una mejor conciliación entre la vida profesional del abogado/a y su vida familiar en general y en particular que puede hacer para facilitar que los abogados, y muy en particular las abogadas, puedan compaginar las etapas de embarazo, parto y lactancia con el desarrollo de su carrera profesional y con el servicio que prestan a sus clientes. Recordemos además que de acuerdo con nuestro ordenamiento jurídico a los casos de embarazo y parto hay que equiparar los de la adopción de menores de 6 años.

PRIMERO.- El DERECHO A LA IGUALDAD ENTRE HOMBRES Y MUJERES EN NUESTRO ORDENAMIENTO JURÍDICO. LA CONSTITUCIÓN Y LA DOCTRINA DEL TRIBUNAL CONSTITUCIONAL

Antes de entrar a considerar cuales pueden ser esas concretas medidas conviene hacer referencia, aunque sea sucinta, a la regulación del derecho a la no discriminación por razón de género en nuestro ordenamiento jurídico. Como es sabido, el art. 14 de la Constitución española reconoce el derecho a la igualdad entre hombres y mujeres, o, dicho de otra forma, proscribe cualquier tipo de discriminación por razón de sexo. Por su parte, el art. 9.2 CE recuerda que corresponde a los poderes públicos promover las condiciones para que la libertad y la igualdad del individuo y de los grupos en que se integra sean reales y efectivas; removiendo los obstáculos que impidan o dificulten su plenitud.

Por otra parte, la Constitución en el artículo 35 reconoce el deber y el derecho, de todas las personas, al trabajo, a la libre elección de profesión u oficio, a la promoción a través del trabajo y a una remuneración suficiente para satisfacer sus necesidades y las de su familia. En el artículo 39 se asegura la protección de la infancia según las normas internacionales, destacando el deber de los padres y madres de prestar asistencia de todo orden a los hijos habidos dentro o fuera del matrimonio, así como la necesidad de que los poderes públicos aseguren la protección social, económica y jurídica de la familia.

El principio de igualdad entre hombres y mujeres se encuentra también reconocido en textos internacionales suscritos por España como la Convención para la eliminación de todas las formas de discriminación contra la mujer adoptada por la Asamblea General de la ONU en su resolución 34/180, de 18 de diciembre de 1979. En particular, por lo que aquí nos interesa, cabe citar el art. 11 que reconoce el derecho de las mujeres a la protección de la salud y a la seguridad en las condiciones de trabajo, incluso la salvaguardia de la función de reproducción.

A nivel europeo podemos mencionar el artículo 8 TFUE (antiguo artículo 3.2 TCE) que recoge el principio de transversalidad de la igualdad por razón de sexo (principio al que luego nos referiremos con más detenimiento) cuando determina que se ha de integrar la dimensión de género en toda acción política, de modo que cualesquiera de las medidas o iniciativas que se adopten contribuyan a conseguir la igualdad de oportunidades entre hombres y mujeres.

Asimismo hay que destacar la Directiva 2002/73/CE, de 23 de septiembre de 2002 (que modifica la Directiva 76/207/CEE del Consejo relativa a la aplicación del principio de igualdad de trato entre hombres y mujeres en lo que se refiere al acceso al empleo, a la formación y a la promoción profesionales, y a las condiciones de trabajo), que proclama en su artículo primero que: "Los Estados tendrán en cuenta de manera activa el objetivo de la igualdad entre hombres y mujeres al elaborar y aplicar las disposiciones legales, reglamentarias y administrativas, así como sus políticas y actividades".

En cuanto a nuestra legislación nacional hay que destacar la Ley Orgánica 3/2007, de 22 de marzo, para la igualdad efectiva de mujeres y hombres. Su Exposición de Motivos parte de la idea de que si bien el reconocimiento de la igualdad formal ante la ley es un paso decisivo no es suficiente para conseguir una igualdad real y efectiva entre hombres y mujeres en aspectos tales como las retribuciones, la conciliación de la vida personal y familiar, la violencia de género o el ascenso a puestos de responsabilidad concluyendo en que se trata de una tarea pendiente que precisa de nuevos instrumentos jurídicos.

Esta ley reconoce por primera vez en España adicionalmente al permiso de maternidad el derecho de los padres (o del otro progenitor/a) a trece días de permiso propio e intransferible, con su correspondiente prestación de la Seguridad Social, para atender sus responsabilidades derivadas del nacimiento, adopción, guarda con fines de adopción o acogimiento de menores.

En ese sentido, podemos destacar que la ley establece un marco general para la adopción de las llamadas acciones positivas, dirigiendo a todos los poderes públicos un mandato de remoción de situaciones en que puede constatarse una situación de desigualdad fáctica que no sea posible corregir mediante el principio de igualdad jurídica o formal. Dicho eso, también reconoce que si estas acciones pueden suponer la formulación de un derecho desigual en favor de las mujeres habrá que establecer las debidas cautelas y respetar los requisitos que aseguren su constitucionalidad. En definitiva, se trata de encontrar un equilibrio entre la remoción de obstáculos para la igualdad fáctica y el respeto a la jurisprudencia constitucional que ha ido decantando su doctrina en torno a las discriminaciones consideradas ilegítimas y a las consideradas legítimas.

Hay que destacar que la ley considera la transversalidad de la igualdad por razón de sexo como eje vertebrador de su contenido, partiendo del concepto del "mainstreaming" de las políticas de género que surge en el ámbito anglosajón y que se encuentra también en el Derecho comunitario como hemos visto. Se trata pues de promover la igualdad por razón de sexo en todas las actividades y políticas públicas y a todos los niveles, aunque siempre con pleno respeto a los principios constitucionales.

Efectivamente, conviene recordar que el Tribunal Constitucional en doctrina recogida por ejemplo en su sentencia 59/2008, de 14 de mayo (BOE núm. 135, de 04 de junio de 2008 ECLI:ES:TC:2008:59) dictada en la cuestión de inconstitucionalidad núm. 5939-2005 planteada por el Juzgado de lo Penal núm. 4 de Murcia, en relación con el artículo 153.1 del Código Penal viene sosteniendo que la prohibición de las normas que discriminan por razón de nacimiento, raza, sexo, religión, opinión o cualquier otra condición o circunstancia personal o social no impide que excepcionalmente estos motivos de discriminación puedan usarse también como criterios de diferenciación jurídica.

Desde ese punto de vista los rasgos esenciales de esa doctrina se recogen en la STC 76/1990, de 26 de abril, que son reproducidos en la STC 253/2004 de 22 de diciembre y que son los siguientes:

a) no toda desigualdad de trato en la Ley supone una infracción del art. 14 de la Constitución, sino que dicha infracción la produce sólo aquella desigualdad que introduce una diferencia entre situaciones que pueden considerarse iguales y que carece de una justificación objetiva y razonable;

b) el principio de igualdad exige que a iguales supuestos de hecho se apliquen iguales consecuencias jurídicas, debiendo considerarse iguales dos supuestos de hecho cuando la utilización o introducción de elementos diferenciadores sea arbitraria o carezca de fundamento racional;

c) el principio de igualdad no prohíbe al legislador cualquier desigualdad de trato, sino sólo aquellas desigualdades que resulten artificiosas o injustificadas por no venir fundadas en criterios objetivos suficientemente razonables de acuerdo con criterios o juicios de valor generalmente aceptados;

d) para que la diferenciación resulte constitucionalmente lícita no basta con que lo sea el fin que con ella se persigue, sino que es indispensable además que las consecuencias jurídicas que resultan de tal distinción sean adecuadas y proporcionadas a dicho fin, de manera que la relación entre la medida adoptada, el resultado que se produce y el fin pretendido por el legislador superen un juicio de proporcionalidad en sede constitucional, evitando resultados especialmente gravosos o desmedidos.

Cabe citar también la STC 181/2000, de 29 de junio, en la que se declara que el principio de igualdad prohíbe al legislador "configurar los supuestos de hecho de la norma de modo tal que se dé trato distinto a personas que, desde todos los puntos de vista legítimamente adoptables, se encuentran en la misma situación o, dicho de otro modo, impidiendo que se otorgue relevancia jurídica a circunstancias que, o bien no pueden ser jamás tomadas en consideración por prohibirlo así expresamente la propia Constitución, o bien no guardan relación alguna con el sentido de la regulación que, al incluirlas, incurre en arbitrariedad y es por eso discriminatoria".

También interesa destacar la doctrina del TC en cuanto a la acción positiva que se recoge en la tan citada sentencia 59/2008, de 14 de marzo, en relación con la diferencia de trato tanto en relación con la pena imponible como con el sistema de alternativas a la pena privativa de libertad. Efectivamente, el TC constata la diferencia de trato y valora la justificación de la diferencia partiendo de su doctrina de la "acción positiva" o derecho desigual igualatorio (STC 229/1992, de 14 de diciembre) y que puede definirse como un remedio corrector de pasadas injusticias que han recaído sobre grupos determinados, procurando una redistribución del empleo, la educación, los cargos públicos y otros bienes escasos, a favor de esos grupos, caracterizados normalmente por su raza, etnia o género, llegando a otorgarles un trato preferencial que facilite su acceso a esos bienes, como compensación a actuales o pretéritas discriminaciones dirigidas contra ellos, con la finalidad de procurar una distribución proporcionada de aquéllos.

Igualmente hay que recordar las SSTC 3/1993, de 14 de enero, 229/1992, de 14 de marzo y 28/1992, de 9 de marzo, dictadas en materia laboral, en las que se declara la legitimidad de estas políticas en relación con supuestas discriminaciones por razón de sexo en el ámbito laboral. En particular la STC

28/1992, de 9 de marzo distingue entre "normas protectoras", que responden a una consideración no igual de la mujer como trabajadora, constitucionalmente ilegítimas y normas que podrían denominarse "promotoras", esto es, las que contienen medidas tendentes a compensar una desigualdad de partida y que tratan de lograr una igualdad efectiva de acceso y de mantenimiento en el empleo de la mujer en relación con el varón. No obstante, también hay que tener en cuenta —como adicionalmente señala el TC— que la doctrina de la acción positiva puede suponer ciertos riesgos en cuanto que puede generar una nueva discriminación fundada en la sospecha de falta de verdadera capacidad o mérito profesional o académico de sus actuales o potenciales beneficiarios. Cabe concluir que se trata de una cuestión compleja que habrá que determinar caso por caso.

En cuanto al objeto del debate. Recordemos que en la sentencia 59/2008, de 14 de marzo, se trata de determinar si las medidas penales que endurecen la respuesta punitiva en atención a la diferenciación sexual de los sujetos del delito tendrían o no el carácter de acciones positivas constitucionales teniendo en cuenta que nos encontramos con la introducción de medidas positivas en un ámbito como el penal, ajeno a aquéllos en que se ha venido desarrollando la acción positiva, como el laboral, educativo o de representación política. El Tribunal Constitucional concluye que se trata de una diferenciación razonable porque persigue incrementar la protección de la integridad física, psíquica y moral de las mujeres en un ámbito, el de la pareja, en el que están insuficientemente protegidas, y porque persigue esta legítima finalidad de un modo adecuado a partir de la, a su vez, razonable constatación de una mayor gravedad de las conductas diferenciadas, que toma en cuenta su significado social objetivo y su lesividad peculiar para la seguridad, la libertad y la dignidad de las mujeres, declarando la constitucionalidad del art. 153.1 del CP.

Por último, cabe mencionar el reciente Real Decreto-ley 6/2019, de 1 de marzo, de medidas urgentes para garantía de la igualdad de trato y de oportunidades entre mujeres y hombres en el empleo y la ocupación. Su Exposición de Motivos parte precisamente de constatar la insuficiencia de la LO 3/2007 en algunos aspectos y la necesidad de ir más allá particularmente en el ámbito laboral. Recuerda que la igualdad de trato y de oportunidades entre mujeres y hombres es un derecho básico de las personas trabajadoras, y que ese derecho a la igualdad de trato entre mujeres y hombres debe suponer la ausencia de toda discriminación, directa o indirecta, por razón de sexo, y, especialmente, las derivadas de la maternidad, la asunción de obligaciones familiares y el estado civil. El derecho a la igualdad de oportunidades entre mujeres y hombres supone, asimismo, su equiparación en el ejercicio de los derechos y en el cumplimiento de las obligaciones de tal forma que existan las condiciones necesarias para que su igualdad sea efectiva en el empleo y la ocupación.

Por ello, esta norma considera que son contrarias al derecho a la igualdad de trato y de oportunidades entre mujeres y hombres las discriminaciones directas e indirectas; la discriminación por el embarazo, la maternidad, la asunción de obligaciones familiares o el ejercicio de los derechos de corresponsabilidad de la vida personal, familiar y laboral así como las represalias como consecuencia de las denuncias contra actos discriminatorios; y los actos y cláusulas de los negocios jurídicos que constituyan o causen discriminación por razón de sexo.

Además precisa que la Ley Orgánica 3/2007 en cuanto a la conciliación estaba pensando en familias heterosexuales biparentales en que el cuidado del hijo recae especialmente sobre la madre. En este sentido, señala que no se adapta a una sociedad que contempla otros modelos posibles de familia con dos personas del mismo sexo que tienen hijos y en el que la distribución del cuidado de los hijos es más igualitario.

Constata también que sólo los permisos de paternidad intransferibles suponen un avance efectivo en la igualdad de hombres y mujeres. Efectivamente, en 2015, según datos oficiales, el número de permisos de paternidad alcanzó el 87,4 % del número de permisos de maternidad disfrutados por las madres. Sin embargo, solo en un 1,9 % de los casos los padres se tomaron alguna parte de las diez semanas transferibles de los permisos de maternidad; y menos de un 5% de las excedencias fueron disfrutadas por hombres. En definitiva, la aplicación de la Ley Orgánica 3/2017 ha demostrado que solo un permiso intransferible para el otro progenitor puede considerarse como una medida efectiva de corresponsabilidad. Esto es cierto también para los países de nuestro entorno que han ido implantando y ampliando los permisos exclusivos para los padres. En este sentido, los estudios sobre el disfrute de los permisos parentales concluyen que los padres se toman mayoritariamente los permisos sólo cuando son intransferibles y su retribución se aproxima al 100% del salario; mientras que solo una minoría disfruta alguna parte de los permisos que pueden ser cedidos a la madre o que no están suficientemente remunerados.

SEGUNDO.- LOS PRINCIPIOS DE LA LEY ORGÁNICA 3/2007, DE 22 DE MARZO, PARA LA IGUALDAD EFECTIVA DE HOMBRES Y MUJERES

Sentado lo anterior, y antes de entrar en la cuestión concreta objeto del presente informe, cabe destacar también alguno de los principios generales que recoge la Ley Orgánica 3/2007 de 22 de marzo, para la igualdad efectiva de mujeres y hombres. En primer lugar hay que subrayar el recogido en el art. 3 sobre el principio de igualdad de trato entre hombres y mujeres que recuerda que: "El principio de igualdad de trato entre mujeres y hombres supone la ausencia de toda discriminación, directa o indirecta, por razón de sexo, y, especialmente, las derivadas de la maternidad, la asunción de obligaciones familiares y el estado civil". Por tanto, se hace especial hincapié en la no discriminación por razones derivadas de la maternidad, la asunción de obligaciones familiares y el estado civil que hacen referencia directamente a la sobrecarga de trabajo que padecen las mujeres en nuestra sociedad dado su tradicional papel de "cuidadoras".

Efectivamente, las mujeres en España dedican al hogar y a la familia casi dos horas más al día que los hombres, según el estudio "Coste de oportunidad de la brecha de género" de "ClosinGap" dado a conocer en febrero de 2019. Según el estudio, las mujeres destinan cuatro horas y media a estas tareas del hogar y cuidado, casi dos horas más que los hombres, aunque en el caso de los hogares formados por parejas (con o sin hijos) la diferencia se amplía a casi tres horas.

Recordemos también que según la Exposición de Motivos del Real Decreto-ley 6/2019 de 1 de marzo, los poderes públicos están obligados a adoptar medidas específicas a favor de las mujeres cuando existan situaciones patentes de desigualdad de hecho respecto de los hombres, si bien también reconoce que estas medidas, que serán aplicables en tanto subsistan dichas situaciones, habrán de ser razonables y proporcionadas en relación con el objetivo perseguido en cada caso.

Por lo que aquí nos interesa hay que diferenciar también entre lo que la Ley considera discriminación directa o indirecta. En su art. 6. 1 considera como discriminación directa por razón de sexo la situación en que se encuentra una persona que sea, haya sido o pudiera ser tratada, en atención a su sexo, de manera menos favorable que otra en situación comparable mientras que en su apartado 2º este mismo precepto entiende por discriminación indirecta por razón de sexo "La situación en que una disposición, criterio o práctica aparentemente neutros pone a personas de un sexo en desventaja particular con respecto a personas del otro, salvo que dicha disposición, criterio o práctica puedan justificarse objetivamente en atención a una finalidad legítima y que los medios para alcanzar dicha finalidad sean necesarios y adecuados". En este sentido, podríamos considerar que las normas y los criterios generales sobre señalamientos y suspensiones en casos de embarazo, lactancia y pacto pueden constituir disposiciones o criterios aparentemente neutros pero que colocan a las personas del sexo femenino en desventaja con respecto a las personas del sexo masculino, como veremos más adelante.

Además hay que subrayar que el art. 4 recoge un principio general de integración del principio de igualdad de trato en la interpretación y aplicación de las normas según el cual: "La igualdad de trato y de oportunidades entre mujeres y hombres es un principio informador del ordenamiento jurídico y, como tal, se integrará y observará en la interpretación y aplicación de las normas jurídicas". Estamos por tanto ante un principio general del Derecho que informa el ordenamiento jurídico en los términos del art. 1 4 del CC pero también ante un criterio interpretativo de cualquier norma jurídica que permita una lectura en clave de igualdad de género de acuerdo con los términos del art. 3.1 del CC. En definitiva, este principio habrá de tenerse en cuenta a la hora de interpretar y aplicar cualquier norma jurídica y no sólo en su elaboración. En ese sentido, la Ley 50/1997, de 27 de noviembre, del Gobierno prevé la elaboración de la memoria del análisis de impacto normativo que debe acompañar a los anteproyectos de ley y proyectos de reales decretos-leyes, reales decretos legislativos y normas reglamentarias. Su desarrollo se encuentra en el RD Real Decreto 931/2017, de 27 de octubre, que establece la necesidad de recoger en esta memoria el impacto por razón de género, señalando que analizará y valorará los resultados que se puedan seguir de la aprobación del proyecto desde la perspectiva de la eliminación de desigualdades y de su contribución a la consecución de los objetivos de igualdad de oportunidades y de trato entre mujeres y hombres, a partir de los indicadores de situación de partida, de previsión de resultados y de previsión de impacto.

En cuanto al ámbito laboral, el artículo 5 de la Ley Orgánica 3/2007 se refiere (por lo que aquí nos interesa) al principio de igualdad de trato en las condiciones de trabajo tanto en el ámbito privado como en el público, incluyendo también el trabajo por cuenta propia, es decir, a los trabajadores sin contrato laboral.

Por lo que se refiere a las denominadas acciones positivas, se contemplan en el art. 11 de la Ley que ordena su adopción a los Poderes Públicos y las permite en el caso de las personas físicas y jurídicas privadas. Efectivamente dicho precepto dispone que: "1. Con el fin de hacer efectivo el derecho constitucional de la igualdad, los Poderes Públicos adoptarán medidas específicas en favor de las mujeres para corregir situaciones patentes de desigualdad de hecho respecto de los hombres. Tales medidas, que serán aplicables en tanto subsistan dichas situaciones, habrán de ser razonables y proporcionadas en relación con el objetivo perseguido en cada caso. 2. También las personas físicas y jurídicas privadas podrán adoptar este tipo de medidas en los términos establecidos en la presente Ley".

Adicionalmente, los apartados 7 y 8 del artículo 17 disponen que corresponde a los Poderes Públicos (entre otras medidas) las de protección de la maternidad, con especial atención a la asunción por la sociedad de los efectos derivados del embarazo, parto y lactancia y el establecimiento de medidas que aseguren la conciliación del trabajo y de la vida personal y familiar de las mujeres y los hombres, así como el fomento de la corresponsabilidad en las labores domésticas y en la atención a la familia.

Precisamente la Disposición Adicional Quinta de esta norma modifica determinados preceptos de la Ley de Enjuiciamiento Civil. En concreto, por lo que aquí nos interesa se modifica el supuesto 5.º del apartado 1 del artículo 188 (dedicado a la "suspensión de las vistas") de la Ley 1/2000, de 7 de enero, de Enjuiciamiento Civil, que queda redactado del siguiente modo: '5. Por muerte, enfermedad o imposibilidad absoluta o baja por maternidad o paternidad del abogado de la parte que pidiere la suspensión, justificadas suficientemente, a juicio del Tribunal, siempre que tales hechos se hubiesen producido cuando ya no fuera posible solicitar nuevo señalamiento conforme a lo dispuesto en el artículo 183, siempre que se garantice el derecho a la tutela judicial efectiva y no se cause indefensión. Igualmente, serán equiparables a los supuestos anteriores y con los mismos requisitos, otras situaciones análogas previstas en otros sistemas de previsión social y por el mismo tiempo por el que se otorgue la baja y la prestación de los permisos previstos en la legislación de la Seguridad Social.'

Por su parte, los artículos 2 y 3 del Real decreto-ley 6/2019, de 1 de marzo, equiparan, en sus respectivos ámbitos de aplicación, la duración de los permisos por nacimiento de madres y padres, si bien de forma progresiva en los términos previstos en las disposiciones transitorias del Estatuto de los Trabajadores y del Estatuto Básico del empleado público. De esta forma, según el propio Real-Decreto-ley, se da un paso importante en la consecución de la igualdad real y efectiva entre hombres y mujeres, en la promoción de la conciliación de la vida personal y familiar, y en el principio de corresponsabilidad entre ambos progenitores, elementos ambos esenciales para el cumplimiento del principio de igualdad de trato y de oportunidades entre hombres y mujeres en todos los ámbitos. Por su parte, el artículo 4 del citado Real Decreto-ley contempla la adaptación de la normativa de Seguridad Social a las medidas previstas en la regulación laboral, adaptando las prestaciones a los nuevos derechos. el artículo 7 contiene las adaptaciones necesarias para incluir estas prestaciones en la acción protectora del Régimen Especial de Trabajadores por Cuenta Propia o Autónomos de la Seguridad Social.

En este sentido hay que destacar que si bien el derecho de los padres a acceder a un derecho para el cuidado de sus hijos se remonta al año 1989 (concediéndoles la posibilidad de disfrutar hasta de cuatro semanas del permiso de maternidad, posteriormente ampliadas a diez por la Ley 39/1999, de 5 de noviembre, para promover la conciliación de la vida familiar y laboral de las personas trabajadoras) lo cierto es que ese derecho requería la cesión del mismo por parte de la madre y la mayoría de los padres no lo utilizaba, lo que suponía que en la práctica eran las mujeres las que se ausentaban de su puesto de trabajo para atender las necesidades de cuidado de los recién nacidos o adoptados.

Por último recientemente se ha registrado una Proposición de Ley por la que se modifica el Real Decreto de 14 de septiembre de 1882 por el que se aprueba la Ley de Enjuiciamiento Criminal, para incorporar la maternidad y paternidad entre las causas de suspensión del juicio oral.

Este es, por tanto, el contexto normativo que permite que se puedan promover desde el Consejo General de la Abogacía medidas o criterios para fomentar la compatibilidad de las actuaciones jurisdiccionales de las abogadas con la maternidad al menos en lo que se refiere los periodos de embarazo, parto y lactancia, así como de abogados y abogadas en relación con los permisos de paternidad y maternidad o periodos de descanso equivalentes. Como hemos visto, es la propia Ley Orgánica 3/2007 la que tiene en cuenta estas circunstancias al modificar la LEC e incorporar como causa de suspensión específica de las vistas la baja por maternidad o paternidad.

Cabe añadir que la problemática se presenta con mayor intensidad en el caso de trabajadores por cuenta propia, sin relación de carácter laboral con un empleador o que no cotizan a la Seguridad Social en el régimen especial de trabajadores autónomos (en adelante RETA) como suele ser el caso de muchos abogados que trabajan por cuenta propia sin más protección que la que proporciona la Mutualidad General de la Abogacía. Efectivamente, en el caso de existir una relación laboral y en el caso de trabajadores autónomos (aunque en estos supuestos con ciertos requisitos de cotización mínima previa al RETA) se conceden permisos de maternidad y paternidad retribuidos. En el caso de la Mutualidad General de la Abogacía existe una cobertura específica que consiste en el cobro de una indemnización en el caso de que, con motivo de maternidad/adopción, se produzca una pérdida de ingresos al disfrutar de un periodo de descanso por maternidad o adopción de hijos menores de 6 años.

Por otra parte, es indudable que en el caso de los trabajadores por cuenta ajena existen más posibilidades para abordar la conciliación como ocurre con la posibilidad de la reducción de la jornada de trabajo o con la adopción en entornos empresariales de medidas para fomentar la conciliación de la vida laboral y la familiar o de Planes de Igualdad. Recordemos además que estos planes son obligatorios en las empresas de más de 50 trabajadores, si bien con un calendario progresivo de adaptación reduciendo así de 250 a 50 el número necesario de personas en la plantilla de una empresa para que sea obligatoria la negociación de un plan de igualdad. Como es lógico, estos planes deben contemplar lo que el Real-Decreto ley denomina "ejercicio corresponsable de los derechos de la vida personal, familiar y laboral" aparte de otras cuestiones.

En conclusión, las situaciones en que puede darse la problemática objeto de análisis en el presente informe en relación con las actuaciones jurisdiccionales y que pueden afectar tanto a profesionales por cuenta propia, como por cuenta ajena pueden encuadrarse en las siguientes categorías:

- Parto.

- Embarazo con fecha próxima de parto.

- Embarazo de riesgo, en particular cuando el médico prescriba reposo absoluto

- Adopción/ Adopción internacional

- Lactancia

- Permisos de maternidad (y paternidad)

- Periodos de descanso equivalentes cuando no existen formalmente estos permisos.

Por último, aunque lógicamente en la mayoría de los supuestos mencionados las personas afectadas serán mujeres hay que tener en cuenta que pueden ser también hombres en los casos de adopción y de permisos de paternidad o periodos de descanso equivalentes. Por tanto, a partir de este momento nos referiremos a la protección de la maternidad y la paternidad de forma indistinta, siendo conscientes de que las consecuencias de las medidas que puedan proponerse tendrán como principal beneficiario al colectivo de abogadas.

TERCERO- LA PROTECCIÓN DE LA MATERNIDAD EN RELACIÓN CON LAS ACTUACIONES JURISDICCIONALES: EN PARTICULAR EN LOS SEÑALAMIENTOS, COMPARECENCIAS Y SUSPENSIONES

En el ejercicio profesional de la abogacía se pueden plantear, en particular, las dificultades de conciliar las circunstancias derivadas de la maternidad con la actividad profesional en general y con la asistencia a vistas y comparecencias ante los órganos jurisdiccionales en particular. A estos efectos hay que tener también en cuenta el derecho que tiene todo ciudadano a la libre elección de abogado así como la vinculación y la confianza que se establece entre abogado y cliente a lo largo del proceso, lo que está relacionado con el derecho a la tutela judicial efectiva de todo justiciable y con el derecho y deber de defensa jurídica del abogado recogido en la Ley Orgánica 6/1985, de 1 de julio, del Poder Judicial y en el Estatuto General de la Abogacía.

II. LA MATERNIDAD (O PATERNIDAD) Y EL DERECHO A LA LIBRE ELECCIÓN DE ABOGADO

En cuanto a la libre elección de abogado, el art artículo 545 de la Ley Orgánica 6/1985, de 1 de julio, del Poder Judicial (en adelante LOPJ) señala que, salvo que la ley disponga otra cosa, las partes podrán designar libremente a sus representantes y defensores entre los Procuradores y Abogados que reúnan los requisitos exigidos por las leyes. Solo serán designados de oficio, con arreglo a lo que en las leyes se establezca, a quien lo solicite o se niegue a nombrarlos, siendo preceptiva su intervención.

En este sentido, el párrafo primero art. 7 del Estatuto General de la Abogacía aprobado por RD 658/2001, de 22 de junio, señala que los Colegios de Abogados velarán para que a ninguna persona se le niegue la asistencia de un letrado para la defensa de sus derechos e intereses, ya sea de su libre elección o bien de oficio, con o sin reconocimiento del derecho de asistencia jurídica gratuita, conforme a los requisitos establecidos al efecto. Además, de conformidad con su párrafo 1°, los órganos de la abogacía, en sus respectivos ámbitos, velarán por los medios legales a su alcance para que se remuevan los impedimentos de cualquier clase que se opongan a la intervención en derecho de los abogados, incluidos los normativos, así como para que se reconozca la exclusividad de su actuación.

Por último, de conformidad con el artículo 26 del Estatuto General de la Abogacía, los abogados tendrán plena libertad de aceptar o rechazar la dirección del asunto, así como de renunciar al mismo en cualquier fase del procedimiento, siempre que no se produzca indefensión al cliente.

Hay que tener en cuenta que la libre elección de abogado con objeto de ser representado ante un tribunal implica que la libertad de elección debe de estar garantizada a ser posible con anterioridad al comienzo de los procedimientos judiciales correspondientes para poderlos preparar con suficiente antelación.

Asimismo, recordemos que el artículo 546.1 LOPJ recuerda que "1. Es obligación de los poderes públicos garantizar la defensa y la asistencia de abogado, en los términos establecidos en la Constitución y en las leyes".

De ahí que la mera sustitución de la abogada en casos de embarazo, parto, lactancia o permiso de maternidad (o del abogado en caso de paternidad) además que no siempre sea materialmente posible —en el caso de despachos unipersonales o de pequeño tamaño y/o de abogados muy especializados— no parece la solución óptima desde el punto de vista del derecho a la libre elección de abogado que tiene el cliente. Y tampoco es compatible con carácter general con las políticas de igualdad de género, en la medida en que puede penalizar profesionalmente a las abogadas a consecuencia de su maternidad, puesto que en estas circunstancias el despacho para el que trabajan puede considerar que es preferible no encomendarles determinados asuntos desde el principio, para evitar después sustituciones. Claro está que la solución idónea tampoco consiste en que —como viene sucediendo en muchos casos— las abogadas tengan que realizar las actuaciones jurisdiccionales de que se trate en situaciones en que pueden comprometer su salud, su embarazo o el cuidado del bebé durante el periodo de baja maternal.

En ese sentido, conviene recordar el art. 33.3 del Estatuto General de la Abogacía que establece que el deber de defensa jurídica que a los abogados se confía es también un derecho para los mismos, por lo que, además de hacer uso de cuantos remedios o recursos establece la normativa vigente, podrán reclamar, tanto de las Autoridades como de los Colegios y de los particulares, todas las medidas de ayuda en su función que les sean legalmente debidas.

III. EL DERECHO Y DEBER DE DEFENSA JURÍDICA

Por su parte, el art 553 LOPJ recuerda que los abogados y procuradores serán también corregidos disciplinariamente por su actuación ante los juzgados y tribunales cuando no comparecieren ante el tribunal sin causa justificada una vez citados en forma o cuando renuncien injustificadamente a la defensa o representación que ejerzan en un proceso, dentro de los siete días anteriores a la celebración del juicio o vistas señaladas. Por tanto, parece razonablemente garantizado el que no se produzca un abuso alegando circunstancias relativas al embarazo, lactancia o parto o permisos de maternidad o paternidad sin darse los requisitos a los que enseguida nos referiremos, aparte de que en todo caso deberán ser justificadas otro lado el art. 33.3 del Estatuto General de la Abogacía establece el deber de defensa jurídica de los abogados a los que se confía un asunto. Como ya hemos dicho este deber es, al mismo tiempo, un derecho de defensa que ostentan los abogados. De ahí que los abogados además de hacer uso de cuantos remedios o recursos establece la normativa vigente, puedan reclamar, tanto de las Autoridades como de los Colegios y de los particulares, todas las medidas de ayuda en su función que les sean legalmente debidas. Dentro de estas medidas pueden fácilmente encuadrarse las que se refieren a los señalamientos y las suspensiones en casos relacionados con la maternidad/paternidad de los abogados.

En ese sentido, recuerda el artículo 42 del mismo Estatuto que son obligaciones del abogado para con la parte por él defendida, además de las que se deriven de sus relaciones contractuales, el cumplimiento de la misión de defensa que le sea encomendada con el máximo celo y diligencia y guardando el secreto profesional. El abogado realizará diligentemente las actividades profesionales que le imponga la defensa del asunto encomendado, ateniéndose a las exigencias técnicas, deontológicas y éticas adecuadas a la tutela jurídica de dicho asunto y pudiendo auxiliarse de sus colaboradores y otros compañeros, quienes actuarán bajo su responsabilidad. Por tanto, en principio le corresponde al abogado que haya asumido el asunto —sin perjuicio del auxilio que pueda recabar de otros compañeros o colaboradores— realizar las actuaciones profesionales más adecuadas para garantizar su debida atención.

Los códigos deontológicos de la profesión también insisten en la necesidad de atender concienzuda, puntual y diligentemente los intereses del cliente, respetando sus instrucciones y manteniéndole informado sobre la evolución del asunto. Además en el código deontológico de la Abogacía europea se señala que un abogado que carezca de la pericia o competencia necesaria no debe de encargarse de un asunto que la exija, y que tampoco debe de asumirse un asunto si no se puede resolver teniendo en cuenta el resto de los compromisos profesionales.

En cuanto a la separación de un asunto por parte de un abogado, las normas deontológicas exigen que el cliente no quede indefenso o pueda verse perjudicado.

Por todo lo anterior si realizamos una interpretación de las normas vigentes de la Ley de Enjuiciamiento Civil en relación con las actuaciones jurisdiccionales atendiendo a los principios generales de la Ley Orgánica 3/2007, de 22 de marzo, en los términos más arriba señalados, y si tenemos en cuenta el derecho y el deber de defensa jurídica de los abogados así como el derecho del cliente a la libre elección de abogado, podemos concluir que la sustitución de una abogada en los casos de embarazo, parto y lactancia así como de los abogados en los supuestos de permisos de paternidad y maternidad debe de ser excepcional en los términos concretos que veremos más adelante. Recordemos también que la LO 3/2007 parte de la asunción por la sociedad de los efectos derivados del embarazo, parto y lactancia y el establecimiento de medidas que aseguren la conciliación del trabajo y de la vida personal y familiar de las mujeres y los hombres, así como el fomento de la corresponsabilidad en las labores domésticas y en la atención a la familia. No obstante, parece razonable realizar una ponderación adecuada en cada supuesto para preservar de una parte el buen funcionamiento de la Administración de Justicia y también los derechos de los clientes y el del abogado afectado que no deberían verse menoscabados por circunstancias relativas a la maternidad o paternidad.

Esta ponderación, a nuestro juicio, debe realizarse a la vista de la regulación de las vistas y comparecencias ante los órganos jurisdiccionales que contienen los artículos 182 y siguientes de la Ley de Enjuiciamiento Civil 1/2000 (en adelante LEC), que resulta de aplicación supletoria en los otros órdenes jurisdiccionales.

1. *Naturaleza de estas actuaciones: Vistas y comparecencias*

En cuanto a la naturaleza de estas actuaciones, el Tribunal Supremo ha considerado que la materia de señalamiento aunque no forma parte en sentido estricto de la función jurisdiccional, ha de considerarse como una actividad preparatoria de naturaleza procesal de gran importancia y que está, en último extremo y en todos los casos, en manos de los Jueces y Tribunales de manera que otros órganos (como el Consejo General del Poder Judicial por ejemplo) no pueden intervenir en la misma.

Afirma efectivamente el TS en su sentencia 137/2018 de 1 de febrero de 2018 lo siguiente:

"La materia de señalamientos no forma parte en sentido estricto de la función jurisdiccional; hacer el señalamiento de vista en un procedimiento abreviado no significa comenzar a resolver lo que constituya el objeto del pleito, (no es comenzar a estudiar, por ejemplo, si una sanción administrativa es o no conforme a la normativa que tipifica las infracciones); pero es una actividad preparatoria de naturaleza procesal de una relevante importancia, porque el señalamiento puede venir condicionado por la conveniencia o necesidad jurídica de hacerlo teniendo en cuenta el señalamiento de otro u otros asuntos relacionados, o por la prioridad que convenga darle a la vista de los numerosos asuntos que existan sobre una determinada materia, o por cualquiera circunstancia que la experiencia diaria demuestra que pueden surgir al practicar señalamientos; en último extremo, el día señalado para la vista o para la votación y fallo constituye siempre el "dies a quo" del plazo para dictar sentencia (artículo 78.20 de la Ley Jurisdiccional 29/98, para el procedimiento abreviado), afectando al derecho fundamental consagrado en el artículo 24 de la Constitución, siquiera sea porque condiciona poderosamente el ritmo de despacho de los asuntos, y, por consecuencia, su estudio, reflexión y decisión. En conclusión, señalar la vista en un proceso no es juzgar, pero es, sin duda, preparar el juicio; es una relevante actividad procesal que está, en último extremo y en todos los casos, en manos de los Jueces y Tribunales. La actividad de juzgar y hacer ejecutar lo juzgado no comprende sólo la estricta operación de resolver el objeto del pleito, sino también todas aquéllas que ponen al proceso en condiciones de servir a ese fin. Pero esta conclusión no puede extrañar en absoluto, porque hay actuaciones procesales que no forman parte en estricto sentido de la actividad de juzgar las cuales, sin embargo, por su estrecha relación con ella, quedan sometidas a la competencia procesal del Juez".

1.1. Posibilidad de establecer criterios generales orientativos para el señalamiento de las vistas y trámites equivalentes

En primer lugar, hay que tener en cuenta que según el art. 182.2 de la LEC "los titulares de órganos jurisdiccionales unipersonales y los Presidentes de Sala o Sección en los Tribunales colegiados fijarán los criterios generales y darán las concretas y específicas instrucciones con arreglo a los cuales se realizará el señalamiento de las vistas o trámites equivalentes". El párrafo 3º señala que dichos criterios e instrucciones abarcarán la fijación de los días predeterminados para tal fin, que deberá sujetarse a la disponibilidad de Sala prevista para cada órgano judicial y a la necesaria coordinación con los restantes órganos judiciales, las horas de audiencia, el número de señalamientos, la duración aproximada de la vista en concreto, según hayan podido determinar una vez estudiado el asunto o pleito de que se trate, la naturaleza y complejidad de los asuntos y cualquier otra circunstancia que se estime pertinente.

Por tanto, el precepto otorga a los órganos judiciales competentes una amplia discrecionalidad a la hora de establecer esas instrucciones y de fijar los criterios generales para establecer los señalamientos. De ahí que, en nuestra opinión, sea posible atender a circunstancias que afectan a las abogadas en los casos de embarazo, parto o lactancia particularmente a efectos de señalamientos así como los permisos de maternidad y paternidad (que además están específicamente contemplados en materia de suspensiones, como veremos más adelante). Hay que plantear también la situación de aquellos abogados y abogadas que carecen de estos permisos de maternidad y paternidad retribuidos en caso de nacimiento y adopción, dado que ya hemos visto que un número no desdeñable de abogados realizan su actividad por cuenta propia y carecen de esta protección.

Dichas instrucciones y criterios generales en materia de señalamientos deben de abordarse desde los principios informadores de igualdad de género de la Ley Orgánica 3/2007 de 22 de marzo, lo que además permitiría disminuir el número de suspensiones lo que mejoraría a su vez el funcionamiento de la Administración de Justicia, dado que muchos de los supuestos a tener en cuenta serían fácilmente, como veremos, causa de suspensión. Es decir, se pueden y se deben de tener en cuenta los principios generales de la Ley 3/2007 de protección de la maternidad a la hora de elaborar estas instrucciones permitiendo a las abogadas compaginar su maternidad con su actuación ante los Tribunales de Justicia. Además hay que facilitar también a los abogados compaginar su paternidad y el disfrute de los permisos correspondientes o equivalentes con su ejercicio profesional ante los órganos jurisdiccionales. Y todo ello puede redundar en un buen funcionamiento de la Administración de Justicia.

Estos criterios generales pueden tener carácter orientativo, dado que también parece razonable que por el juzgador se pueda tener en cuenta el carácter del encargo realizado por el cliente a favor de un abogado concreto. Dicho de otro modo, deben intentar evitarse las sustituciones siempre que sea factible, en particular en aquellos supuestos en que la relación de confianza sea determinante, como puede ocurrir, a título de ejemplo, en los procesos matrimoniales, aquellos que requieren un abogado muy especializado o en aquellos relativos a grupos familiares. Por el contrario, en aquellos procedimientos masivos o cuando se usen "plantillas", valga la expresión, la sustitución del abogado puede resultar menos problemática. Por supuesto, hay que tener también en consideración los perjuicios que una posible demora puede producir al justiciable; pensemos en procedimientos penales con presos, o en procedimientos que, por las circunstancias que sean, hayan ya sufrido dilaciones o suspensiones, etc, etc.

Entendemos también que la propuesta de estos criterios puede proceder perfectamente de los órganos competentes de la abogacía, Colegios de Abogados y también al CGAE si bien corresponderá lógicamente a los órganos jurisdiccionales competentes su aprobación.

A nivel territorial podemos mencionar la propuesta sometida por el ICAB (Ilustre Colegio de Abogados de Baleares) que ha sido aprobada por la Sala de Gobierno del TSJ de Baleares el 10 de diciembre de 2019. Otro ejemplo a mencionar es el de la aprobación por la Comisión mixta integrada por el Colegio de Abogados de Barcelona, el Consell de l´Advocacia catalana y el Tribunal Superior de Justicia de Cataluña de un nuevo protocolo de criterios orientadores sobre suspensión de actos judiciales por coincidencia de señalamientos en los casos de maternidad, paternidad, matrimonio o defunción de un familiar de los abogados o abogadas.

Por último, a nivel estatal hay que mencionar recientemente la propuesta del CGAE aprobada en Córdoba para la conciliación de la vida personal, familiar y profesional de la abogacía en el ejercicio jurisdiccional que incluye. Además de los criterios a que más adelante haremos referencia, toda una serie de propuestas de reformas legislativas en este ámbito.

Un supuesto singular es el del turno de oficio, dado que en este supuesto en un principio no se produce la libre elección de abogado. Recordemos no obstante que según el art. 28 de la Ley 1/1996, de 10 de enero, de asistencia jurídica gratuita "Quienes tengan derecho en los términos previstos en esta Ley a la asistencia jurídica gratuita podrán, no obstante lo previsto en el artículo anterior, renunciar expresamente a la designación de abogado y procurador de oficio, nombrando libremente a profesionales de su confianza debiendo constar expresamente este extremo en la solicitud y afectando simultáneamente esta renuncia al abogado y procurador. La renuncia posterior a la designación, que, asimismo, deberá afectar simultáneamente al abogado y procurador designados de oficio, tendrá que ser comunicada expresamente a la Comisión de Asistencia Jurídica Gratuita y a los correspondientes Colegios Profesionales y no implicará la pérdida de las demás prestaciones reconocidas en la concesión del derecho de asistencia jurídica gratuita". Este caso, por tanto, es perfectamente asimilable al ordinario en que el cliente ha designado a un abogado de su confianza.

Pero incluso en el supuesto de abogados del turno de oficio en sentido estricto también hay que tener en cuenta que según el art. 31 de la misma norma entre sus obligaciones profesionales se encuentran las de desempeñar sus funciones de asistencia y representación de forma real y efectiva hasta la terminación del proceso en la instancia judicial de que se trate y, en su caso, la ejecución de las sentencias, si las actuaciones procesales en ésta se produjeran dentro de los dos años siguientes a la resolución judicial dictada en la instancia, sin perjuicio del efecto de las causas de renuncia o excusa que estén previstas en la ley. Sólo en el orden penal podrán los abogados de oficio designados excusarse de la defensa. Para ello deberá concurrir un motivo personal y justo, que será apreciado por los Decanos de los Colegios. La excusa deberá formularse en el plazo de tres días desde la notificación de la designación y resolverse en el plazo de cinco días desde su presentación.

Por tanto, también en este caso de los abogados de oficio, parece igualmente necesario realizar una ponderación adecuada entre los intereses en juego y aplicar los criterios generales de manera que, en los supuestos de embarazo, parto y lactancia, no siempre se proceda sin más a la sustitución. Habrá que atender también a las circunstancias de cada caso; en los procedimientos penales particularmente con preso parece que lo procedente debe de ser no suspender el señalamiento para evitar causar indefensión al defendido.

En último término, hay que insistir en que estos criterios generales deben de ser orientativos, de manera que corresponde en último término al órgano judicial —que conoce también las circunstancias concretas de cada procedimiento— intentar encontrar el equilibrio entre la necesaria atención a la protección de la maternidad y paternidad con la prestación del servicio público de la Administración de Justicia y con el derecho del cliente a la libre elección de abogado.

Lógicamente, en el caso de criterios relativos a los señalamientos estas circunstancias deberán ser razonablemente previsibles, como ocurre habitualmente con las fechas aproximadas de un parto o con la existencia (médicamente constatada) de un embarazo de riesgo con el disfrute de un permiso de maternidad (o paternidad) si ya se ha producido el parto. Estas situaciones deberán acreditarse debidamente. Corresponde a la abogada actuar con la debida diligencia para comunicar esta situación lo antes posible y también para acreditarla.

Por ejemplo, en casos de embarazo parece razonable no señalar actuaciones dentro de los quince o diez días anteriores a la fecha posible del parto y durante el permiso de maternidad o paternidad calculado desde dicha fecha, todo ello sin perjuicio de cual sea la fecha real del parto. En caso de embarazo de riesgo, si se prescribe por el médico reposo absoluto se deberá tener en cuenta esta circunstancia durante el tiempo que dure dicha situación a contar desde que se justifique. En todo caso en este tipo de situaciones parece conveniente atender a los cambios que se puedan producir a medida que avanza el embarazo. En el caso de las adopciones internacionales hay que tener en cuenta la posible exigencia de desplazamiento de los padres al país de origen del menor antes de la adopción, que también será razonablemente previsible con anterioridad.

El nuevo señalamiento también debe tener en consideración la especial protección que merecen estas situaciones, de manera que una vez que haya transcurrido la baja por maternidad/paternidad (o situaciones análogas) debe de producirse el nuevo señalamiento transcurrido un período prudencial para el estudio del asunto. Evidentemente de nuevo habrá que atender a las circunstancias concretas, por ejemplo a la existencia o no de una especial complejidad en el asunto para determinar cual debe de ser ese periodo prudencial así como a las necesidades del buen funcionamiento de la Administración de Justicia en cuanto a evitar dilaciones y no perjudicar el derecho a la tutela judicial efectiva del justiciable.

Recordemos que (siempre de acuerdo con los criterios y las instrucciones que se emitan) corresponde a los Letrados de la Administración de Justicia (art. 182.4 LEC) establecer la fecha y hora de las vistas o trámites equivalentes y gestionar una agenda programada de señalamientos. Cabe concluir que si las circunstancias a las que nos venimos refiriendo han sido tenidas en cuenta razonablemente a la hora de efectuar los señalamientos deberían evitarse suspensiones sobrevenidas por estos mismos motivos, lo que también contribuye al mejor funcionamiento de la Administración de Justicia. La clave estriba, claro está, en la mayor o menor previsibilidad de estas circunstancias.

No obstante lo anterior si, por los motivos que fuere, no se hubieran tenido en cuenta dichas circunstancias para los señalamientos por haber resultado imprevisibles o de difícil previsión el art 183.2 LEC señala que si el abogado de cualquiera de las partes considera imposible acudir a la vista (dicha situación se considera atendible y acreditada) el Letrado de la Administración de Justicia procederá a realizar un nuevo señalamiento. Por tanto, en estos s supuestos es fundamental acreditar la debida diligencia por parte del abogado además de la concurrencia de la situación que provoca la imposibilidad, aunque en último término estamos ante un concepto jurídico indeterminado. No obstante, consideramos que en los casos mencionados —un embarazo que se complica, un parto que se adelanta o cualquier otra circunstancia similar relacionada con la maternidad que no haya podido preverse con suficiente antelación— es perfectamente posible aplicar dicho precepto máxime si se tiene en cuenta el principio de igualdad de género como principio informador del ordenamiento jurídico y como criterio interpretativo.

1.2. Suspensiones

También hay que tener presente lo establecido en el art. 188 de la LEC en cuanto a las causas de suspensión. Aquí nos centraremos particularmente en las que afectan al objeto de nuestro estudio, es decir, a las que están relacionadas con el embarazo, parto, lactancia o permisos de maternidad y paternidad (estos últimos supuestos sí se encuentran específicamente contemplados en materia de suspensiones como ya hemos visto).

Recordemos que el art. 188.3 de la LEC considera como causa de suspensión el acuerdo de las partes siempre que se alegue justa causa a juicio del tribunal. Dentro de esta justa causa lógicamente caben todos los supuestos más arriba mencionados pero se requiere de la conformidad de la otra parte.

Por su parte, el párrafo 5º del art. 183 recoge la causa de suspensión consistente en muerte, enfermedad o imposibilidad absoluta o baja por maternidad o paternidad del abogado de la parte que pidiere la suspensión, justificadas suficientemente, a juicio del Letrado de la Administración de Justicia, siempre que tales hechos se hubiesen producido cuando ya no fuera posible solicitar nuevo señalamiento conforme a lo dispuesto en el artículo 183, siempre que se garantice el derecho a la tutela judicial efectiva y no se cause indefensión. Además se consideran equiparables a los supuestos anteriores y con los mismos requisitos, otras situaciones análogas previstas en otros sistemas de previsión social y por el mismo tiempo por el que se otorgue la baja y la prestación de los permisos previstos en la legislación de la Seguridad Social.

Como puede apreciarse, cuando se habla de enfermedad o de imposibilidad absoluta estamos de nuevo en presencia de un concepto jurídico indeterminado mientras que en los casos de bajas y permisos de maternidad y paternidad bastará con su debida acreditación. En todo caso hay que garantizar el derecho a la tutela judicial efectiva y velar porque no se produzca indefensión para el justiciable, lo que exigirá que el órgano judicial realice una valoración caso por caso. Además, si no hay concedido formalmente un permiso o una baja le corresponde al juez valorar si la prueba presentada es suficiente o no a estos efectos.

En caso de una urgencia médica que ocurre el mismo día del señalamiento o dentro de las 24 horas inmediatamente anteriores parece razonable que baste para la suspensión con acompañar cualquier medio de prueba que permita al Juzgado tener conocimiento de la situación de que se trate, sin perjuicio de su debida acreditación posterior.

En último término y para evitar abusos siempre hay que tener en cuenta la facultad que confiere al Letrado de la Administración de Justicia el párrafo 6° del art. 188 de la LEC al resolver sobre las situaciones a que se refiere este apartado 3°, de manera que si entendiera que el abogado o el litigante han podido proceder con dilación injustificada o sin fundamento alguno, dará cuenta al Juez o Tribunal, quien podrá imponerles multa de hasta seiscientos euros

CUATRO.- FUNCIONES DEL CONSEJO GENERAL DE LA ABOGACÍA. POSIBILIDAD DE ESTABLECER UN PROTOCOLO-TIPO PARA LOS ÓRGANOS COMPETENTES EN RELACIÓN CON LAS ACTUACIONES JURISDICCIONALES EN LOS SUPUESTOS DE EMBARAZO, PARTO, LACTANCIA Y ADOPCIÓN

De acuerdo con el art. 4 c) del Estatuto General de la Abogacía le compete al Consejo General de la Abogacía " Colaborar con el Poder Judicial y los demás poderes públicos mediante la realización de estudios, emisión de informes, elaboración de estadísticas y otras actividades relacionadas con sus fines, que les sean solicitadas o acuerden por propia iniciativa".

Por otra parte, el CGAE representa al conjunto de los Colegios de abogados en el ejercicio de cuantos derechos y funciones tengan atribuidas y para las relaciones con los poderes públicos, entidades, corporaciones y personas jurídicas o naturales, de cualquier orden, nacionales o internacionales, siempre que se trate de materias de interés general para la profesión, conforme a lo previsto en la Ley 2/1974, de 13 de febrero, de Colegios profesionales.

Entre las funciones de Consejo General de la Abogacía, establecidas además en el artículo 68 del Estatuto General de la Abogacía Española, se contempla la de ordenación del ejercicio profesional de los Abogados a nivel nacional, proporcionando las mismas posibilidades de desempeño profesional a los Abogados independientemente de su lugar de residencia.

La especial sensibilidad de la Abogacía en el ámbito de la igualdad de género se ha traducido en la elaboración de un Plan de Igualdad que parte del diagnóstico de que la igualdad de oportunidades entre mujeres y hombres tiene como objetivo la igualdad de hecho en el acceso, participación y permanencia en todos los procesos de cualquier sector profesional u organización: selección, promoción, formación, desarrollo de carrera profesional, remuneración y conciliación de la vida laboral y personal.

Precisamente, una de las primeras actuaciones del Consejo en materia de igualdad se ha centrado en dar visibilidad a los datos relativos al género en la profesión, en cumplimiento de las previsiones del art. 20 de la Ley Orgánica 3/2007 seque establece que para hacer efectivas sus disposiciones y garantizar la integración de modo efectivo de la perspectiva de género en su actividad ordinaria, los poderes públicos, en la elaboración de sus estudios y estadísticas, deberán:

A. Incluir sistemáticamente la variable de sexo en las estadísticas, encuestas y recogida de datos que lleven a cabo

B. Establecer e incluir en las operaciones estadísticas nuevos indicadores que posibiliten un mejor conocimiento de las diferencias en los valores, roles, situaciones, condiciones, aspiraciones y necesidades de mujeres y hombres, su manifestación e interacción en la realidad que se vaya a analizar.

No cabe duda de que el CGAE ostenta por tanto competencias en la materia que nos ocupa, sin perjuicio de las que también ostentan los distintos Colegios de Abogados. No obstante, en cuanto a las propuestas concretas que pueden realizarse en este ámbito a los órganos jurisdiccionales competentes, y con la finalidad de evitar una cierta dispersión, parece ranonable y oportuno realizar una propuesta general desde el CGAE de criterios o medidas a adoptar que después puedan replicar o adaptar los distintos Colegios de Abogados en su ámbito territorial correspondiente.

Efectivamente, no parece lógico que en una materia tan sensible como la igualdad de género o la protección de la maternidad (y paternidad) puedan realizarse propuestas distintas en los distintos partidos judiciales que afecten a los derechos de los abogados y de los justiciables. En ese sentido, parece mucho más conveniente desde todos los puntos de vista el que las propuestas que se realicen sean homogéneas en todo el territorio nacional, con independencia de su aprobación como criterios orientativos por los distintos órganos judiciales competentes, lo que permitirá su adaptación a las concretas necesidades de cada caso teniendo también en cuenta las circunstancias de los distintos órganos judiciales.

De hecho, ya hemos visto que existen algunas iniciativas colegiales en ese sentido. A título de ejemplo, podemos citar el protocolo del ICAIB y posteriormente aprobado por la Sala de Gobierno del TSJ de Baleares el 10 de diciembre de 2019 al que ya hemos hecho referencia más arriba o el protocolo de la Comisión Mixta entre el Colegio de Abogados de Barcelona, el Consell de l'Advocacia Catalana y el TSJ de Cataluña. Según el primero de estos documentos, en cuanto a los embarazos se establecerá con carácter general la suspensión por plazo de 10 días antes del parto y 60 días posteriores a que se produzca el mismo (o la adopción). Para los abogados, la suspensión será de 30 días desde el alumbramiento o la adopción. El nuevo señalamiento se realizará una vez transcurrido el plazo de 60 días para las abogadas y 30 para los abogados. En el segundo de los documentos, se establecen los criterios orientativos sobre suspensión de actos judiciales por coincidencia de señalamientos de los abogados o abogadas, en casos de maternidad, paternidad, matrimonio o defunción de un familiar. Como novedad hay que indicar que además de los casos de maternidad o paternidad, el protocolo prevé también la suspensión de los señalamientos para tratamientos de fertilidad que requieran de una intervención clínica o de un periodo de reposo, con prescripción facultativa. Se prevé también que cuando el abogado o abogada esté de guardia del turno de oficio, esto podrá motivar que no se le señalen actos procesales para el período de guardia, o que se suspendan los actos procesales que se señalen después de haberse asignado este servicio de guardia.

Sigue diciendo este protocolo que en los casos en que se hubiera producido una suspensión, el órgano judicial, para evitar una ulterior suspensión, procurará contar con el acuerdo de los abogados y abogadas para efectuar el nuevo señalamiento. En caso de pluralidad de partes, intervendrá el colegio correspondiente a fin de encontrar una nueva fecha de señalamiento que será consensuada entre todos los abogados y / o abogadas intervinientes. Tanto los Tribunales como los profesionales que intervienen en los procesos judiciales procurarán aplicar los presentes criterios orientativos con flexibilidad, para conseguir disminuir el número de suspensiones y minimizar los trastornos que ocasionan.

Pues bien, aunque sin duda estos protocolos representan avances significativos es fácil observar que, en primer lugar, no cubren todos los casos posibles, por lo que, consideramos que puede plantearse unas propuestas más amplias y que abarquen otros supuestos no contemplados(, como el de los embarazos de riesgo o la adopción internacional, que puede requerir el desplazamiento previo de los padres al país de origen del adoptado) y, en segundo lugar, que son bastante diferentes en cuanto a su contenido. Efectivamente, parece más que conveniente la unificación de criterios en la aplicación de este tipo de medidas en relación en particular con los motivos de no señalamiento o suspensión de actos procesales.

Por otro lado, desde un punto de vista técnico parece más oportuno equiparar la duración de los plazos de los días posteriores al parto con el de los permisos de maternidad y paternidad actualmente en vigor sin perjuicio de que cuando no existan formalmente estos permisos se utilicen los plazos previstos en el mismo.

En este sentido, mientras se elaboraba el presente informe se ha aprobado recientemente en Córdoba la propuesta del CGAE para la conciliación de la vida personal, familiar y profesional de la abogacía en el ejercicio jurisdiccional que incluye tanto medidas o criterios a proponer en la actuación de los órganos jurisdiccionales (que se amplían a otros supuestos distintos de los derivados del embarazo, parto, lactancia o adopción) como medidas o recomendaciones de modificación legislativa. Nos ocuparemos solamente de las primeras.

A nuestro juicio, a la vista de la normativa de aplicación, las propuestas existentes y las circunstancias a tener en cuenta, las reglas a proponer en un protocolo tipo del CGAE (y de los distintos Colegios de abogados) deben de ser al menos las siguientes:

a) Como regla general, en los casos de parto, deben de evitarse los señalamientos de todos los actos en que debe intervenir la letrada afectada durante un periodo de hasta 90 días naturales tras el parto. La fecha de parto se justificará mediante cualquier documento apto para acreditar tanto el extremo del nacimiento como la identidad de la madre. La pareja si fuera también abogado tendrá derecho a 10 días hábiles tras el parto.

b) Casos de embarazo, dónde orientativamente ya se conozca la fecha de parto con fecha próxima de parto y previa solicitud de la abogada, se evitarán señalamientos de todas aquéllas actuaciones dentro de los diez días naturales anteriores y de los sesenta días naturales posteriores a dicha fecha. Esta fecha orientativa del parto se justificará sin perjuicio de la fecha real del parto y sus consecuencias conforme al apartado anterior.

El nuevo señalamiento se hará teniendo en cuenta la especial protección y atención que merecen estas situaciones, una vez que haya transcurrido la baja por maternidad/paternidad y un prudente y razonable período de tiempo adicional para el estudio o reestudio del asunto según su complejidad y atendiendo al derecho del justiciable y al buen funcionamiento de la Administración de Justicia.

c) En caso de embarazo de riesgo, cuando se prescriba por el ginecólogo reposo absoluto por riesgo de aborto o peligro para la vida de la madre o del hijo, se evitarán los señalamientos durante el tiempo que dure dicha situación, plazo que se computará desde la fecha en que sea emitido el justificante médico que así lo acredite. El citado justificante deberá ser emitido en todo caso por médico especialista, especificando los riesgos que se derivan de realizar las actuaciones jurisdiccionales correspondientes por parte de la abogada.

d) En caso de tratamientos de fertilidad que requieran un periodo de reposo, siempre que así lo prescriba el médico especialista mediante el debido justificante y por el tiempo que dure dicha situación.

e) En caso de nacimiento, acogimiento para la adopción y adopción se evitarán señalamientos, durante el período de 90 días naturales ininterrumpidos a contar desde la fecha de la adopción. En los supuestos de adopción internacional, cuando sea necesario el desplazamiento previo de los padres al país de origen del adoptado, se tomará en cuenta que podrá iniciarse el periodo de suspensión hasta 4 semanas antes de la resolución por la que se constituya la adopción.

f) En los casos de permisos de paternidad se evitarán señalamientos durante su duración.

g) En los casos en que no exista un permiso formal de maternidad o paternidad se evitarán señalamientos durante un periodo de 60 días posteriores al parto o la adopción para las abogadas y de 30 días para los abogados desde estas mismas fechas

h) En el caso de que el letrado defensor haya sido designado por el turno de oficio si la suspensión se solicita por haberse producido o iniciado el parto de manera repentina, o sin tiempo suficiente como para que otro letrado/a se haga cargo del asunto, se suspenderá el señalamiento por el tiempo mínimo imprescindible

Lógicamente estas circunstancias deben de acreditarse debidamente. En la propuesta del CGAE se señala que debe de realizarse mediante la aportación de copia digital adjunta al escrito interesando la suspensión de vista, bien de parte médico que justifique la situación en cuestión añadiendo que el parte médico se utilizará exclusivamente a los efectos de resolver sobre la solicitud, añadiendo que corresponde al órgano judicial garantizar la protección de los datos e información que tuvieran carácter confidencial.

Debe de intentarse en la medida de lo posible evitar señalamientos dentro de esos periodos para evitar las suspensiones que, lógicamente, también podrían producirse una vez sobrevenidas y justificadas estas situaciones, como permite la normativa procesal. No obstante, es evidente que la previsión —dentro de lo posible— de estas circunstancias permitirá un mejor funcionamiento de la Administración de Justicia al evitar suspensiones en el último momento y nuevos señalamientos con las correspondientes dilaciones.

Por último, estos criterios deben de aplicarse por el órgano judicial con la debida flexibilidad y atendiendo a las circunstancias del caso concreto y a lo que manifiesten las partes lo que supone velar tanto por el derecho del justiciable como por el del abogado o abogada a la conciliación de su vida personal y familiar y en último término por el debido funcionamiento de la Administración de Justicia.

IV. CONCLUSIONES

PRIMERO.- Los datos de la encuesta de Metroscopia para el Consejo General de la Abogacía en 2017 demuestran la existencia de una importante brecha de género entre las abogadas y los abogados debida en gran medida a las obligaciones derivadas de la maternidad y la dificultad de compatibilizar la vida profesional y familiar para las mujeres.

SEGUNDO.- Las normas que constituyen nuestro marco legal en materia de igualdad de género permiten al Consejo General de la Abogacía impulsar una serie de medidas para favorecer una mejor conciliación entre la vida profesional del abogado/a y su vida familiar en general y en particular para facilitar que los abogados, y muy en particular las abogadas, puedan compaginar las etapas de embarazo, parto y lactancia con el desarrollo de su carrera profesional y con el servicio que prestan a sus clientes. Este tipo de medidas también favorecen el derecho a la defensa del abogado, el derecho a la libre elección de abogado por parte del cliente y la relación de confianza que se establece entre ellos. Por otra parte, este tipo de medidas responden a los principios recogidos en la LO 3/2007 de 22 de marzo y son conformes con la doctrina del Tribunal Constitucional en materia de igualdad de género.

TERCERO.- En materia de actuaciones jurisdiccionales la competencia para establecer la agenda de los señalamientos y determinar las suspensiones corresponde a los órganos judiciales competentes. No obstante, parece muy conveniente proponer protocolos de actuaciones por parte del Consejo General de la Abogacía que tengan presentes circunstancias como la maternidad, parto, adopción, permisos de maternidad o paternidad o periodos de descanso equivalentes y que sirvan al menos como criterios orientativos para los órganos judiciales, habida cuenta además de que ya se está haciendo por algunos Colegios de abogados en sus respectivos ámbitos territoriales y que ahora propone también el CGAE con carácter general y ampliándolo a circunstancias distintas de las del embarazo, parto, adopción o lactancia. En todo caso, se trata de criterios interpretativos que deberán aplicarse teniendo en cuenta todas las circunstancias del caso, tales como la complejidad del asunto, la existencia o no de urgencia, la existencia dilaciones previas, el derecho a la defensa, el derecho a la tutela judicial efectiva y el buen funcionamiento de la Administración de Justicia.

CUARTO.- Estas medidas son compatibles con la posibilidad de poder impulsar modificaciones legislativas (en la línea de las propuestas por el acuerdo del Consejo General de la Abogacía al que venimos haciendo referencia) en esta misma dirección que requieren, lógicamente, de un periodo de tiempo más largo. En este sentido, recordemos que ya se ha producido alguna modificación concreta en las normas procesales para considerar como causa de suspensión el disfrute del permiso de maternidad o paternidad.

Deontología de abogados responsables de compliance y protección de datos
(*Informe 11/2019*)

Sumario: I. OBJETO DEL INFORME. II. LA RENOVADA CONDICIÓN PRIVILEGIADA DEL ABOGADO COMO OFICIAL DE CUMPLIMIENTO NORMATIVO CON EL NUEVO CÓDIGO DEONTOLÓGICO. 1 Una nueva cultura empresarial requiere un compromiso ético ínsito en la profesión de abogado. 2 La regulación de los conflictos de interés. 3 La independencia del abogado frente al órgano de dirección de la empresa. 4 La obligación de denuncia y las menciones del abogado en relación al proceso penal en relación al compliance. 5 Consagración del secreto profesional. III. ¿ESTAMOS ANTE UNA NUEVA PROFESIÓN O ANTE UNA NUEVA FUNCIÓN DEL ABOGADO? IV. COLEGIOS DE ABOGADOS, DEONTOLOGÍA Y COMPLIANCE. V. CONCLUSIONES.

I. OBJETO DEL INFORME

Tras los sucesivos análisis por el Consejo General de la Abogacía Española (a través de su Comisión Jurídica) de la actividad de los abogados como responsables de cumplimiento normativo de las personas jurídicas, de la responsabilidad penal de los Colegios de Abogados (inexistente, según se postula y reiteramos) y de la compatibilidad de la figura del abogado responsable de cumplimiento normativo con la tarea diaria del abogado interno de la empresa, interesa ahora centrar esta línea de estudio de las funciones de oficial de cumplimiento normativo de la abogacía a la luz de la nueva regulación deontológica de la profesión que ha visto la luz hace no muchos meses.

Visto que hemos postulado la posición del abogado como director del cumplimiento normativo (el "*compliance officer*" en reconocida terminología anglosajona) como un profesional asistido de privilegios y poderes —por completo ajenos a otros perfiles laborales— conviene ahora repasar tales singularidades bajo la perspectiva del nuevo Código Deontológico aprobado por el Pleno del Consejo General de la Abogacía el 6 de marzo de 2019.

Ya hemos destacado en informes anteriores como caracteres diferenciales la libertad e independencia legalmente innatas a la profesión, el secreto profesional, la confidencialidad, la posibilidad de no declarar y las demás consecuencias de la intervención de un abogado que constituyen garantías adicionales a las funciones ordinarias de un responsable de cumplimiento normativo que no pueden sino reforzar la conveniencia de la intervención del abogado en el ejercicio de tales funciones.

Visto lo expuesto, interesa realinear nuestras perspectivas de análisis del cumplimiento normativo como tarea de preferente asignación a abogados a la vista de las renovadas e interesantes consideraciones que se nos suscitan tras el nuevo Código Deontológico de la Abogacía.

Lo que sigue es el resultado de nuestro trabajo.

II. LA RENOVADA CONDICIÓN PRIVILEGIADA DEL ABOGADO COMO OFICIAL DE CUMPLIMIENTO NORMATIVO CON EL NUEVO CÓDIGO DEONTOLÓGICO

1. *Una nueva cultura empresarial requiere un compromiso ético ínsito en la profesión de abogado*

Basta una simple mirada de atención a las noticias que afectan a las grandes corporaciones o a los personajes individuales de relevancia mediática para comprender que bastaría una sola perspectiva para erigir a la Deontología, con mayúsculas, en el basamento sobre el que se pretende fundar lo que se ha venido en llamar una nueva cultura corporativa.

La dimensión reputacional ha venido a cobrar una inusitada pujanza en un entorno de noticias económicas, técnicas o profesionales. Su trascendencia económica o política ha desbordado los tradicionales límites del buen nombre o la mala fama. La sociedad digital acentúa la facilidad de crear y destruir ídolos. Y la deontología profesional tiene mucho que ver tanto con el cumplimiento normativo como con la figura de los abogados, que fundan en ella su código ético hasta el punto de guiarse por normas internas autocompuestas que se convierten en clave de su propia existencia.

Deontología y cumplimiento normativo son dos conceptos intensamente unidos. Es por ello que el hecho de que la Abogacía, como uno de los colectivos que inequívocamente asume una trascendencia jurídica de sus fundamentos deontológicos que antecede a la aparición de los programas de cumplimiento normativo, proceda a la aprobación de un nuevo Código Deontológico requiere una necesaria reflexión desde la perspectiva del indicado cumplimiento normativo. Puede que porque constituya su esencia misma en la medida en que la deontología está en la esencia de la actuación del abogado como partícipe en la realización de la justicia.

El nuevo Código Deontológico proclama que quien ejerce la abogacía se erige en actor imprescindible para la realización de la Justicia (ahora con mayúsculas), garantizando con su actuación la información o asesoramiento, la contradicción, la igualdad de las partes tanto en el proceso como fuera de él y encarnando el derecho de defensa, requisito indispensable de la tutela judicial efectiva, reconocida como derecho fundamental. Y ello es así porque las exigencias deontológicas de la Abogacía —que veremos más adelante en cuanto que vinculadas al cumplimiento normativo: independencia o secreto profesional— son nada menos que valores fundamentales en el ejercicio de la profesión de abogado dentro de dicho Código.

Como hemos dicho con anterioridad, el Código Penal contempla referencias a un modelo de prevención de riesgos penales que no está definido en parte alguna, que tiene algunos elementos propios de la primera jurisprudencia que se está produciendo en relación al tema y que tiene mucho de una cierta forma de entender (especialmente en el ámbito anglosajón, alejado de nosotros en otros parámetros jurídicos) doctrinalmente qué ha de ser el "*compliance*" (sobre todo desde la óptica de la doctrina vinculada al mundo de la auditoría). Pero que no tiene un referente o modelo a seguir porque no ha sido ordenado jurídicamente en la forma en que a los juristas nos interesa. La mención, en fin, del 31 bis del Código Penal a esos "*modelos de organización y gestión*" no puede ser más genérica.

Pero tampoco la Circular 1/2016 de la Fiscalía constituye una fuente de derecho, más allá de que suministre elementos de comprensión e interpretación del nuevo fenómeno. Y no podemos dejar de mencionar —siquiera de pasada, susceptible de desarrollo en otros lugares, dentro del sano ámbito de la libre crítica— que incluso alguno de tales elementos de interpretación (como es el caso de la aplicación de las exigencias de los planes de prevención a los Colegios Profesionales) constituyen opciones interpretativas más que discutibles por lo que pueden encerrar de incorrecta hermenéutica de la norma penal. Nos remitimos a nuestros anteriores informes sobre este particular, que solo basta ahora con recordar y traer de nuevo a colación siquiera de pasada.

Como dijimos, puede quizás que lo que se está buscando por el Código Penal es que se ahonde en el terreno de la autorregulación con la excusa de la aplicación de la norma penal. Los modelos de prevención vienen a constituir —como mínimo— modelos de buenas prácticas corporativas absolutamente recomendables para el buen funcionamiento de las personas jurídicas. La actividad de compliance (lo veremos más adelante en cuanto que función/profesión) es en todo caso una actividad interna de la organización (aunque se pueda externalizar la ejecución de su elaboración o seguimiento), correspondiendo la responsabilidad última de supervisión de la correcta ejecución al órgano de administración (o a aquél otro órgano en que éste haya delegado).

Esa nueva cultura jurídica corporativa incita —eso sí, coactivamente— a las empresas a que autoregulen sus comportamientos y den paso a un relevante cambio de perspectiva: son las claras alusiones de la Circular de la Fiscalía a la "*cultura ética empresarial*", la "*cultura de respeto a la ley*" o la "*cultura de cumplimiento*". Algunos han criticado que quizás se trate de fórmulas sencillas para pensar que se está impune. Del grado de rigor del plan y de su ejecución dependerá en mucho la evaluación penal de sus resultados, si llega el caso.

Llegados a este punto debemos apuntar a que una de las de las claves de los programas de cumplimiento normativo descansa en la existencia de códigos de conducta. Solo si hay un código de conducta interno en las empresas, asociaciones o entidades que se doten de programas de cumplimiento normativo puede decirse que se está actuando en la buena dirección. Ya existe un ordenamiento jurídico externo que nos dice qué es delito, qué es sancionable administrativamente y donde están los límites del ilícito penal. Eso nos viene dado. Pero lo que se recomienda en una óptica dimensión del fenómeno de la nueva cultura corporativa empresarial es que existan códigos de conducta internos que definan cuáles sean los límites que esa entidad se autoatribuye para actuar internamente dentro de unos límites objetivos externos.

La óptima ejecución de un programa de cumplimiento exige un código de valores interno que defina qué se puede hacer y qué no. Existe una gradación externa de las conductas que nos delimitan las normas imperativas, pero conviene un ajuste fino interior que perfile qué entiende esa entidad que está o no correcto en múltiples supuestos que tienen que ver con su propio programa de valores.

Es por ello que la aprobación de un Código Deontológico por un conjunto de profesionales que abarca decenas de miles de prestadores de servicios jurídicos bajo su integración en 83 Colegios de Abogados constituye un logro muy destacable bajo la óptica del cumplimiento normativo. Mucho más cuando su propia elaboración ha sido producto de un procedimiento depurado en el que han intervenido no solo los prestadores del servicio (los abogados) sino incluso los receptores del mismo (los consumidores y usuarios) a través de sus asociaciones y representantes.

La renovación del compromiso ínsito en el Código Deontológico que asume cada abogado por el hecho de ejercer la profesión constituye una validación externa al sistema de cumplimiento normativo de cada empresa o entidad que debe ser positivamente considerada a la hora de evaluar qué profesionales desempeñan las funciones internas de exigir el cumplimiento normativo. Solo quienes se guían por luces altas de exigencia profesional estarán en condiciones de dar lo mejor para ejercer las funciones de exigir ellos a otros la correcta prestación de sus actividades.

Que los abogados tengan un nuevo Código Deontológico, en suma, es una muy buena noticia que reafirma su figura de ser los más adecuados responsables de cumplimiento normativo en las empresas.

2. La regulación de los conflictos de interés

Uno de los elementos claves de un sistema de cumplimiento normativo descansa sobre la más eficiente gestión de los inevitables conflictos de interés que han de producirse en el desenvolvimiento de la actividad.

El Código Deontológico contiene una serie articulada de normas de discernimiento de los conflictos de interés que se erigen en principios fundamentales de la Abogacía de los que —sin mucho esfuerzo— puede extraerse un conjunto de mecanismos de evaluación relativos a tales conflictos.

Entender la Abogacía asentada sobre el secreto profesional y la confidencialidad considerados como derechos-deberes que representan nada menos que la concreción de los derechos fundamentales que el ordenamiento reconoce a los clientes (y a la defensa como mecanismo esencial del Estado de Derecho) supone un elevado acercamiento a las justas reglas que deben presidir toda ordenación de los conflictos de interés.

Si resolver un conflicto de esta índole supone una obligada ponderación de los valores en liza, la presencia de la Abogacía en el procedimiento de solución del problema (al existir un abogado o una abogada como responsable de cumplimiento normativo enfrentado al problema) se nos antoja una ventaja competitiva para discernir con más claridad y mayor bagaje de soluciones el caso concreto.

Por ejemplo, sí se regulan (artículo 4.3) los conflictos de interés del abogado con otros clientes del despacho. De ahí se deducen con claridad que los principios de confianza e integridad deben inspirar la decisión a adoptar ante la solución del problema planteado. También se detalla el modo de proceder (artículo 12.A.5) cuando se produzca objetivamente un conflicto de intereses con el cliente vinculado a discrepancias con el mismo en cuyo caso se postulan la abstención o cesación en la intervención.

En la misma línea indicada existe especialmente toda una Sección (artículo 12.C) en la que lucen toda una serie de procedimientos perfectamente exportables al nuevo grupo normativo del compliance para acometer con ellos la obligada atención separada a los conflictos de interés.

De los apartados 1 a 8 del referido artículo 12.C se desprenden las reglas de no colisión con antiguos clientes, la necesaria independencia para preservar la función y los imprescindibles límites de la intervención tolerada por los contendientes.

Lo que naturalmente se desprende de lo indicado supone una serie de garantías en orden a la objetividad de las que fácilmente puede deducirse un prontuario extremadamente útil para regular el espinoso asunto de los conflictos de interés de las entidades que requieren los servicios de un compliance officer. Dotarse de un abogado, en definitiva, para estos menesteres comporta la asunción de un conjunto de reglas útiles que acompañan al profesional y que facilitarán un recto entendimiento de cualquier problema de colisión de intereses que se suscite.

3. La independencia del abogado frente al órgano de dirección de la empresa

Ni que decir tiene que se trata de una de las cualidades esenciales del responsable de cumplimiento normativo en los programas de compliance. Tampoco hace falta desarrollar que se trata de uno de los factores clave del ejercicio de la profesión de abogado.

No se olvide que lo que algunos pretenden —sin duda lícitamente— alcanzar mediante declaraciones de voluntad e incluso compromisos contractuales la Abogacía ya lo tiene reconocido en cualificadas normas de rango legal.

No parece difícil coordinar una y otra esencialidad para ofrecer como resultado que un abogado que se desempeña como tal debe ser naturalmente independiente en su actividad (por mucha que sea la presión que pueda recibir de su incardinación en una empresa y su compromiso con ella) presenta la mayor garantía de independencia para asumir la supervisión de un programa de compliance como responsable de cumplimiento.

La independencia se predica naturalmente del ejercicio de la profesión de abogado tanto en el asesoramiento como en la defensa de los intereses encomendados, proclamándolo así la Ley Orgánica del Poder Judicial en su artículo 542.

Desde el punto de vista de la perspectiva sistemática del sistema normativo interno reviste singular valor el hecho de que la ley que preside la acción jurisdiccional sea la que identifique y privilegie la actividad de los abogados como colaboradores en la realización de la justicia.

Recordemos que dicho precepto (trascendental a nuestros efectos y muy significativo de muchas cosas a las que algunos aspiran en el ámbito de compliance y los letrados ya tienen por serlo) recuerda una vez más qué sea la "*denominación y función de abogado*": entendiendo por tal el "*licenciado en derecho que ejerza profesionalmente la dirección y defensa de las partes en toda clase de procesos, o el asesoramiento y consejo jurídico*".

Se establece luego por el 542.2 que "*los abogados son libres e independientes, se sujetarán al principio de buena fe, gozarán de los derechos inherentes a la dignidad de su función y serán amparados por aquéllos en su libertad de expresión y defensa.*"

Libertad e independencia son dos valores superiores que cuadran a la perfección con el nuevo marco deontológico y que deben insertarse con naturalidad en el entorno del cumplimiento normativo.

Sin perjuicio de que —como ya hemos defendido en nuestros informes anteriores a los que nos hemos remitido más arriba— el compliance officer por excelencia debe ser un abogado profesional externo designado exclusivamente para ser responsable de cumplimiento normativo, lo cierto es que la posición más común será la del abogado interno o abogado de empresa (recuérdese: siempre abogado colegiado, no basta licenciado o graduado en Derecho porque no reviste los privilegios de la abogacía) responsable de cumplimiento.

En tales supuestos también hay que sostener la independencia del abogado, bien que con las precisiones que deben introducirse según la naturaleza de la función ejercida, por haberse postulado ciertos condicionantes a la libertad de actuación de los letrados como tales cuando revisten la condición de abogados de empresa (especialmente bajo la óptica del Derecho de la competencia y en lo que respecta al privilegio de confidencialidad en las comunicaciones a raíz de la sentencia TJUE de 14 de septiembre de 2010, caso AKZO).

La misión del abogado de empresa responsable del compliance es, precisamente, promover el cumplimiento de la ley por parte de su sociedad mercantil, nunca ocultar los incumplimientos. Como abogado que cumple el Código Deontológico y en aplicación precisa de su artículo 2 (nada menos que titulado "*Independencia*").

Recordando brevemente sus renovados contenidos debemos destacar su carácter de exigencia del Estado de Derecho, como derecho-deber, de-

322   Informe 11/2019

biendo preservarse de toda injerencia o interés propio o ajeno, precisado en las múltiples ocasiones en que cabe exigirla dentro de una relación profesional gobernada por la continua guarda de la posición del cliente.

4. La obligación de denuncia y las menciones del abogado en relación al proceso penal en relación al compliance

El artículo 263 de la Ley de Enjuiciamiento Criminal exceptúa de la obligación de denuncia impuesta en el artículo anterior (la de estar obligados a denunciar al Ministerio Fiscal, al Tribunal o Juez competente o al funcionario de policía más próximo por aquéllos que tuvieran noticia de algún delito público) a "*los abogados ni a los Procuradores respecto de las instrucciones o explicaciones que recibieren de sus clientes*".

El tradicional privilegio procesal de la Abogacía se complementa con lo dispuesto en el artículo 416 de la misma Ley de Enjuiciamiento Criminal cuando dispensa de la obligación de declarar al "*abogado del procesado respecto de los hechos que éste le hubiere confiado en su calidad de defensor.*"

Centrándonos en la exclusión de aplicación al abogado del general deber de denuncia se nos plantea la cuestión de cómo ha de aplicarse tal privilegio cuando se desempeñe el cargo de responsable de cumplimiento normativo.

La respuesta no puede ser otra que de la misma forma que a cualquier otro abogado. Es decir, existe el privilegio de no denunciar un hecho denunciable por el hecho de ser abogado y habérsele confiado esa información en el ejercicio de sus funciones (en la modalidad de actuación profesional que constituye el desempeño como responsable de cumplimiento normativo).

Ser abogado lo es en toda su dimensión y en todas sus manifestaciones. No se es menos abogado o se ejerce con menos derechos y deberes por ser responsable de cumplimiento normativo.

Este deber legal (y correlativo derecho) hay que traerlo a colación desde la perspectiva de la Ley de Enjuiciamiento Criminal, que es su sede material lógica. No afecta al Código Deontológico porque no es una cuestión susceptible de determinación convencional al estar legalmente predeterminada.

Podrán añadirse nuevas funciones al abogado que ejerce como responsable de cumplimiento y se determinarán en el correspondiente programa de prevención de riesgos penales. Pero en ningún caso se puede cercenar al abogado en ejercicio aquéllos otros derechos y deberes que le son conferidos por la sola invocación de profesional colegiado.

5. Consagración del secreto profesional

El antes citado artículo 542 LOPJ en su apartado 3 recuerda que los abogados *"deberán guardar secreto de todos los hechos o noticias de que conozcan por razón de cualquiera de las modalidades de su actuación profesional, no pudiendo ser obligados a declarar sobre los mismos"*.

El deber de secreto ya se reconoce para los abogados en el Estatuto General de la Abogacía extendiéndose a todos los hechos o noticias de que conozca por razón de las modalidades de su actuación profesional, no pudiendo ser obligado a declarar sobre los mismos. Y por supuesto su desempeño como responsable de cumplimiento normativo no deja de ser —cómo no— una modalidad de actuación profesional. Ya tenemos, pues, legalmente garantizada la obligación de secreto para los responsables de cumplimiento normativo que sean abogados. Los demás compliance officer que no lo sean solo podrán hacerlo por su propia convicción o compromiso, pero no por serles íntimamente obligatorio.

El nuevo Código Deontológico lo precisa en términos de vinculación entre confianza y confidencialidad, hallándose ínsito en el derecho de defensa. Abarca la exigencia de guardar secreto respecto de los hechos o noticias conocidas por razón de *"cualquiera de las modalidades de su actuación profesional"* (lo destacamos una vez más porque por supuesto abarca el ámbito del cumplimiento normativo) limitándose el uso de la información recibida del cliente a sus necesidades de defensa, asesoramiento o consejo jurídico.

Destaquemos, una vez más (especialmente ahora que está siendo buscado por los nuevos colectivos de profesionales del compliance no abogados) el extremo de que reviste el excepcional privilegio de no poder ser obligado a declarar sobre la información recibida por reconocerlo así (ya lo hemos visto) la Ley Orgánica del Poder Judicial.

Y se extiende a un conjunto de partes nada desdeñables en cuanto a la extensión del privilegio: todas las confidencias y propuestas del cliente, las de la parte adversa, las de los compañeros, los hechos y documentos de que haya tenido noticia o haya remitido o recibido por razón de su intervención, así como cualquier tipo de comunicación entre profesionales referida a estos extremos (conversación presencial, telefónica o por cualquier otro medio de comunicación sin posibilidad de ser grabadas sin previa advertencia y conformidad).

La obligación gravita sobre el abogado incluso cuando ha cesado en la prestación de los servicios sin que esté limitada en el tiempo. Y solo podrá hacerse uso de hechos o noticias vinculados al secreto profesional cuando se utilice en el marco de una información previa, un expediente disciplinario o la propia defensa en un procedimiento de reclamación por responsabilidad penal, civil o deontológica. Importante destacar este matiz como capa adicional de protección del abogado responsable de cumplimiento normativo en orden a una eventual reclamación de su empresa o entidad cuando haya desempeñado funciones de compliance officer y vinculado a dicho desempeño.

Se complementa la regulación con la explicación de que el consentimiento del cliente no excusa de la preservación del secreto profesional, por lo que se objetiviza como derecho/deber por encima incluso de aquélla relación de servicios en que nació.

Imposible que ningún estatuto de un compliance officer alcance, ni de lejos, a garantizar a favor del responsable de cumplimiento normativo una serie de derechos y deberes tan completa. Hay siglos de conocimiento del Derecho detrás de tan decantada y clara formulación. Y de ello deben beneficiarse los abogados, haciéndolo valer adicionalmente como un elemento de distinción excepcional en este nuevo ámbito profesional.

Como ya dijéramos en el informe 5/2017, la libertad e independencia legalmente innatas a la profesión, el secreto profesional, la confidencialidad, la posibilidad de no declarar y las demás consecuencias de la intervención de un abogado constituyen garantías adicionales a las funciones ordinarias de un responsable de cumplimiento normativo que refuerzan la conveniencia de la intervención del abogado en el ejercicio de tales funciones.

III. ¿ESTAMOS ANTE UNA NUEVA PROFESIÓN O ANTE UNA NUEVA FUNCIÓN DEL ABOGADO?

Ya avanzamos la respuesta final: estamos ante las dos cosas, pero colofón de lo expuesto ha de ser el de reiterar que el abogado que presta sus servicios como responsable de cumplimiento normativo resulta ser la figura profesional más adecuada para atender las finalidades innatas en ese nuevo desempeño.

Precisemos una vez más que —reiteramos de nuestros informes anteriores— hablamos siempre del profesional del derecho colegiado como abogado (en los términos del Estatuto General de la Abogacía) para que se puedan prestar sus servicios con la absoluta imparcialidad e independencia de criterio que exige la más estricta puridad que debe ser tenida como referencia en la implantación y aplicación de un modelo de prevención de riesgos penales.

Debemos recordar que la noción *"abogado externo"* debe interpretarse en el más amplio y flexible de los sentidos: tampoco se opone a que ese puesto de responsable de cumplimiento lo desarrolle en régimen de exclusiva —sin compatibilizarlo con otras funciones legales, en concreto con la función de abogado de empresa— un abogado colegiado ejerciente contratado por la compañía en régimen laboral. Un abogado que se desempeñaría exclusivamente como responsable de cumplimiento, de modo que tampoco exista colisión con el secreto profesional o peligro de conflicto de intereses. Que medie un contrato con la empresa tampoco debe suponerle una tacha o incompatibilidad de desempeño, puesto que la finalidad del negocio jurídico precisamente es encargarse de tales funciones de responsable de cumplimiento, con arreglo a su estatuto profesional.

Lo cierto es que está siendo postulado por algunos colectivos el surgimiento de una nueva profesión como sería la de responsable de cumplimiento normativo o compliance officer. Dicho nuevo perfil profesional —para quienes sustentan su aparición— debería revestirse poco a poco de una serie de atribuciones que legitimarían el desempeño de las tareas que son unánimemente aceptadas como las propias de tal puesto. Así, convendría incluso realizar ciertas reformas legales para acomodar y facilitar sus responsabilidades.

Obsérvese que la mención *"reformas legales"* desde luego exige modificaciones actuando sobre la ley formal porque solo por tan cualificada disposición normativa pueden readaptarse —se postula— preceptos de la Ley General Tributaria o la Ley de Enjuiciamiento Criminal como los anteriormente invocados.

No cabe duda de que quedaría un largo camino para poder dotar de un estatuto singular al oficial de cumplimiento normativo como nueva profesión. Nada impediría que se pudiera impulsar tal nuevo cometido profesional. E incluso —andando el tiempo y propiciando su consagración diferenciada— podría llegar a tener progresivamente nuevos perfiles en orden a adquirir los contenidos plenos que exigiría el eficiente desempeño de la nueva profesión.

En efecto, entendiendo por estatuto un conjunto de normas singulares que contenga las habilitaciones imprescindibles para garantizar la idoneidad de los pertenecientes a tal nueva corporación profesional, no cabe la menor duda de que queda un tortuoso y lento camino para obtener —si se llega a ello, claro está— un haz de facultades suficiente para poder afirmar que se ha alcanzado la regulación de una nueva profesión que pueda llamarse *"responsable de cumplimiento normativo"* o algo similar. Todos esos caracteres de los que hemos hablado más arriba deberían lucir de uno u otro modo: la confidencialidad de sus actividades, la protección del secreto profesional o la inmunidad jurisdiccional en el cumplimiento de sus cometidos estrictos deberían estar aseguradas en una razonable medida.

Nada impide, pues, postular la definición de la nueva profesión y la recomendación de su consideración separada en el entorno de las orientaciones profesionales.

Sin embargo, y frente a tan lícito como complejo objetivo profesional, nadie puede poner en duda que todas esas cualidades ya se disfrutan actualmente en el caso de los abogados.

Visto que los abogados ya disfrutan de todas esas atribuciones, en el caso de los letrados podrá decirse algún día de sus componentes que así lo deseen que pertenecen —cumplidos los demás requisitos exigibles, que ya bastará sean estrictamente reglamentarios o definidos por normas de muy menor alcance formal— a esa profesión. Pero no podrá negarse que no requieren el uso de tal mención nominal puesto que ya desempeñan sustantivamente una serie de funciones cuantitativamente similares e incluso cualitativamente muy superiores.

Nadie podrá impedir que llegue a existir una profesión nueva, lo que sin duda requiere muchos años y muchas y complejas reformas legales para dotarse de potestades asimiladas a las que antes hemos avanzado. Pero nadie puede negar que en el caso de los abogados (que es la profesión clásica que estamos considerando) lo que existirá será una función nueva (la de responsable de cumplimiento normativo) que podrá añadirse a las múltiples que hasta ahora se desempeñan por los letrados.

Enlazando con la primera línea del Código Deontológico en el Preámbulo se trata de una *"función social de la Abogacía"* que se ejerce no solo para el derecho de defensa sino también para *"la tutela de los más altos intereses del estado, proclamado hoy social y democrático de derecho"*. La función del abogado, en definitiva, no es cualquier función porque *"quien ejerce la Abogacía —sigue el Preámbulo del nuevo Código Deontológico— …se erige en elemento imprescindible para la realización de la justicia.*" Resulta así que se garantizan por parte de la Abogacía la información y el asesoramiento, encarnando el derecho de defensa como requisito imprescindible de la tutela judicial efectiva, estableciéndose para el conjunto de la profesión unas "*normas de comportamiento*" que tienen carácter básico.

En lo que respecta a nuestra finalidad del cumplimiento normativo, dicha nueva función del abogado (mejor, de la Abogacía) deberá ser cultivada como una orientación profesional adicional y especializada que podrá exigir —sin lugar a duda— ciertos conocimientos y habilidades que acentuarán y extenderán sus capacidades. Pero nadie puede objetar que siempre contará, "*ab initio*", con una serie de privilegios indisociables de su condición que le habilita singularmente con la más cualificada de las formaciones (la función de responsable de cumplimiento normativo resulta ontológicamente más cercana a un abogado que a cualquier otro profesional ajeno al ámbito jurídico).

IV. COLEGIOS DE ABOGADOS, DEONTOLOGÍA Y COMPLIANCE

Vista la razonable orientación formativa que postula la diferenciación y especialización de funciones en torno a la figura del responsable de cumplimiento normativo, qué duda cabe que la figura del abogado como profesional encargado de tales cometidos debe contar —además de los privilegios profesionales, procesales y deontológicos analizados— con la colaboración indispensable de los Colegios de Abogados.

Si la actividad colegial descansa (entre otros muchos valimientos que justifican su existencia y esquema bajo la sistemática organizativa del Consejo General de la Abogacía Española) sobre la relevancia de la formación de los letrados, resulta éste ámbito del compliance un campo más —además de muy especializado— para sostener y renovar la indispensable presencia colegial en la mejor prestación del servicio jurídico de formación de los letrados.

La actividad de cumplimiento normativo ha pasado a estar progresivamente dentro de los ciclos formativos de los Colegios de Abogados, debiendo postularse la renovada y continua actividad que exige lo que —como queda dicho más arriba— ya está siendo postulado como una nueva profesión, resultando que desde siempre existieron en el abogado las mimbres suficientes para prestar tales cometidos (como asesor en derecho que siempre es y será) de una forma sustancial.

Informe 11/2019

Si la renovada actividad llega a ser nueva profesión y, bajo la óptica de la Abogacía, en todo caso será nueva función jurídica habitual para los letrados, qué duda cabe de que los Colegios de Abogados han de impulsar una enseñanza especializada adecuada y de calidad para responder a los nuevos requerimientos de lo que constituye una actividad profesional en crecimiento y auge prioritario.

Muy cercano a la actividad formativa especializada en este ámbito por su tradicional atención a este nuevo campo profesional, el Consejo General de la Abogacía Española puede asumir la tarea de orientar la reflexión de conjunto sobre los contenidos a desarrollar para la mejor formación de los letrados que desempeñen funciones de responsables de cumplimiento normativo.

Si los abogados en ejercicio cuentan con las mejores habilitaciones personales y profesionales para desempeñarse como responsables de cumplimiento normativo de las entidades que así lo exijan, parece razonable postular que sean sus Colegios de Abogados quienes reflexionen —recomendablemente en sistemática coordinada con CGAE— sobre cuáles pueden ser los contenidos periódicos dignos de su atención, la mejor forma de conseguirlos o las orientaciones sucesivas que va tomando lo que se está postulando ya como una nueva profesión de futuro que, a poco que se examine, resulta que está de lleno en el ámbito de los cometidos más clásicos de los abogados (sean particulares o de empresa).

Postulada en ámbitos ajenos a la Abogacía la conveniencia de crear (al postularse la nueva profesión) un Colegio Profesional o una Asociación Profesional de oficiales de cumplimiento o como quiera llamársele, resulta —por lo que se refiere a la Abogacía y desde su perspectiva más estricta— su innecesariedad, al estar ya dotados de estas y otras funciones los Colegios de Abogados.

Por el contrario, sí es cierto que convendría auspiciar una especialización más intensa de secciones o áreas de cumplimiento normativo dentro de ellos, las cuales sí podrán acentuar e incidir con mayor fuerza separada en la necesaria formación de sus colegiados. Tampoco es descartable impulsar —como queda dicho en el ramo de la formación— tales cometidos desde el Consejo General de la Abogacía Española.

Visto que la deontología del compliance officer tiene mucho que ver con lo que serían los privilegios tradicionales del abogado como asesor jurídico legalmente respetado como artífice cualificado del ideal de justicia, parece más que razonable plantear que, sobre la base de tales postulados deontológicos ahora renovados y clarificados por el nuevo Código Deontológico, se acometa una sistematización de las actividades formativas que permitan a los Colegios y al CGAE asumir una posición de liderazgo en la formación de los nuevos expertos en una materia recién nacida pero que promete asumir ámbitos de progresiva relevancia profesional y reputacional como para dotarla de una indispensable atención.

V. CONCLUSIONES

1ª) Las exigencias deontológicas de la Abogacía son definidas como valores fundamentales en el ejercicio de la profesión de abogado dentro del nuevo Código Deontológico.

2ª) El nuevo Código ha actualizado el tratamiento de los tradicionales privilegios de la Abogacía (singularmente el secreto profesional, la independencia y la regulación de los conflictos de interés) con unas consideraciones y detalles de especial interés en el ámbito del cumplimiento normativo.

3ª) Podrán añadirse nuevas funciones al abogado que ejerce como responsable de cumplimiento y se determinarán en el correspondiente programa de prevención de riesgos penales. Pero en ningún caso se puede cercenar al abogado en ejercicio aquéllos otros derechos y deberes que le son conferidos por la sola invocación de profesional colegiado.

4ª) Ningún estatuto de un compliance officer alcanza a garantizar a favor del responsable de cumplimiento normativo una serie de derechos y deberes tan completa como la que se contiene en el Código Deontológico de la Abogacía. De ello deben lícitamente beneficiarse los abogados, haciéndolo valer adicionalmente como un elemento de excepcional en este nuevo ámbito profesional.

5ª) Parece conveniente plantear que, sobre los postulados deontológicos renovados y clarificados por el nuevo Código Deontológico, se acometa una sistematización de las actividades formativas que permitan a los Colegios y al Consejo General de la Abogacía asumir una posición de liderazgo en la formación de los nuevos expertos en la materia.

Aspectos jurídicos de la producción y consumo responsables en el marco de los objetivos de desarrollo sostenibles
(Informe 12/2019)

Sumario: I. OBJETO DEL INFORME. II. MARCO GENERAL DE NUEVAS NORMAS SOBRE PÉRDIDA Y DESPERDICIO. III. MEDIDAS DE CADENA ALIMENTARIA: PRÁCTICAS COMERCIALES DESLEALES Y FECHAS DE CADUCIDAD. IV. DONACIÓN Y REDISTRIBUCIÓN DE ALIMENTOS. V. ETIQUETADO Y REUTILIZACIÓN DE ALIMENTOS. VI. AGROINDUSTRIA Y SOSTENIBILIDAD: NUEVOS MECANISMOS RESPONSABLES DE PRODUCCIÓN Y EVITACIÓN DE EXCEDENTES. VII. RENOVADOS IMPULSOS AL ASOCIACIONISMO AGROALIMENTARIO. VIII. DIGITALIZACIÓN Y PLATAFORMAS DE RECOGIDA DE ALIMENTOS. IX. LOS CÓDIGOS DE BUENAS PRÁCTICAS ALIMENTARIAS. X. CONCLUSIONES.

I. OBJETO DEL INFORME

La Comisión Jurídica del Consejo General de la Abogacía Española ha asumido una línea de análisis de los Objetivos de Desarrollo Sostenible desde la particular óptica que le compete, colaborando de este modo en las tareas de impulso y alcance de tales finalidades globales. Dentro de los 17 objetivos resulta de singular interés el acercamiento a los números 12 (producción y consumo responsables) muy en relación con el 13 (acción por el clima), necesariamente desde una perspectiva jurídica.

Acercarse a tal realidad obliga a tener en cuenta la visión europea sobre la cuestión[1] todo ello en el marco de la Agenda 2030 para el Desarrollo Sostenible de Naciones Unidas como línea de acción común mundial.

Entrando de lleno en la materia que nos ocupa resulta imposible soslayar la primera conclusión que matizará todo lo que hemos de decir: tenemos un problema propio de sociedades opulentas puesto que —según la FAO— un tercio de los alimentos de que disponemos se pierden o desperdician[2].

---

[1]   Puede verse como síntesis el documento de reflexión de la UE *"Hacia una Europa sostenible en 2030"* y la *"Resolución del Parlamento Europeo, de 16 de mayo de 2017, sobre la iniciativa sobre el uso eficiente de los recursos: reducir el desperdicio de alimentos, mejorar la seguridad alimentaria"* Diario de la Unión Europea de 30 de agosto de 2018.

[2]   FAO, 2011.

Más allá de la magnitud social y moral de esta demoledora información, interesa a nuestro análisis jurídico examinar el problema desde una de las posibles ópticas de su corrección: la de la técnica normativa como mecanismo técnico de apoyo a la consecución de los ODS. La propuesta de Naciones Unidas referida al objetivo 12 en relación a las metas vinculadas a los alimentos es clara: reducir a la mitad el desperdicio de alimentos per cápita mundial en la venta al por menor y a nivel de los consumidores, y reducir las pérdidas de alimentos en las cadenas de producción y suministro, incluidas las pérdidas posteriores a la cosecha. Todo ello para 2030.

El dato de FAO —incontrovertido— anula muchos posibles análisis y justificaciones: cada año se pierden o desperdician en el mundo 1300 millones de toneladas de alimentos de consumo humano. Lo que representa la destrucción o desperdicio de un tercio del total que se necesita, extremo nada desdeñable desde su influencia sobre el clima, en la medida que la producción de alimentos supone una de las principales afectaciones del mismo. No parece difícil comprender cual sea la trascendencia de tal extremo a los efectos de los Objetivos de Desarrollo Sostenible.

Se trata de comprimir un programa normativo sobre el particular, tratando de ofrecer un programa de acción jurídica probable en el ámbito de España como miembro de la Unión Europea por los compromisos añadidos que supone tal vinculación.

La existencia de una Política Agrícola Común necesariamente consensuada —en breve entre 27 Estados— obliga a que se convierta en una muy relevante nota de actualidad normativa la atención al desperdicio alimentario, aquí sistematizada sobre 7 grandes líneas de acción normativas convergentes en un fin común.

Lo que sigue es el resultado de nuestro trabajo.

II. MARCO GENERAL DE NUEVAS NORMAS SOBRE PÉRDIDA Y DESPERDICIO

Distingue la FAO entre dos realidades necesariamente próximas pero que deben ser nítidamente separadas (y a nosotros nos convendrá en nuestro análisis para facilitar la acción jurídica y normativa separada sobre ellas): pérdida de alimentos y desperdicio de alimentos.

El primer concepto (pérdida) se refiere a la disminución en la masa de alimentos destinados al consumo humano, independientemente de la causa y en todas las fases de la cadena alimentaria antes del consumo. La pérdida se produce entre la producción y el mercado. La segunda noción (desperdicio) se refiere a los alimentos apropiados para el consumo humano que se descartan o se deterioran en el ámbito del consumidor, sea por la razón que sea. Aquí el alimento se destruye en la distribución, la restauración o los hogares.

Si la evitación del desperdicio en sentido amplio[3] es un objetivo claro e irrenunciable, la acción normativa sobre la cadena alimentaria se convierte en esencial para facilitarlo. Entendiendo la cadena alimentaria en su consideración jurídica como un nexo que une a todos los integrantes del proceso de producción, distribución y consumo de los alimentos (desde la granja a la mesa) resulta indispensable garantizar su trazabilidad completa de modo que, en sus distintos eslabones, quede asegurada la mayor eficiencia con vistas a su optimización[4].

En Europa, la reciente modificación de la Directiva Marco de Residuos[5] orienta las líneas de acción normativa a desarrollar, más allá de las propias iniciativas de los Estados miembros: los objetivos de reducción de residuos alimentarios son claros para 2025 (30 %) y 2030 (50 %). Toda la producción normativa comunitaria posterior incide en los mismos parámetros

Reconocer la aplicación de la Agenda 2030 para el Desarrollo Sostenible y sus diecisiete objetivos (ODS) constituye una prioridad en la política europea y como objetivo global del próximo plan estratégico de la UE 2019-2024 y más adelante. Igualmente se espera que la nueva Comisión Europea allane el camino para una acción consistente en el establecimiento de una estrategia de desarrollo sostenible a escala de la UE y un plan de aplicación, como ya solicitó el Consejo Europeo en sus Conclusiones de 18 de octubre de 2018[6].

---

[3]   La distinción entre "*pérdida*" y "*desperdicio*" procede de FAO pero no es unívoca: la Unión Europea engloba dentro del concepto común de "*desperdicio*" una realidad mucho más amplia que integra todos los eslabones de la cadena alimentaria desde la producción hasta el consumo.

[4]   Según la Comisión Europea en el territorio de la Unión el desperdicio se reparte de la forma siguiente: 42 % procede de los hogares; 39 % de las empresas de la producción; 14 % de la restauración y 5 % de la distribución.

[5]   Directiva 2008/98/CE del Parlamento Europeo y del Consejo, de 19 de noviembre de 2008, sobre los residuos y por la que se derogan determinadas Directivas. Particular interés a nuestro estudio tiene su reforma por la Directiva 2018/851, de 30 de mayo de 2018.

[6]   La última de las orientaciones europeas en este sentido puede verse en el Dictamen del Comité Europeo de las Regiones "*Los objetivos de desarrollo sostenible (ODS):*

III. MEDIDAS DE CADENA ALIMENTARIA: PRÁCTICAS COMERCIALES DESLEALES Y FECHAS DE CADUCIDAD

Más allá de la grandiosidad de las declaraciones solemnes, parece que la Unión orienta a los Estados miembros proponiéndoles medidas muy concretas que pasamos a repasar por ser las que guiarán cada una de las acciones sectoriales en la materia, por supuesto necesariamente en forma jurídico dispositiva. Sobre todo porque ha constatado que es un hecho cierto el desperdicio alimentario[7].

En la línea indicada resultan sumamente convenientes las políticas públicas destinadas a eliminar las **prácticas comerciales desleales** en la cadena alimentaria.

Aunque pudiera parecer una consideración economicista guiada por meros criterios de rentabilidad económica, lo cierto es que la persecución y sanción de prácticas viciosas como el dumping de precios (por ejemplo el empleado por determinados distribuidores para difundir nuevos productos) conlleva un desperdicio alimentario que termina aumentando el consumo de forma artificial e innecesaria en la medida que la banalización o la escasa consideración hacia ciertos productos comporta una desatención hacia su consumo, que pasa a ser despreciado.

La Unión Europea apuesta firmemente por la consideración de que la solución del problema de las prácticas comerciales desleales mejorará la situación de los agricultores en cuanto eslabón más débil de la cadena y, al reducir la producción excesiva y la acumulación de productos excedentes, podría contribuir no solo a estabilizar los precios y a proporcionar a los agricultores unos precios en explotación justos y remuneradores, sino también a reducir el desperdicio de alimentos a lo largo de toda la cadena y disminuir las pérdidas en la agricultura familiar. Contribuiría ello a poner de manifiesto que una retribución más justa de los productores conferiría

---

una base para una estrategia a largo plazo de la UE para una Europa sostenible en 2030" (2019/C 404/04) publicado en el DOUE, Serie C, de 29 de noviembre de 2019.

[7] Dentro del Informe Especial n.º 34/2016 del Tribunal de Cuentas se examinó la siguiente pregunta: "¿Contribuye la UE a un empleo eficiente de los recursos en la cadena de suministro alimentario al luchar eficazmente contra el despilfarro de alimentos?", concluyéndose del informe que actualmente la Unión no combate eficazmente el desperdicio de alimentos, y que las iniciativas y políticas existentes se podrían utilizar de forma más eficiente para atajar el problema del desperdicio de alimentos.

más valor a los productos y reduciría el fenómeno del desperdicio de alimentos en los eslabones finales de la cadena de suministro[8].

Si los distribuidores de productos agroalimentarios —comúnmente organizados de forma muy cualificada y eficiente en grandes cadenas nacionales o internacionales— evitan incurrir en determinadas prácticas viciosas (como el regalo o la venta en condiciones inaceptablemente baratas de determinados productos para favorecer bien su introducción, bien la difusión de nuevos establecimientos o servicios) contribuirán de forma notable a frenar el desperdicio alimentario en la medida que la adquisición (ventajosa o incluso gratuita) de tales productos supone una minusvaloración de los mismos y, consiguientemente, de quiénes los producen o comercializan en eslabones anteriores.

De similar modo conviene la potenciación normativa de la más eficaz distinción y difusión de las indicaciones sobre **fecha de caducidad** de los alimentos y la fecha de duración mínima de los mismos. En efecto, potenciar el uso de recomendaciones de consumo preferente en determinadas fechas debe ser propiciado por disposiciones normativas de mayor fuerza obligacional.

Los modernos sistemas de refrigeración, transporte y distribución de alimentos permiten mejorar las posibilidades de su puesta a disposición del consumidor sin afectar en absoluto a la idoneidad y salubridad de los mismos. Una más cuidadosa diferenciación entre las distintas fases bajo las que puede ser distribuido y consumido un alimento propiciará su mejor utilización.

Los diversos sistemas normativos (europeos, estatales y autonómicos en el caso español) han de tender decididamente hacia una mucho más eficiente contingentación de los insumos alimentarios de modo que se permita ahondar de modo claro y útil sobre el consumo de los alimentos.

La Unión Europea impulsó una encuesta para conocer más a fondo la posición de los ciudadanos frente a las expresadas indicaciones[9]. El resultado no pudo ser más desalentador: ni la mitad de los ciudadanos de la

---

[8]   Resolución del Parlamento Europeo, de 16 de mayo de 2017, sobre la iniciativa sobre el uso eficiente de los recursos: reducir el desperdicio de alimentos, mejorar la seguridad alimentaria.

[9]   Encuesta *"Flash"* de Eurobarómetro n.º 425 sobre el desperdicio de alimentos y el marcado de fechas, septiembre de 2015.

Unión entiende el significado de las indicaciones *"consumir preferentemente antes del"* y *"fecha de caducidad"* de la etiqueta.

Se desprende de todo ello que la indicación de la fecha en los productos alimenticios es difícil de entender, especialmente para los consumidores. El hecho de que la indicación *"consumir preferentemente antes del"* informa de la fecha a partir de la cual, por lo general, un alimento aún puede consumirse pero posiblemente no en su estado óptimo en términos de calidad, mientras que la *"fecha de caducidad"* muestra la fecha en la que un alimento ha dejado de ser apto para el consumo supondría un estado óptimo de información para una población que, si no lo entiende correctamente (como resulta sin paliativos de la encuesta reseñada) termina convirtiendo la duda en una decisión prudente que le impulsa a eliminar el alimento antes de consumirlo. Más aun cuando la forma en que se entiende ese uso varían de un Estado miembro a otro y entre los diferentes productores, transformadores y distribuidores, aunque el producto sea el mismo (siempre teniendo en cuenta, de conformidad con el artículo 13 del Reglamento (UE) n.º 1169/2011 sobre la información alimentaria facilitada al consumidor, que la fecha recomendada debe ser fácilmente de encontrar en los productos y claramente legible).

La política anterior conllevará una doble acción: de una parte debe facilitarse la comprensibilidad (especialmente para los consumidores) de los indicadores *"fecha de caducidad"* y *"consumir preferentemente antes de"* (entre otras formas mediante la organización de campañas de sensibilización y educación); por otra parte, facilitará simultáneamente un acceso más sencillo a la información del producto, que habrá de ser completa y comprensible.

Pese a todo, estima el Parlamento Europeo que el uso de etiquetado con doble fecha (por ejemplo *"fecha límite de venta"* y *"fecha de caducidad"*) en el mismo producto puede incidir negativamente en las decisiones de gestión alimentaria de los consumidores por lo que —en el marco de la evaluación que se está realizando por la Comisión— solicita se valore en particular lo siguiente: si la legislación de la Unión vigente y la práctica de uso de los indicadores *"fecha de caducidad"* y *"consumir preferentemente antes de"* en varios Estados miembros se adecuan a los objetivos perseguidos o si es necesaria una revisión de la terminología *"fecha de caducidad"* y *"consumir preferentemente antes de"* para facilitar su comprensión por los consumidores, y si sería beneficioso suprimir determinadas fechas para los productos que no presentan ningún riesgo para la salud ni el medio ambiente y si es conveniente elaborar directrices en la materia a escala europea (puesto que pretende evaluar el vínculo existente entre la indicación de fechas y la prevención del desperdicio alimentario)[10].

IV. DONACIÓN Y REDISTRIBUCIÓN DE ALIMENTOS

En la misma línea de incidir jurídicamente sobre la cadena alimentaria para mejorar la distribución de productos se adentra el siguiente hito jurídico: facilitar la donación de alimentos por parte de quienes no los necesitan o dejan de necesitarlos en un momento dado ha de permitir una reordenación satisfactoria de parte de los productos ya existentes facilitando su percepción gratuita por quienes más los necesitan.

Lo que en una denominación francamente descriptiva ha dado en llamarse "*legislación del buen samaritano*"[11] es una consecuencia de la tendencia

---

[10]   Resulta por ello acogida positivamente la iniciativa de algunos operadores de la gran distribución de instaurar mecanismos de adaptación de los precios al consumo de los productos en función de la fecha de caducidad, a fin de sensibilizar a los consumidores e incentivar la compra de productos próximos a la fecha de caducidad. En efecto, habida cuenta de que muchos productos alimenticios mantienen, en los días siguientes a la fecha de caducidad indicada, sus características organolépticas y nutricionales (si bien no en la misma medida, y siguen siendo consumibles dentro del respeto de los principios de seguridad alimentaria) pide el Parlamento a la Comisión que identifique modelos logístico-organizativos que permitan recuperar, con plena seguridad, todos los tipos de productos que no se han vendido en esa fecha. Solicita también a la Comisión y a los Estados miembros que estudien la posibilidad de que el precio varíe en función de la fecha de caducidad, un instrumento para reducir la cantidad de productos alimenticios aptos para el consumo que se desperdician, considerando que el desperdicio en la fase de distribución se puede reducir de forma considerable introduciendo descuentos proporcionales al tiempo restante hasta la fecha de caducidad del producto (siendo esta una práctica que hoy se aplica de forma voluntaria y que debería promoverse y apoyarse). Igualmente interesa que se actualice la lista de alimentos que actualmente están exentos de la indicación "*consumir preferentemente antes de*" en el etiquetado para prevenir el desperdicio alimentario así como el aumento de la investigación y la información, de forma adaptada a cada producto, sobre las fechas de caducidad, así como promover y potenciar el consumo de productos frescos y a granel y reducir los envasados de larga duración y su almacenamiento.

[11]   Destaca en este sentido la Bill Emerson Good Samaritan Food Donation Act, que entró en vigor en Estados Unidos en 1996 con la intención de fomentar la donación de alimentos a los más necesitados: exime de responsabilidad civil y penal a los donantes de comida así como a las organizaciones sin ánimo de lucro que de buena fe donen alimentos. Siempre que los alimentos tengan buena apariencia

a facilitar la donación de alimentos evitando o disminuyendo la responsabilidad civil del donante por su puesta en circulación. No podemos exigir lo mismo a aquéllos alimentos que pueden ser donados por no ser necesarios a sus tenedores originarios y pueden ser muy útiles a donatarios necesitados que a aquéllos otros que se ponen en circulación a precio de venta al público en los estantes de los supermercados.

La presencia de un tercer sector cada vez más volcado en la atención y colaboración voluntaria hacia los desfavorecidos se une a sistemas de transporte y almacenaje muy avanzados que permiten conocer qué partidas o productos pueden ser reorientados en lugar de ser destruidos. La finalidad positiva es doble: se utilizan alimentos para su finalidad primordial (ser entregados a ciertos consumidores necesitados) y no se generan residuos innecesarios cuyo tratamiento supone costes adicionales.

Las posibilidades de esta línea de acción normativa son múltiples: los fabricantes pueden completar la liquidación de stocks costosos e ineficientes, los distribuidores se ven liberados de excesos o demasías en sus líneas de abastecimiento y, sobre todo, importantes segmentos poblacionales ven satisfechas sus necesidades de alimentación a coste cero.

Más aún si se incentiva fiscalmente: la Directiva 2006/112/CE del Consejo, de 28 de noviembre de 2006, relativa al sistema común del impuesto sobre el valor añadido (Directiva sobre el IVA) establece que las donaciones de alimentos estén sujetas al impuesto y que se prohíban las exenciones fiscales por las donaciones de alimentos. Sería oportuno que la Comisión recomendase que, a efectos fiscales, se fije un valor para los alimentos donados cerca de la fecha de consumo preferente o no aptos para la venta *"bastante bajo, incluso próximo a cero"*[12]. Algunos Estados miembros incentivan la donación de alimentos mediante la supresión de la obligación del IVA (si bien no está claro que esto sea acorde con la Directiva sobre el IVA) resultando que otros Estados miembros ofrecen un crédito fiscal corporativo sobre los alimentos donados. Se trata, en definitiva, de incentivar fiscalmente (otra variante de la acción jurídica normativa) lo que ha de contribuir a la evitación del desperdicio alimentario.

---

y el daño no se derive de una acción negligente o dolosa. La iniciativa legislativa cundió en otros Estados, incluso europeos, como Italia a través de la Legge n° 155 del Buon Sammaritano de 25 de junio de 2003 (luego sustituida por una legislación posterior de 2016).

[12] Respuesta conjunta a dos preguntas parlamentarias (E-003730/13, E-002939/13), de 7 de mayo de 2013.

Íntimamente ligada a la donación está la redistribución de alimentos, propiciándose iniciativas encabezadas por las comunidades y los agricultores que pueden ofrecer unas soluciones económicas viables y valorizar los productos que, de otro modo, tal vez se desperdiciaran. Es el caso —cada vez más extendido— de la creación de mercados para dar salida a los productos que normalmente quedan excluidos de la cadena alimentaria. Relevante papel han de asumir los proyectos de innovación social encabezados por los agricultores y comunidades referidos a la recogida y donación de alimentos excedentarios a las asociaciones de ayuda alimentaria, incluidos los bancos de alimentos. Reconocer y amparar jurídicamente estas prácticas contribuirá a un doble fin: social y climático.

Finalmente no cabe duda de que si la Unión Europea contribuyera a la financiación (se ha apuntado ya que mediante el Fondo de Ayuda Europea a las Personas Más Desfavorecidas) de los costes de recogida, transporte, almacenamiento y distribución y regulase el uso de existencias de intervención generadas en el marco de la PAC, ello impulsaría a que las autoridades nacionales y regionales apoyaran la creación de infraestructuras para la donación de alimentos en regiones en que ahora mismo es insuficiente.

V. ETIQUETADO Y REUTILIZACIÓN DE ALIMENTOS

Si el etiquetado constituye una de las principales vertientes jurídicas de la alimentación en cuanto a la preservación de la seguridad alimentaria, ninguna duda existe sobre que debe ser uno de los elementos de colaboración en la obtención de los objetivos de desarrollo sostenible desde la perspectiva de la producción y consumo responsables.

El etiquetado debe ordenarse en el sentido de que favorezca su reutilización. Un mejor aprovechamiento de las potencialidades de los alimentos descansa obligadamente sobre un etiquetado más flexible y reorientable de modo que, sin alterar su innata finalidad tuitiva y descriptiva, permita obtener rendimientos adicionales a los ya existentes.

La posibilidad de que las etiquetas contengan indicaciones adicionales o elementos referenciales accesorios de los principales debe facilitar —siempre en el entorno de una sociedad digitalizada como la que nos envuelve— su reutilización y recirculación hacia otros canales secundarios una vez que no se hayan cubierto sus objetivos iniciales.

El etiquetado ha de ser en todo caso uno de los basamentos más sólidos de cualquier política pública consistente en la debida identificación y empleo de los alimentos para atender necesidades que van más allá de las que inicialmente los motivaron y fundaron. No debemos olvidar que el Reglamento (UE) 1169/2011, del Parlamento Europeo y del Consejo de 25 de octubre de 2011 sobre la información alimentaria facilitada al consumidor, como norma horizontal en la materia permite la incorporación de información voluntaria (siempre que respeten los contenidos obligatorios y los relativos a las menciones obligatorias).

Por su parte y en lo que respecta a la venta de los productos sin envasar (precisamente otra de las líneas de acción para evitar el innecesario consumo en envases que generan residuos) no debe olvidarse que deberán respetar en todo caso los requisitos generales de disponibilidad e información (accesible, visible y legible) y estar a disposición de los consumidores, debiéndose facilitar de forma escrita en las etiquetas adheridas al alimento o rotulada en carteles[13].

VI. AGROINDUSTRIA Y SOSTENIBILIDAD: NUEVOS MECANISMOS RESPONSABLES DE PRODUCCIÓN Y EVITACIÓN DE EXCEDENTES

Volviendo a la distinción entre desperdicio y pérdida, conviene ahora atender al segundo de estos componentes, situado en el origen de la cadena alimentaria.

Nuevas normas innovadoras respetuosas con el medio ambiente deberán ser dictadas. Y habrán de imponerse nuevas exigencias de mayores controles sobre la industria alimentaria, que no debe pensar solo en producir en las mejores y más óptimas condiciones de producción sino en condiciones que eviten el desperdicio y la destrucción de los alimentos ya producidos. Puede que muy seguramente por el propio interés que les tiene[14].

---

[13]   Real Decreto 126/2015, de 27 de febrero, por el que se aprueba la norma general relativa a la información alimentaria de los alimentos que se presenten sin envasar para la venta al consumidor final y a las colectividades, de los envasados en los lugares de venta a petición del comprador, y de los envasados por los titulares del comercio al por menor.

[14]   Según el informe Nielsen "*The Sustainability Imperative*" el 66% de los encuestados globales pagarían más si los productos cubren factores relacionados con sostenibilidad: que sea orgánico, que la empresa sea amigable con el ambiente o evidencia un claro compromiso social. Si los consumidores están llamados a ser mucho más responsables, qué decir de lo que los ciudadanos esperan de las empresas.

Hemos de recordar que la Unión Europea fue pionera en la búsqueda de mecanismos de ajuste del sector productor desde la óptica de la adaptación al consumidor final. Luego también tendrá que potenciar esta consideración bajo esta nueva faceta.

La evitación del desperdicio y la persecución del derroche en el proceso de manipulación, envasado y expedición de productos alimentarios ha de ser una guía última de las nuevas normas en materia de industrias agrarias. El empleo de materiales sostenibles, la proscripción de elementos contaminantes y la mejor ordenación de los procesos industriales han de inspirar las ordenaciones jurídicas del sector en su faceta productora. La forma de hacer negocios por parte de las empresas ha de incidir positivamente en el bienestar ambiental y social de los ciudadanos que compran y pagan sus servicios. Ya no basta con que los productos no causen efectos negativos y sean competitivos: además tienen que ser socialmente responsables.

En definitiva, la sostenibilidad (una de las principales consecuencias horizontales de la aplicación de los ODS) ha pasado a ser un imperativo estratégico en las políticas empresariales de la agroindustria que aspiren a desenvolverse en el futuro más inmediato. Sin lugar a dudas que el Consejo General de la Abogacía y sus integrantes deberán tener voz jurídica en un proceso de innovación normativa como el descrito.

VII. RENOVADOS IMPULSOS AL ASOCIACIONISMO AGROALIMENTARIO

El acercamiento a la realidad social del sector agroalimentario fuerza a comprender que existen actores cualificados sobre los que también debe incidirse para asegurar los objetivos de producción y consumo responsables.

Apoyar la agrupación de los agricultores en cooperativas o asociaciones para reducir la pérdida de alimentos en la primera parte de la cadena alimentaria es otra de las medidas ineludibles en el elenco de las necesarias. La atomización y el aislamiento son vectores de potenciación del desperdicio y la producción ineficiente. Concentrar la oferta y profesionalizar la gestión de las entidades jurídicas resultantes de la unión de los productores agrarios han de comportar inequívocas ventajas, también desde la consideración de los ODS.

Las políticas públicas europeas derivadas de la última PAC caminan sin lugar a dudas en esa dirección: las entidades asociativas prioritarias (EAP) y las organizaciones interprofesionales agroalimentarias (OIA´s) constituyen realidades en esa línea.

Las EAP vienen a representar una nueva era en el asociacionismo de segundo grado, tratándose de entidades jurídicas favorecedoras de la concentración de la oferta y optimizadoras de los recursos de sus integrantes. Más del 10 % de la producción agraria española está en estos momentos bajo tan cualificado paraguas, siendo fruto su difusión y empuje de una decidida apuesta por el fomento y mejora de los sistemas de comercialización. La presencia de estos nuevos operadores irá ligada a la fuerza y empuje de sus decisiones, tomando una dimensión en el seno de la cadena alimentaria —por su nivel de facturación y representación de sus integrantes— que ha de permitirles negociar y tratar directamente con la gran distribución. Sin duda este cualificado nivel de relación ha de traducirse, también, en una capacidad de actuación elevada en orden al aseguramiento de nuevos sistemas de producción y consumo responsables de los productos a los que representa.

Por su parte las organizaciones interprofesionales agroalimentarias vienen a representar la ordenación vertical de las relaciones entre productores e industriales relativos a un determinado alimento. El rápido desarrollo de la figura y la fuerza que ha cobrado en los últimos años su actividad (especialmente a través de la aprobación de diferentes extensiones de norma) ha propiciado que se conviertan en un muy destacado actor llamado a incidir de modo notable en las relaciones sectoriales de los productos a los que afecta.

Versando sobre muy diferentes producciones (porcino, vacuno, vino, aceite, etc.…) tiene entre sus cualificados fines los de promover y difundir las bondades de los alimentos de su competencia. El consumo responsable, moderado y eficiente se halla presente entre sus cometidos desde el primer momento.

Los viejos mecanismos de fomento del asociacionismo ocuparán nuevamente páginas de legislación europea, con la idea de implicar a un sector productor necesariamente cada vez más vertebrado para que esté más concienciado.

Entre sus fines ha de hallarse seguro el fomento de la cooperación con organizaciones de productores y organizaciones interprofesionales agroalimentarias para incrementar la innovación en tecnologías de mejor tratamiento. También será una muy razonable línea de actuación de las futuras extensiones de normas de las organizaciones interprofesionales —progresivamente más fuertes— el diseño y ejecución de campañas de concienciación del consumo responsable y la evitación del desperdicio alimentario.

VIII. DIGITALIZACIÓN Y PLATAFORMAS DE RECOGIDA DE ALIMENTOS

Más allá del etiquetado de los productos, deberá ser necesario el desarrollo del sector digital para prevenir la generación de residuos y desperdicios alimentarios. Mediante plataformas de rescate de alimentos habrán de estar mucho más conectados todos los extremos de cualquier cadena de valor alimentaria, de manera que puedan ser identificados y reutilizados los excedentes no empleados.

La gran capacidad tecnológica y el destacado nivel de seguridad alimentaria de la industria agroalimentaria española han de permitir asumir los nuevos retos tecnológicos que demanda la sostenibilidad impulsada por los ODS para prevenir la pérdida de alimentos, habida cuenta de que en cada una de las fases de la fabricación del alimento (sea cual sea) se producen dichas pérdidas: en la recepción del sector primario, en la transformación y en la distribución y transporte. En todos ellos pueden alcanzarse niveles de mejora de gestión potenciando tecnologías digitales que permitan optimizar los procesos. Especialmente debe ahondarse en la exigibilidad jurídica de la implantación de tales procesos, lo que debe colaborar en la evitación de mermas o pérdidas indeseables y, en todo caso, en la reorientación de su uso a favor de quienes pueden necesitarlos (por supuesto siempre que se trate de alimentos o materias aptas para el consumo humano).

IX. LOS CÓDIGOS DE BUENAS PRÁCTICAS ALIMENTARIAS

Por fin y como colofón de la optimización de los procesos de evitación de las pérdidas y desperdicios alimentarios, el fomento de Códigos de Buenas Prácticas Alimentarias con el fin de aprovechar de manera óptima los programas de recogida de excedentes de alimentos ha de ser otra de las tendencias jurídicas que deberán favorecerse para propiciar una mayor concienciación de empresas y ciudadanos en orden a los ODS.

Consecuencia natural de una sana preocupación por evitar el desperdicio debe ser la introducción de normas voluntarias de atención a su evitación, incluyendo la lucha con el desperdicio en los programas de atención responsable de productores, fabricantes y distribuidores.

La puesta en marcha de programas de educación y sensibilización de la población (en la búsqueda del ideal ético de atención a los más desfavorecidos y en evitación de afectaciones medioambientales) junto a los códigos de comportamiento responsables por parte de las empresas (lo que enlaza naturalmente con sus programas de compliance en evitación de incidencias reputacionales negativas) se vuelve una cuestión crucial —con un inequívoco sesgo autonormativo— en la lucha contra el desperdicio de alimentos. Actuar sobre los hábitos particulares mitigará el derroche alimenticio, especialmente en una fase de la cadena alimentaria donde queda probado que es la mayor vulnerable por el nivel de desperdicio. Condicionar anticipadamente los procedimientos empresariales mediante prácticas medioambientales virtuosas debe orientarse obligadamente en la misma línea de acción de prevenir el despilfarro.

X. CONCLUSIONES

La consecución de los objetivos de desarrollo sostenible en lo respecta a la producción y consumo responsables (objetivo 12) y en especial atención a su incidencia sobre el clima (objetivo 13) pasa por la implementación jurídica de un conjunto de normas entre las cuales pueden destacarse las que tienen los siguientes objetos, en la medida que persiguen como finalidad la mejora de la regulación de la cadena alimentaria para evitar los excedentes y el desperdicio alimentario:

1) Nuevas normas sobre donación y redistribución de alimentos

2) Revisión de los sistemas de etiquetado y reutilización de alimentos

3) Mejora de la eficiencia de las industrias agrarias desde la óptica de la sostenibilidad con nuevos mecanismos de producción y evitación de excedentes

4) Potenciación de las entidades asociativas prioritarias y las organizaciones interprofesionales agroalimentarias

5) Fomento de la digitalización y plataformas de recogida de alimentos

6) Favorecimiento de Códigos de Buenas Prácticas Alimentarias.

El derecho a la participación pública en la toma de decisiones en materia de medio ambiente

(Informe 13/2019)

Sumario: I. OBJETO: PARTICIPACIÓN Y MEDIO AMBIENTE. II. ANTECEDENTES Y CONTEXTO INTERNACIONAL. III. UNIÓN EUROPEA. IV. ESPAÑA. 1. La regulación a nivel estatal. 2. Derecho a participar en las disposiciones de carácter general a la luz de la Ley 27/2006. 2.1. Las materias relacionadas con el medio ambiente. 2.2. La modificación no sustancial. 2.3. La participación real y efectiva. 3. Las disposiciones generales sobre elaboración de normas y su encaje con la Ley 27/2006. 3.1. La normativa anterior a la entrada en vigor de la Ley 27/2006. 3.2. La reforma operada en 2015. 4. El ámbito reducido de aplicación de la Ley 27/2006. 4.1. La participación funcional. 4.2. La audiencia institucionalizada a través del Consejo Asesor de Medio Ambiente (CAMA). 5. La vulneración del derecho a la participación y sus consecuencias. 5.1. La ausencia de los trámites de participación funcional e institucionalizada como causa de nulidad de normas reglamentarias. 5.2. La problemática de la ausencia de informes en las normas con rango de ley. 6. La participación durante el procedimiento legislativo. V. CONCLUSIONES.

I. OBJETO: PARTICIPACIÓN Y MEDIO AMBIENTE

El objeto del presente informe es complementar el referido al acceso a la justicia en materia de medio ambiente, con la vertiente referida al derecho a la participación en esa misma materia y más concretamente en la elaboración de disposiciones de naturaleza general.

Son dos por tanto los pilares de los que se ha de partir: por un lado, el reconocimiento del principio de participación de los ciudadanos en la toma de decisiones públicas y, por otro, la particular referencia al medio ambiente.

El componente de la participación tiene muchas proyecciones en nuestro texto constitucional. En primer lugar, el reconocimiento como tal del derecho a la participación en el art. 23 de la Constitución Española (en adelante CE): *Los ciudadanos tienen el derecho a participar en los asuntos públicos, directamente o por medio de representantes, libremente elegidos en elecciones periódicas por sufragio universal.* En segundo lugar, el mandato a los poderes públicos que viene expresamente recogido en el artículo 9.2 CE: *Corresponde a los poderes públicos promover las condiciones para que la libertad y la igualdad del individuo y de los grupos en que se integra sean reales y efectivas; remover los obstáculos que impidan o dificulten su plenitud y facilitar la participación de todos los ciudadanos en la vida política, económica, cultural y social;* al igual que hace el art. 48 CE respecto a la obligación de aquellos de promover las condiciones para *la participación de la juventud* en el desarrollo político, social, económico y cultural. O bien la participación que se ha recogido en otros ámbitos específicos y que se concretan en derechos subjetivos como consecuencia del desarrollo del legislador: la *participación de todos los sectores afectados en la programación general de la enseñanza* (art. 27.5 CE) o de los profesores, padres y alumnos en el *control y gestión de todos los centros sostenidos por la Administración con fondos públicos* (art. 27.7 CE); la prevista en el art. 105.a) CE referida a la *audiencia de los ciudadanos en el procedimiento de elaboración de las disposiciones administrativas*; o la *audiencia de los interesados en el procedimiento de producción de actos administrativos* que prevé el apartado c) del mismo artículo; o la previsión del art. 129 CE que, por un lado, remite a la Ley el establecimiento de *formas de participación de los interesados en la Seguridad Social y en la actividad de determinados organismos públicos* y, por otro, recoge un mandato a los poderes públicos para que promuevan eficazmente *formas de participación en la empresa.*

Bien es cierto que hay que marcar la diferencia, ya que estos mecanismos de participación no son manifestación del derecho a la participación previsto en el art. 23 *pues no sólo se hallan contemplados en preceptos diferentes de la Constitución, sino que tales preceptos obedecen a manifestaciones de una ratio bien distinta: en el art. 23.1 C.E. se trata de las modalidades —representativa y directa— de lo que en el mundo occidental se conoce por democracia política, forma de participación inorgánica que expresa la voluntad general, mientras que en los restantes preceptos a que se ha hecho alusión se da entrada a correctivos particularistas de distinto orden sólo cuando estamos en el ámbito de la participación política a que se refiere el art. 23.1 C.E. la violación de una concreta forma de participación legalmente prevista puede traducirse en una violación del derecho fundamental* (STC 119/1995, de 17 de julio).

A mayor abundamiento, nuestro TC ha señalado que el art. 23 *no se trata de un derecho a que los ciudadanos participen en todos los asuntos públicos, cualquiera que sea su índole y su condición, pues para participar en los asuntos concretos se requiere un especial llamamiento, o una especial competencia, si se trata de órganos públicos, o una especial legitimación si se trata de Entidades o sujetos de Derecho privado, que la Ley puede, en tal caso, organizar* (STC 51/1984, de 25 de abril). En consecuencia *para determinar si estamos o no ante un derecho de participación política, encuadrable en el art. 23.1 C.E., habrá que atender, no sólo a la naturaleza y forma del llamamiento, sino también a su finalidad: sólo allí donde la llamada a la participación comporte, finalmente, el ejercicio, directo o por medio de representantes, del poder político —esto es, sólo allí donde se llame al pueblo como titular de ese poder— estaremos en el marco del art. 23.1 C.E.* (STC 119/1995).

En lo que concierne al medio ambiente, el artículo 45 CE establece que *Todos tienen el derecho a disfrutar de un medio ambiente adecuado para el desarrollo de la persona, así como el deber de conservarlo*. Se seguía así la línea fijada por otros textos constitucionales de la misma época, como el artículo 24.1 de la Constitución griega de 1975 o el 66.1 de la Constitución portuguesa de 1976. Se comenzaba a constitucionalizar uno de los derechos denominados de tercera generación (o de cuarta en tesis de Zagrebelsky) que bajo el paraguas de la solidaridad teorizaría unos años después Karel Vasak; y que respondía en realidad a una corriente generalizada. Como explicó el Tribunal Constitucional en su temprana Sentencia 64/1982, de 4 de noviembre: *el art. 45 [CE] recoge la preocupación ecológica surgida en las últimas décadas en amplios sectores de opinión que ha plasmado también en numerosos documentos internacionales*.

Una de las cuestiones más debatidas es si el derecho al medio ambiente es o no un verdadero derecho subjetivo. En este sentido su incardinación en el capítulo tercero del título primero de la Constitución lo sitúa como un principio rector de la política económica y social. Así por ejemplo lo refleja la STC 84/2013, de 11 de abril: *art. 45.1 CE, que enuncia un principio rector, no un derecho fundamental (STC 199/1996, de 3 de diciembre, FJ 3), si se repara en que este precepto constitucional, junto al derecho a disfrutar de un medio ambiente adecuado para el desarrollo de la persona, proclama el deber de todos de conservarlo. Su apartado 2, además, impone a los poderes públicos la obligación positiva de velar por la utilización racional de todos los recursos naturales, correspondiendo al legislador la elección de las técnicas apropiadas para llevar a cabo la plasmación de ese principio rector en el que la protección del medio ambiente consiste (SSTC 247/2007, de 12 de diciembre, FJ 20; y 149/2011, de 28 de septiembre, FJ 3)*.

No obstante, y al margen del considerable debate doctrinal respecto a su naturaleza jurídica, no han faltado pronunciamientos jurisprudenciales con una tendencia creciente a su consideración como tal derecho subjetivo. Pensemos a este respecto en las conocidas Sentencias del Tribunal Europeo de Derechos Humanos de 9 de diciembre de 1994, caso López Ostra contra Reino de España; y de 19 de febrero de 1998, caso Guerra y otros contra Italia; o en la más reciente de 16 de enero de 2018 en el asunto Cuenca Zarzosa contra el Reino de España. en las que se afirmaba que, en determinados casos de especial gravedad, ciertos daños ambientales, aun cuando no pongan en peligro la salud de las personas, pueden atentar contra su derecho al respeto de su vida privada y familiar, privándola del disfrute de su domicilio, en los términos del art. 8.1 del Convenio de Roma.

O también en nuestro Tribunal Supremo, que ya en la Sentencia de su Sala 3ª de 25 de abril de 1989 condenaba a un Ayuntamiento a construir las instalaciones de depuración de vertidos precisas para hacer efectivo el derecho constitucional de los ciudadanos a disfrutar de un medio ambiente adecuado. Igualmente, por su notable interés en lo que concierne a esta vertiente subjetiva, merece mención específica el voto particular del Magistrado Manuel Jiménez de Parga y Cabrera a la STC 119/2001 de 24 de mayo, en el que mencionaba el contenido subjetivo de algunos derechos, igualmente fundamentales, pero no protegibles en vía de amparo y que proyectaba específicamente en el art. 45 CE.

Al margen de concretar qué es el medio ambiente, que nuestro Tribunal Constitucional ha calificado como un concepto jurídico indeterminado con un talante pluridimensional y, por tanto, interdisciplinar (STC 64/1982, de 4 de noviembre y 102/1995, de 26 de junio), la cuestión que ahora nos ocupa es la de determinar si el derecho a la participación en materia de medio ambiente forma parte o no de este derecho. En este sentido la referida STC 102/1995 afirmaba que *en el caso del medio ambiente se da la paradoja de que ha de ser defendido por el hombre de las propias acciones del hombre, autor de todos los desafueros y desaguisados que lo degradan, en beneficio también de los demás hombres, y de las generaciones sucesivas. La protección resulta así una actividad beligerante que pretende conjurar el peligro y, en su caso, restaurar el daño sufrido e incluso perfeccionar las características del entorno, para garantizar su disfrute por todos. De ahí su configuración ambivalente como deber y como derecho, que implica la exigencia de la participación ciudadana en el nivel de cada uno.*

Y del mismo modo se contempla en la jurisprudencia ordinaria y así la STS (Sala 3ª) de 7 de julio de 2017: *De una parte, y considerando al medio ambiente "como un bien jurídico de cuyo disfrute son titulares todos los ciudadanos", resalta como de tal condición se deduce una obligación constitucional, consistente en su conservación "que comparten los poderes públicos y la sociedad en su conjunto". Esto es, del citado artículo 45 de la Constitución Española se deducen para los ciudadanos tanto el derecho a exigir a los poderes públicos la adopción de medidas necesarias para garantizar la adecuada protección del medio ambiente, como la obligación de preservar y respetar el mismo. De ahí, por tanto, surge la necesidad de contar con instrumentos adecuados para la configuración de dicho derecho y obligación, destacando, entre dichos instrumentos los mecanismos de participación en el proceso de toma de decisiones públicas, que cuenta con apoyo constitucional en el artículo 9.2 de la Constitución Español, y, en el más concreto ámbito administrativo, en su artículo 105.*

De una manera incluso más específica la STSJ de Castilla y León de 29 de diciembre de 2017 afirmaba: *en efecto, para que los ciudadanos, individual o colectivamente, puedan ejercer y cumplir con las exigencias que resultan del citado artículo 45 deben facilitarse mecanismos que posibiliten de una manera real y efectiva su participación en el proceso de toma de decisiones públicas. En segundo lugar, hay que recordar también que el derecho de participación se garantiza de manera general en los artículos 9.2 y 105.a) de la Constitución española y de manera más específica en la Ley 27/2006, de 18 de julio, por la que se regulan los derechos de acceso a la información, de participación pública y de acceso a la justicia en materia de medio ambiente.*

En definitiva, la jurisprudencia pone de manifiesto que, dentro del contenido del derecho al medio ambiente, en los términos configurados por el legislador en tanto que principio rector, debe incluirse necesariamente el referido derecho de participación en la toma de decisiones públicas. Sirva a este respecto la ilustrativa STC 233/2015, de 5 de noviembre: *no se antoja casual que el principal reconocimiento de los derechos subjetivos en materia de medio ambiente se haya plasmado, hasta el presente, en el Convenio de Aarhus a través de los llamados "derechos procedimentales" (información, participación y acceso a la Justicia).*

II. ANTECEDENTES Y CONTEXTO INTERNACIONAL

La preocupación por el medio ambiente y más concretamente por la participación en la toma de decisiones sobre esta materia goza ya de una cierta tradición. Ya en el Informe de la Conferencia de Naciones Unidas sobre el Medio Ambiente Humano (CNUMAH) celebrada en Estocolmo entre el 5 y el 16 de junio de 1972 se señalaba, no tanto en la Declaración sino en sus Recomendaciones para la acción en el plano internacional, lo siguiente: *Se recomienda que el Secretario General adopte las disposiciones necesarias a fin de: a) Establecer un programa de información destinado a suscitar el interés de los particulares por el medio humano y a lograr la participación del público en su ordenación y control. Tal programa recurrirá a los medios de información pública tradicionales y contemporáneos, teniendo en cuenta las peculiaridades nacionales. Además, deberá prever los medios de estimular la participación activa de los ciudadanos y despertar el interés y lograr la contribución de las organizaciones no gubernamentales en la salvaguardia y el mejoramiento del medio.*

Seguidamente el artículo principio 23 de la Carta Mundial de la Naturaleza —que es como se conoce a la resolución 37/7 de la Asamblea General de las Naciones Unidas, aprobada el 28 de octubre de 1982— señalaba que *toda persona, de conformidad con la legislación nacional, tendrá la oportunidad de participar, individual o colectivamente, en el proceso de preparación de las decisiones que conciernan directamente a su medio ambiente y, cuando éste haya sido objeto de daño o deterioro, podrá ejercer los recursos necesarios para obtener una indemnización.*

Sin embargo, el punto de inflexión en el ámbito de la participación en asuntos medioambientales fue la Declaración de Rio sobre el Medio Ambiente y el Desarrollo aprobada en 1992 y más concretamente el Principio 10, que establecía: *El mejor modo de tratar las cuestiones ambientales es con la participación de todos los ciudadanos interesados, en el nivel que corresponda. En el plano nacional, toda persona deberá tener acceso adecuado a la información sobre el medio ambiente de que dispongan las autoridades públicas, incluida la información sobre los materiales y las actividades que encierran peligro en sus comunidades, así como la oportunidad de participar en los procesos de adopción de decisiones. Los Estados deberán facilitar y fomentar la sensibilización y la participación de la población poniendo la información a disposición de todos. Deberá proporcionarse acceso efectivo a los procedimientos judiciales y administrativos, entre éstos el resarcimiento de daños y los recursos pertinentes.*

La proyección de este principio a través de un instrumento jurídico internacional se plasmó en el conocido coloquialmente como Convenio de Aarhus, adoptado el 25 de junio de 1998 por la Comisión Económica de las Naciones Unidas para Europa y cuya rúbrica oficial es Convenio sobre acceso a la información, participación del público en la toma de decisiones y acceso a la justicia en materia de medio ambiente.

En dicho Convenio, el derecho a la participación se configura en sus considerandos como *un derecho instrumental* necesario para hacer realidad el derecho-deber referido al medio ambiente, el derecho a vivir en un medio ambiente que le permita garantizar su salud y su bienestar, y el deber, tanto individualmente como en asociación con otros, de proteger y mejorar el medio ambiente en interés de las generaciones presentes y futuras.

En otros ámbitos geográficos, y de manera mucho más reciente, en septiembre de 2018 se abrió a la firma el Acuerdo Regional sobre el Acceso a la Información, la Participación Pública y el Acceso a la Justicia en Asuntos Ambientales en América Latina y el Caribe (conocido como Acuerdo de Escazú). Este contempla que *cada Parte garantizará el derecho de toda persona a vivir en un medio ambiente sano, así como cualquier otro derecho humano universalmente reconocido que esté relacionado con el presente Acuerdo* (art. 4.1) y recoge expresamente en el art. 7.3 que *cada Parte promoverá la participación del público en procesos de toma de decisiones, revisiones, reexaminaciones o actualizaciones distintos a los mencionados en el párrafo 2 del presente artículo, relativos a asuntos ambientales de interés público, tales como el ordenamiento del territorio y la elaboración de políticas, estrategias, planes, programas, normas y reglamentos, que tengan o puedan tener un significativo impacto sobre el medio ambiente.*

De una manera no estrictamente vinculada a la participación en la elaboración de las disposiciones generales, también la jurisprudencia internacional ha recogido el derecho al medio ambiente con una proyección en la participación en la toma de decisiones. En el ámbito iberoamericano, por ejemplo, se ha conectado con los derechos de los pueblos indígenas. Así en la Sentencia de la Corte Interamericana de Derechos Humanos de 25 de noviembre de 2015 (caso Pueblos Kaliña y Lokono contra Surinam) estableció que *Surinam no había previsto los mecanismos necesarios para garantizar el acceso, uso y participación efectiva de los pueblos indígenas afectados en la conservación de las reservas naturales sobre sus territorios ancestrales y en sus beneficios. Así, afirmó que el Estado había vulnerado los derechos de propiedad colectiva, identidad cultural y participación en los asuntos públicos, recogidos en los artículos 21 y 23, en relación con los artículos 1.1 y 2 de la Convención.*

Volviendo al Convenio de Aarhus, la consideración instrumental para hacer realidad un derecho-deber se proyecta en el articulado solo en la vertiente del derecho. Así, el artículo 1 dice:

> *A fin de contribuir a proteger el derecho de cada persona, de las generaciones presentes y futuras, a vivir en un medio ambiente que permita garantizar su salud y su bienestar, cada Parte garantizará los derechos de acceso a la información sobre el medio ambiente, la participación del público en la toma de decisiones y el acceso a la justicia en materia medioambiental de conformidad con las disposiciones del presente Convenio.*

El artículo 2.4 del Convenio define:

> *Por "público" se entiende una o varias personas físicas o jurídicas y, con arreglo a la legislación o la costumbre del país, las asociaciones, organizaciones o grupos constituidos por esas personas.*

En lo que concierne a la justificación, los propios considerandos señalan igualmente que *un mejor acceso a la información y una mayor participación del público en la toma de decisiones permiten tomar mejores decisiones y aplicarlas más eficazmente, contribuyen a sensibilizar al público respecto de los problemas medioambientales, le dan la posibilidad de expresar sus preocupaciones y ayudan a las autoridades públicas a tenerlas debidamente en cuenta.*

La regulación de la vertiente de la participación está concretada en los artículos 6 a 8 del Convenio y que a su vez tiene que ver con tres tipos de actuaciones por parte de las autoridades públicas: decisiones, planes y programas y disposiciones normativas generales. No obstante, contrasta la detallada regulación de la participación del público en las decisiones relativas a actividades específicas (art. 6), frente a la más escueta de la participación en los planes, programas y políticas relativos al medio ambiente (art. 7) o la concerniente a la participación durante la fase de elaboración de disposiciones reglamentarias o de instrumentos normativos jurídicamente obligatorios de aplicación general (art. 8), cuestión esta última en la que nos vamos a centrar.

Hay tres aspectos de interés dentro de la regulación que en este punto recoge el Convenio: que se trate de una *participación efectiva* por parte del público, que sea en *una fase apropiada y cuando todas las opciones estén abiertas* y que se trate de *normas que puedan tener un efecto importante sobre el medio ambiente.*

El propio articulado (art. 8) nos ayuda en esta delimitación, señalando que es necesario:

– que se fije un plazo suficiente,

– que se publique un proyecto de reglas o poner éste a disposición del público por otros medios y,

– que se dé al público la posibilidad de formular observaciones, ya sea directamente, ya sea por mediación de órganos consultivos representativos.

Con esto se puede afirmar que se fijan los parámetros de la efectividad: el plazo y la forma en la que canalizarla. La descripción de la fase apropiada está descrita en sí misma, porque se exige que estén todas las opciones abiertas, lo que invita a pensar en que se deba recoger en la fase más inicial posible dentro del procedimiento.

A diferencia de lo señalado en el artículo 6, referido a la participación en la toma de decisiones, respecto a la que se fija un ámbito objetivo detallado (que queda delimitado por su remisión al Anexo I, en el que se plantean hasta 19 tipo de actividades[1]); en el caso de la participación en la

---

[1]   Dichas actividades son, en concreto, las siguientes: sector de la energía, producción y transformación de metales, industria mineral, industria química, gestión de residuos, instalaciones de tratamiento de aguas residuales con una capacidad superior a un equivalente de población de 150.000 personas, instalaciones industriales destinadas a determinado tipo de actividades vinculadas al sector papelero,

elaboración de disposiciones de naturaleza general el artículo 8 lo deja a la consideración de las Partes bajo el criterio de que se trate de disposiciones reglamentarias o de otras normas jurídicamente obligatorias de aplicación general que puedan tener un *efecto importante sobre el medio ambiente*, lo cual supone un concepto lo suficientemente amplio como para que cada una de las partes firmantes pudiera actuar con considerable libertad.

III. UNIÓN EUROPEA

En el ámbito europeo, en 1998 la Comunidad y la mayoría de sus Estados miembros firmaron el Convenio de Aarhus; mientras que posteriormente se adoptó la Decisión del Consejo de 17 de febrero de 2005 sobre la celebración, en nombre de la Comunidad Europea, del Convenio sobre el acceso a la información, la participación del público en la toma de decisiones y el acceso a la justicia en materia de medio ambiente. No obstante, mientras tanto la UE adoptó una serie de medidas, de carácter normativo, que incorporaban los contenidos del referido Convenio. En concreto:

---

construcción de determinado tipo de infraestructuras, vías navegables o puertos, dispositivos de captación o de recarga artificial de aguas subterráneas, determinadas infraestructuras hidráulicas destinadas al trasvase de aguas, la extracción de petróleo y gas con fines comerciales, presas y otras instalaciones destinadas a la retención y almacenamiento de aguas; determinadas canalizaciones de para el transporte de gas, de petróleo o de productos químicos; determinadas instalaciones destinadas a la cría intensiva de aves o de cerdos, determinadas canteras y explotaciones mineras a cielo abierto, la construcción de determinados tendidos aéreos para el transporte de energía eléctrica, determinadas instalaciones de almacenamiento de petróleo, de productos petroquímicos o de productos químicos, y un cajón de sastre de otras actividades fabriles vinculadas al ámbito textil, de curtido de pieles, etc. Todo ello se completa con unas disposiciones de cierre que señalan por un lado que se incluye toda actividad no mencionada cuando esté prevista la participación del público respecto de ella en el marco de un procedimiento de evaluación del impacto sobre el medio ambiente conforme a la legislación nacional; por otro que se excluye cuando las actividades enumeradas se emprendan exclusivamente o esencialmente para investigar, elaborar o experimentar nuevos métodos o nuevos productos y que no vayan a durar más de dos años, a menos que puedan tener un efecto perjudicial importante sobre el medio ambiente o la salud. Igualmente se señala que toda modificación o ampliación de las actividades que responda en sí a los criterios o umbrales expresados en el anexo se regirá por se regirá por el artículo 6, apartado 1, letra a); mientras que otra modificación o ampliación de las actividades se regirá por el artículo 6, apartado 1, letra b).

- La Directiva 2003/4/CE relativa al acceso del público a la información medioambiental, que derogaba la Directiva 90/313/CEE del Consejo, de 7 de junio de 1990, sobre libertad de acceso a la información en materia de medio ambiente; símbolo esta última de que la preocupación por esta materia gozaba ya de una cierta tradición en nuestro continente.

- La Directiva 2003/35/CE relativa a la participación del público en la elaboración de planes y programas relacionados con el medio ambiente.

No existe sin embargo una directiva propiamente dicha respecto del acceso a la justicia en materia medioambiental.

Centrados en el ámbito de la participación, este se encuentra tratado en la referida Directiva 2003/35/CE. Como su propia rúbrica indica, en la Directiva se hace referencia a la participación del público en la elaboración de determinados planes y programas, y de hecho ese es su objetivo (art. 1.a)); sin embargo, no se hace referencia alguna a la participación en la elaboración de disposiciones reglamentarias o de instrumentos normativos jurídicamente obligatorios de aplicación general, tal y como sí hacía el Convenio de Aarhus.

Y la misma reflexión cabe hacer respecto del Reglamento (CE) No 1367/2006 del Parlamento Europeo y del Consejo de 6 de septiembre de 2006, relativo a la aplicación, a las instituciones y a los organismos comunitarios, de las disposiciones del Convenio de Aarhus sobre el acceso a la información, la participación del público en la toma de decisiones y el acceso a la justicia en materia de medio ambiente. En 2006, la Decisión 2006/957/CE del Consejo recogió una enmienda al Convenio que aumenta la participación del público en decisiones relativas a la diseminación voluntaria de organismos modificados genéticamente (OMG) en el medio ambiente. A nivel de la UE, este requisito ya queda satisfecho por determinados artículos de la Directiva 2001/18/CE sobre la liberación intencional en el medio ambiente de organismos genéticamente modificados y el Reglamento (CE) No 1829/2003 sobre alimentos y piensos genéticamente modificados.

Muchas otras directivas de la UE sobre cuestiones medioambientales establecen normas sobre la participación del público en la toma de decisiones en materia de medio ambiente. Entre ellas, cabe mencionar la Directiva 2001/42/CE del Parlamento Europeo y del Consejo, de 27 de junio de 2001, relativa a la evaluación de los efectos de determinados planes y programas en el medio ambiente, y la Directiva Marco sobre el Agua (Directiva 2000/60/CE).

IV. ESPAÑA

1. La regulación a nivel estatal

España ratificó el Convenio de Aarhus en diciembre de 2004, entrando en vigor el 31 de marzo de 2005. Fue la Ley 27/2006, de 18 de julio, por la que se regulan los derechos de acceso a la información, de participación pública y de acceso a la justicia en materia de medio ambiente (incorpora las Directivas 2003/4/CE y 2003/35/CE) la que, como su propia denominación indica, se aprueba con la finalidad de llevar a cabo la transposición y también plasmar los compromisos derivados de la ratificación del Convenio. En concreto, lo señala de manera específica la disposición adicional cuarta:

> *Por medio de la presente Ley se desarrollan determinados derechos y obligaciones reconocidos en el Convenio sobre acceso a la información, la participación del público en la toma de decisiones y el acceso a la justicia en materia de medio ambiente, hecho en Aarhus, Dinamarca, el 25 de junio de 1998; y se adapta el ordenamiento jurídico vigente a las disposiciones contenidas en la Directiva 2003/4/CE, del Parlamento Europeo y del Consejo, de 28 de enero de 2003, relativa al acceso del público a la información ambiental y en la Directiva 2003/35/CE, del Parlamento Europeo y del Consejo, de 26 de mayo de 2003, por la que se establecen medidas para la participación del público en la elaboración de determinados planes y programas relacionados con el medio ambiente y por la que se modifican, en lo que se refiere a la participación del público y el acceso a la justicia, las Directivas 85/337/CEE y 96/61/ CE del Consejo.*

En referencia al ámbito de aplicación del pilar de la participación, se incluye la triple dimensión original del Convenio o, como dice la propia exposición de motivos, los tres ámbitos de actuación pública: la autorización de determinadas actividades, la aprobación de planes y programas y la elaboración de disposiciones de carácter general de rango legal o reglamentario. Es decir, se vuelve a contemplar la perspectiva original con el añadido de que se hace específica referencia a las normas de rango legal y no solo reglamentarias.

En concreto, es el Título III de la Ley 27/2006 el que recoge el derecho de participación pública en los asuntos de carácter ambiental en relación con la elaboración, revisión o modificación de determinados planes, programas *y disposiciones de carácter general*. Este Título se cierra con un artículo a través del cual se regulan las funciones y la composición del Consejo Asesor de Medio Ambiente.

Previamente a entrar en el detalle de la regulación, cabe mencionar una serie de disposiciones preliminares. En concreto, el art. 1 de la Ley 27/2006 recoge el siguiente derecho:

> *b) A participar en los procedimientos para la toma de decisiones sobre asuntos que incidan directa o indirectamente en el medio ambiente, y cuya elaboración o aprobación corresponda a las Administraciones Públicas.*

Se utiliza por tanto un concepto sumamente amplio como es el de toma de decisiones que incidan además también de manera indirecta y cuya elaboración o aprobación corresponda a la administración. No se lleva a cabo sin embargo ninguna definición de qué debe entenderse por incidencia indirecta, ni tampoco el concepto de administración. De hecho, la norma lo que sí define son los conceptos de información medioambiental (art. 2.3) y de autoridad pública (art. 2.4).

2. Derecho a participar en las disposiciones de carácter general a la luz de la Ley 27/2006

En referencia a los derechos en relación con la participación pública, y más concretamente con las disposiciones de carácter general, se concreta en lo previsto en el art. 3.2).

> *Artículo 3. Derechos en materia de medio ambiente.*
>
> *Para hacer efectivos el derecho a un medio ambiente adecuado para el desarrollo de la persona y el deber de conservarlo, todos podrán ejercer los siguientes derechos en sus relaciones con las autoridades públicas, de acuerdo con lo previsto en esta Ley y con lo establecido en el artículo 7 del Código Civil:*
>
> *2) En relación con la participación pública:*
>
> *a) A participar de manera efectiva y real en la elaboración, modificación y revisión de aquellos planes, programas y disposiciones de carácter general relacionados con el medio ambiente incluidos en el ámbito de aplicación de esta Ley.*
>
> *b) A acceder con antelación suficiente a la información relevante relativa a los referidos planes, programas y disposiciones de carácter general.*
>
> *c) A formular alegaciones y observaciones cuando estén aún abiertas todas las opciones y antes de que se adopte la decisión sobre los mencionados planes, programas o disposiciones de carácter general y a que sean tenidas debidamente en cuenta por la Administración Pública correspondiente.*
>
> *d) A que se haga público el resultado definitivo del procedimiento en el que ha participado y se informe de los motivos y consideraciones en los que se basa la decisión adoptada, incluyendo la información relativa al proceso de participación pública.*

e) A participar de manera efectiva y real, de acuerdo con lo dispuesto en la legislación aplicable, en los procedimientos administrativos tramitados para el otorgamiento de las autorizaciones reguladas en la legislación sobre prevención y control integrado de la contaminación, para la concesión de los títulos administrativos regulados en la legislación en materia de organismos modificados genéticamente, y para la emisión de las declaraciones de impacto ambiental reguladas en la legislación sobre evaluación de impacto ambiental, así como en los procesos planificadores previstos en la legislación de aguas y en la legislación sobre evaluación de los efectos de los planes y programas en el medio ambiente.

Son tres por tanto las diferencias o más bien los desarrollos con respecto a lo recogido en el Convenio: por un lado, el concepto de "real", que se añade a la exigencia de la participación ya efectiva; por otro, se habla de todo el ciclo de vida de la norma y no solo de su elaboración. Por último, se habla de disposiciones "relacionadas" con el medio ambiente, sin concretar mayores aspectos; y que incluso es más laxo que el de "tener un efecto importante sobre el medio ambiente" del que habla el Convenio. Se va a analizar por tanto cada una de estas vertientes: qué son materias relacionadas con el medio ambiente, la modificación no sustancial, y qué se entiende por una participación efectiva y real.

2.1. Las materias relacionadas con el medio ambiente

La cuestión de qué materias se consideran como relacionadas con el medio ambiente es fácil de delimitar, ya que se encuentran enumeradas en el art. 18 de la norma:

Artículo 18. Normas relacionadas con el medio ambiente.

1. Las Administraciones públicas asegurarán que se observen las garantías en materia de participación establecidas en el artículo 16 de esta Ley en relación con la elaboración, modificación y revisión de las disposiciones de carácter general que versen sobre las materias siguientes:

a) Protección de las aguas.

b) Protección contra el ruido.

c) Protección de los suelos.

d) Contaminación atmosférica.

e) Ordenación del territorio rural y urbano y utilización de los suelos.

f) Conservación de la naturaleza, diversidad biológica.

g) Montes y aprovechamientos forestales.

h) Gestión de los residuos.

i) Productos químicos, incluidos los biocidas y los plaguicidas.

j) Biotecnología.

k) Otras emisiones, vertidos y liberación de sustancias en el medio ambiente.

l) Evaluación de impacto medioambiental.

m) Acceso a la información, participación pública en la toma de decisiones y acceso a la justicia en materia de medio ambiente.

n) Aquellas otras materias que establezca la normativa autonómica.

Respecto de esta última cláusula, hay Comunidades Autónomas que recogen una copia literal de la normativa estatal sin añadir nuevas materias a la enumeración (así hacía el art. 17 de la hoy derogada Ley 5/2010, de 23 de junio, de prevención y calidad ambiental de la Comunidad Autónoma de Extremadura); mientras que otras recurren a cláusulas generales sin ningún tipo de delimitación (referencia a "asuntos con incidencia ambiental", art. 10 de la Ley 7/2007, de 9 de julio de Gestión Integrada de la Calidad Ambiental de la Comunidad Autónoma de Andalucía; o "asuntos de carácter ambiental", que es la expresión utilizada por la Ley 6/2017, de 8 de mayo, de Protección del Medio Ambiente de la Comunidad Autónoma de La Rioja). Esta última forma de legislar con cláusulas abiertas para la delimitación material sin duda deriva en un ámbito de aplicación más amplio en estas Comunidades Autónomas, aunque siempre irá acompañada de un cierto grado de discrecionalidad por parte de la autoridad que impulse el proyecto.

Esta labor de delimitación en el ámbito estatal se ve completada por lo previsto en los apartados 2 y 3 del mismo art. 18, que recoge que se regirán por su normativa específica la elaboración de las normas que tengan por objeto exclusivo la prevención de riesgos laborales; mientras que no será de aplicación en la regulación de materias relacionadas exclusivamente con la defensa nacional, con la seguridad pública, con la protección civil en casos de emergencia o con el salvamento de la vida humana en el mar; ni tampoco cuando las disposiciones de carácter general que tengan por único objeto la aprobación de planes o programas, por cuanto se rigen por sus disposiciones específicas igualmente.

2.2. La modificación no sustancial

La última de las exclusiones es la prevista en el art. 18.3.b):

b) Las modificaciones de las disposiciones de carácter general que no resulten sustanciales por su carácter organizativo, procedimental o análogo, siempre que no impliquen una reducción de las medidas de protección del medio ambiente.

Lo sustancial, como dice la RAE, es lo importante o esencial; en contraposición podríamos decir a lo meramente accesorio. Se trata de un concepto complejo, que ha dado lugar a jurisprudencia en ámbitos muy específicos como el del planteamiento urbanístico (STS de 26 de noviembre de 2015) donde es por ejemplo un elemento determinante de la necesidad de la apertura de un trámite de información pública.

En determinadas normas, tenemos una definición auténtica, como la que nos da el art. 6.2.d) de la Ley 6/2017, de 8 de mayo, de Protección del Medio Ambiente de la Comunidad Autónoma de La Rioja: *'Modificación sustancial': Cualquier modificación de la actividad autorizada que, en opinión del órgano competente para otorgar la autorización ambiental integrada o la licencia ambiental, pueda tener repercusiones perjudiciales o importantes en las personas o el medio ambiente.* Bien es cierto que, como se deduce de la literalidad de la norma, se tiende a pensar en las autorizaciones administrativas y no tanto en las disposiciones generales y ni siquiera en los planes y programas que también son objeto de participación.

Y de similar modo, pero en el ámbito estatal, el art. 19.11 de la Ley 7/2007, de 9 de julio de Gestión Integrada de la Calidad Ambiental de Andalucía: *Modificación sustancial: cualquier cambio o ampliación de actuaciones ya autorizadas que pueda tener efectos adversos significativos sobre la seguridad, la salud de las personas o el medio ambiente.*

En la Ley 27/2006 no hay una definición auténtica similar, pero la norma nos ayuda por cuanto no solo da unos ejemplos de aspectos no sustanciales, sino que parece acotarlo al afirmar que no lo son *las que tengan carácter organizativo, procedimental o análogo.* En este sentido siempre va a existir un componente valorativo por parte de la correspondiente administración pública a efectos de determinar y valorar dicha naturaleza sustancial.

2.3. La participación real y efectiva

El artículo 3.2 sí que mantiene la literalidad del Convenio en cuanto a que se recoge el derecho a formular alegaciones y observaciones cuando estén aún abiertas todas las opciones y antes de que se adopte la decisión sobre las disposiciones de carácter general (real) y a que sean tenidas debidamente en cuenta por la Administración Pública correspondiente (efectiva).

Esta previsión se encuentra a su vez desarrollada y concretada en el art. 16, donde se establecen para la administración correspondiente un conjunto de obligaciones:

– Informar al púbico mediante avisos públicos u otros medios apropiados, como los electrónicos, cuando se disponga de ellos, sobre cualesquiera propuestas de disposiciones de carácter general, o, en su caso, de su modificación o de su revisión, y de manera que la información sea inteligible indicando la Administración pública competente a la que se pueden presentar comentarios o formular alegaciones.

- gualmente se reitera que se tenga derecho a expresar observaciones y opiniones cuando estén abiertas todas las posibilidades, antes de que se adopten decisiones sobre la disposición de carácter general.

- A que al adoptar esas decisiones sean debidamente tenidos en cuenta los resultados de la participación pública.

- A que, una vez examinadas las observaciones y opiniones expresadas por el público, se informe al público de las decisiones adoptadas y de los motivos y consideraciones en los que se basen dichas decisiones, incluyendo la información relativa al proceso de participación pública.

Estas obligaciones se complementan con la referencia a que las Administraciones públicas competentes determinarán, con antelación suficiente para que pueda participar de manera efectiva en el proceso, qué miembros del público tienen la condición de persona interesada para participar en los procedimientos, considerando que tienen esa condición, en todo caso, las personas físicas o jurídicas a las que se refiere el artículo 2.2 de esta Ley.

2. Personas interesadas:

a) Toda persona física o jurídica en la que concurra cualquiera de las circunstancias previstas en el artículo 31 de la Ley 30/1992, de 26 de noviembre, de Régimen Jurídico de las Administraciones Públicas y del Procedimiento Administrativo Común.

b) Cualesquiera personas jurídicas sin ánimo de lucro que cumplan los requisitos establecidos en el artículo 23 de esta Ley.

Este último precepto es el que recoge los requisitos pensados para el ejercicio de la acción popular en asuntos medioambientales:

- Que tengan entre los fines acreditados en sus estatutos la protección del medio ambiente en general o la de alguno de sus elementos en particular.

- Que se hubieran constituido legalmente al menos dos años antes del ejercicio de la acción y que vengan ejerciendo de modo activo las actividades necesarias para alcanzar los fines previstos en sus estatutos.

- Que según sus estatutos desarrollen su actividad en un ámbito territorial que resulte afectado por la actuación, o en su caso, omisión administrativa.

Esta delimitación resulta acorde con la previsión del antiguo art. 24.1.c) de la redacción original de la Ley 50/1997, de 27 de noviembre, del Gobierno, referido al procedimiento de elaboración de los reglamentos que:

– recogía el trámite de información pública solo cuando la naturaleza de la disposición lo aconsejara;

– y sin embargo contemplaba la obligación de dar audiencia a los ciudadanos cuando se vieran afectados sus derechos e intereses legítimos, fuera directamente o a través de las organizaciones y asociaciones reconocidas por la ley que los agruparan o los representaran y cuyos fines guardaran relación directa con el objeto de la disposición.

Y también está alineada con la consolidada jurisprudencia de nuestro Tribunal Supremo precisamente en lo referido a la audiencia corporativa, esto es, respecto a qué tipo de organizaciones y asociaciones podían participar en dicho trámite de audiencia, que ha venido legitimando no a cualquier organización o asociación, sino exigiendo que nos encontremos ante *sujetos asociativos con un interés cualificado que se ven directa, inmediata y negativamente afectados por el nuevo reglamento* (por todas, STS de la Sala 3ª de 2 de diciembre de 2008).

Al respecto cabe hacer dos importantes observaciones: una vinculada a las previsiones del Convenio de Aarhus, y otra referida a la muy relevante reforma que en materia de participación pública en la elaboración de disposiciones generales se introdujo en nuestro país en el año 2015.

En referencia al Convenio de Aarhus, procede recordar que este distingue entre dos tipos sujetos: el público y el público interesado. El primero se encuentra definido en el art. 2.4 y ya ha sido anteriormente transcrito. Por su parte, el concepto de público interesado es definido en el art. 2.5: *Por "público interesado" se entiende el público que resulta o puede resultar afectado por las decisiones adoptadas en materia ambiental o que tiene un interés que invocar en la toma de decisiones.*

Pues bien, así como el Convenio prevé que la participación del público en las decisiones relativas a actividades particulares (art. 6) lo sea en concreto del *público interesado*; no ocurre lo mismo en el caso de los planes, programas y políticas relativos al medio ambiente (art. 7) ni, en lo que ahora nos ocupa, en lo relativo a la elaboración de disposiciones reglamentarias o de instrumentos normativos jurídicamente obligatorios de aplicación general (art. 8) donde se refiere expresamente a la participación del *público*.

En lo concerniente a la reforma que en materia de elaboración de disposiciones generales se introdujeron en el año 2015 a través de la Ley

39/2015, de 1 de octubre, del Procedimiento Administrativo Común de las Administraciones Públicas; y de la Ley 40/2015, de 1 de octubre, de Régimen Jurídico del Sector Público, hay que recordar que han tenido como uno de sus pilares mejorar los mecanismos de participación. En este sentido baste observar dos párrafos de la Exposición de Motivos de la primera de las normas citadas que son particularmente significativos:

> *Para ello, resulta esencial un adecuado análisis de impacto de las normas de forma continua, tanto ex ante como ex post, así como la participación de los ciudadanos y empresas en los procesos de elaboración normativa, pues sobre ellos recae el cumplimiento de las leyes.*
>
> *Se establecen por primera vez en una ley las bases con arreglo a las cuales se ha de desenvolver la iniciativa legislativa y la potestad reglamentaria de las Administraciones Públicas con el objeto de asegurar su ejercicio de acuerdo con los principios de buena regulación, garantizar de modo adecuado la audiencia y participación de los ciudadanos en la elaboración de las normas y lograr la predictibilidad y evaluación pública del ordenamiento, como corolario imprescindible del derecho constitucional a la seguridad jurídica.*

Si a esto se suma la cláusula de cierre prevista en el art. 16. 3 de la Ley 27/2006, *Lo previsto en este artículo no sustituye en ningún caso cualquier otra disposición que amplíe los derechos reconocidos en esta Ley*; esto hace necesario que a continuación se aborde la normativa general hoy día existente sobre la participación de los ciudadanos en la elaboración de disposiciones generales.

3. Las disposiciones generales sobre elaboración de normas y su encaje con la Ley 27/2006

Como resulta obvio la participación por parte de la ciudadanía, sea sociedad civil organizada o no, se trata de algo no solo trasladable, sino obligado en el caso de las disposiciones de carácter general, lo que plantea la duda de hasta qué punto tiene sentido la existencia de una normativa específica en el ámbito concreto del medio ambiente. En este sentido, la propia Comisión Económica de las Naciones Unidas para Europa (UNECE), autora del Convenio de Aarhus, en las Recomendaciones de Maastricht sobre la promoción efectiva de la participación púbica en la adopción de decisiones en materia de medio ambiente, afirmaba: *si la ley nacional o la práctica administrativa no contemplan la participación del público en la preparación de todas las normas ejecutivas y leyes de su ordenamiento, es recomendable establecer un mecanismo o criterio para evaluar si una norma ejecutiva o ley propuestas pueden tener un efectivo significativo en el medio ambiente, y consiguientemente si están en el ámbito del artículo 8 de la Convención.*

Esto ha sido precisamente lo alegado por España en los tres informes de cumplimiento presentados en los años 2010, 2013 y 2016 con ocasión de las reuniones de las Partes del Convenio de Aarhus, donde el tratamiento de la cuestión sobre el derecho a la participación en proyectos normativos ha sido particularmente escueto. Por su similitud nos limitamos a transcribir el de 2016:

> *134. En el ámbito estatal, el marco jurídico general se recoge el artículo 26 de la Ley 50/97, del Gobierno en su redacción dada por la ley 40/2015 de 1 de octubre, que regula el trámite de audiencia e información pública en la elaboración de reglamentos. Esta previsión estatal se completa con la obligación de las Administraciones públicas, recogida en el artículo 18 de la Ley 27/2006, de asegurar que se observan las garantías necesarias para asegurar la participación en materias medioambientales.*

> *135. El artículo 19. 2 de la Ley 27/2006 establece que el CAMA, tiene que informar todos los proyectos normativos sobre las materias ya mencionadas, con carácter previo a su aprobación. Del mismo modo, existen determinados órganos colegiados (Consejo Nacional del Agua, Comisión Nacional del Clima, Consejo Estatal para el Patrimonio Natural y la Biodiversidad), que cuentan con la participación de los agentes sociales y entidades de defensa ambiental más representativas que han de conocer de manera preceptiva sobre los proyectos normativos en los sectores señalados.*

> *136. Las normas de desarrollo de la Administración autonómica prevén el fomento de la participación social, garantizando la efectividad de los trámites de información pública.*

Procede, por tanto, con base en lo expuesto, analizar la evolución de la participación ciudadana en la elaboración de disposiciones de carácter general.

3.1. La normativa anterior a la entrada en vigor de la Ley 27/2006

Sin necesidad de remontarnos más atrás, la regulación de la elaboración de las disposiciones de carácter general de ámbito estatal se encontraba ya recogida en la Ley 50/1997, de 27 de noviembre, que resultaba, lógicamente, aplicable tanto a las disposiciones generales relacionadas con el medio ambiente como a cualesquiera otras, fueran de rango reglamentario (art. 24), o estuviéramos ante anteproyectos de ley (art. 22). Es decir, ya con anterioridad a la aprobación de la Ley 27/2006 existía la obligación de permitir la participación en la elaboración de disposiciones generales de naturaleza medioambiental. Cierto es que la regulación resultaba muy escueta y distinguiendo por un lado los anteproyectos de ley y, por otro, las disposiciones reglamentarias.

En el caso de los anteproyectos de ley, la ley de 1997 contemplaba exclusivamente que dentro de la denominada "primera lectura", el Consejo de Ministros podía decidir sobre ulteriores trámites y, en particular, sobre las consultas, dictámenes e informes que resultaran convenientes, así como sobre los términos de su realización, sin perjuicio de los legalmente preceptivos.

Algo más de detalle, particularmente en lo que nos ocupa, se recogía en el ámbito de las disposiciones reglamentarias, que contemplaba específicamente los trámites de audiencia e información públicas. En concreto, en lo que nos ocupa, el entonces art. 24.1.c) decía:

> c) Elaborado el texto de una disposición que afecte a los derechos e intereses legítimos de los ciudadanos, se les dará audiencia, durante un plazo razonable y no inferior a quince días hábiles, directamente o a través de las organizaciones y asociaciones reconocidas por la ley que los agrupen o los representen y cuyos fines guarden relación directa con el objeto de la disposición. La decisión sobre el procedimiento escogido para dar audiencia a los ciudadanos afectados será debidamente motivada en el expediente por el órgano que acuerde la apertura del trámite de audiencia. Asimismo, y cuando la naturaleza de la disposición lo aconseje, será sometida a información pública durante el plazo indicado.

Son varias las conclusiones que de dicha redacción cabe extraer:

– El trámite de audiencia procedía cuando afectara a los derechos e intereses legítimos de los ciudadanos.

– Se trataba de un trámite susceptible de evacuarse directamente o a través de las organizaciones y asociaciones correspondientes, en los términos de afectación directa a la que anteriormente nos hemos referido.

– La información pública se configuraba como un trámite no preceptivo, sino previsto cuando la naturaleza de la disposición lo aconsejara.

Por tanto, la regulación que en el ámbito estatal recogía la Ley del Gobierno, contemplaba unas posibilidades de participación que, al menos formalmente, sí se vieron ampliadas, o al menos reforzadas, por la Ley 27/2006 en su ámbito especifico de actuación, es decir en el de las disposiciones generales relacionadas con el medio ambiente.

Distinta es la cuestión, sin embargo, con la normativa actual que, como vamos a ver, con la excepción del trámite de participación institucionalizada u orgánica a través del Consejo Asesor de Medio Ambiente al que luego nos referiremos, ha dejado en gran medida vacía de contenido la Ley 27/2006 en lo que concierne a la participación en la elaboración de disposiciones de naturaleza general sobre la cláusula de cierre del art. 16.3, a la que anteriormente se ha hecho mención. De hecho, se puede adelantar ya que las previsiones de los arts. 16 y 18 de la Ley 27/2006 se ven subsumidas en las previsiones del art. 26 de la Ley del Gobierno. En este sentido no es infrecuente observar en la Memoria de Análisis de Impacto Normativo de los proyectos de normas impulsado por el actual Ministerio para la Transición Ecológica la siguiente afirmación: *Trámite de información pública a través del portal web del Ministerio (de xxxx a xxxx de xxxxx de XXXX) en virtud del artículo 105 a) de la Constitución Española, y según lo dispuesto en el artículo 26.6 de la Ley 50/1997, de 27 de noviembre, del Gobierno, así como dar cumplimiento a lo previsto en los artículos 16 y 18 de la Ley 27/2006, de 18 de julio, por la que se regulan los derechos de acceso a la información, de participación pública y de acceso a la justicia en materia de medio ambiente.*

3.2. La reforma operada en 2015

Hoy en día la regulación de los anteproyectos y de las disposiciones reglamentarias está unificada en el artículo 133 de la Ley 39/2015, de 1 de octubre, del Procedimiento Administrativo Común de las Administraciones Públicas, referido a la participación de los ciudadanos en el procedimiento de elaboración de normas con rango de Ley y reglamentos. Bien es cierto que cabe recordar que la STC 55/2018, de 24 de mayo declaró inconstitucional este precepto, con la excepción de la fase de consulta pública, por considerar que se desciende *a cuestiones procedimentales de detalle desbordando el ámbito de lo básico; vulneran por ello las competencias estatutarias de las Comunidades Autónomas en relación con la elaboración de sus propias disposiciones administrativas.* Es decir, por razones estrictamente competenciales lo declaró inaplicable a las Comunidades Autónomas.

En el ámbito específico estatal, es necesario acudir al título V de la Ley 50/1997 tras la reforma introducida por la Ley 40/2015, de 1 de octubre, de Régimen Jurídico del Sector Público. Previo al análisis del artículo 26, que es el más relevante de cara a lo que aquí tratamos, podemos enumerar las novedades más significativas:

- La existencia de un Plan Anual Normativo (previsto en al art. 25 de la Ley del Gobierno).

- La introducción de la participación ciudadana como trámite ordinario en la elaboración de disposiciones no sólo administrativas sino legales.

- El trámite de consulta pública, al que inmediatamente haremos mención.

– La mención específica en la ley a la ya existente Memoria de Análisis de Impacto Normativo, documento de enorme relevancia como luego trataremos.

– La específica mención en el trámite de audiencia e información públicas a la posibilidad *de obtener cuantas aportaciones adicionales puedan hacerse por otras personas o entidades.*

– El papel del Ministerio de la Presidencia en la coordinación y la calidad de la actividad normativa.

– La escueta referencia a la tramitación de los decretos leyes.

– La generalización del uso de los portales web como vías de participación.

Entrando en el análisis del citado art. 26, nos centramos fundamentalmente en dos aspectos: el ámbito de aplicación de la Ley del Gobierno y los cauces de participación allí previstos.

En lo referido al *ámbito de aplicación,* lo más relevante es que el procedimiento abarca, sin perjuicio de alguna previsión específica, todas las opciones de disposiciones de naturaleza general (anteproyectos de ley, proyectos de real decreto legislativo y de normas reglamentarias); estén o no relacionadas con el medio ambiente y, consiguientemente, estén o no en el conjunto de materias enumeradas en el art. 18 de la Ley 27/2006.

Desde el punto de vista *del derecho a la participación* en su elaboración procede analizar a su vez los dos cauces previstos: la consulta pública y la audiencia e información públicas.

Se contempla en primer lugar el novedoso trámite de *consulta pública* (art. 133.1 LPACAP Y 26.2 de la Ley del Gobierno). En concreto este último precepto señala:

2. Se sustanciará una consulta pública, a través del portal web del departamento competente, con carácter previo a la elaboración del texto, en la que se recabará opinión de los sujetos potencialmente afectados por la futura norma y de las organizaciones más representativas acerca de:

a) Los problemas que se pretenden solucionar con la nueva norma.

b) La necesidad y oportunidad de su aprobación.

c) Los objetivos de la norma.

d) Las posibles soluciones alternativas regulatorias y no regulatorias.

Podrá prescindirse del trámite de consulta pública previsto en este apartado en el caso de la elaboración de normas presupuestarias u organizativas de la Administración General del Estado o de las organizaciones dependientes o vinculadas a éstas, cuando concurran razones graves de interés público que lo justifiquen, o cuando la propuesta normativa no tenga un impacto significativo en la actividad económica, no imponga obligaciones relevantes a los destinatarios o regule aspectos parciales de una materia. También podrá prescindirse de este trámite de consulta en el caso de tramitación urgente de iniciativas normativas, tal y como se establece en el artículo 27.2. La concurrencia de alguna o varias de estas razones, debidamente motivadas, se justificarán en la Memoria del Análisis de Impacto Normativo.

La consulta pública deberá realizarse de tal forma que todos los potenciales destinatarios de la norma tengan la posibilidad de emitir su opinión, para lo cual deberá proporcionarse un tiempo suficiente, que en ningún caso será inferior a quince días naturales.

Lo más destacable de esta regulación, además de la novedad del trámite en sí mismo, radica en que se trata de un cauce de participación previsto para cuando ni siquiera está elaborado el texto y de ahí el tipo de preguntas a las que se pretende dar respuesta: los problemas que se pretenden solucionar con la nueva norma, la necesidad y oportunidad de su aprobación, los objetivos de la norma y las posibles soluciones alternativas regulatorias y no regulatorias. Con esto se puede afirmar de manera positiva, que se está llevando a la máxima expresión la previsión del art. 8 Convenio de Aarhus y de los arts. 3.2 y 16 de la Ley 27/2006 en cuanto a que la participación se dé cuando todas las opciones están abiertas.

Alineado también con lo previsto en el Convenio de Aarhus, se abre la participación a cualquier persona. Cierto es que esta cuestión, la de quién puede participar, ha suscitado un amplio debate doctrinal. Baste para ello observar el completo resumen que realiza la profesora Casado Casado[2]:

En relación con la identificación de los destinatarios de la consulta, la LPACAP se refiere a "los sujetos" y "las organizaciones más representativas potencialmente afectados por la futura norma", sin mayores concreciones, lo que, como señala J. L. MARTÍNEZ LÓPEZ-MUÑIZ (2016: 332), puede plantear muchas dudas, por la indefinición de la norma. M. MORARUIZ (2016: 538), advierte que "parece difícil articular una consulta abierta a cualquier ciudadano que potencialmente pueda verse afectado por la norma, y sí más plausible que se identifiquen organizaciones representativas, lo cual, dependiendo del grado de aperturismo que tenga la Administración en cada momento, puede generar un cierto riesgo de captura de los intereses". En opinión de I. ARAGUÀS GALCERÀ (2016b: 102), aunque no se trata de un trámite circunscrito sólo a los interesados, como sucede con el trámite de audiencia, tampoco se abre la participación a todos los ciudadanos, como en el trámite de información pública, "lo que permite llevar a cabo cierta delimitación en los destinatarios de este trámite";

---

[2]   CASADO CASADO, L. "La aplicación del trámite de consulta pública previa en el procedimiento de elaboración de normas locales dos años después de su entrada en vigor", Revista Aragonesa de Administración Pública, ISSN 1133-4797, n° 52, 2018, pp. 155-156.

pese a ello, entiende que "los términos en los que se configura la consulta previa, tanto en la LPACAP como en la LG, nos remiten a un trámite participativo con un ámbito subjetivo amplio; por lo que consideramos que las posibilidades de limitar la intervención en el mismo deben interpretarse de manera restrictiva y que, en cualquier caso, deben responder a criterios objetivos que guarden relación, por ejemplo, con la materia sobre la que versa la norma o su ámbito de aplicación territorial". Por su parte, O. MIR PUIGPELAT (2017: 223) considera que no sólo debe recabarse la opinión de los sectores afectados por la futura norma, sino también de "cualquier ciudadano, se entiende, ya que el referido portal web es accesible a todo el mundo y no se establecen medidas restrictivas al respecto, que no tendrían ningún sentido". En el mismo sentido, F. GARCÍA RUBIO (2017: 123), en cuya opinión, pueden emitir su opinión en este trámite cualesquiera otros sujetos que así lo deseen. Por su parte, M. VAQUER CABALLERÍA (2017: 189) pone de manifiesto que "la nueva regulación de la participación ciudadana en los procedimientos normativos deja pasar la ocasión de añadir alguna precisión sobre quiénes son o cómo se determinan las organizaciones o asociaciones representativas legitimadas para participar "directamente" en los procedimientos, si pueden abrírseles a ellas trámites o formas adicionales o distintas de participación y bajo qué condiciones mínimas de transparencia. Es el problema de los lobbies o grupos de interés, cuya regulación sigue siendo en España reducida y fragmentaria".

Reconociendo que la literalidad del precepto podría dar lugar a dudas: *sujetos potencialmente afectados por la futura norma y de las organizaciones más representativas*, sin embargo, hay cuatro argumentos que nos llevan a situarnos en la interpretación más abierta posible:

- La referencia genérica que la Exposición de Motivos de la LPACAP hace a la *participación de los ciudadanos y empresas en los procesos de elaboración normativa, pues sobre ellos recae el cumplimiento de las leyes.*

- No hay una referencia expresa a la afectación *a los derechos e intereses legítimos de las personas*, como sí la hay en la audiencia a la que se refiere en otro apartado.

- La utilización de un sistema abierto en los portales web de los departamentos ministeriales que, por su naturaleza y configuración, permite el acceso por cualquier persona. En realidad, estamos ante una manifestación más del predicamento de la relación electrónica con la Administración que se ha establecido en la LPACAP.

- Y, sobre todo, la realidad de las cosas, pues está absolutamente generalizado hoy en día la participación sin cortapisas de cualesquiera sujetos que envíen sus observaciones a través del punto de acceso del departamento ministerial correspondiente.

Por último, ha de subrayarse que estamos ante un trámite preceptivo de elaboración de las disposiciones generales, estableciéndose en la ley un conjunto tasado de causas por las cuales podría omitirse este trámite: cuando se trate de normas presupuestarias u organizativas, cuando concurran razones graves de interés público que lo justifiquen, o cuando la propuesta normativa no tenga un impacto significativo en la actividad económica, no imponga obligaciones relevantes a los destinatarios o regule aspectos parciales de una materia; al igual que cuando se haya dado la declaración de urgencia. La concurrencia de alguna o varias de estas razones, *debidamente motivadas*, se justificarán en la Memoria del Análisis de Impacto Normativo, relevante documento sobre el que se volverá posteriormente.

El segundo cauce de participación pública en su vertiente funcional es el del trámite de *audiencia e información pública*. En concreto el art. 26.6 de la Ley del Gobierno dice:

> *6. Sin perjuicio de la consulta previa a la redacción del texto de la iniciativa, cuando la norma afecte a los derechos e intereses legítimos de las personas, el centro directivo competente publicará el texto en el portal web correspondiente, con el objeto de dar audiencia a los ciudadanos afectados y obtener cuantas aportaciones adicionales puedan hacerse por otras personas o entidades. Asimismo, podrá recabarse directamente la opinión de las organizaciones o asociaciones reconocidas por ley que agrupen o representen a las personas cuyos derechos o intereses legítimos se vieren afectados por la norma y cuyos fines guarden relación directa con su objeto.*
>
> *El plazo mínimo de esta audiencia e información públicas será de 15 días hábiles, y podrá ser reducido hasta un mínimo de siete días hábiles cuando razones debidamente motivadas así lo justifiquen; así como cuando se aplique la tramitación urgente de iniciativas normativas, tal y como se establece en el artículo 27.2. De ello deberá dejarse constancia en la Memoria del Análisis de Impacto Normativo.*
>
> *El trámite de audiencia e información pública sólo podrá omitirse cuando existan graves razones de interés público, que deberán justificarse en la Memoria del Análisis de Impacto Normativo. Asimismo, no será de aplicación a las disposiciones presupuestarias o que regulen los órganos, cargos y autoridades del Gobierno o de las organizaciones dependientes o vinculadas a éstas.*

En este punto también hay varias cuestiones destacables, particularmente por su diferenciación con respecto a la situación anterior a la reforma. Son dos aspectos a los que vamos a hacer mención: cómo se ha difuminado la frontera entre la audiencia a los ciudadanos cuyos derechos e intereses legítimos pueden verse afectados por la propuesta normativa, y la información pública; y qué campo de actuación se ha dejado precisamente al trámite de audiencia, particularmente cuando se trata de la audiencia corporativa.

En lo referido a la difuminación de las fronteras entre audiencia e información públicas, viene explicada por dos principales argumentos que se pasan a exponer:

- El trámite de información pública, es decir, la posibilidad de *obtener cuantas aportaciones adicionales puedan hacerse por otras personas o entidades,* se ha establecido como preceptivo, frente a lo que ocurría con anterioridad a 2015.

- Desde el punto de vista práctico, basta visitar el apartado de participación pública de la página web de cualquier ministerio para observar que es un trámite que se evacúa de manera conjunta, sobre la base de los mismos documentos y con los mismos formalismos. Es decir, ostentes o no la condición de ciudadano afectado por la disposición en tramitación (sic), puedes participar de este trámite sin ningún tipo de requisito añadido.

En lo atinente a la segunda cuestión, el papel que se reserva a la audiencia corporativa, cabe considerar que, cuando exista una clara identificación de organizaciones o asociaciones reconocidas por ley que agrupen o representen a las personas cuyos derechos o intereses legítimos se vieren afectados por la norma y cuyos fines guarden relación directa con su objeto, este trámite es cuando menos conveniente. Esta afirmación requiere de algún mayor detalle:

- A pesar de que hay muchos matices jurisprudenciales que sobrepasan la finalidad de este informe, la audiencia deberá dirigirse no solo a las organizaciones que tiene su origen o fundamento directo e inmediato en la Constitución y la Ley (Sindicatos de Trabajadores y Asociaciones Empresariales ex. art 7 CE; y colegios profesionales, ex art. 36 CE) a las que hace referencia, por todas, la STS de 8 de mayo de 1992; sino también, cuando las circunstancias del caso lo exijan, a asociaciones voluntarias que no teniendo conferida por la Ley la representación de intereses generales, no suponga especial dificultad para la Administración conocer cuáles son las entidades que tienen, no un interés cualquiera, sino uno especial y directo en la materia objeto de regulación (STS de 30 de abril de 2010).

- A pesar de la diferente naturaleza que tienen ambos trámites, audiencia e información pública (STS de 12 de febrero de 2002), los argumentos anteriormente expuestos y el verbo *podrá* que utiliza el precepto, hacen que no podamos considerar sino conveniente, que no obligatorio, este trámite de audiencia corporativa. La naturaleza preceptiva de la audiencia pública (información pública), hace que no pueda ser otra la conclusión.

- En la práctica, no es infrecuente por parte de los diferentes departamentos ministeriales una comunicación, más o menos formalizada, a los principales operadores afectados, asociaciones u organizaciones, a efectos de informarles de la apertura del trámite, sea el de consulta pública antes citado, o este otro de información y audiencia públicas. Incluso en ocasiones, en una práctica muy acertada, se hace expresa mención en la Memoria de Análisis de Impacto Normativo a las asociaciones u organizaciones a las que se ha solicitado directamente esa participación. Sirva a título de ejemplo cómo en la reciente Memoria de Análisis de Impacto Normativo del Proyecto de orden por la que se establecen las normas para la concesión y mantenimiento de las licencias de explotación de servicios aéreos, se decía: *Ha sido sometido al trámite de audiencia e información pública, publicándose en la web del Ministerio de Fomento y remitiéndose a diversas asociaciones de compañías aéreas, tanto dedicadas al transporte aéreo regular, como a la prestación servicios de aviación ejecutiva o corporativa, todo ello según establece el artículo 26.6 de la Ley 50/1997, de 27 de noviembre, del Gobierno.*

La interpretación anteriormente expuesta parece ser la acogida por ejemplo por la Comunidad de Madrid, que es precisamente una de las varias CCAA que viene aplicando supletoriamente la normativa estatal. En concreto, en su Acuerdo de 5 de marzo de 2019, del Consejo de Gobierno de la Comunidad de Madrid, por el que se aprueban las instrucciones generales para la aplicación del procedimiento para el ejercicio de la iniciativa legislativa y de la potestad reglamentaria del Consejo de Gobierno, contempla el trámite de audiencia e información pública como único, aunque de manera diferenciada en cuanto a sus destinatarios:

11. Trámite de audiencia e información pública (artículo 26.6 Ley 50/1997)

La secretaria general técnica correspondiente al centro directivo competente instará la publicación del proyecto normativo en el Portal de Transparencia y en el de Participación Ciudadana, de su MAIN, así como de la propia solicitud de apertura del trámite y de su plazo y cualquier otra documentación que se considere conveniente, con el objeto de:

a) Dar audiencia a los ciudadanos cuyos derechos e intereses legítimos pueden verse afectados por la propuesta normativa (audiencia).

Cuando el contenido del proyecto así lo aconseje, podrá recabarse directamente la opinión de las organizaciones o asociaciones reconocidas por ley que agrupen o representen a las personas cuyos derechos o intereses legítimos se vieran afectados por la norma y cuyos fines guarden relación directa con su objeto. Esta consulta "directa" se practicará de forma electrónica conforme a lo dispuesto en el artículo 14 de la Ley 39/2015, sin perjuicio de que las personas físicas puedan formularse alegaciones u observaciones en papel.

b) Obtener cuantas aportaciones adicionales puedan hacerse por otras personas o entidades (información pública).

Cuando la propuesta normativa pueda afectar a los derechos e intereses legítimos de las personas, se practicará en todo caso el trámite de audiencia e información pública con la finalidad de fomentar la participación ciudadana y, además, el centro directivo proponente puede solicitar directamente la opinión de las organizaciones o asociaciones referidas.

Este trámite se practicará a través del Portal de Transparencia de la Comunidad de Madrid, en el apartado correspondiente a "Información jurídica", que incluirá un subapartado titulado "audiencia e información pública", a instancia de la secretaría general técnica, previa resolución del titular del centro directivo u organismo a quien corresponda la iniciativa, de forma que todos los potenciales destinatarios de la norma tengan la posibilidad de emitir sus alegaciones, poniendo a su disposición los documentos necesarios, claros, concisos y con toda la información precisa.

Por último, y al igual que se ha recogido en el trámite de consulta pública, debe también señalarse aquí que el trámite de audiencia e información pública, es susceptible de ser omitido solamente cuando existan graves razones de interés público, que deberán justificarse en la Memoria del Análisis de Impacto Normativo. Igualmente, no será de aplicación a las disposiciones presupuestarias o que regulen los órganos, cargos y autoridades del Gobierno o de las organizaciones dependientes o vinculadas a éstas.

A raíz de esta revisión de la normativa general, se hace necesario ahora un análisis: ver qué medidas de las contempladas en la norma de 2006 han quedado subsumidas en lo previsto en la Ley 50/1997 por razón de la cláusula prevista en el art. 16.3 y cuáles no; teniendo en mente siempre las exigencias que se derivan del Convenio de Aarhus.

4. El ámbito reducido de aplicación de la Ley 27/2006

4.1. La participación funcional

La primera exigencia del art. 16 de la Ley 27/2006 era la de avisar al público sobre la elaboración, modificación o revisión de una norma, a poder ser mediante medios electrónicos. Hoy día este aviso se encuentra regulado por la Orden PRE/1590/2016, de 3 de octubre, por la se publica el Acuerdo del Consejo de Ministros de 30 de septiembre de 2016, en el que se recogen las instrucciones para habilitar la participación pública en el proceso de elaboración normativa a través de los portales web de los departamentos ministeriales. Como aspectos a destacar se contempla tanto la existencia de un punto de acceso a la participación en el procedimiento de elaboración normativa en el portal web de los departamentos ministeriales, como la estructura del mismo.

La segunda exigencia, que trae causa directa del Convenio de Aarhus, es la de poder participar cuando estén abiertas todas las posibilidades, antes de que se adopten decisiones sobre la disposición de carácter general. En este sentido, la existencia ahora de un trámite de consulta pública, que tiene como elemento diferenciador que ni siquiera se ha elaborado todavía un borrador de texto normativo por la unidad que impulsa la iniciativa hace que se vea plenamente satisfecha dicha exigencia.

Distinto o al menos mayores dudas plantean la tercera y cuarta exigencias del art. 16 de la Ley 27/2006, y es que en las disposiciones generales que caen bajo su ámbito de aplicación se obliga, como ya se ha dicho, a que se tengan en cuenta los resultados de la participación pública y a que se informe al público de las decisiones adoptadas, de los motivos y consideraciones de dichas decisiones y que se informe del proceso de participación pública. Lo cierto es que estas exigencias no se encuentran plasmadas en la ley 39/2015 ni tampoco en la Ley 50/1997; pero tampoco en realidad se encuentran desarrolladas en la Ley 27/2006 más allá de este pronunciamiento general. La primera se presupone, por cuanto está en la esencia en sí misma del derecho a la participación. Cuestión distinta es la segunda, la referida a cómo ha tenido en cuenta la administración las aportaciones. No existe a la hora de elaborar las disposiciones generales ningún mecanismo que lo garantice de manera concreta en la Ley 27/2006. Sin embargo, la Ley 50/1997 contempla un instrumento antes citado que puede servir perfectamente a dicha finalidad. Se trata de la Memoria de Análisis de Impacto Normativo (conocida genéricamente por el acrónimo MAIN), sobre la que corresponde realizar una reflexión.

El art. 26.3 de la Ley 50/1997 dice:

> *3. El centro directivo competente elaborará con carácter preceptivo una Memoria del Análisis de Impacto Normativo, que deberá contener los siguientes apartados:*
>
> *a) Oportunidad de la propuesta y alternativas de regulación estudiadas, lo que deberá incluir una justificación de la necesidad de la nueva norma frente a la alternativa de no aprobar ninguna regulación.*
>
> *b) Contenido y análisis jurídico, con referencia al Derecho nacional y de la Unión Europea, que incluirá el listado pormenorizado de las normas que quedarán derogadas como consecuencia de la entrada en vigor de la norma.*
>
> *c) Análisis sobre la adecuación de la norma propuesta al orden de distribución de competencias.*
>
> *d) Impacto económico y presupuestario, que evaluará las consecuencias de su aplicación sobre los sectores, colectivos o agentes afectados por la norma, incluido el efecto sobre la competencia, la unidad de mercado y la competitividad y su encaje con la legislación vigente en cada momento sobre estas materias. Este análisis incluirá la realización del test Pyme de acuerdo con la práctica de la Comisión Europea.*

e) Asimismo, se identificarán las cargas administrativas que conlleva la propuesta, se cuantificará el coste de su cumplimiento para la Administración y para los obligados a soportarlas con especial referencia al impacto sobre las pequeñas y medianas empresas.

f) Impacto por razón de género, que analizará y valorará los resultados que se puedan seguir de la aprobación de la norma desde la perspectiva de la eliminación de desigualdades y de su contribución a la consecución de los objetivos de igualdad de oportunidades y de trato entre mujeres y hombres, a partir de los indicadores de situación de partida, de previsión de resultados y de previsión de impacto.

g) Un resumen de las principales aportaciones recibidas en el trámite de consulta pública regulado en el apartado 2.

La Memoria del Análisis de Impacto Normativo incluirá cualquier otro extremo que pudiera ser relevante a criterio del órgano proponente.

La ley obliga a elaborar la MAIN y a que se lleve a cabo un resumen de las principales aportaciones recibidas en el trámite de consulta pública. Sin perjuicio de que no se corresponde exactamente con las exigencias derivadas del art. 16 de la Ley 27/2006, sí que al menos se cumple con el espíritu de la misma. Así se observa también el art. 2.1.i) del Real Decreto 931/2017, de 27 de octubre, por el que se regula la Memoria del Análisis de Impacto Normativo.

Descripción de la tramitación y consultas que incluirá:

1.º Un resumen de las principales aportaciones recibidas en el trámite de consulta pública, a través del portal web del departamento competente, con carácter previo a la elaboración del texto. En caso de prescindir de este trámite de consulta pública deberá justificarse en la memoria la concurrencia de alguna o varias de las razones, debidamente motivadas, previstas en el artículo 26.2 de la Ley 50/1997, de 27 de noviembre.

2.º La referencia a las consultas realizadas y observaciones recibidas en el trámite de audiencia e información pública así como su resultado y su reflejo en el texto del proyecto. Deberá ponerse de manifiesto expresamente en la memoria y justificarse la reducción de los plazos de audiencia e información pública, o la omisión de dicho trámite conforme a lo establecido en el artículo 26.6 de la Ley 50/1997, de 27 de noviembre.

Por tanto, al menos un resumen de las aportaciones deberá contemplarse e incluso en el caso de la participación en el trámite de audiencia e información públicas, es necesario que se ponga de manifiesto el resultado y su reflejo en el texto, pudiéndose decir que aquí sí se ve cumplido plenamente el requisito que exige la Ley 27/2006. En definitiva, se pide que la MAIN refleje el proceso de reflexión y valoración interno que ha llevado a cabo el departamento impulsor de la norma de que se trate.

Cuestión distinta es la referida a cuándo ha de ser objeto de publicación la MAIN. Lo cierto es que la Ley 50/1997 lleva a cabo tras la reforma de 2015 una regulación muy detallada del procedimiento de elaboración de las normas y de los trámites preceptivos y no así de los tiempos o, de manera más matizada, de los momentos en que se han de realizar cada uno de los trámites y el orden que estos han de seguir.

En este sentido, resulta criticable la colateral regulación que de los aspectos temporales se lleva a cabo en la Ley 19/2013, de 9 de diciembre, de transparencia, acceso a la información pública y buen gobierno. Es el art. 7 el que hace referencia a la información de relevancia jurídica y en la que se recogen dos concretas disposiciones referidas a los proyectos normativos donde sí que se tratan las cuestiones temporales:

> *Artículo 7. Información de relevancia jurídica*
>
> *Las Administraciones Públicas, en el ámbito de sus competencias, publicarán:*
>
> *b) Los Anteproyectos de Ley y los proyectos de Decretos Legislativos cuya iniciativa les corresponda, cuando se soliciten los dictámenes a los órganos consultivos correspondientes. En el caso en que no sea preceptivo ningún dictamen la publicación se realizará en el momento de su aprobación.*
>
> *c) Los proyectos de Reglamentos cuya iniciativa les corresponda. Cuando sea preceptiva la solicitud de dictámenes, la publicación se producirá una vez que estos hayan sido solicitados a los órganos consultivos correspondientes sin que ello suponga, necesariamente, la apertura de un trámite de audiencia pública*

La regulación de lo temporal se puede considerar, siendo generoso, como muy poco afortunada y, de hecho, contradictoria con respecto de la normativa general de elaboración de normas. Si los proyectos de normas a los que se hace mención solo se han de publicar en el momento en que se ha solicitado dictamen a un órgano consultivo e, incluso, si este no fuera preceptivo, en el momento de su aprobación, se vaciaría de contenido el derecho de participación pública en su elaboración, lo cual en el ámbito medioambiental sería una flagrante vulneración de nuestros compromisos internacionales.

No ocurre lo mismo en otros ámbitos. Sirva de ejemplo la reciente Ley 10/2019, de 10 de abril, de Transparencia y de Participación de la Comunidad de Madrid, mucho más respetuosa con las normas sobre participación en la elaboración de disposiciones generales cuando regula los aspectos temporales:

> *Artículo 16. Información en materia normativa*
>
> *Los sujetos incluidos en el artículo 2 harán pública y mantendrán actualizada la siguiente información que les corresponda:*

a) Los anteproyectos de ley en el momento en el que se aprueban, cuando, tras la preceptiva elevación por la Consejería competente, sean conocidos por el Consejo de Gobierno. Asimismo, los anteproyectos de ley y los proyectos de decretos legislativos se publicarán cuando se solicite el dictamen, en su caso, de la Comisión Jurídica Asesora de la Comunidad de Madrid. Y, finalmente, los proyectos de ley tras su aprobación por el Consejo de Gobierno.

b) Los proyectos de reglamento cuya iniciativa les corresponda se harán públicos en el momento en que, en su caso, se sometan al trámite de audiencia o información pública. Asimismo, se publicarán cuando se solicite, en su caso, el dictamen de la Comisión Jurídica Asesora de la Comunidad de Madrid. La publicación de los proyectos reglamentarios no supondrá, necesariamente la apertura de un trámite de audiencia.

En el ámbito de las entidades locales, una vez efectuada la aprobación inicial de la ordenanza o reglamento local por el pleno de la Corporación, deberá publicarse el texto de la versión inicial, sin perjuicio de otras exigencias que pudieran establecerse por las entidades locales en ejercicio de su autonomía.

Volviendo a la regulación estatal, llama la atención que, si bien se hace expresa referencia al momento de la publicación de los proyectos propiamente dichos, no así en el caso del resto de documentos que lo acompañan.

Artículo 7. Información de relevancia jurídica.

Las Administraciones Públicas, en el ámbito de sus competencias, publicarán:

d) Las memorias e informes que conformen los expedientes de elaboración de los textos normativos, en particular, la memoria del análisis de impacto normativo regulada por el Real Decreto 1083/2009, de 3 de julio.

Sin embargo, la regulación específica de la MAIN sí que contempla cuándo se debe llevar a cabo la publicación de la misma y su puesta a disposición del público a través del punto de acceso al que se ha hecho referencia.

Ya en la anterior regulación que establecía el art. 2.3 del Real Decreto 1083/2009, de 3 de julio, por el que se regula la memoria del análisis de impacto normativo se decía:

3. El Ministerio o centro directivo competente para la realización de la memoria actualizará el contenido de la misma con las novedades significativas que se produzcan a lo largo del procedimiento de tramitación. En especial, la versión definitiva de la Memoria incluirá la referencia a las consultas realizadas en el trámite de audiencia, en particular a las comunidades autónomas, y otros informes o dictámenes exigidos por el ordenamiento jurídico evacuados durante la tramitación, con objeto de que quede reflejado el modo en que las observaciones contenidas en estos, así como el resultado del trámite de audiencia, hayan sido tenidas en consideración por el órgano proponente de la norma.

De manera similar, en la regulación actual, el art. 2.2. del Real Decreto 931/2017, de 27 de octubre, señala:

> *2. El Ministerio o centro directivo competente para la realización de la memoria actualizará el contenido de la misma con las novedades significativas que se produzcan a lo largo del procedimiento de tramitación. En especial, se actualizará el apartado relativo a la descripción de la tramitación y consultas.*

A ello se añaden las previsiones genéricas establecidas en la Ley 19/2013, de 9 de diciembre, de transparencia, acceso a la información pública y buen gobierno; y en concreto la previsión de su artículo 5.1:

> *Artículo 5. Principios generales.*
> *1. Los sujetos enumerados en el artículo 2.1 publicarán de forma periódica y actualizada la información cuyo conocimiento sea relevante para garantizar la transparencia de su actividad relacionada con el funcionamiento y control de la actuación pública.*

De la combinación de todos estos preceptos cabe deducir que la utilización de la expresión "actualizará" conlleva que desde el principio tiene que existir esa MAIN y que la misma ha de ser puesta en conocimiento del público y progresivamente actualizada con la finalidad de que el ejercicio del derecho a la participación por parte de los ciudadanos se dé con la totalidad de la información y se pueda ejercer de manera plena. Hoy en día se observa que no existe una práctica homogénea en los diferentes departamentos ministeriales. La publicación de la MAIN no se lleva a cabo en el mismo estadio en todos los casos, e incluso en ocasiones ni siquiera se lleva a cabo la publicación de la misma a lo largo de todo el procedimiento. Esta situación conlleva en realidad una vulneración de la normativa en general, pero en el ámbito medioambiental hace que los derechos reconocidos en la Ley 27/2006 queden en gran medida desvirtuados cuando de disposiciones generales estamos hablando.

Ciertamente su contenido, por ejemplo en cuanto a los trámites no preceptivos que se van evacuando pero que son objeto de decisión por parte del Consejo de Ministros; o respecto de las aportaciones que se puedan ir realizando por parte de otros ministerios informantes o de los ciudadanos y organizaciones que participen en los trámites de consulta y de audiencia e información públicas, requiere de una continua actualización, pues esa será la única forma en la que satisfacer el derecho en cada caso concreto. De hecho, así viene en reconocerlo de manera indirecta el apartado 3 del art. 133 de la Ley 39/2015: *La consulta, audiencia e información públicas reguladas en este artículo deberán realizarse de forma tal que los potenciales destinatarios de la norma y quienes realicen aportaciones sobre ella tengan la posibilidad de emitir su opinión, para lo cual deberán ponerse a su disposición los documentos necesarios, que serán claros, concisos y reunir toda la información precisa para poder pronunciarse sobre la materia.*

Desde el punto de vista práctico ello conlleva que, en lo que afecta a los ciudadanos, se vaya adaptando progresivamente el contenido de la MAIN y se encuentre actualizada, al menos, tanto en el momento de abrir la consulta pública como en el momento en que se abra el trámite de audiencia e información públicas.

4.2. La audiencia institucionalizada a través del Consejo Asesor de Medio Ambiente (CAMA)

Al margen de que siga existiendo un cierto ámbito de aplicabilidad real en el derecho a la participación funcional, sin duda el ámbito por excelencia de participación en la elaboración de disposiciones generales relacionadas con el medio ambiente sigue siendo el de la audiencia o participación institucionalizada a través del CAMA.

Se trata de un órgano que goza ya de una larga tradición en España y prueba de ello es que se creó a través del Real Decreto 224/1994, de 14 de febrero, por el que se crea el Consejo Asesor de Medio Ambiente. Este fue fruto en gran medida, precisamente, como consecuencia de la Cumbre de Rio de Janeiro de 1992 en la que, como reza la parte expositiva del citado Real Decreto, se *propugna la creación de cauces de participación de las organizaciones no gubernamentales, sindicatos, organizaciones de consumidores y de la comunidad científica, en la elaboración y en la ejecución de políticas orientadas hacia el desarrollo sostenible.*

Conforme a la normativa actual, el CAMA es un órgano colegiado que tiene por objeto la participación y el seguimiento de las políticas ambientales generales orientadas al desarrollo sostenible (art. 19.1); y tiene entre sus funciones principales emitir informe sobre los anteproyectos de ley y proyectos de reglamento con incidencia ambiental y, en especial, sobre las cuestiones que han de ostentar la condición de normativa básica (art. 19.2.a)). Se trata de uno más de los órganos administrativos de naturaleza consultiva que permiten la posibilidad de participación de la sociedad civil, tal como ocurre por ejemplo en el caso del Consejo Nacional del Agua (Real Decreto 1383/2009, de 28 de agosto, por el que se determina la composición, estructura orgánica y funcionamiento del Consejo Nacional del Agua); el Consejo Nacional Forestal (Real Decreto 1269/2018, de 11 de octubre, por el que se determinan la composición, las funciones y las normas de funcionamiento del Consejo Forestal Nacional), el Consejo estatal para el patrimonio natural y la biodiversidad (Real Decreto 948/2009, de 5 de junio, por el que se determinan la composición, las funciones y las normas de funcionamiento del Consejo Estatal para el Patrimonio Natural y la Biodiversidad); o, en otros ámbitos, como por ejemplo en el caso del Consejo Nacional de la Discapacidad (Real Decreto 1855/2009, de 4 de diciembre, por el que se regula el Consejo Nacional de la Discapacidad). Su composición es un reflejo claro de participación activa de la sociedad civil. Estaríamos hoy en día ante un órgano colegiado ministerial (art. 21.1.b) Ley 40/2015) pero que tiene un particular foco en la integración y participación de la sociedad civil (art. 21.3 Ley 40/2015).

El CAMA está presidido por el titular del Ministerio competente en materia de medio ambiente y cuenta con participación de diferentes representaciones:

– Una persona en representación de cada una de las organizaciones no gubernamentales cuyo objeto es la defensa del medio ambiente y el desarrollo sostenible, que se enumeran en el anexo, y que en concreto han sido: Amigos de la Tierra, Ecologistas en Acción, Greenpeace España, Sociedad Española de Ornitología SEO/Birdlife y WWF/Asociación de Defensa de la Naturaleza (ADENA). Resulta cuanto menos cuestionable que se congele el rango de la designación específica de las organizaciones participantes, máxime cuando ni siquiera se contempla una cláusula de habilitación que autorice para la modificación del contenido de dicho anexo.

– Una persona en representación de cada una de las organizaciones sindicales más representativas, de acuerdo con lo dispuesto en los artículos 6 y 7 de la Ley Orgánica 11/1985, de 2 de agosto, de Libertad Sindical.

– Dos personas en representación de las organizaciones empresariales más representativas, designados por ellas en proporción a su representatividad, de acuerdo con lo establecido en la disposición adicional sexta del texto refundido de Estatuto de los Trabajadores, aprobado por el Real Decreto Legislativo 1/1995, de 24 de marzo.

– Dos personas en representación de las organizaciones de consumidores y usuarios, designados a iniciativa del Consejo de Consumidores y Usuarios.

– Tres personas en representación de las organizaciones profesionales agrarias más representativas en el ámbito estatal.

– Una persona en representación de la Federación Nacional de Cofradías de Pescadores.

En el ámbito autonómico, la composición es muy similar a la prevista en el ámbito nacional. Así, a título de ejemplo podemos señalar los casos de Andalucía y de Castilla y León.

En el caso del Consejo Andaluz de Medio Ambiente, y con base en los Decretos 57/1995, de 7 de marzo, 14/1999, de 26 de enero, y 179/2000, de 23 de mayo, la composición es la que sigue: la persona titular de la Consejería de Medio Ambiente y Ordenación del Territorio; la persona titular de la Viceconsejería de Medio Ambiente y Ordenación del Territorio; la persona titular de la Secretaría General de Gestión Integral de Medio Ambiente y Agua, la persona titular de la Dirección General de Espacios Naturales y Participación Ciudadana; cuatro representantes de las confederaciones y federaciones de asociaciones ecologistas de defensa de la naturaleza y el medio ambiente, radicadas en Andalucía y legalmente registradas; dos representantes de las organizaciones sindicales más representativas, en el ámbito de la Comunidad Autónoma, a propuesta de las mismas; un representante de las organizaciones de consumidores y usuarios, a propuesta de las representadas en el Consejo Andaluz de Consumo; un representante de las asociaciones de vecinos, a propuesta de la Confederación de Asociaciones de Vecinos de Andalucía; un representante de las asociaciones juveniles, a propuesta del Consejo de la Juventud de Andalucía; dos representantes de la organización empresarial más representativa en el ámbito de la Comunidad Autónoma, a propuesta de la misma; dos representantes de los municipios, a propuesta de la asociación de municipios de ámbito andaluz más representativa; un representante de las Diputaciones provinciales, a propuesta de la asociación de provincias de ámbito andaluz más representativa; cuatro representantes de la comunidad docente e investigadora, a propuesta del Consejo Andaluz de Universidades; cuatro expertos designados entre personalidades relevantes y de reconocido prestigio, cuya actividad tenga relación directa con los temas ambientales, designados por la persona titular de la Consejería de Medio Ambiente y Ordenación del Territorio; y tres representantes de las asociaciones agrarias más representativas en el ámbito de la Comunidad Autónoma, a propuesta de las mismas.

Se puede observar que en su composición existe una mayor participación de la administración con respecto de lo ocurrido en el caso del CAMA.

De hecho, esta cuestión fue objeto de una particular polémica en el caso de Castilla y León que concluyó en la Sentencia de su Tribunal Superior de Justicia de 29 de diciembre de 2017, a la que se ha hecho ya mención al comienzo del presente informe. El Decreto 1/2017, de 12 de enero, por el que se crea y regula el Consejo Regional de Medio Ambiente de Castilla y León fue objeto de impugnación por parte la Federación de Ecologistas en Acción sobre la base precisamente de la infracción de los arts. 19.3, 1b) y 3.2.a) de la Ley 27/2006. Consideraba el recurrente que dicha infracción se producía porque la mayoría de los miembros del Consejo eran altos cargos de la Administración, siendo muy reducido el número de vocales de las organizaciones representativas de intereses sociales y de organizaciones no gubernamentales.

El Tribunal Superior de Justicia de Castilla y León partió de tres consideraciones relevantes:

– el derecho a la participación ciudadana en materia medioambiental tiene un sólido respaldo normativo y no se limita a ser un simple principio general para la interpretación de los textos normativos, sino un derecho que debe garantizarse y por lo tanto ha de disponerse de los medios adecuados para que el mismo sea real y efectivo y no meramente nominal.

– La determinación de la composición como posible vulneradora del derecho a la participación no está exenta de dificultad en la medida en que, si bien se trata de un derecho reconocido de una manera clara en la ley, la misma no establece cómo debe hacerse efectivo, correspondiendo tal tarea a la Administración, a la que desde luego hay que reconocerle una amplia potestad discrecional, siendo competencia de los Tribunales, el examen y control de su ejercicio y plasmación en cada texto normativo, ya que, como es sabido, ni ésta ni ninguna otra constituyen potestades absolutas.

– Desde un punto de vista comparativo, la composición del CAMA es muy diferente ya que, al margen de la Presidencia, no hay ningún otro miembro de la Administración en coherencia con su objetivo de ser un órgano de participación y seguimiento de las políticas ambientales generales orientadas al desarrollo sostenible.

La Sentencia anuló los artículos referidos a la composición y ello fundamentalmente sobre la base de cómo se había articulado la reforma: *sí pues comprobamos que la representación de las Administraciones que estaba prevista en la normativa sectorial citada, derogada o dejada sin contenido por el Decreto 1/2017 se mantiene en términos generales, mientras que la representación de la llamada sociedad civil se ve suprimida o reducida.*

En lo que concierne a sus funciones, como ya se ha señalado, le corresponde, entre otras, la emisión de informes sobre los anteproyectos de ley y proyectos de reglamento *con incidencia ambiental*. Se trata sin duda de un ámbito más amplio que el que prevé la propia Ley 27/2006 que está pensada para determinadas materias. En definitiva, y si solo se tuviera en cuenta la Ley 27/2006, el ámbito de la participación institucionalizada en principio sería más amplio que el previsto para la participación funcional, por cuanto cabría presumir que el CAMA habría de ser consultado no solo con las normas referidas a las materias enumeradas en el art. 18.1, sino cualesquiera otras con incidencia ambiental.

En todo caso, la reforma del año 2015 a la que se ha hecho mención en el ámbito de elaboración de disposiciones generales conlleva que ahora se hayan invertido los términos en cuanto al ámbito de una y otra modalidad de participación, por cuanto, salvo las causas tasadas, la participación funcional será siempre obligatoria, mientras que la institucionalizada se realizará "exclusivamente" cuando se trate de anteproyectos de ley y proyectos de reglamentos con *incidencia ambiental*.

La determinación de dicha incidencia ambiental se trata de un elemento relevante por cuanto pueden existir consecuencias para la norma aprobada derivadas de la no evacuación del informe por parte del CAMA.

5. La vulneración del derecho a la participación y sus consecuencias

Efectivamente, sentadas las bases de cómo está canalizado el derecho a la participación en la elaboración de disposiciones generales, procede ahora analizar cuáles podrían ser las consecuencias de su vulneración y más concretamente el impacto que tendría sobre la norma objeto de elaboración.

Es importante en este sentido recordar que los procedimientos, informes, documentos y dictámenes que conforman un expediente normativo tienen su razón de ser y no pueden quedar a la arbitrariedad del departamento impulsor del proyecto correspondiente.

En el caso de los mecanismos de participación de la sociedad civil, se trata de un debate que tampoco es novedoso y en el que en principio es necesario distinguir entre las normas de rango reglamentario y las disposiciones generales de rango legal.

5.1. La ausencia de los trámites de participación funcional e institucionalizada como causa de nulidad de normas reglamentarias

En referencia a las normas de rango reglamentario, si bien durante la segunda mitad del pasado siglo existió un cierto titubeo por parte de los tribunales con anterioridad a la entrada en vigor de la Constitución e incluso, por una cierta inercia, con posterioridad a la misma, lo cierto es que el Tribunal Supremo, en Sentencias de la Sala especial de revisión del Tribunal Supremo del artículo 61 de 7 de julio de 1987 y de 25 de septiembre de 1989 marcaron una doctrina que ya se puede considerar como consolidada. La misma queda muy bien reflejada —incluso en lo referido a la evolución jurisprudencial— en la STS (Sala de lo Contencioso-administrativo) de 12 de enero de 1990.

> *En esta realidad el artículo 9 encomienda a los poderes públicos —y por tanto a Jueces y Tribunales en cuanto integrantes del Poder Judicial— facilitar la participación de todos los ciudadanos en la vida política, económica, cultural y social; y en el apartado 3 garantiza la interdicción de la arbitrariedad de tales poderes públicos Se reconoce en la doctrina jurisprudencial que la realidad social y política imperante en 1958, año de aparición de la Ley de Procedimiento Administrativa, hacía prácticamente imposible la aplicación de criterios como los expuestos. De ahí la timidez y aun la prevención con que el legislador dio entrada a la participación ciudadana en la elaboración de disposiciones generales en el artículo 130.4, exigiendo para ello una serie de requisitos tales que, más bien, pudieran parecer obstáculos a su ejercicio. De ahí también la cautela de las primeras sentencias en la interpretación de este precepto al sintonizar con la "mens legis" y con la "voluntas legislatoris" imperantes a la sazón, aunque sin que fuese luego obstáculo a que paulatinamente, en avance casi siempre rectilíneo, la jurisprudencia fuese profundizando en las dos vías en las que debía hacerlo: en la forja del criterio de que el trámite de audiencia a sindicatos y demás entidades asociativas es de preceptiva observancia y en modo alguno discrecional de la Administración, si bien su exigibilidad está en relación con los varios conceptos jurídicos indeterminados expuestos en el propio precepto que operan positiva o negativamente, y en el mantenimiento de que la omisión del referido trámite —supuesta la concurrencia de requisitos— debe calificarse de vicio esencial que genera la correspondiente nulidad e invalidez en la disposición. Vías ampliamente ensanchadas y facilitadas con la aparición del régimen constitucional, en el que la participación ciudadana está proclamada y reconocida en la Constitución en los ámbitos de la enseñanza y la educación; en los asuntos públicos; en la salubridad pública y nivel de vida; en los medios de comunicación social dependientes del Estado; en el campo de la justicia mediante la acción popular y el Jurado; en la planificación de la economía; en la elaboración de proposiciones de Ley, y, en el espacio concreto que ahora nos ocupa, en el artículo 105, en el que se reconoce no sólo a organizaciones y asociaciones, sino directamente a los ciudadanos. La conclusión a que llega la doctrina jurisprudencial que venimos glosando es clara y terminante: la omisión del trámite de audiencia —participación— en la elaboración de disposiciones generales a los entes asociativos que resultan afectados por ellas, en cuanto vulnera los artículos 9 y 105 de la Constitución comporta que los Jueces y Tribunales, en aplicación de los artícu-*

los 5 y 7 de la Ley Orgánica del Poder Judicial declaren la nulidad de pleno derecho de tales disposiciones.

Así, por tanto, la ausencia del trámite de audiencia e información públicas es causa determinante de la nulidad de las normas reglamentarias salvo, lógicamente, que la ausencia de dicho trámite sea consecuencia de alguna de las causas legalmente admitidas y debidamente motivadas. La motivación, como ya se ha expuesto, debe quedar reflejada en la MAIN.

A este respecto, resultaría excesiva una reflexión sobre lo escueto de las motivaciones que aparecen en algunos de estos documentos, que en ocasiones no superan la línea de extensión, pero quepa como ejemplo las SSTS (Sala 3ª) de 27 de noviembre de 2006, que declararon nulas la Disposición Adicional única y la Disposición Final primera del Real Decreto 2397/2004, de 30 de diciembre, en virtud de las cuales se acordaba el cambio de sede de la Comisión del Mercado de las Telecomunicaciones de Madrid a Barcelona, y ello sobre la base de la insuficiencia de las memorias justificativa y económica de la norma. En concreto el Tribunal Supremo destacaba que no vale con el cumplimiento meramente formal: *Hemos de apreciar que el cumplimiento de ese precepto ha sido meramente formal, sin que se logre la finalidad querida por el legislador de que en efecto se patentice la necesidad y oportunidad del reglamento como garantía del acierto en la decisión, y se valoren los costes económicos que son consecuencia de la ejecución de la medida* (número de recurso 53/2005); *y se añadía Tanto la memoria económica como la justificativa pueden ser sucintas, como dice el artículo 24.1.f) LGO pero deben cumplir la finalidad a que responden* (número de recurso 55/2005).

Volviendo a la participación funcional, no existen sin embargo pronunciamientos todavía respecto de los supuestos de ausencia del trámite de consulta pública, algo lógico por razones temporales. No obstante, el fundamento último del derecho de participación que sirve de sustrato a la jurisprudencia del Tribunal Supremo es perfectamente trasladable al trámite de consulta pública. Por tanto, su ausencia, de nuevo salvo concurrencia motivada de alguna de las causas que la permiten, podría ser a nuestro juicio determinante de la nulidad de la disposición aprobada en idénticos términos a los derivados de la ausencia del trámite de audiencia e información pública y ello por razón de la vulneración de la normativa general de elaboración de las disposiciones reglamentarias en conexión con las exigencias que se derivan de la Ley 27/2006 en el caso de las disposiciones generales medioambientales.

El tercer supuesto a analizar vendría dado por las consecuencias que se podrían derivar de la ausencia de informe por parte del CAMA en las disposiciones generales aprobadas por el Estado. Se ha mencionado más arriba que esta vía de participación o audiencia institucionalizada es hoy en día el principal exponente que sobrevive frente a la normativa general en lo que concierne a las normativas medioambientales por lo que se convierte en un elemento relevante. Como todos los informes propios de un procedimiento administrativo, la cuestión a determinar en primer lugar es su naturaleza preceptiva o no; y en segundo lugar su vinculatoriedad. Como se deriva del tenor literal de la norma y de una práctica más que consolidada, existe una clara respuesta positiva para lo primero y una respuesta negativa para lo segundo.

Resulta por tanto importante determinar cuáles son las consecuencias de la ausencia de esos informes que vienen exigidos en la normativa sectorial correspondiente. Para ello hay que partir del grado de intensidad que existe en cuanto a cómo se exige el correspondiente informe. Así por ejemplo, en el caso del Consejo de Consumidores y Usuarios se califica expresamente de preceptiva su audiencia en la elaboración de determinadas disposiciones generales (art. 39.2 del Real Decreto Legislativo 1/2007, de 16 de noviembre, por el que se aprueba el texto refundido de la Ley General para la Defensa de los Consumidores y Usuarios y otras leyes complementarias); al igual que se hace también en el art. 20.1 del Real Decreto Legislativo 1/2001, de 20 de julio, por el que se aprueba el texto refundido de la Ley de Aguas, respecto del Consejo Nacional del Agua. No ocurre lo mismo sin embargo en el caso del Consejo Nacional Forestal, que debe informar las normas y planes de ámbito estatal relativas al ámbito forestal (art. 10.2 de la Ley 43/2003, de 21 de noviembre, de Montes y 2.a) del Real Decreto 1269/2018, de 11 de octubre, por el que se determinan la composición, las funciones y las normas de funcionamiento del Consejo Forestal Nacional).

En el extremo opuesto, aunque es un órgano en el que no hay propiamente participación de la sociedad civil, encontramos por ejemplo el caso del Consejo de Coordinación de la Seguridad Industrial, por cuanto el art. 18.3.a) de la Ley 21/1992, de 16 de julio, de Industria señala que le corresponde *informar, si se considera necesario por el Ministerio proponente, los proyectos de normas en materia de calidad y seguridad industrial que tramite la Administración General del Estado.*

Y esta era en gran medida la posición del CAMA en su primera regulación. Efectivamente, el Real Decreto 224/1994 anteriormente citado ponía al Presidente del órgano en una decisión voluntarista respecto a la solicitud de asesoramiento, que incluso cabría entender se plasmara en un informe.

Artículo 2.

El Consejo Asesor de Medio Ambiente tendrá las siguientes funciones:

a) Asesorar sobre aquellos anteproyectos de Ley y proyectos de Real Decreto, así como los planes y programas de ámbito estatal que la Presidencia del Consejo le proponga en razón a la importancia de su incidencia sobre el medio ambiente.

b) Emitir informes y efectuar propuestas en materia medioambiental, a iniciativa propia o a petición de los Departamentos ministeriales que así lo soliciten a la Presidencia del Consejo.

Las Administraciones de las Comunidades Autónomas y las entidades que integran la Administración Local podrán, igualmente, solicitar a la Presidencia del Consejo que el Consejo Asesor de Medio Ambiente emita informes sobre materias de su competencia relativas al medio ambiente.

Sin embargo, la regulación actual del CAMA tras la Ley 27/2006, se sitúa en la citada posición intermedia: no existe el calificativo de preceptivo en la norma, pero tampoco se hace referencia o se deduce claramente la voluntariedad de sus informes. De hecho, el art. 19.2.a) de la Ley 27/2006 establece:

2. Corresponden al Consejo Asesor las siguientes funciones:

a) Emitir informe sobre los anteproyectos de ley y proyectos de reglamento con incidencia ambiental y, en especial, sobre las cuestiones que han de ostentar la condición de normativa básica.

Por su parte, de manera muy similar, el art.2.a) del Real Decreto 2355/2004, de 23 de diciembre, por el que se regulan la estructura y funciones del Consejo Asesor de Medio Ambiente señala:

Artículo 2. Funciones.

Corresponden al Consejo Asesor las siguientes funciones:

a) Emitir informe sobre los anteproyectos de ley y proyectos de real decreto con incidencia ambiental.

Una interpretación lógica nos lleva a considerar que la naturaleza de los informes en los que no se incluye el carácter facultativo de su solicitud por la autoridad competente de manera expresa debe ser la de considerarlos como preceptivos. A mayor abundamiento, esto es predicable del CAMA si tenemos en cuenta que su creación trae consecuencia de una ley que contempla como uno de sus pilares el de la participación. El Tribunal Supremo ha respaldado esta postura. En este sentido resulta de particular interés la STS de 27 de octubre de 2003, precisamente referida al Consejo de Coordinación de Seguridad Industrial anteriormente citado donde se señalaba: *de acuerdo con el artículo 62.2 de la Ley 30/92, la vulneración de lo dispuesto en el artículo 24.1.b) de la Ley del Gobierno, sobre la obligación de recabar, a lo largo del procedimiento de elaboración de los Reglamentos, los informes precep-tivos, y de lo establecido en el artículo 18.4.c) de la Ley de Industria, que atribuye a aquel Consejo como función específica la de informar preceptivamente los proyectos de Reglamentaciones de ámbito estatal, hace adolecer al Reglamento aprobado sin que previamente haya sido emitido el preceptivo informe por tal Consejo, de un vicio determinante de su nulidad por omisión de un trámite esencial previsto en una nor-ma con rango de Ley con la no emisión del preceptivo informe. Si aceptáramos esta justificación, el doble mandato legal (esto es el contenido en la Ley del Gobierno y en la Ley de Industria) quedaría incumplido y con ello legitimaríamos el ejercicio de la potestad reglamentaria en términos incompatibles con lo previsto en los artículos 97 y 103.1 de la CE. Y añade, se trata de un informe preceptivo establecido, como decía la derogada LPA, para garantizar la legalidad, acierto y oportunidad de la disposi-ción general, trámite que no puede ser visto como un obstáculo a superar sino como expresión del criterio de un órgano especializado cuyas apreciaciones el legislador ha reputado necesarias para proporcionar solidez y rigor en cuanto a la oportunidad y legalidad del producto normativo elaborado.*

A mayor abundamiento, resulta de interés que ello es aplicable lógica-mente aun cuando los informes, como es el caso del CAMA, no tienen ca-rácter vinculante. Así lo deja dicho con rotundidad la STS de 18 de enero de 2013: *la funcionalidad de los informes preceptivos, por mucho que no se carac-tericen como vinculantes, es contribuir a garantizar la legalidad, acierto y oportuni-dad de la disposición en curso de aprobación, finalidad esta que le lleva a calificar como "inaceptable" la "forma de razonar" que estima que la circunstancia de que no conste que los informes preceptivos fueran realmente requeridos y emitidos su even-tual omisión carece de relevancia al no tratarse de informes vinculantes, entendiendo el Alto Tribunal, que "De asumirse este argumento, únicamente habría que pedir en los procedimientos administrativos los informes expresamente caracterizados como vinculantes, pues, apurando el razonamiento, si al fin y al cabo el informe, por no ser vinculante, no tiene por qué ser seguido, no hay por qué pedirlo. (....) por lo que no cabe prescindir de ellos so pretexto de su carácter no vinculante, no sólo porque siendo como son preceptivos, de este dato deriva que su petición es obligatoria por principio, sino también porque esa preceptividad no es fruto de un exacerbamiento de las formalidades burocráticas sino garantía del buen hacer de la Administración y en definitiva del buen gobierno.*

5.2. La problemática de la ausencia de informes en las normas con rango de ley

Lo señalado hasta ahora respecto de las vías de participación, funcional o institucionalizada; así como de sus consecuencias, nulidad en caso de

Informe 13/2019)

ausencia; reviste determinados matices en el caso de las normas con rango de ley. Y esto es así como consecuencia de que la elaboración de los ante-proyectos de ley tiene hoy, con leves matices, un discurrir procedimental prácticamente idéntico al de las disposiciones reglamentarias, con la particularidad de que luego solamente pueden ser objeto de impugnación ante el Tribunal Constitucional.

Existe una cuestión al respecto que requiere un particular análisis y es el de los antecedentes legislativos y los efectos que tiene su potencial ausencia en el caso de los proyectos de ley, es decir de la iniciativa legislativa gubernamental. Al respecto se debe partir de lo establecido en el art. 88 CE:

Los proyectos de ley serán aprobados en Consejo de Ministros, que los someterá al Congreso, acompañados de una exposición de motivos y de los antecedentes necesarios para pronunciarse sobre ellos.

La razón de ser de estos viene muy bien explicada en el Dictamen 2514/2004 emitido por el Consejo de Estado:

La razón de la exigencia de que los proyectos de ley vayan acompañados de los antecedentes necesarios para pronunciarse sobre ellos puede fundarse, por un lado, en el propósito de facilitar que las Cámaras cuenten con la información disponible y con la documentación producida en el procedimiento administrativo de preparación del texto a cuya vista el Consejo de Ministros ha aprobado el proyecto de ley; por otro lado, responde al reconocimiento de que la calidad de las normas no depende sólo de su propia configuración interna sino también de la relación que mantienen con su contexto, el cual permite valorar la necesidad, oportunidad, corrección y viabilidad de aquéllas.

La clave de este tipo de proyectos por tanto radica en determinar si alguno de los instrumentos a los que se ha hecho mención: el trámite de consulta pública, la información y audiencia públicas o el informe emitido por el CAMA se pueden considerar como antecedentes necesarios y cuáles son las consecuencias de su eventual ausencia.

No existe ni en el texto constitucional ni en los reglamentos parlamentarios ninguna referencia a qué se debe entender por antecedentes necesarios. Resulta preciso distinguir, con base en lo expuesto por la doctrina más autorizada a estos efectos[3], tres tipos de informes y revisar la doctrina de nuestro Tribunal Constitucional al respecto.

---

[3]   DORREGO DE CARLOS, Alberto: "Comentario al artículo 88", ALZAGA, Oscar: *Comentarios a la Constitución española de 1978,* Cortes Generales - Edersa, Madrid, 1998, Tomo VIII, pp. 291 y ss.; y GARCÍA-ESCUDERO MÁRQUEZ, Piedad: "La

- El primer tipo de informe es el único que viene exigido por el texto constitucional. En concreto es la Disposición Adicional Tercera la que dice: *La modificación del régimen económico y fiscal del archipiélago canario requerirá informe previo de la Comunidad Autónoma o, en su caso, del órgano provisional autonómico.* Sin entrar en consideraciones que no corresponden en el presente informe por no afectar a la materia específica, cabe recordar la doctrina sentada por el Tribunal Constitucional en su Sentencia 35/1984 de 13 de marzo: *En cuanto al alcance o efectos de la omisión del trámite que según el recurrente conlleva la inconstitucionalidad de la disposición impugnada, tampoco se arguye nada por la parte contraria, pese a lo cual es indispensable incluir algunas precisiones, como puede ser el recordar que si la omisión de informes o audiencias preceptivas, en el procedimiento administrativo, determina normalmente incidir en un vicio esencial, causante de la anulabilidad del acto o disposición final, en el orden de la materia objeto de este recurso, la imperativa exigencia del trámite establecida en textos de índole constitucional, así como el rango y carácter del órgano llamado a evacuarlo, y no menos el alcance y transcendencia de la materia objeto de la disposición, conducen inexcusablemente a entender que la repetida omisión es una violación que entraña la inconstitucionalidad que en este recurso se denuncia y que debe por ello así declararse en esta Sentencia, de acuerdo con las previsiones del art. 161.1 a) de la C.E. y 27 y siguientes de la LOTC, con el alcance y en los términos establecidos en los arts. 39 y concordantes de la misma.*

A lo anterior cabría añadir la previsión del art. 131.2 CE: *El Gobierno elaborará los proyectos de planificación, de acuerdo con las previsiones que le sean suministradas por las Comunidades Autónomas y el asesoramiento y colaboración de los sindicatos y otras organizaciones profesionales, empresariales y económicas. A tal fin se constituirá un Consejo, cuya composición y funciones se desarrollarán por ley. Hoy en día se trata de una situación hipotética y, aunque parece claro que no se corresponde con el Consejo Económico y Social, habría que ver si se planteara el caso, si fuera este el órgano al que se recurriera.*

- El segundo tipo de informes es el exigido a órganos constitucionales (Consejo General del Poder Judicial) o de relevancia constitucional (Consejo de Estado). Respecto de ambos casos ha tenido la oportunidad de pronunciarse igualmente el Tribunal Constitucio-

iniciativa legislativa del gobierno", Madrid: Centro de Estudios Políticos y Constitucionales, 2000. ISBN 84-259-1114-1 nal. Así, y respecto del primero, en la conocida Sentencia 108/1986, de 13 de agosto, en la que se recurría entre otros motivos por un vicio de procedimiento ya que no se había remitido al Congreso de los Diputados el preceptivo informe del CGPJ respecto del proyecto, el Tribunal señaló: *La ausencia de un determinado antecedente sólo tendrá trascendencia si se hubiere privado a las Cámaras de un elemento de juicio necesario para su decisión, pero, en este caso, el defecto, que tuvo que ser conocido de inmediato, hubiese debido ser denunciado ante las mismas Cámaras y los recurrentes no alegan en ningún momento que esto ocurriese. No habiéndose producido esa denuncia, es forzoso concluir que las Cámaras no estimaron que el informe era un elemento de juicio necesario para su decisión, sin que este Tribunal pueda interferirse en la valoración de la relevancia que un elemento de juicio tuvo para los parlamentarios.* Esta doctrina se ve confirmada respecto de cualesquiera otros vicios procedimentales, por la sentada posteriormente en Sentencias 99/1987, de 11 de junio o 103/2008, de 11 de septiembre en las que se señala que *la inobservancia de los preceptos que regulan el procedimiento legislativo podría viciar de inconstitucionalidad la ley cuando esa inobservancia altere de modo sustancial el proceso de formación de voluntad en el seno de las Cámaras.* E igual consideración se hace en la STC 136/2011, de 13 de septiembre: *A juicio de los Diputados recurrentes, los antecedentes que se acompañaron al proyecto de ley no pueden calificarse como tales. En este sentido, aunque precisan que en el presente caso no nos encontramos ante la ausencia de un trámite (la presentación de una memoria), sin embargo, inciden en que estamos ante una situación en la que la citada memoria no puede considerarse como "lo que constitucionalmente debe entenderse por antecedente". Sin embargo, tras esta afirmación genérica, no concretan porqué la memoria presentada y que acompañaba al proyecto de ley no reunía, a su juicio, los requisitos para ser calificada como tal; tampoco identifican cuáles son las concretas omisiones que pudieran convertir al fruto del ejercicio de la potestad legislativa de las Cortes en inconstitucional; ni, en fin, en ningún momento determinan de qué manera las supuestas omisiones imputables a la citada memoria les ha privado de los elementos de juicio necesarios para poder cumplir con las funciones propias de su estatuto de Diputados y, sobre todo, para poder pronunciarse, de conformidad con el art. 88 CE, sobre el proyecto de ley sometido a su enmienda, debate y aprobación.*

Similares consideraciones cabría realizar respecto del informe del Consejo de Estado. Ha sido esta propia institución la que en su, también conocido, Dictamen 44.399, de 8 de julio de 1982 afirmaba *la suprema calidad representativa de las Cortes Generales tiene la virtualidad de convalidar cualquier defecto de tramitación que no revista caracteres de inconstitucionalidad.*

– Por último, estarían los supuestos de informes que, como acontece en el caso del CAMA, vienen exigidos por leyes de naturaleza ordinaria. Con respecto de las mismas, cabe considerar perfectamente aplicable los argumentos que acabamos de trasladar en cuanto a los anteriores informes de órganos, aunque este no revista la consideración de órgano constitucional o de relevancia constitucional: su ausencia puede verse convalidada por razón de aprobación de la norma; para que su ausencia pueda considerarse de relevancia constitucional sería necesario que confluyera una doble condición: que se hubiese privado a las Cámaras de un elemento de juicio necesario para tomar la decisión y que hubiese sido objeto de denuncia por parte de un parlamentario o grupo parlamentario.

Antes de concluir este punto, y de cara a completar la referencia a los antecedentes, resulta conveniente desde el punto de vista informativo hacer una referencia al Anexo de las Normas de la Mesa del Congreso de los Diputados, de 20 de enero de 2015, para la aplicación de las disposiciones de la Ley 19/2013, de 9 de diciembre, de transparencia, acceso a la información pública y buen gobierno a la Cámara, en relación con su actividad sujeta a derecho administrativo.

En este se recogen la estructura y contenidos iniciales del Portal de Transparencia del Congreso, entre los que está la documentación complementaria de las iniciativas legislativas. En ellas se tiene acceso, entre otros, a dos documentos: por un lado, el dictamen del Consejo de Estado, en cuya estructura se incluye con detalle una descripción del proceso de tramitación y de las aportaciones llevadas a cabo durante el mismo. De similar modo, en dicha documentación se incorpora también la Memoria de Análisis de Impacto Normativo que, si está adecuadamente redactada, incorpora e incluso en ocasiones transcribe las propias aportaciones realizadas por las distintas personas, físicas y jurídicas, en los trámites de participación pública.

6. La participación durante el procedimiento legislativo

Una de las cuestiones a abordar es que el Convenio de Aarhus no distingue en qué momento se puede llevar a cabo la participación por parte del público, más allá de procurar que se dé en los momentos iniciales cuando todas las opciones están abiertas. No obstante, por las características del procedimiento legislativo en el caso de los proyectos de ley y por la propia naturaleza de las proposiciones de ley, en el momento en el que un texto comienza su tramitación parlamentaria, todas las opciones están abiertas. A nivel estatal, sin embargo, ni el Congreso ni el Senado contemplan expresamente la posibilidad de participación de la sociedad civil en el procedimiento, a diferencia de lo que ocurre con algunos de los parlamentos autonómicos que han profundizado considerablemente en este tipo de participación plasmándolo en sus textos normativos. Así, el art. 117 del Reglamento del Parlamento de Cataluña contempla expresamente el trámite de las audiencias de organizaciones, grupos sociales y expertos, que en todo caso deberán ser propuestas por los grupos parlamentarios; de similar modo a lo previsto en el art. 112 bis del Reglamento del Parlamento de Andalucía. Es en esta última institución en la que se contempla un estadio más introducido en el año 2014 estableciéndose que los ciudadanos andaluces, a través de asociaciones representativas de sus intereses debidamente inscritas en el Registro de Asociaciones de la Junta de Andalucía, podrán presentar por escrito en el Registro General del Parlamento enmiendas al articulado a las proposiciones y proyectos de ley, sin perjuicio de que, para que puedan tramitarse, deberán ser asumidas por algún Grupo parlamentario.

A mayor abundamiento, y de manera perfectamente alineada con las previsiones del Convenio y el espíritu de la norma de 2006, aunque trasladado lógicamente a un ámbito más general, está el caso del art. 232 del Reglamento del Parlamento de Cataluña: Artículo 232. 2. *El Parlamento, en el caso de las iniciativas legislativas, debe elaborar una memoria una vez finalizada la tramitación. Esta memoria debe reflejar la influencia que el proceso participativo ha tenido en la ley aprobada.*

En el caso de las Cortes Generales, los Reglamentos del Congreso de los Diputados y del Senado no contemplan de manera específica estas vías de participación. Se contempla de manera genérica en el artículo 44.4 del Reglamento del Congreso de los Diputados que *Las Comisiones, por conducto del Presidente del Congreso, podrán recabar: La comparecencia de otras personas competentes en la materia, a efectos de informar y asesorar a la Comisión.* La comparecencia de expertos para informar se puede y de hecho se da en ocasiones ante las comisiones con ocasión de una tramitación legislativa, sea en materia medioambiental o en cualesquiera otras, sin embargo, no es obligada ni, en la práctica, tan frecuente como debería. Solamente cuando estamos ante textos de una particular complejidad técnica o de gran importancia digamos que existe una práctica no escrita en virtud de la cual hay una mayor participación de la sociedad civil.

En lo que concierne a las enmiendas, no existe formalmente la posibilidad de presentar ni de registrar enmiendas o alegaciones. En concreto, el art.110.1 RCD señala que *Publicado un proyecto de ley, los diputados y los grupos parlamentarios tendrán un plazo de quince días para presentar enmiendas al mismo mediante escrito dirigido a la Mesa de la Comisión.* Es decir, los ciudadanos o la sociedad civil organizada tan solo podrán indirectamente hacer llegar estas enmiendas a los sujetos titulares de dicha potestad, pero sin que exista expresamente esa posibilidad.

En definitiva, en el Parlamento nacional no existe ningún cauce de participación establecido o regulado que pudiera servir como vía de cumplimiento durante la misma de lo establecido en el Convenio de Aarhus; lo que no obsta a que, hoy en día, a través de las comparecencias de expertos, sea un cauce posible, sometido lógicamente a la decisión de los actores parlamentarios.

V. CONCLUSIONES

1. El derecho a la participación en la elaboración de disposiciones generales medioambientales se configura como un derecho instrumental necesario para hacer realidad el derecho-deber al medio ambiente.

2. El Convenio de Aarhus contempla el derecho de los ciudadanos a la participación en la elaboración de normas que puedan tener un efecto importante sobre el medio ambiente.

3. En España la actual normativa general sobre la participación pública en la elaboración de normas a través de las fases de consulta pública, información y audiencias públicas, ha vaciado de contenido las previsiones de la Ley 27/2006 sobre esta específica cuestión, con la excepción del preceptivo informe por parte del Consejo Asesor de Medio Ambiente.

4. La actual regulación general que contempla la Ley 39/2015, de 1 de octubre, del Procedimiento Administrativo Común de las Administraciones Públicas; y principalmente el artículo 26 de la Ley 50/1997, de 27 de noviembre, del Gobierno, en lo referido al proceso de participación en la elaboración de disposiciones generales (anteproyectos de ley y proyectos de reglamento) es respetuosa con las previsiones del Convenio de Aarhus.

5. La ausencia de los tramites de participación funcional o de participación institucionalizada deberá ser motivada suficientemente en

el expediente normativo, y más concretamente en la Memoria de Análisis de Impacto Normativo, sin que sea válida una justificación o motivación exclusivamente formal.

6. La Memoria de Análisis de Impacto Normativo deberá ser un documento que se publique desde el comienzo de la elaboración de la norma y convenientemente actualizado conforme se vaya avanzando en el procedimiento, con la finalidad de que el derecho a la participación sea acorde con las exigencias derivadas del Convenio de Aarhus.

7. La ausencia de los trámites de participación funcional o institucionalizada en la elaboración de disposiciones reglamentarias con incidencia ambiental serán causas determinantes de la nulidad de la norma.

8. La ausencia de los trámites de participación funcional o institucionalizada en la elaboración de disposiciones legislativas con incidencia ambiental (al menos en los proyectos de ley que son los que prevén dicha participación) podrán ser causas determinantes de la inconstitucionalidad de la norma, siempre y cuando haya concurrido la denuncia de su ausencia por un sujeto de la actividad parlamentaria y se considere que se ha privado a las Cámaras de un elemento de juicio necesario para su decisión.

9. Sería conveniente formalizar y generalizar la participación organizada de la sociedad civil en los trámites parlamentarios a nivel nacional, de manera similar a como hoy día se ha recogido en diversos parlamentos autonómicos. En el ámbito estrictamente medioambiental sería un plus de cara al cumplimiento de las exigencias de participación derivadas del Convenio de Aarhus.

Sistema de consultas y quejas en el ámbito colegial
(Informe 14/2019)

Sumario: I. TUTELA DE LOS CONSUMIDORES Y USUARIOS EN LA ESFERA COLEGIAL. II. LA MEDIDA N° 22 DEL PLAN ESTRATÉGICO.

En el Plan Estratégico del Consejo General de la Abogacía Española se incluye como Medida n° 22 la relativa a la implantación de un *"Sistema de consultas y asesoramiento sobre disciplina profesional"*, con la siguiente redacción:

> *"La reforma de la Ley 2/1974, de 13 de febrero, de Colegios profesionales que llevó a cabo la Ley Ómnibus (Ley 25/2009) adapta sólo de manera parcial el régimen jurídico de los Colegios al Derecho de la Unión Europea. El tratamiento de las quejas y consultas deontológicas requiere un impulso de difusión y concienciación al que el Consejo General y las comisiones deontológicas de los Colegios están obligados a responder. Para ello, la Abogacía Española creará una unidad de consultas especializada sobre disciplina profesional de los abogados y derechos de los ciudadanos, incluido el derecho de los consumidores y usuarios de servicios legales. Esta unidad incluirá información de normativa europea, estatal, autonómica así como de buenas prácticas y recomendaciones de la Abogacía Española y las entidades de consumidores y usuarios".*

En efecto, la Ley 25/2009, de 22 de diciembre, de modificación de diversas leyes para su adaptación a la Ley sobre el libre acceso a las actividades de servicios y su ejercicio (también conocida como Ley Ómnibus y que junto a la Ley 17/2009, de 23 de noviembre, sobre el libre acceso a las actividades de servicios y su ejercicio, o Ley Paraguas, incorporó al Derecho español, la Directiva 2006/123/CE del Parlamento Europeo y del Consejo, de 12 de diciembre de 2006, relativa a los servicios en el mercado interior), procedió a la modificación de la Ley 2/1974, de 13 de febrero, sobre Colegios profesionales, modificando algunos de sus preceptos y añadiendo otros a fin de proceder a adaptar la norma legal principal en materia de colegios a los postulados de la citada Directiva[1].

---

[1] Como señala el apartado I de la Exposición de Motivos de la Ley 25/2009, la Ley Paraguas adoptó *"un enfoque ambicioso fomentando una aplicación generalizada de sus*

Dicha adaptación no supuso, como es sabido, una completa renovación del régimen jurídico colegial que, tal y como ha venido analizando esta Comisión en anteriores informes, sigue siendo fragmentario, insuficiente y poco preciso en muchos de sus aspectos. Incluso, está pendiente de su eventual reforma legal, tal y como prevé la disposición transitoria cuarta de la propia Ley 25/2009[2].

_____

principios con objeto de impulsar una mejora global del marco regulatorio del sector servicios, para así obtener ganancias de eficiencia, productividad y empleo en los sectores implicados, además de un incremento de la variedad y calidad de los servicios disponibles para empresas y ciudadanos.

En efecto, la Ley 17/2009, de 23 de noviembre, sobre el libre acceso a las actividades de servicios y su ejercicio viene a consolidar los principios regulatorios compatibles con las libertades básicas de establecimiento y de libre prestación de servicios y al mismo tiempo permite suprimir las barreras y reducir las trabas que restringen injustificadamente el acceso a las actividades de servicios y su ejercicio. En particular, dicha Ley pone énfasis en que los instrumentos de intervención de las Administraciones Públicas en este sector deben de ser analizados pormenorizadamente y ser conformes con los principios de no discriminación, de justificación por razones imperiosas de interés general y de proporcionalidad para atender esas razones. Por otro lado, exige que se simplifiquen los procedimientos, evitando dilaciones innecesarias y reduciendo las cargas administrativas a los prestadores de servicios. Adicionalmente, se refuerzan las garantías de los consumidores y usuarios de los servicios, al obligar a los prestadores de servicios a actuar con transparencia tanto respecto a la información que deben proveer como en materia de reclamaciones.

Ahora bien, como indica el Preámbulo de dicha Ley, para alcanzar el objetivo de reformar significativamente el marco regulatorio no basta con el establecimiento de los principios generales que deben regir la regulación actual y futura de las actividades de servicios, sino que es necesario proceder a un ejercicio de evaluación de toda la normativa reguladora del acceso a las actividades de servicios y de su ejercicio, para adecuarla a los principios que dicha Ley establece.

En este contexto, el objetivo de la presente Ley es doble. En primer lugar, adapta la normativa estatal de rango legal a lo dispuesto en la Ley 17/2009, de 23 de noviembre, sobre el libre acceso a las actividades de servicios y su ejercicio, en virtud del mandato contenido en su Disposición final quinta. En segundo lugar, con objeto de dinamizar en mayor medida el sector servicios y de alcanzar ganancias de competitividad en relación con nuestros socios europeos, extiende los principios de buena regulación a sectores no afectados por la Directiva, siguiendo un enfoque ambicioso que permitirá contribuir de manera notable a la mejora del entorno regulatorio del sector servicios y a la supresión efectiva de requisitos o trabas no justificados o desproporcionados. El entorno regulatorio resultante de la misma, más eficiente, transparente, simplificado y predecible para los agentes económicos, supondrá un significativo impulso a la actividad económica".

[2]   *"Disposición transitoria cuarta. Vigencia de las obligaciones de colegiación.*
En el plazo máximo de doce meses desde la entrada en vigor de esta Ley, el Gobierno, previa consulta a las Comunidades Autónomas, remitirá a las Cortes Generales un Proyecto de Ley que determine las profesiones para cuyo ejercicio es obligatoria la colegiación.

En cualquier caso, a los efectos del presente informe han de destacarse aquellos elementos de dicha reforma que han introducido de manera clara e incontestable la tutela de los consumidores y usuarios en la esfera colegial, unida a la previsión legal relativa al sistema colegial de atención y resolución de quejas o reclamaciones, atendiendo a esta cuestión en el ámbito deontológico.

I. TUTELA DE LOS CONSUMIDORES Y USUARIOS EN LA ESFERA COLEGIAL

La primera de esas previsiones es la contenida en el artículo 1.3 de la LCP, según el cual:

> *"Son fines esenciales de estas Corporaciones la ordenación del ejercicio de las profesiones, la representación institucional exclusiva de las mismas cuando estén sujetas a colegiación obligatoria, la defensa de los intereses profesionales de los colegiados y la protección de los intereses de los consumidores y usuarios de los servicios de sus colegiados, todo ello sin perjuicio de la competencia de la Administración Pública por razón de la relación funcionarial".*

En íntima conexión con tales fines generales, el artículo 5 de la LCP, dedicado a las funciones colegiales, contempla como funciones de relieve en este ámbito las siguientes:

> *"Corresponde a los Colegios Profesionales el ejercicio de las siguientes funciones, en su ámbito territorial:*
>
> *a) Cuantas funciones redunden en beneficio de la protección de los intereses de los consumidores y usuarios de los servicios de sus colegiados.*
>
> *( ) i) Ordenar en el ámbito de su competencia, la actividad profesional de los colegiados, velando por la ética y dignidad profesional y por el respeto debido a los derechos de los particulares y ejercer la facultad disciplinaria en el orden profesional y colegial.*
>
> *( ) t) Cumplir y hacer cumplir a los colegiados las Leyes generales y especiales y los Estatutos profesionales y Reglamentos de Régimen Interior, así como las normas y decisiones adoptadas por los Órganos colegiales, en materia de su competencia.*

Dicho Proyecto deberá prever la continuidad de la obligación de colegiación en aquellos casos y supuestos de ejercicio en que se fundamente como instrumento eficiente de control del ejercicio profesional para la mejor defensa de los destinatarios de los servicios y en aquellas actividades en que puedan verse afectadas, de manera grave y directa, materias de especial interés público, como pueden ser la protección de la salud y de la integridad física o de la seguridad personal o jurídica de las personas físicas.
Hasta la entrada en vigor de la mencionada Ley se mantendrán las obligaciones de colegiación vigentes".

u) Atender las solicitudes de información sobre sus colegiados y sobre las sanciones firmes a ellos impuestas, así como las peticiones de inspección o investigación que les formule cualquier autoridad competente de un Estado miembro de la Unión Europea en los términos previstos en la Ley 17/2009, de 23 de noviembre, sobre el libre acceso a las actividades de servicios y su ejercicio, en particular, en lo que se refiere a que las solicitudes de información y de realización de controles, inspecciones e investigaciones estén debidamente motivadas y que la información obtenida se emplee únicamente para la finalidad para la que se solicitó".

En relación con este listado ha de recordarse que, conforme al artículo 9.1 de la propia LCP, los Consejos Generales de Colegios, corporaciones de derecho público de segundo grado o "*corporaciones de corporaciones*", tienen entre sus funciones "*a) Las atribuidas por el artículo quinto a los Colegios Profesionales, en cuanto tengan ámbito o repercusión nacional*".

Por consiguiente, cualquiera de las funciones indicadas del artículo 5, es predicable del Consejo General de la Abogacía Española, en cuando "*tenga ámbito o repercusión nacional*"[3].

La referida Ley 25/2009 procedió, atendiendo a las reglas de la Ley 17/2009, a introducir en la LCP una serie de previsiones concretas dirigidas a la modernización del ámbito normativo colegial en cuestiones diversas relacionadas con la Directiva 2006/123, como, entre otras, el tratamiento de la información, la regulación de los honorarios o el visado colegial.

En particular, se procedió a la introducción de los siguientes artículos en la Ley 2/1974:

---

[3] En relación, por ejemplo, con la función de la letra i), el Consejo General aprueba el Código deontológico profesional de aplicación nacional —con la excepción del ámbito geográfico catalán, conforme a lo previsto en el artículo 60.2 de la Ley de Cataluña 7/2006, de 31 de mayo, del ejercicio de profesiones tituladas y de los colegios profesionales: "*2. Es función de los consejos de colegios profesionales elaborar un código deontológico y de buenas prácticas, para el buen ejercicio de la profesión, y mantenerlo actualizado. Esta función debe ejercerse respetando las disposiciones generales establecidas en estos ámbitos*"—.
En relación con la letra u), el Consejo General es autoridad competente en el marco del sistema IMI para atender los requerimientos de información regulados en dicha letra; el sistema IMI se regula en el Reglamento (UE) n° 1024/2012, del Parlamento Europeo y del Consejo, de 25 de octubre de 2012, relativo a la cooperación administrativa a través del Sistema de Información del Mercado Interior y por el que se deroga la Decisión 2008/49/CE de la Comisión ("Reglamento IMI").

"Artículo 10. Ventanilla única.

1. Las organizaciones colegiales dispondrán de una página web para que, a través de la ventanilla única prevista en la Ley 17/2009, de 23 de noviembre, sobre el libre acceso a las actividades de servicios y su ejercicio, los profesionales puedan realizar todos los trámites necesarios para la colegiación, su ejercicio y su baja en el Colegio, a través de un único punto, por vía electrónica y a distancia. Concretamente, las organizaciones colegiales harán lo necesario para que, a través de esta ventanilla única, los profesionales puedan de forma gratuita:

a) Obtener toda la información y formularios necesarios para el acceso a la actividad profesional y su ejercicio.

b) Presentar toda la documentación y solicitudes necesarias, incluyendo la de la colegiación.

c) Conocer el estado de tramitación de los procedimientos en los que tenga consideración de interesado y recibir la correspondiente notificación de los actos de trámite preceptivos y la resolución de los mismos por el Colegio, incluida la notificación de los expedientes disciplinarios cuando no fuera posible por otros medios.

d) Convocar a los colegiados a las Juntas Generales Ordinarias y Extraordinarias y poner en su conocimiento la actividad pública y privada del Colegio Profesional.

*2. A través de la referida ventanilla única, **para la mejor defensa de los derechos de los consumidores y usuarios, las organizaciones colegiales ofrecerán la siguiente información, que deberá ser clara, inequívoca y gratuita:***

a) El acceso al Registro de colegiados, que estará permanentemente actualizado y en el que constarán, al menos, los siguientes datos: nombre y apellidos de los profesionales colegiados, número de colegiación, títulos oficiales de los que estén

en posesión, domicilio profesional y situación de habilitación profesional.

b) El acceso al registro de sociedades profesionales, que tendrá el contenido descrito en el artículo 8 de la Ley 2/2007, de 15 de marzo, de sociedades profesionales.

c) Las vías de reclamación y los recursos que podrán interponerse en caso de conflicto entre el consumidor o usuario y un colegiado o el colegio profesional.

d) Los datos de las asociaciones u organizaciones de consumidores y usuarios a las que los destinatarios de los servicios profesionales pueden dirigirse para obtener asistencia.

e) El contenido de los códigos deontológicos.

3. Las corporaciones colegiales deberán adoptar las medidas necesarias para el cumplimiento de lo previsto en este artículo e incorporar para ello las tecnologías precisas y crear y mantener las plataformas tecnológicas que garanticen la interoperabilidad entre los distintos sistemas y la accesibilidad de las personas con discapacidad. Para ello, los colegios profesionales y, en su caso, los Consejos Generales y autonómicos podrán poner en marcha los mecanismos de coordinación y colaboración necesarios, inclusive con las corporaciones de otras profesiones.

4. Los Colegios profesionales de ámbito territorial facilitarán a los Consejos Generales o Superiores, y en su caso a los Consejos Autonómicos de Colegios, la información concerniente a las altas, bajas y cualesquiera otras modificaciones que afecten a los Registros de colegiados y de sociedades profesionales, para su conocimiento y anotación en los Registros centrales de colegiados y de sociedades profesionales de aquéllos".

"Artículo 11. Memoria anual.

1. Las organizaciones colegiales estarán sujetas al principio de transparencia en su gestión. Para ello, cada una de ellas deberá elaborar una Memoria Anual que contenga al menos la información siguiente:

a) Informe anual de gestión económica, incluyendo los gastos de personal suficientemente desglosados y especificando las retribuciones de los miembros de la Junta de Gobierno en razón de su cargo.

b) Importe de las cuotas aplicables desglosadas por concepto y por el tipo de servicios prestados, así como las normas para su cálculo y aplicación.

c) Información agregada y estadística relativa a los procedimientos informativos y sancionadores en fase de instrucción o que hayan alcanzado firmeza, con indicación de la infracción a la que se refieren, de su tramitación y de la sanción impuesta en su caso, de acuerdo, en todo caso, con la legislación en materia de protección de datos de carácter personal.

d) Información agregada y estadística relativa a quejas y reclamaciones presentadas por los consumidores o usuarios o sus organizaciones representativas, así como sobre su tramitación y, en su caso, de los motivos de estimación o desestimación de la queja o reclamación, de acuerdo, en todo caso, con la legislación en materia de protección de datos de carácter personal.

e) Los cambios en el contenido de sus códigos deontológicos, en caso de disponer de ellos.

f) Las normas sobre incompatibilidades y las situaciones de conflicto de intereses en que se encuentren los miembros de las Juntas de Gobierno.

g) Información estadística sobre la actividad de visado.

Cuando proceda, los datos se presentarán desagregados territorialmente por corporaciones.

2. La Memoria Anual deberá hacerse pública a través de la página web en el primer semestre de cada año.

3. El Consejo General hará pública, junto a su Memoria, la información estadística a la que hace referencia el apartado uno de este artículo de forma agregada para el conjunto de la organización colegial.

4. A los efectos de cumplimentar la previsión del apartado anterior, los Consejos Autonómicos y los Colegios Territoriales facilitarán a sus Consejos Generales o Superiores la información necesaria para elaborar la Memoria Anual".

En tales artículos se aprecia la existencia de diferentes llamadas al tratamiento por las organizaciones corporativas de cierta información que se considera de interés para el público en general y para los usuarios de los servicios profesionales —e incluso colegiales— en particular.

Dicha información, como revela la lectura de los citados preceptos, incluye la relativa a las normas reguladoras de la deontología profesional y a los procedimientos deontológicos en curso o firmes, así como la referida a las quejas o reclamaciones de los consumidores y usuarios y las eventuales vías de reclamación o recurso; sobre este segundo extremo, ha de destacarse lo establecido en el nuevo artículo 12 de la Ley 2/1974, introducido también por la Ley 25/2009:

> *"Artículo 12. Servicio de atención a los colegiados y a los consumidores o usuarios.*
>
> *1. Los Colegios Profesionales deberán atender las quejas o reclamaciones presentadas por los colegiados.*
>
> *2. Asimismo, los Colegios Profesionales dispondrán de un servicio de atención a los consumidores o usuarios, que necesariamente tramitará y resolverá cuantas quejas y reclamaciones referidas a la actividad colegial o profesional de los colegiados se presenten por cualquier consumidor o usuario que contrate los servicios profesionales, así como por asociaciones y organizaciones de consumidores y usuarios en su representación o en defensa de sus intereses.*
>
> *3. Los Colegios Profesionales, a través de este servicio de atención a los consumidores o usuarios, resolverán sobre la queja o reclamación según proceda: bien informando sobre el sistema extrajudicial de resolución de conflictos, bien remitiendo el expediente a los órganos colegiales competentes para instruir los oportunos expedientes informativos o disciplinarios, bien archivando o bien adoptando cualquier otra decisión conforme a derecho.*
>
> *4. La regulación de este servicio deberá prever la presentación de quejas y reclamaciones por vía electrónica y a distancia".*

Este es, sin duda, el precepto clave en relación con la Medida 22 del Plan Estratégico de la Abogacía Española, aunque la redacción de ésta va más allá de la mera observancia del contenido de este artículo 12 LCP[4].

Ante todo, ha de tenerse en cuenta que el artículo 12 incluye diversas cuestiones, conectadas entre ellas, pero que no han de confundirse.

Así en el artículo 12.1 se impone una obligación a los Colegios profesionales, que no ha de articularse propiamente a través de un servicio colegial de atención a las quejas y reclamaciones que puedan presentar los colegiados. Es decir, el legislador exige a los Colegios la atención a esas quejas o reclamaciones de colegiados, pero no les impone una determinada forma de organización de esa atención a los colegiados. Lo lógico será que, en función de las diferentes capacidades colegiales, esa atención se lleve a cabo por los propios servicios colegiales o, en su caso, por un servicio colegial específico, dedicado a la atención al colegiado.

---

[4]   Por el objeto del presente informe, no se analizará el último inciso de este artículo 12.2, relativo a la posibilidad de que las quejas y reclamaciones a que se refiere se presenten ente lso Colegios profesionales *"por asociaciones y organizaciones de consumidores y usuarios en su representación o en defensa de sus intereses"*.

Una fórmula legal tan amplia debe entenderse *prima facie* referida a aquellas quejas que puedan presentar los colegiados por los propios servicios colegiales —por la atención recibida de servicios colegiales, su funcionamiento, la gestión económica personal, etc.—, pero no excluye que ese servicio colegial haya de atender quejas o reclamaciones de otra índole — así, en materia de transparencia colegial, solicitudes de información sobre actividad colegial, información sobre otros profesionales, a través del censo colegial, quejas sobre el funcionamiento de órganos judiciales, solicitudes de amparo colegial del artículo 41 del Estatuto General, etc.—. La configuración legal, por tanto, puede calificarse de parca e insuficiente, lo que no impide que los Colegios profesionales hayan de atender, o dotarse de un servicio que, cuando menos, atienda, las quejas o reclamaciones de los colegiados con respecto a los servicios colegiales y, en cada caso, les dé el cauce y tramitación correspondiente.

Los apartados 2 a 4 del artículo 12 sí imponen de manera clara a los Colegios que exista un "*Servicio de atención a los consumidores o usuarios*".

Parece evidente, por consiguiente, que deberá haber un servicio, o una unidad, o cuando menos una cierta conformación organizativa interna, que atienda a los consumidores y usuarios. Ahora bien, este servicio de atención debe ("necesariamente" establece la Ley) atender (tramitar y resolver, exige el artículo 12.2) "*cuantas quejas y reclamaciones referidas a la actividad colegial o profesional de los colegiados se presenten por cualquier consumidor o usuario que contrate los servicios profesionales, así como por asociaciones y organizaciones de consumidores y usuarios en su representación o en defensa de sus intereses*".

Por tanto, podrá tratar cualesquiera solicitudes, requerimientos, quejas o reclamaciones que dirijan a un Colegio los ciudadanos, pero deberá ("necesariamente") tramitar y resolver las quejas y reclamaciones a las que se refiere de manera expresa.

La fórmula empleada (quejas y reclamaciones "*referidas a la actividad colegial o profesional de los colegiados [que] se presenten por cualquier consumidor o usuario que contrate los servicios profesionales, así como por asociaciones y organizaciones de consumidores y usuarios en su representación o en defensa de sus intereses*") presenta una cierta equivocidad: por una parte, como se ha apuntado, no es que solo hayan de tramitarse esas quejas o reclamaciones, sino que los Colegios han de atender a los consumidores y usuarios por lo que, si analizada la consulta, queja o reclamación, no fueran la autoridad competente para su tramitación y resolución deberán, cuando menos, intentar señalar al interesado cuál es dicha autoridad o instancia a la que ha de dirigirse; y, por otra parte, debe destacarse que los servicios que se presten por los colegios no pueden integrarse en puridad en el concepto de "*servicios profesionales*".

Por ello, la fórmula empleada por el legislador en el artículo 12.2 de la LCP puede entenderse configuradora de un servicio comprensivo de los siguientes extremos:

– La atención general a los consumidores y usuarios;

– La tramitación y resolución de las quejas y reclamaciones que se presenten por cualesquiera usuarios de los servicios colegiales, en sí mismos considerados;

– La tramitación y resolución de las quejas y reclamaciones que se presenten en relación con la actividad colegial profesional de los colegiados, por cualquier consumidor o usuario que contrate sus servicios profesionales.

Por lo que se refiere al primer ámbito, la práctica colegial demuestra que los ciudadanos dirigen a los Colegios profesionales solicitudes de información, peticiones o simples consultas de toda índole, que muchas veces no tienen conexión con la esfera colegial o profesional propiamente dicha. Ello no obsta para que los ciudadanos tengan derecho a ser atendidos, lo que implica la obligación para el Colegio de examinar la consulta y dar una respuesta si aquélla entra dentro de sus competencias, procediendo, en caso de que no lo sea, a emitir una respuesta negativa sobre su competencia en la materia consultada, con eventual indicación de la autoridad o instancia que pudiera ser competente.

La LCP carece de una regulación específica sobre las solicitudes o peticiones de los usuarios de servicios colegiales o profesionales, más allá de la que contiene el citado artículo 12.2.

Ante esa carencia, se entiende que ha de acudirse al régimen en cada caso aplicable, en función de diversos criterios, como pueden ser el de la regulación concreta del tipo de instancia presentada por el ciudadano o usuario, que puede tratarse de una solicitud acceso al censo colegial o al registro de sociedades profesionales, o de ejercicio de los derechos contemplados en la legislación de protección de datos de carácter personal[5],

---

[5]   Reglamento (UE) 2016/679 del Parlamento Europeo y del Consejo, de 27 de abril de 2016, relativo a la protección de las personas físicas en lo que respecta al tratamiento de sus datos personales y a la libre circulación de estos datos y por el que se deroga la Directiva 95/46/CE (Reglamento general de protección de da-

de una petición en sentido estricto[6], o de una solicitud de acceso a información pública, supuesto en el que habrá de estarse a lo establecido en la Ley estatal 19/2013, de 9 de diciembre, de transparencia, acceso a la información pública y buen gobierno y, en su caso, en la respectiva ley autonómica en la materia.

En cada uno de estos casos, relacionados sin ánimo exhaustivo, cabría en teoría que se articulase el procedimiento en cada caso aplicable y, si procede, una concreta queja o reclamación del usuario o ciudadano fundada en la específica atención recibida por el servicio colegial actuante. Esta segunda posibilidad implicaría ya una queja o reclamación sobre la actividad desarrollada por los servicios colegiales.

Por lo que hace a estos servicios colegiales propiamente dichos[7], la LCP carece de una regulación del procedimiento a seguir para tramitar la queja o reclamación de que se trate (salvo lo previsto en los ya citados apartados 3 y 4 del propio artículo 12), por lo que se entiende que cabe acudir a lo establecido en el texto refundido de la Ley General para la Defensa de los Consumidores y Usuarios y otras leyes complementarias (LGDCU), aprobado por el Real Decreto Legislativo 1/2007, de 16 de noviembre[8], para

---

tos) y Ley Orgánica 3/2018, de 5 de diciembre, de Protección de Datos Personales y garantía de los derechos digitales.

[6]   Piénsese en el caso en que se ejerciera el derecho fundamental del petición del artículo 29 de la Constitución, desarrollado en la Ley Orgánica 4/2001, de 12 de noviembre, reguladora del Derecho de Petición, en cuyo artículo 11 se prevé un plazo de tres meses para la tramitación y notificación de la contestación al peticionario.

[7]   En hipótesis, podría ser objeto de una queja o reclamación, obviamente, el propio servicio de atención a las quejas y reclamaciones que regula este artículo 12, supuesto para el que entraría en juego, en su caso, la previsión de su apartado 3 relativa a la posible remisión, en su caso, del expediente que se tramite "a los órganos colegiales competentes para instruir los oportunos expedientes informativos o disciplinarios".

[8]   Artículo 21. Régimen de comprobación y servicios de atención al cliente.
1. El régimen de comprobación, reclamación, garantía y posibilidad de renuncia o devolución que se establezca en los contratos, deberá permitir que el consumidor y usuario se asegure de la naturaleza, características, condiciones y utilidad o finalidad del bien o servicio; pueda reclamar con eficacia en caso de error, defecto o deterioro; pueda hacer efectivas las garantías de calidad o nivel de prestación ofrecidos, y obtener la devolución equitativa del precio de mercado del bien o servicio, total o parcialmente, en caso de incumplimiento o cumplimiento defectuoso.

encontrar un plazo fijado por el legislador que podría emplearse como referencia para la resolución de este tipo de supuestos.

La devolución del precio del producto habrá de ser total en el caso de falta de conformidad del producto con el contrato, en los términos previstos en el título V del libro II.

2. Las oficinas y servicios de información y atención al cliente que las empresas pongan a disposición del consumidor y usuario deberán asegurar que éste tenga constancia de sus quejas y reclamaciones, mediante la entrega de una clave identificativa y un justificante por escrito, en papel o en cualquier otro soporte duradero. Si tales servicios utilizan la atención telefónica o electrónica para llevar a cabo sus funciones deberán garantizar una atención personal directa, más allá de la posibilidad de utilizar complementariamente otros medios técnicos a su alcance.

Las oficinas y servicios de información y atención al cliente serán diseñados utilizando medios y soportes que sigan los principios de accesibilidad universal y, en su caso, medios alternativos para garantizar el acceso a los mismos a personas con discapacidad o personas de edad avanzada.

Se deberán identificar claramente los servicios de atención al cliente en relación a las otras actividades de la empresa, prohibiéndose expresamente la utilización de este servicio para la utilización y difusión de actividades de comunicación comercial de todo tipo.

En caso de que el empresario ponga a disposición de los consumidores y usuarios una línea telefónica a efectos de comunicarse con él en relación con el contrato celebrado, el uso de tal línea no podrá suponer para el consumidor y usuario un coste superior a la tarifa básica, sin perjuicio del derecho de los proveedores de servicios de telecomunicaciones de cobrar por este tipo de llamadas. A tal efecto, se entiende por tarifa básica el coste ordinario de la llamada de que se trate, siempre que no incorpore un importe adicional en beneficio del empresario.

3. En todo caso, y con pleno respeto a lo dispuesto en los apartados precedentes, los empresarios pondrán a disposición de los consumidores y usuarios información sobre la dirección postal, número de teléfono, fax, cuando proceda, y dirección de correo electrónico en los que el consumidor y usuario, cualquiera que sea su lugar de residencia, pueda interponer sus quejas y reclamaciones o solicitar información sobre los bienes o servicios ofertados o contratados. Los empresarios comunicarán además su dirección legal si esta no coincidiera con la dirección habitual para la correspondencia.

Los empresarios deberán dar respuesta a las reclamaciones recibidas en el plazo más breve posible y, en todo caso, en el plazo máximo de un mes desde la presentación de la reclamación.

4. En el supuesto de que el empresario no hubiera resuelto satisfactoriamente una reclamación interpuesta directamente ante el mismo por un consumidor, este podrá acudir a una entidad de resolución alternativa notificada a la Comisión Europea, de conformidad con lo previsto en la ley por la que se incorpora al ordenamiento jurídico español la Directiva 2013/11/UE, del Parlamento Europeo y del Consejo, de 21 de mayo de 2013, relativa a la resolución alternativa de litigios en materia de consumo.

Por lo que se refiere a los servicios profesionales en sentido estricto, esto es, centrado ahora el análisis en "*cuantas quejas y reclamaciones referidas a la actividad (...) profesional de los colegiados se presenten por cualquier consumidor o usuario que contrate los servicios profesionales*", como establece el artículo 12.2 de la LCP, puede afirmarse que el legislador ha impuesto la existencia en todo Colegio profesional del referido servicio de quejas y reclamaciones que, en cuanto ha de conocer de las presentadas por los usuarios que hayan contratado servicios profesionales —por tanto, en cuestiones relacionadas con la actividad profesional de los colegiados en cuestión—, tendrá que ser un servicio con conocimientos específicos en la aplicación de la correspondiente deontología profesional[9], aunque sea para proceder

---

Los empresarios facilitarán el acceso a este tipo de entidades, proporcionando a los consumidores la información a la que vienen obligados por el artículo 41 de dicha ley.

[9] En el caso de la Abogacía, es usual la existencia de una comisión o servicio de deontología profesional, que tramita los asuntos deontológicos, cuya decisión corresponde a la Junta de Gobierno, conforme a lo previsto en el artículo 53.l) del Estatuto General de la Abogacía Española (aprobado por el Real Decreto 658/2001, de 22 de junio): "l) Ejercer las facultades disciplinarias respecto a los colegiados".

En el caso del Consejo General de la Abogacía Española, ha de estarse a diversas previsiones del propio Estatuto General, aunque alguna de ellas han de leerse con atención a las particualres reglas establecidas por las diferentes leyes autonómicas reguladoras de colegios profesionales y profesiones reguladas:

Artículo 68, sobre funciones del CGAE:

j) Resolver los recursos contra los acuerdos de los órganos de los Colegios de Abogados y, cuando los Estatutos de los Consejos de Colegios de las Comunidades Autónomas lo contemplen, los recursos contra los acuerdos de estos Consejos.

k) Ejercer las funciones disciplinarias con respecto a los miembros de las Juntas de Gobierno de los Colegios y del propio Consejo General y, cuando las disposiciones legales vigentes se las atribuyan, con respecto de los miembros de los Consejos de Colegios de las Comunidades Autónomas.

Artículo 73.3: El Pleno determinará las Comisiones ordinarias en que haya de quedar organizado, así como su régimen y funciones y la adscripción de Consejeros a cada una de ellas. Igualmente podrá constituir las comisiones y ponencias especiales que estime convenientes. Las Comisiones desempeñarán las funciones que les delegue el Pleno y, en el ámbito de las mismas, en caso de urgencia podrán adoptar acuerdos de inmediata ejecución, sin perjuicio de dar cuenta posteriormente al Pleno. No obstante, a fin de agilizar la tramitación y resolución de los recursos que en materia disciplinaria se formulen ante el Consejo General y cumplir los plazos establecidos para ello, la Comisión que haya de entender en materia de recursos, tendrá siempre facultad plena para resolverlos e informar luego al Pleno, sin perjuicio de que pueda elevar al Pleno de Consejeros la decisión de preliminarmente a adoptar alguna de las decisiones que contempla el ya citado artículo 12.3:

> *"3. Los Colegios Profesionales, a través de este servicio de atención a los consumidores o usuarios, resolverán sobre la queja o reclamación según proceda: bien informando sobre el sistema extrajudicial de resolución de conflictos, bien remitiendo el expediente a los órganos colegiales competentes para instruir los oportunos expedientes informativos o disciplinarios, bien archivando o bien adoptando cualquier otra decisión conforme a derecho".*

Para el caso concreto de la abogacía, las quejas o reclamaciones que presenten los usuarios que hayan contratado los servicios de los abogados, referidas a su actividad profesional, darán lugar, si reúnen los requisitos establecidos para ello, a la activación del ejercicio de la potestad disciplinaria colegial, por lo que habrá de estarse a lo previsto en el Estatuto General de la Abogacía Española, su Código Deontológico de 2019 y el Reglamento de Procedimiento disciplinario, aprobado por el Pleno del Consejo General el 27 de febrero de 2009, y de forma supletoria a lo establecido en la Ley

---

aquellos recursos que estime conveniente. Con la misma finalidad, la facultad plena para la resolución de los recursos que se formulen en otra materia queda delegada en la Comisión Permanente, sin perjuicio de la información posterior al Pleno y de que pueda elevar al mismo la decisión de aquellos recursos que estime conveniente.

Artículo 96.

1. Las personas con interés legítimo podrán formular recurso ante el Consejo General de la Abogacía Española, contra los acuerdos de la Junta de Gobierno y de la Junta General de cualquier Colegio de Abogados, dentro del plazo de un mes desde su publicación o, en su caso, notificación a los colegiados o personas a quiénes afecten.

2. El recurso será presentado ante la Junta de Gobierno que dictó el acuerdo, que deberá elevarlo, con sus antecedentes y el informe que proceda, al Consejo General dentro de los quince días siguientes a la fecha de presentación, salvo que de oficio reponga su propio acuerdo en dicho plazo. El Consejo General, previos los informes que estime pertinentes, deberá dictar resolución expresa dentro de los tres meses siguientes a su interposición, entendiéndose que en caso de silencio queda denegado. El recurrente podrá solicitar la suspensión del acuerdo recurrido y la Comisión Permanente del Consejo General podrá acordarla o denegarla motivadamente.

3. Los acuerdos de los Consejos de Colegios de las Comunidades Autónomas solamente serán recurribles ante el Consejo General cuando así lo dispongan sus propios Estatutos, en cuyo caso se aplicará el mismo procedimiento expresado en los apartados precedentes de este artículo.

39/2015, de 1 de octubre, del Procedimiento Administrativo Común de las Administraciones Públicas[10].

Cabe recordar que el Tribunal Constitucional, en su Sentencia 3/2013, de 17 de enero, declaró con nitidez lo siguiente:

> *"La institución colegial está basada en la encomienda de funciones públicas sobre la profesión a los profesionales, pues, tal y como señala el art. 1.3, son sus fines la ordenación del ejercicio de las profesiones, su representación institucional exclusiva cuando estén sujetas a colegiación obligatoria, la defensa de los intereses profesionales de los colegiados y la protección de los intereses de los consumidores y usuarios de los servicios de sus colegiados. La razón de atribuir a estas entidades, y no a la Administración, las funciones públicas sobre la profesión, de las que constituyen el principal exponente la deontología y ética profesional y, con ello, el control de las desviaciones en la práctica profesional, estriba en la pericia y experiencia de los profesionales que constituyen su base corporativa".*

A lo que puede añadirse lo afirmado por la STC 201/2013, de 5 de diciembre:

> *"La atribución a los colegios profesionales de la competencia sobre el régimen disciplinario de sus miembros, tanto en materia profesional como colegial, es un elemento inescindible de la propia naturaleza de estas entidades como 'corporaciones sectoriales de base privada' o 'entes públicos asociativos', titulares de un conjunto de potestades públicas que la Ley viene a delegar en favor de las mismas, entre las que se encuentran las de ordenar la actividad profesional de los colegiados. Las competencias colegiales de ordenación de la profesión han de ir acompañadas de las facultades coercitivas necesarias para hacer posible su ejercicio efectivo, pues como hemos afirmado, "las normas deontológicas aprobadas por los colegios profesionales o sus respectivos Consejos superiores [que] no constituyen simples tratados de deberes morales sin consecuencias en el orden disciplinario. Muy al contrario, tales normas determinan obligaciones de necesario cumplimiento por los colegiados y responden a las potestades públicas que la ley delega en favor de los Colegios para 'ordenar la actividad profesional de los colegiados, velando por la ética y dignidad profesional y por el respeto debido a los derechos de los particulares' [art. 5 i) de la Ley de colegios profesionales], potestades a las que el mismo precepto legal añade, con evidente conexión lógica, la de 'ejercer la facultad disciplinaria en el orden profesional y colegial'. Es generalmente sabido, por lo demás, y, por tanto, genera una más que razonable certeza en cuanto a los efectos sancionadores, que las transgresiones de las normas de deontología profesional, constituyen, desde tiempo inmemorial y de manera regular el presupuesto del ejercicio de las facultades disciplinarias más características de los Colegios profesionales". (STC 219/1989, de 21 de diciembre, FJ 5).*

---

[10]   Artículo 2.4: "Las Corporaciones de Derecho Público se regirán por su normativa específica en el ejercicio de las funciones públicas que les hayan sido atribuidas por Ley o delegadas por una Administración Pública, y supletoriamente por la presente Ley".

Los Colegios profesionales, en suma, son las organizaciones legitimadas por el legislador para el ejercicio en toda su extensión de la potestad deontológica sobre los profesionales que están sometidos a un régimen de colegiación obligatoria[11].

Los Colegios son, por ello, las instancias adecuadas para efectuar una labor de difusión e información y de concienciación profesional y social sobre el contenido, el alcance y la relevancia de la deontología profesional.

II. LA MEDIDA Nº 22 DEL PLAN ESTRATÉGICO

Como ya se ha indicado al principio del presente informe, la referida Medida incluye diversas previsiones[12] bajo el título "*Sistema de consultas y asesoramiento sobre disciplina profesional*":

> "*( ) El tratamiento de las quejas y consultas deontológicas requiere un impulso de difusión y concienciación al que el Consejo General y las comisiones deontológicas de los Colegios están obligados a responder. Para ello, la Abogacía Española creará una unidad de consultas especializada sobre disciplina profesional de los abogados y derechos de los ciudadanos, incluido el derecho de los consumidores y usuarios de servicios legales. Esta unidad incluirá información de normativa europea, estatal, autonómica así como de buenas prácticas y recomendaciones de la Abogacía Española y las entidades de consumidores y usuarios*".

---

[11]　Pues solo los Colegios de colegiación obligatoria podrán, en caso de imponerse una sanción muy grave de expulsión de la profesión de que se trate, impedir con ello el ejercicio de la profesión durante el tiempo de la duración de la sanción.
Y es que como declara la citada STC 201/2013:
"Ahora bien, la exigencia de norma de rango legal para su creación, únicamente tiene carácter básico en su aplicación a los colegios de adscripción obligatoria, en la medida en que los mismos ejercen funciones públicas —de deontología y ordenación de la profesión—, y limitan los derechos de los profesionales —el derecho de asociación y la libertad de ejercicio de la profesión—; y en este contexto ha de ser entendido lo dispuesto en el art. 4.1 de la Ley estatal, previsto para un momento temporal en que todos los colegios profesionales eran obligatorios. Dicha exigencia no resulta, sin embargo, de aplicación a los colegios voluntarios, surgidos tras la reforma efectuada por la Ley 25/2009, los cuales carecen de funciones coactivas para la regulación del ejercicio profesional, y se someten al régimen jurídico general de las asociaciones, sin perjuicio de que puedan ejercer funciones de interés general, tal y como expresamente se contempla en el título V de la propia Ley autonómica, que los regula bajo la denominación general de 'asociaciones profesionales'".

[12]　No se reproduce por entero, dado que su primera frase, relativa a la reforma de la LCO por la transposición de la Directiva 2006/123 ya ha sido analizada.

Como puede observarse, su contenido es amplio, abarcando diversas acciones que pueden desplegarse por la organización colegial[13].

– En primer término, se encomienda al Consejo General y a las comisiones deontológicas de los Colegios la labor de difusión y concienciación de la materia deontológica.

Esta cuestión encuentra anclaje normativo, por ejemplo, en el artículo 17 ("*Información, formación y educación de los consumidores y usuarios*") del texto refundido de la Ley General para la Defensa de los Consumidores y Usuarios, que establece en su apartado 1 que "*Los poderes públicos, en el ámbito de sus respectivas competencias, fomentarán la formación y educación de los consumidores y usuarios, asegurarán que estos dispongan de la información precisa para el eficaz ejercicio de sus derechos y velarán para que se les preste la información comprensible sobre el adecuado uso y consumo de los bienes y servicios puestos a su disposición en el mercado*".

En esta previsión legal se puede amparar, como se apuntaba, esa labor de difusión que contempla la M22, como mecanismo por medio del que reforzar el conocimiento por los usuarios de las normas deontológicas a la que está sometida la prestación de servicios profesionales por los abogados (también puede incluirse en el conjunto de instrumentos para reforzar los derechos de los usuarios o clientes el empleo de hoja de encargo, cuya más reciente regulación se encuentra en el artículo 15 del nuevo Código Deontológico de la Abogacía Española de 2019[14]).

---

[13]   Disposición adicional tercera de la LCP, rubricada "La organización colegial":
"1. Se entiende por organización colegial el conjunto de corporaciones colegiales de una determinada profesión.
2. Son corporaciones colegiales el Consejo General o Superior de Colegios, los Colegios de ámbito estatal, los Consejos Autonómicos de Colegios y los Colegios Profesionales".

[14]   Artículo 15. Hojas de encargo
Si se suscribiera con el cliente una hoja de encargo se hará constar:
a. El objeto del encargo.
b. Las actuaciones concretas que expresamente quedan incluidas, a las que, por tanto, es de aplicación. Se estima conveniente que también se haga referencia, en su caso, a aquellas que, como los recursos, informes periciales y otros, no formen parte del presupuesto.
c. El precio por el trabajo profesional deberá figurar en forma clara y destacada. Cuando por las características del asunto se estime que no es posible su determinación en cuantía exacta, se dejará constancia de ello, indicándose en todo caso las bases que servirán para su determinación.

Esta labor de Consejo General y Colegios también puede encauzarse por medio de campañas de información y concienciación hacia el propio colectivo profesional, centradas en la necesidad de observar de manera inexcusable las previsiones legales en la materia, entre las que se encuentran, sin ánimo exhaustivo, las contenidas en el artículo 10 de la Ley 34/2002, de 11 de julio, de servicios de la sociedad de la información y de comercio electrónico[15] y en el artículo 22 de la Ley 17/2009[16].

---

d. Las cantidades que se requerirán por suplidos o por otras circunstancias, que no se incluyen en el precio de los servicios.

e. Los momentos en que proceda el abono de las cantidades y los criterios para la prelación e imputación de los pagos.

f. Las consecuencias de la finalización anticipada del encargo por renuncia, allanamiento, pérdida sobrevenida del objeto y otras causas.

g. Las demás obligaciones que impone la legislación vigente, especialmente lo dispuesto en la Ley de Prevención del Blanqueo de Capitales y Financiación del Terrorismo.

h. En su caso, la sumisión a arbitraje cuando surjan discrepancias.

i. Las condiciones generales de la contratación en todo lo que les sea aplicable.

[15]   "Artículo 10. Información general.

1. Sin perjuicio de los requisitos que en materia de información se establecen en la normativa vigente, el prestador de servicios de la sociedad de la información estará obligado a disponer de los medios que permitan, tanto a los destinatarios del servicio como a los órganos competentes, acceder por medios electrónicos, de forma permanente, fácil, directa y gratuita, a la siguiente información:

a) Su nombre o denominación social; su residencia o domicilio o, en su defecto, la dirección de uno de sus establecimientos permanentes en España; su dirección de correo electrónico y cualquier otro dato que permita establecer con él una comunicación directa y efectiva.

b) Los datos de su inscripción en el Registro Mercantil en el que, en su caso, se encuentren inscritos o de aquel otro registro público en el que lo estuvieran para la adquisición de personalidad jurídica o a los solos efectos de publicidad.

c) En el caso de que su actividad estuviese sujeta a un régimen de autorización administrativa previa, los datos relativos a dicha autorización y los identificativos del órgano competente encargado de su supervisión.

d) Si ejerce una profesión regulada deberá indicar:

1.º Los datos del Colegio profesional al que, en su caso, pertenezca y número de colegiado.

2.º El título académico oficial o profesional con el que cuente.

3.º El Estado de la Unión Europea o del Espacio Económico Europeo en el que se expidió dicho título y, en su caso, la correspondiente homologación o reconocimiento.

4.º Las normas profesionales aplicables al ejercicio de su profesión y los medios a través de los cuales se puedan conocer, incluidos los electrónicos.

e) El número de identificación fiscal que le corresponda.

Informe 14/2019

– En segundo lugar, en íntima conexión con la anterior previsión, prevé la M22 que "la Abogacía Española creará una unidad de consultas especia-

---

f) Cuando el servicio de la sociedad de la información haga referencia a precios, se facilitará información clara y exacta sobre el precio del producto o servicio, indicando si incluye o no los impuestos aplicables y, en su caso, sobre los gastos de envío.

g) Los códigos de conducta a los que, en su caso, esté adherido y la manera de consultarlos electrónicamente".

[16] Artículo 22. Obligaciones de información de los prestadores.

1. Sin perjuicio de las obligaciones de información establecidas en la legislación de protección de los consumidores y usuarios que resulte de aplicación, los prestadores de servicios, con la debida antelación, pondrán a disposición de los destinatarios toda la información exigida en el presente artículo de forma clara e inequívoca, antes de la celebración del contrato, o en su caso, antes de la prestación del servicio.

2. Los prestadores proporcionarán al destinatario, de forma fácilmente accesible, la información siguiente:

a) Los datos de identidad, forma y régimen jurídico, número de identificación fiscal del prestador, dirección donde tiene su establecimiento, y los datos que permitan ponerse rápidamente en contacto con él y en su caso, por vía electrónica.

b) Datos registrales del prestador del servicio.

c) Los datos de la autoridad que, en su caso, haya otorgado la autorización.

d) En las profesiones reguladas, la cualificación profesional y el Estado miembro en el que fue otorgada, así como, en su caso, el colegio profesional, la asociación profesional u organismo análogo en el que esté inscrito el prestador.

e) Las condiciones y cláusulas generales, y las relativas a la legislación y jurisdicción aplicable al contrato.

f) Garantías posventa adicionales a las exigidas por ley, en su caso.

g) El precio completo del servicio, incluidos los impuestos, cuando el prestador fije previamente un precio para un determinado tipo de servicio.

h) Las principales características del servicio o servicios que ofrezca.

i) En su caso, el seguro o garantías exigidas, y en particular, los datos del asegurador y de la cobertura geográfica del seguro.

j) En caso de que el prestador ejerza una actividad sujeta al IVA, el número de identificación fiscal.

k) Lengua o lenguas en las que podrá formalizarse el contrato, cuando ésta no sea la lengua en la que se le ha ofrecido la información previa a la contratación.

l) Existencia del derecho de desistimiento del contrato que pueda corresponder al consumidor, el plazo y la forma de ejercitarlo.

3. A petición del destinatario, los prestadores pondrán a disposición de aquél la siguiente información complementaria:

a) Cuando el precio no lo fije previamente el prestador, el precio del servicio o, si no se puede indicar aquél, el método para calcularlo; o un presupuesto suficientemente detallado.

b) Fecha de entrega, ejecución del contrato y duración.

lizada sobre disciplina profesional de los abogados y derechos de los ciudadanos, incluido el derecho de los consumidores y usuarios de servicios legales".

La creación de una unidad de esas características se insertaría, sin dificultad alguna, en la potestad de organización interna del Consejo General.

En atención a lo previsto en el artículo 12.2 LCP, esa unidad especializada de consultas se integraría sin dificultad en la expresión "servicio de atención" que emplea, de modo que esta previsión de la M22 operaría como una especie de concreción de la amplia fórmula legal, a la que daría contenido complementando no sólo lo establecido en la LCP sino también lo previsto en materia de derecho de información de los consumidores y usuarios, referida al plano de la deontología de la abogacía, en su normativa general (texto refundido de 2007).

Esta unidad especializada, también, podría ofrecer información práctica sobre el contenido del Código Deontológico de la Abogacía Española y su aplicación en el desarrollo de la actividad profesional, a modo de complemento de la información sobre el sometimiento por los abogados a la deontología profesional.

---

c) En el caso de las profesiones reguladas: referencia a las normas de acceso a la profesión en el Estado miembro de establecimiento y los medios para acceder a dichas normas.

d) La información relativa a sus actividades multidisciplinares, posibles conflictos de interés y las medidas adoptadas para evitarlos. Esta información deberá figurar en todo documento informativo de los prestadores en el que se presenten de forma detallada sus servicios.

e) Los posibles códigos de conducta a que, en su caso, esté sometido el prestador, así como la dirección en que dichos códigos se pueden consultar por vía electrónica y en qué idiomas están disponibles.

f) Información detallada sobre las características y condiciones para hacer uso de los medios extrajudiciales de resolución de conflictos cuando estén sujetos a un código de conducta o sean miembros de alguna organización profesional en los que se prevean estos mecanismos.

4. Toda la información a que se refieren los apartados anteriores se pondrá a disposición del destinatario por el prestador, en alguna de las formas siguientes:

a) En el lugar de prestación del servicio o de celebración del contrato.

b) Por vía electrónica a través de una dirección facilitada por el prestador.

c) Figurando dicha información en todo documento informativo del prestador que se facilite al destinatario y en el que se presenten de forma detallada sus servicios.

d) Por vía electrónica a través de una página web".

Junto a ello, la elaboración de un estudio o de una guía sobre los derechos de los ciudadanos usuarios de los servicios profesionales de los abogados sería un deseable complemento adicional de la labor general de información que podría realizar esa unidad de consultas.

Concluye la M22 indicando que "esta unidad incluirá información de normativa europea, estatal, autonómica, así como de buenas prácticas y recomendaciones de la Abogacía Española y las entidades de consumidores y usuarios".

La formulación —muy amplia y ambiciosa— puede entenderse referida, en un primer acercamiento, a la normativa sobre deontología profesional.

Por lo que se refiere a la normativa europea en la materia, en términos generales las disposiciones normativas de la Unión Europea en las que, aunque no se traten dichas cuestiones de forma directa, sí se incluyen en ocasiones reglas al respecto, son objeto de transposición a nuestro ordenamiento —piénsese por ejemplo, en la Directiva 2012/29/UE del Parlamento Europeo y del Consejo, de 25 de octubre de 2012, por la que se establecen normas mínimas sobre los derechos, el apoyo y la protección de las víctimas de delitos, objeto de transposición por medio de la Ley 4/2015, de 27 de abril, del Estatuto de la víctima del delito, de la que resulta la prohibición de ofrecimiento de servicios a las víctimas de su artículo 8[17]—.

Aun no cuando sea propiamente "normativa", es evidente la importancia del Código de Deontología de los Abogados Europeos, aprobado por CCBE el 28 de octubre de 1988 y modificado en las Sesiones Plenarias de 28 de noviembre de 1998, 6 de diciembre de 2002 y 19 de mayo de 2006[18]

---

[17]   "Artículo 8. Período de reflexión en garantía de los derechos de la víctima.
1. Los Abogados y Procuradores no podrán dirigirse a las víctimas directas o indirectas de catástrofes, calamidades públicas u otros sucesos que hubieran producido un número elevado de víctimas que cumplan los requisitos que se determinen reglamentariamente y que puedan constituir delito, para ofrecerles sus servicios profesionales hasta transcurridos 45 días desde el hecho.
Esta prohibición quedará sin efecto en el caso de que la prestación de estos servicios profesionales haya sido solicitada expresamente por la víctima.
2. El incumplimiento de esta prohibición dará lugar a responsabilidad disciplinaria por infracción muy grave, sin perjuicio de las demás responsabilidades que procedan".

[18]   https://www.abogacia.es/wp-content/uploads/2012/06/codigodeontologico.pdf

En cuanto a la normativa estatal y autonómica, es una previsión de sumo interés, pues permitiría advertir las diferencias que existen entre la LCP y las leyes autonómicas en materia de colegios profesionales y profesiones reguladas —por ejemplo, en materia de aseguramiento, en la que los artículos 9 y 18 imponen la existencia de seguro para el ejercicio profesional y su ejercicio sin su suscripción y vigencia efectiva, cuando sea obligatorio, se tipifica como infracción grave, regla que contrasta notablemente con la inexistencia de una regla similar, a pesar de las constantes demandas de la Abogacía Española, en la legislación estatal para las profesiones, ni con carácter general, ni en particular para la abogacía[19]—, con el correspondiente reflejo en los derechos de los ciudadanos.

Y, finalmente, por lo que se refiere a que la "unidad especializada" ofrezca información sobre "buenas prácticas y recomendaciones de la Abogacía Española y las entidades de consumidores y usuarios", el Consejo General —y también su Fundación— han publicado en los últimos años numerosas guías de actuación de los abogados en diferentes contextos —trata de seres humanos, extranjería, ciberseguridad— y también de los despachos de abogados.

Dichas guías, carentes en sí mismas de fuerza coercitiva, pueden extenderse también al ámbito deontológico, ofreciendo una relación de buenas prácticas o, incluso de recomendaciones, a modo en su caso de explicaciones prácticas —extraídos por ejemplo de las resoluciones en la materia que se dicten por las organizaciones corporativas— que puedan servir a los profesionales para tratar de acomodar su actividad a las reglas deontológicas profesionales —operarían así estas hipotéticas guías en un plano preventivo—.

En materia deontológica, sin embargo, no parecen admisibles los códigos de conducta, figura de adhesión voluntaria, cuya obligatoriedad dimana de la libre decisión de adscribirse a ellos. En esta configuración, no caben códigos de conducta "deontológicos", en sentido propio.

Cuestión distinta es que se puedan aprobar códigos de conducta sobre materias que no sean propiamente deontológicas, pero que para quienes los suscriben tengan un régimen de obligado cumplimiento al que puedan anudarse, en caso de inobservancia, consecuencias desfavorables que pueden llegar, incluso, a la exclusión del afectado del ámbito de aplicación del

---

[19] Una regulación concreta sí contiene la Ley 44/2003, de 21 de noviembre, de ordenación de las profesiones sanitarias (artículo 4.8.e) y 46).

código en cuestión —incluyendo medidas adicionales como la pérdida del derecho a empelar sellos distintivos del tipo marcas de calidad o de pertenencia a quienes se someten al código de que se trate—.

La cuestión de los códigos de conducta en el ámbito de la abogacía, en cualquier caso, excede del ámbito del presente informe.

Regulación comparada en Europa sobre confidencialidad y secreto profesional
(Informe 15/2019)

Sumario: I. INTRODUCCIÓN. II. LEGISLACIÓN Y JURISPRUDENCIA DE LOS ESTADOS MIEMBROS EN RELACIÓN CON EL SECRETO PROFESIONAL DE LOS ABOGADOS Y OTROS PROFESIONALES. 1. Legal privilege y secreto profesional. 2. Las variantes del secreto profesional en la Unión Europea. 3. Corolario. III. EL MARCO EUROPEO. 1. La jurisprudencia del Tribunal Europeo de los Derechos Humanos (TEDH). 2. La regulación de la UE. IV. CONCLUSIONES.

I. INTRODUCCIÓN

La Medida n° 53 del Plan Estratégico de la Abogacía —Abogacía 2020_ Soluciones—, incluida en el Eje 2 de dicho Plan —"Una Abogacía gestora integral de conflictos"—, y concretamente en su Objetivo 2 —"Garantía constitucional de defensa"— establece lo siguiente:

> *"El secreto profesional del abogado se fundamenta en el derecho a la intimidad y en el derecho de defensa y es elemento esencial de la independencia de los abogados (STS Sala 3ª de 17 de febrero de 1998). La relevancia creciente de la lucha contra el blanqueo de capitales ha tenido reflejo en la normativa de la UE, de manera que sucesivas directivas (Directivas 2001/97/CE y 2005/60/CE) han ampliado el alcance de las medidas de persecución del blanqueo de capital incidiendo en el secreto profesional. Este alcance ha suscitado numerosas dudas interpretativas, como ha reconocido el propio TJUE (Sentencia Ordre de barreaux francophones et germanophone, de 26 de junio de 2007) así como el TEDH (STEDH Michaud c. Francia). En este sentido, el TEDH ha otorgado un papel fundamental a los Colegios de Abogados, atribuyendo a sus representantes la supervisión efectiva de las medidas que afecten al secreto profesional (STEDH, Erdem c. Alemania). Para ello, con objeto de promover las mejores prácticas, el Consejo General impulsará el estudio y análisis de la legislación y la jurisprudencia de los Estados miembros en relación con el secreto profesional de abogados y otros profesionales."*

En desarrollo de esta Medida 53, el presente informe lleva a cabo, en primer lugar, el indicado análisis comparado de la legislación y la jurisprudencia de los Estados miembros en relación con el secreto profesional de los abogados y otros profesionales, estudio que muestra un panorama de cierta heterogeneidad dentro del cual pueden distinguirse varias tendencias distintas. A ellas hará referencia el apartado II del presente informe.

Esas dispares regulaciones nacionales sobre secreto profesional se desenvuelven dentro de un marco supranacional europeo que, sin llegar a armonizar aquellas, fija ciertos límites y criterios que las autoridades nacionales deben tener en cuenta. El Tribunal Europeo de los Derechos Humanos (TEDH), por una parte, ha dictado importantes sentencias sobre el alcance del secreto profesional en relación con los derechos fundamentales a la defensa y a la vida privada. El Derecho de la Unión Europea, por otra parte, añade a este ya complejo panorama jurídico una jurisprudencia aplicable sólo en el ámbito propio del Derecho europeo de la competencia, así como varias normas de notable influencia en la regulación del secreto profesional por los Estados miembros. A todas estas cuestiones hará referencia el apartado III del informe.

La Medida 53 del Plan Estratégico precisa que el objeto de este estudio consiste en "promover las mejores prácticas". A esta finalidad se orientan las conclusiones del apartado IV.

II. LEGISLACIÓN Y JURISPRUDENCIA DE LOS ESTADOS MIEMBROS EN RELACIÓN CON EL SECRETO PROFESIONAL DE LOS ABOGADOS Y OTROS PROFESIONALES

1. Legal privilege y secreto profesional

Todo estudio sobre regulación comparada del secreto profesional debe partir de la dicotomía entre la regulación del secreto en los países de tradición romano-germánica y el *legal privilege* propio de los sistemas de *common law*. Se trata de dos formas radicalmente distintas, basadas en diferentes culturas jurídico-procesales, de enfocar la solución a un mismo problema: cómo preservar, al mismo tiempo, la confidencialidad del cliente, su derecho a la defensa y las exigencias procesales de aportación de la información necesaria para el desempeño de la Justicia.

El *legal privilege* o **LPP** *(legal profesional privilege)* parte de **un enfoque** *in rem* y se concibe como un **derecho de las partes** al secreto de documentos o comunicaciones relacionados con su defensa legal, no como una obligación del profesional. Esta concepción está íntimamente vinculada al mecanismo procesal de *disclosure* (o *discovery*, término este último empleado en los Estados Unidos). Frente a la obligación que tiene cada parte de aportar al proceso cualquier documento relacionado con el mismo que se encuentre en su haber, ya sirva de fundamento a sus pretensiones o a las de la parte contraria, el *legal privilege* se erige como el derecho a excepcionar tal divulgación, excluyendo de las actuaciones de *disclosure* los documentos o comunicaciones cuyo contenido esté vinculado con la demanda o la obtención de un consejo en materia jurídica (vinculado o no a un proceso: en el primer caso se habla de *litigation privilege,* en el segundo, de *legal advice privilege*).

Para hacer valer el *legal privilege* lo determinante no es, por tanto, quién interviene en la comunicación o emite el documento en cuestión, sino el contenido de aquella o este; ello hace que, de forma automática, la protección se extienda indistintamente a las comunicaciones con abogados y otros profesionales[1] (particularmente los asesores jurídicos *in house*). Junto a esta concepción objetiva, la otra nota distintiva del *legal privilege* es su consideración como un derecho; no se trata de un mero reflejo de la obligación de confidencialidad del abogado, sino de un verdadero derecho del cliente, al que sólo puede renunciar el mismo o ser derogado por ley[2]. El LPP se complementa con una obligación de confidencialidad *(confidentiality)* más amplia que el *legal privilege,* que se impone a todos los profesionales del sector (incluidos los asistentes) y que prohíbe divulgar cualquier tipo de información que concierna a un cliente actual o pasado, con independencia de la fuente de la que esa información provenga.

El secreto profesional que rige en los países europeos de Derecho continental responde a una concepción totalmente distinta. En primer lugar, al no existir mecanismos procesales como la fase de *pre-trial discovery,* la confidencialidad no se articula como un derecho del cliente, sino como una **obligación del profesional del Derecho**, previéndose sanciones para el caso de que viole ese deber de secreto (aunque, en última instancia, el secreto también protege el desarrollo de su actividad profesional). Ello lleva, en segundo lugar, a una **concepción subjetiva** *(in personam)* del secreto, de modo que lo determinante es quién interviene en la comunicación o emite el documento, con independencia, en principio, de su contenido.

De esta doble caracterización derivan las principales **diferencias prácticas** entre ambos sistemas. Por una parte, si para esgrimir el *legal professional*

---

[1]   En Inglaterra y Gales, por ejemplo, se consideran protegidas las comunicaciones con *barristers, solicitors, in-house lawyers,* abogados extranjeros, becarios y *palalegals.*

[2]   Así lo establece la conocida sentencia *Three Rivers No. 6* de la Cámara de los Lores (*Three Rivers District Council and others v Governor and Company of the Bank of England (No.6) [2005] 1 AC 610, at 645, per Lord Scott*).

privilege es irrelevante tener o no condición de abogado en sentido estricto (lo importante es el contenido del documento en cuestión), en el sistema continental de secreto profesional la obligación de confidencialidad se impone a un colectivo bien determinado, en el que no siempre se integran otros profesionales del Derecho, como se verá después. Por otra parte, la concepción del *legal privilege* como derecho del cliente permite a este en todo caso, como se dijo, decidir si desea o no mantener el secreto (y, consecuentemente, permitir a su abogado divulgar un determinado documento o comunicación en principio protegido por el privilegio); en el marco del secreto profesional, por el contrario, al partirse de una obligación del abogado derivada del interés general, algunos sistemas consideran que ni tan siquiera el propio cliente puede descargarle de ella.

El sistema de *legal privilege* estricto es hoy ciertamente minoritario en la Unión europea (y lo será aun más cuando se haga totalmente efectivo el Brexit): existe en Inglaterra, País de Gales, Escocia, Irlanda y Chipre, con pequeñas diferencias. Todos los demás Estados miembros de la Unión europea disponen, por el contrario, de sistemas de secreto profesional de acuerdo con el modelo antes descrito. Sin embargo, este enfoque continental dista mucho de ser homogéneo; los distintos modelos nacionales tienen multitud de variantes, algunas de ellas derivadas de la influencia del *legal privilege* anglosajón, que fuerza a una mayor apertura en algunos aspectos.

2. Las variantes del secreto profesional en la Unión Europea

El panorama europeo presenta, en efecto, una pluralidad de grados de protección del secreto profesional en atención a la diferente extensión de su ámbito de aplicación personal y objetivo en cada país.

2.1. La extensión personal del secreto profesional: el régimen de las comunicaciones con los abogados de empresa o asesores *in house*

Desde la perspectiva del ámbito de aplicación subjetivo, las diferencias más importantes radican en el régimen al que se someten las comunicaciones con los asesores jurídicos o abogados de empresa (asesores o abogados *in house*).

Frente al sistema anglosajón, en el que el *legal privilege* puede ser indistintamente esgrimido por abogados y asesores *in house* (pues lo relevante es el contenido de los documentos o comunicaciones, no quienes los realicen[3]), el modelo continental sólo sujeta a la obligación de secreto profesional propiamente dicha a determinados profesionales.

En una concepción estrictamente subjetiva de ese secreto profesional, siguen siendo mayoría los Estados miembros de la Unión que limitan su aplicación a los abogados colegiados que ejercen como autónomos, con exclusión de otros profesionales y, en particular, de los abogados de empresa. Así ocurre en Francia, Alemania, Austria, Italia, Luxemburgo, Dinamarca, Suecia, República Checa, Hungría, Rumanía, Eslovaquia, Bulgaria, Letonia, Lituania, Chipre y Estonia, por ejemplo. La falta de colegiación y/o de independencia de esos asesores *in house* (cuya relación con el cliente —esto es, la empresa en la que se integran— suele ser de carácter laboral) excluye en estos casos la aplicabilidad de las reglas sobre el secreto profesional. Dichas legislaciones nacionales suelen imponer a este tipo de profesionales, por otras vías, un deber de confidencialidad de carácter general que, sin embargo, frecuentemente ofrece una protección de menor intensidad, con limitaciones de orden temporal (puede cesar al finalizar la relación laboral, por ejemplo) o importantes excepciones (los empleados pueden ser obligados a declarar como testigos en procedimientos civiles, administrativos o criminales, por ejemplo).

Otro grupo de Estados ha optado por extender la protección propia del secreto profesional también a las comunicaciones que se mantienen con los asesores jurídicos *in house,* si bien con distintas condiciones y alcance. Junto a España, Portugal es uno de los países que ofrece una protección más amplia para los abogados de empresa, a los que se aplican las mismas obligaciones y derechos que a los abogados con una práctica profesional liberal; así, por ejemplo, el registro e incautación de documentación en las oficinas de un asesor *in house* (la asesoría jurídica de la empresa) por las autoridades portuguesas de la competencia se consideran nulos y pueden incluso constituir una conducta punible. [4] Igualmente, en Polonia la obligación de secreto profesional se extiende sin ninguna limitación a los asesores *in house,* siempre que estén colegiados; y, en los Países Bajos, pueden también invocar el secreto profesional los llamados *"Cohen advocaten"*, esto es, asesores de empresa que hayan sido admitidos en el Colegio de Abogados de los Países Bajos.

---

[3]   Esa delimitación objetiva del privilegio, no obstante, excluye las comunicaciones del abogado *in house* con los empleados de la empresa que no estén específicamente orientadas a obtener asesoramiento legal para aquélla.

[4]   Opinión No. E-07/07 del *Conselho General Orden dos Advogados.*

En otros casos, la protección de las comunicaciones con los asesores *in house* se hace con unas reglas más cercanas al formato objetivo del *legal privilege* anglosajón, en lugar de mediante una mera extensión de las reglas del secreto profesional de los abogados: es decir, se pasa de la lógica de protección *in personam* propia del secreto profesional a una protección *in rem*. Así, por ejemplo, en Grecia, el secreto profesional sólo se aplica respecto a las comunicaciones del abogado *in house* con la empresa en la que presta sus servicios cuando aquellas tengan como contenido la prestación de servicios de asesoramiento jurídico, con exclusión de las que tengan un contenido estrictamente empresarial o administrativo. De igual forma, en Bélgica una ley de 1 de marzo de 2000 creó el Instituto de los juristas de empresa (*Institut des Juristes d'Entreprise / Instituut vorr Bedrijfsjuristen*), declarando confidenciales las comunicaciones de la empresa con estos siempre que tengan por objeto la actividad de asesoramiento jurídico prestada en favor de dicha empresa[5]. De acuerdo con esta regulación legal, los tribunales belgas han declarado que la autoridad belga de la competencia no puede incautar documentos elaborados por un abogado de empresa relacionados con el asesoramiento jurídico que prestan[6]; sin embargo, la jurisprudencia aún no se ha pronunciado sobre si la protección que ofrece la citada ley permitiría evitar esa incautación en un proceso penal.

La cuestión, por tanto, no siempre está totalmente cerrada. En Finlandia, por ejemplo, la legislación en materia de Derecho de la competencia excluye claramente la aplicación del secreto profesional a las comunicaciones de los asesores *in house* respecto a actuaciones en ese ámbito material[7], pero las reglas de los procesos civiles y penales no resultan concluyentes cuando se trata de determinar si esas reglas de secreto profesional se aplican o no respecto a la información obtenida por el asesor *in house* que representa a su empresa en un proceso judicial.

El modelo de no aplicación de las reglas del secreto profesional a los asesores jurídicos que desarrollan su práctica profesional en régimen de relación laboral se fundamenta en la supuesta falta de independencia de dichos asesores respecto a sus clientes-empleadores, en una visión coincidente con la que aplica la jurisprudencia del TJUE en relación con los

---

[5]   El ordenamiento belga presenta la particularidad de presentar dos regulaciones legales independientes para los juristas de empresa y los abogados, respectivamente.

[6]   Sentencia del Tribunal de Apelación de Bruselas de 5 de marzo de 2013.

[7]   Sección 38, subsección 3 de la Ley de Competencia.

casos de Derecho europeo de la competencia, como después se verá. Esta solución perjudica evidentemente a las empresas, en la medida en que el acceso —por competidores que sean adversarios en un proceso, por ejemplo, o por las propias autoridades judiciales o administrativas— a información sobre las comunicaciones con sus asesores *in* house o a documentos elaborados por estos puede poner en peligro la confidencialidad de ciertas operaciones. Frecuentemente, los abogados de empresa de los países afectados argumentan además que esa exclusión les perjudica desde un punto de vista competitivo.

La extensión de las reglas del secreto profesional más allá de los abogados autónomos permite, ciertamente, evitar esas desventajas competitivas, pero la homogeneización en ningún caso será total, pues esos mismos asesores *in house* portugueses, belgas, griegos o españoles, por ejemplo, que en sus países de origen se benefician de las reglas del secreto profesional, no gozan de la misma protección cuando están en cuestión actuaciones relativas al Derecho de la competencia europeo, para el que el Tribunal de Justicia de la UE mantiene, como se ha visto, un criterio más restrictivo. Por otra parte, la solución consistente en la extensión de las reglas del secreto profesional con un enfoque *in rem* es también en ocasiones criticada por su posible imprecisión (pues depende de la calificación del contenido del documento o comunicación) y por implicar en la práctica una excepción al sistema de secreto profesional propiamente dicho, con el riesgo de fragilizar dicho modelo continental.

El heterogéneo panorama que se acaba de describir erige en cierta medida una barrera a las libertades de circulación en Europa y es fuente de inseguridad jurídica, pues los asesores jurídicos de empresa están sometidos a reglas diferentes en función del país en el que intervienen, del tipo de actuaciones de que se trate (por ejemplo, si intervienen en relación con un asunto donde se aplican las reglas del Derecho europeo de la competencia) o, incluso, del Derecho con arreglo al cual se califique el carácter confidencial o no del documento o comunicación en cuestión.

2.2. La extensión objetiva del secreto profesional: información cubierta y excepciones

El *legal professional privilege* vigente en los países de *Common law* se aplica a cualquier tipo comunicaciones entre abogados, entre el abogado y su cliente o entre este y cualquier tercero que tengan como finalidad obtener asesoramiento o información *"relacionada con un proceso existente o razonablemente posible" (litigation privilege),* así como a las comunicaciones abogado-cliente relacionadas con un asesoramiento legal realizado en un *"contexto legal relevante"* y que formen parte de una *"comunicación contínua"* orientada a mantener a ambas partes informadas *(legal advice privilege)*[8].

En los países de Derecho continental, el secreto profesional es caracterizado, primera y principalmente, como una **obligación del abogado** cuyo incumplimiento puede llevar a sanciones incluso de orden penal. Esta obligación no está orientada a proteger al abogado, sino la confidencialidad del cliente y su relación de confianza en aquél, como garantía indispensable para un adecuado desarrollo de su labor y, en último término, de un buen funcionamiento de la Administración de Justicia. Por esta razón, como regla general sólo el cliente puede **dispensar** al abogado de dicha obligación (permitiéndole testificar en juicio o divulgar el contenido de documentos cubiertos por dicho secreto profesional). En algunos países, como en Francia, el ordenamiento prohíbe tal posibilidad de dispensa por el cliente, en atención al interés público de la Justicia, salvo cuando la divulgación del documento protegido o el testimonio del abogado se autorice en interés de la defensa del cliente o del propio abogado; en otros, como en Portugal, esa dispensa sólo es posible previa autorización del Colegio de Abogados y, aun obtenida esta, el abogado puede optar por guardar silencio.

De acuerdo con el enfoque *ad personam* propio de las reglas del secreto profesional, como regla general los Estados que siguen este modelo continental consideran **cubiertas por dicho secreto profesional todas las comunicaciones entre el abogado y su cliente y la correspondiente documentación intercambiada por los mismos,** con independencia de si están o no relacionadas con la defensa en un proceso judicial en marcha y sin límite temporal.

En algunos casos, sin embargo, ese enfoque estrictamente subjetivo se complementa (y limita) con **alguna exigencia de carácter objetivo,** con una clara influencia del sistema LPP: en Italia, por ejemplo, se precisa que las comunicaciones o la documentación protegidas deben guardar relación con la defensa del cliente; en Finlandia sólo se protegen las informaciones en el marco de un proceso judicial (aunque también si son anteriores o posteriores al mismo, y cubriendo igualmente la información que el abogado reciba de personas distintas del cliente); en Eslovaquia se exige que la información haya sido facilitada al abogado "en el curso de una representación legal"; y en el marco de los procedimientos de Derecho de la competencia alemán y rumano y de Derecho penal alemán, en fin, las co-

---

[8] Sentencia *Three Rivers,* par. 102.

municaciones deben estar específicamente relacionadas con la defensa del cliente para estar protegidas por las reglas del secreto profesional.

Es también relativamente frecuente en los países centroeuropeos limitar la protección propia del secreto profesional a la ***documentación que se encuentre en posesión del abogado,*** con exclusión de los documentos e informaciones que tenga el propio cliente, autorizándose así los registros e incautaciones en las oficinas o domicilio de este último, pero no en los despachos de abogados: así se prevé en la legislación austríaca, la polaca, la húngara y la rumana, por ejemplo; en Polonia, Hungría y Rumanía, sin embargo, esta regla se excepciona en el caso de las actuaciones administrativas en el marco del Derecho de la Competencia, frente a las que también se protege la documentación en posesión del cliente.

En otros casos, como garantía adicional para el respeto del secreto profesional, los registros de despachos de abogados deben ***practicarse en presencia de un representante del Colegio de Abogados*** (frecuentemente su presidente): así ocurre en Luxemburgo (aunque únicamente cuando se trata de registros en el marco de una actuación de las autoridades de competencia), los Países Bajos, Portugal y Francia, donde el *Bâtonnier* (presidente del Colegio) puede además impugnar toda incautación durante un registro. La ***participación de las autoridades colegiales*** se exige también en Bélgica para acceder al contenido de comunicaciones entre abogados, y en Grecia, cuando un abogado es llamado a testificar en juicio contra su cliente.

Con las precisiones indicadas, por tanto, las comunicaciones cliente-abogado y la documentación de esa relación no pueden, en principio, ser interceptadas y utilizadas como prueba en el proceso, y el abogado no puede ser obligado a testificar en relación con las mismas. Esta regla general está, no obstante, sometida a ***excepciones*** de diverso alcance.

– La mayor parte de los ordenamientos permiten excepcionar el secreto profesional del abogado cuando este sea objeto de investigación o acusación penal (Austria, Bélgica, República Checa, Francia, Italia, Luxemburgo, Países Bajos, Portugal o Rumanía, entre otros). En los Países Bajos, las sospechas de participación en la comisión del delito son el único supuesto que permite autorizar escuchas telefónicas entre un abogado y su cliente. Mención específica merece el Derecho alemán: la reciente modificación del Código procesal penal para extender el secreto profesional a las investigaciones dirigidas contra un abogado precisó que no cabe emplear ese instrumento para alcanzar información cubierta por el derecho del abogado en cuestión a no testificar al amparo del secreto profesional[9]. Una excepción semejante se aplica también en los sistemas de *legal privilege,* con el nombre de *iniquity exception,* cuando se busca asesoramiento legal para llevar a cabo un delito, con independencia de que el profesional tenga o no conocimiento del propósito del cliente. En Inglaterra y Gales, las autoridades públicas no pueden por sí mismas apreciar la concurrencia de esta excepción, requiriendo para ello la ayuda de un asesor independiente y, si la información se encuentra en manos del abogado, su entrega requerirá una previa orden judicial.

– Por motivos de orden público, algunos Estados introducen importantes excepciones al secreto profesional en el ámbito procesal penal, en atención a la gravedad de los delitos juzgados. En Suecia, por ejemplo, el abogado defensor puede ser citado como testigo en el proceso cuando el delito del que se acusa al cliente tiene prevista una pena de al menos dos años de prisión. En Finlandia, un abogado que no sea el defensor puede ser obligado a testificar en juicio en relación con informaciones de las que tenga conocimiento en ejercicio de otras tareas no vinculadas con ese proceso en dos supuestos: por una parte, cuando el fiscal formule acusación por un delito cuya pena máxima sea de al menos seis años de prisión; y, por otra parte, cuando "razones muy importantes" así lo exijan (tomando en consideración, para valorar esa importancia, la naturaleza del caso y la relevancia del testimonio para dictar el fallo, entre otros factores). De mayor amplitud aun es la excepción al derecho a no testificar que existe en el Derecho procesal polaco, donde, a instancias del fiscal, el juez puede, *"en defecto de otras pruebas",* dispensar al abogado de su deber de secreto y obligarle a prestar testimonio. Se trata de una previsión legal aparentemente poco empleada pero en todo caso muy criticada por la doctrina polaca.

– Otros ordenamientos introducen excepciones claramente orientadas a evitar una utilización abusiva del secreto profesional; por ejemplo, en Alemania, dicho abuso constituye una circunstancia excepcional que permite exigir, en el proceso civil, la entrega de documentos o comunicaciones en principio cubiertas por la obligación de confidencialidad; en Francia, la inclusión de un abogado en una comunicación entre el cliente y un tercero (o un asesor *in house)* —copiando a aquél ("CC")en un e-mail, por ejemplo— no es suficiente para en-

---

[9]   Art. 160 *Strafprozessordnung* (StPO).

tenderla protegida por el secreto profesional; en este mismo sentido, los tribunales neerlandeses entienden que el envío de copia de un email a un abogado o su inclusión en una reunión con el único propósito aparente de que ese correo o reunión entren en el ámbito del secreto profesional no debe permitir invocar esa protección, pues en este caso el abogado no habría actuado en su capacidad de tal[10].

– En el marco de los procedimientos iniciados por las autoridades nacionales de la competencia[11], aunque en algunos casos los supuestos de secreto profesional se amplían en este ámbito (en Polonia, Hungría y Rumanía, como antes se ha visto, protegiéndose, frente a la regla general, tanto la documentación en posesión del abogado como la que está en posesión del cliente), también existen supuestos de limitaciones o excepciones en el mismo. En Austria, por ejemplo, el derecho del abogado a no testificar no se aplica en este tipo de procedimientos; en Dinamarca, sólo cuando la investigación pueda llevar a un proceso penal; en Rumanía, la obligación de secreto en estos casos, sólo se extiende a las comunicaciones realizadas con el exclusivo propósito de organizar la defensa (con exclusión, por ejemplo, de comunicaciones de contenido no jurídico), y no cubre los documentos preparatorios, anteriores al inicio de la investigación, que pueden incautarse[12].

2.3. La confidencialidad de las comunicaciones entre abogados

La confidencialidad de las comunicaciones entre abogados recibe también tratamientos muy diversos en el seno de la Unión. En principio, son mayoritarios los países que extienden la garantía de la confidencialidad también a la correspondencia o intercambio de información entre abogados (Francia, Italia, Bélgica, Luxemburgo, por ejemplo), con mayor o menor amplitud: la ley luxemburguesa, por ejemplo, establece que la correspondencia y las discusiones entre abogados están protegidos por el secreto profesional, salvo que esté marcada como "oficial" y no contenga información que sea confidencial por su propia naturaleza, o incluya un

---

[10] Sentencias del Tribunal Supremo danés de 26 de enero de 2016 y de 6 de junio de 2017.

[11] En el caso de la actuación de la Comisión, las reglas aplicables son las europeas, a las que luego se hará referencia.

[12] Sentencias del Alto Tribunal de Casación y Justicia núm. 5581/2013, de 20 de junio de 2013, y 7707/2013, de 11 de diciembre de 2013.

acuerdo formal e incondicional entre las partes. Los abogados alemanes, por el contrario, tienen la obligación de informar a su cliente de toda información que obtengan de otro abogado, incluso si la documentación recibida lleva la mención de "confidencial" o *"privileged"* y proviene de otro país donde esa información esté protegida por el LPP o el secreto profesional; en este caso, lo único que puede hacer el abogado alemán es devolver la información a su remitente comunicándole que no está en condiciones de garantizar su confidencialidad, tal y como indica el artículo 5.3 del Código de Deontología de los Abogados Europeos[13].

3. Corolario

A la vista de cuanto precede cabe concluir que, más allá de la dualidad *legal privilege*-secreto profesional, el horizonte europeo presenta en esta materia una cierta uniformidad, pero aún subsisten diferencias importantes en los ámbitos personal y material de aplicación del secreto profesional de los abogados. Esta disparidad en el ámbito del secreto profesional, en función del país donde se opere o del Derecho nacional aplicable en cada caso, genera cierto grado de inseguridad jurídica para la actuación del abogado y para el propio cliente.

El Consejo de la Abogacía Europea (CCBE) ha adoptado diversas iniciativas orientadas a paliar los efectos de esta multiplicidad de sistemas de secreto profesional, en la medida en que dificulta el ejercicio profesional a nivel europeo y, en definitiva, la consecución de una administración de justicia justa y adecuada. A estos efectos, tanto la Carta de principios fundamentales de la Abogacía Europea como el Código deontológico del CCBE recogen unos aspectos básicos del secreto profesional; se trata, sin embargo, de pautas extremadamente generales, de principios mínimos que no permiten eliminar las referidas diferencias entre sistemas nacionales.

Mayor eficacia armonizadora tiene la jurisprudencia del Tribunal Europeo de Derechos Humanos; el Derecho de la Unión Europea, por el contrario, añade un componente más a esta ya de por sí complicada ecuación,

---

[13] Elaborado por el Conseil des Barreaux Européens (CCBE). El artículo 5.3 establece lo siguiente: *"5.3.1. El Abogado que pretenda dirigir a un compañero de otro Estado miembro comunicaciones que desea que tengan carácter confidencial o reservado deberá expresarle su voluntad claramente antes de realizar tales comunicaciones. 5.3.2. En el caso de que el futuro destinatario de las comunicaciones no pudiera otorgarles un carácter confidencial o reservado, deberá informar al remitente al respecto sin demora".*

con las reglas del secreto profesional que la jurisprudencia del TJUE ha creado para el ámbito del Derecho europeo de la competencia. A todas estas cuestiones se hace referencia en el siguiente apartado.

III. EL MARCO EUROPEO

1. La jurisprudencia del Tribunal Europeo de los Derechos Humanos (TEDH)

De acuerdo con la jurisprudencia de Estrasburgo, los artículos 6 (derecho a un juicio justo) y 8 (derecho a la vida privada) del Convenio Europeo de Derechos Humanos (CEDH o Convenio de Roma, en adelante) pueden invocarse para proteger la confidencialidad de las comunicaciones entre los abogados y sus clientes.

Una indebida limitación del secreto profesional del abogado puede repercutir en el derecho del cliente a un juicio justo y, de esta forma, incidir negativamente sobre la administración de la Justicia[14]. Sin embargo, de la jurisprudencia del TEDH se deduce que la violación del artículo 6 del Convenio sólo se produce cuando se limita el secreto profesional existiendo el derecho a ser asistido por un abogado; antes de ese momento, esto es, cuando la falta de asistencia letrada todavía no compromete el derecho de defensa, la confidencialidad de las comunicaciones con el abogado no puede ampararse en ese derecho.

El amparo que ofrece el artículo 8 del Convenio[15] no sólo es mucho más amplio, sino que, además, ofrece a los intercambios entre abogados y sus clientes una protección aun mayor que a la correspondencia entre particulares, un verdadero *"estatuto privilegiado en cuanto a su confidencialidad"* que se justifica, según el TEDH, *"por el hecho de que a los abogados se les asigna un papel fundamental en una sociedad democrática, el de defender a los litigantes. Sin embargo, los abogados no pueden llevar a cabo esta tarea esencial si no son capaces de garantizar a quienes defienden que sus intercambios se mantendrán confidenciales. Lo que está en juego es la relación de confianza entre ellos, esencial*

---

[14] STEDH *Wieser y Bicos Beteiligungen GmbH c. Austria,* n° 74336/01de 16 de octubre de 2001, § 65-66.

[15] Al consagrar el derecho al respeto a la correspondencia, el artícu, lo 8 de la Convención protege la confidencialidad de las "comunicaciones privadas" (*Frérot c. Francia,* n° 70204/01, § 53, 12 junio 2007). Asimismo, el derecho al respeto a la vida privada incluye, según el TEDH, las actividades profesionales o comerciales (*Niemietz c. Alemania,* 16 diciembre 1992, § 29, serie A n° 251-B).

para el cumplimiento de esa misión. (…) Esta protección adicional conferida por el artículo 8 sobre la confidencialidad de las relaciones abogado-cliente, y los motivos en los que se basa, llevan al Tribunal [Europeo] de Derechos Humanos a considerar que, desde esta perspectiva, el privilegio profesional jurídico, al tiempo que impone principalmente ciertas obligaciones a los abogados, está específicamente protegido por dicho artículo[16].

Este artículo 8 del Convenio establece, en su apartado 2, que no podrá haber injerencia de la autoridad pública en el ejercicio de este derecho sino en tanto en cuanto *"esté prevista por la ley y constituya una medida que, en una sociedad democrática, sea necesaria para la seguridad nacional, la seguridad pública, el bienestar económico del país, la defensa del orden y la prevención de las infracciones penales, la protección de la salud o de la moral, o la protección de los derechos y las libertades de los demás"*. Partiendo de ello, en una abundante jurisprudencia, el TEDH ha venido examinando supuestos muy variados de limitación del secreto profesional, limitaciones que sólo considera compatibles con el Convenio si responden a un interés legítimo y son proporcionales al mismo. Ese examen se hace de forma individualizada, analizando en cada caso las circunstancias concurrentes, las garantías de todo orden que ofrece la legislación en cuestión y la coherencia de la actuación desarrollada con respecto al interés legítimo invocado.

Existe, por ejemplo, una rica jurisprudencia relativa **interceptación de comunicaciones** abogado/cliente de todo tipo:

– desde la interceptación por la policía de una hoja de papel doblada en la que un abogado había escrito un mensaje antes de entregarlo a su cliente, que se encontraba en los juzgados bajo escolta policial, un caso en el que el TEDH concluyó que esa interceptación no respondía a una necesidad social apremiante y que la nota en cuestión era una comunicación protegida por el secreto profesional con independencia de su contenido[17];

– hasta escuchas telefónicas varias: el TEDH ha estimado, por ejemplo, que hay una falta de proporcionalidad en relación con el objetivo de establecer la verdad en un proceso penal cuando no es posible impugnar la legalidad de las escuchas y solicitar la destrucción de las grabaciones[18]; en otro caso, se estimó que la legislación suiza, que

---

[16]   *Michaud c. Francia*, sentencia de 6 de diciembre de 2012, §118-119.
[17]   STEDH Laurent c. Francia, nº 28798/13, de 24 de mayo de 2018.
[18]   STEDH Pruteanu c. Rumanía, nº 30181/05, de 3 de febrero de 2015.

permitía la supervisión de las líneas telefónicas de un despacho de abogados por orden del Fiscal, en el marco de un procedimiento penal en el que el cliente era un tercero, violaba el artículo 8 del Convenio en la medida en que la ley no indicaba claramente cómo, en qué condiciones y por quién debía distinguirse entre las actividades del abogado cubiertas por el secreto profesional y las que no lo estaban, y que en aquél caso la tarea se asignó a un funcionario de Correos sin supervisión judicial[19]; por el contrario, el TEDH concluyó que la injerencia consistente en la vigilancia secreta sobre el correo, correspondencia y telecomunicaciones de cinco abogados alemanes puede ser necesaria y proporcionada en la sociedad democrática actual, amenazada por formas muy sofisticadas de espionaje y por el terrorismo[20].

Los **registros e incautaciones** realizados en las oficinas o en el domicilio de un abogado también han dado lugar a una nutrida jurisprudencia, que esencialmente juzga la proporcionalidad de la medida en atención a circunstancias como la gravedad del delito, la importancia de los indicios, las condiciones en que en la práctica se desarrolla la medida y los términos —en definitiva, los límites— de la orden de registro. Así, por ejemplo,

– se considera desproporcionado el registro de un despacho de abogados, acordado en el curso de un proceso penal por insultar a un tercero, no tanto por el tipo de delito (pues el insulto llevaba consigo también un intento de ejercer presión sobre un juez y, por tanto, no podía calificarse de menor), sino porque la orden de registro se redactó en términos muy generales[21];

---

[19]   STEDH *Kopp c. Suiza*, nº 23224/94, de 25 de marzo de 1998.

[20]   STEDH *Klass c. Alemania*, nº 5029/71, de 6 de septiembre de 1978.

[21]   STEDH *Niemietz c. Alemania*, nº 13710, de 16 de diciembre de 1992. En el mismo sentido, STEDH *Smirnov c. Rusia*, nº 71362/01, de 7 de junio de 2007: se considera injustificado el registro del domicilio de un abogado defensor de clientes sospechosos en participar en actos de delincuencia organizada, porque las condiciones excesivamente amplias de la orden otorgaban a la policía total libertad para determinar lo que se ha de incautar. Véase también STEDH *Robathin c. Austria,* nº 30457/06, de 3 de julio de 2012: se considera desproporcionado el registro del despacho de un abogado, a raíz de un procedimiento penal incoado contra él por sospecha de robo, malversación de fondos y fraude de sus clientes, delitos de los que fue finalmente absuelto, en la medida en que el juez sólo había dado razones breves y bastante generales para autorizar la búsqueda de todos los datos electrónicos del despacho, en lugar de circunscribirlo a los relativos a la relación entre el interesado y las víctimas de sus presuntas infracciones.

– igualmente, el TEDH concluyó que se violó el artículo 8 del Convenio con el registro llevado a cabo en el local comercial de una sociedad cuyo director general era también abogado, en el contexto de un procedimiento penal por comercio ilegal de medicamentos, por el incumplimiento, en la práctica, de las garantías procesales destinadas a evitar la arbitrariedad (en particular, porque el representante de colegio de abogados presente no pudo supervisar adecuadamente el registro)[22].

– Por el contrario, el registro de un despacho con incautación de material en el contexto de una investigación sobre fraude fiscal relativa a algunos clientes de aquél se consideró justificada, por los objetivos legítimos de prevención de la delincuencia y de salvaguardia del bienestar económico del país, y proporcionada, dado que el procedimiento estaba acompañado de las garantías adecuadas (en particular, el registro se había llevado a cabo por orden judicial y bajo la supervisión de un abogado cuya tarea consistía en determinar qué documentos estaban amparados por el secreto profesional)[23]. Asimismo, el Tribunal consideró legítimo el registro de un despacho de abogados con incautación de archivos informáticos y comunicaciones electrónicas durante una investigación sobre presunta corrupción, adquisición de intereses prohibidos y blanqueo de capitales en relación con la compra por el Gobierno portugués de dos submarinos a un consorcio alemán, por entender que, a pesar del alcance de las órdenes de registro e incautación, las salvaguardias ofrecidas contra los abusos, la arbitrariedad y las violaciones del secreto profesional habían sido adecuadas y suficientes (el juez ordenó la supresión de

---

[22] STEDH *Weiser y Bicos GmbH c. Austria,* antes citada. En el mismo sentido, STEDH *André y otros c. Francia,* n° 18603/03, de 24 de julio de 2008, referida a un registro del despacho de dos abogados por parte de las autoridades fiscales, con la esperanza de descubrir pruebas incriminatorias contra una empresa cliente. En este caso, el Tribunal juzgó que el registro y las incautaciones habían sido desproporcionadas porque el juez que autorizó el registro no había estado presente y, aunque sí lo estuvo el presidente del Colegio de Abogados, las objeciones que expresó carecieron de eficacia, pues no impidieron que los funcionarios que llevaban a cabo el registro examinaran todos los documentos afectados y los incautaran; asimismo, la sentencia censura la amplitud de los poderes que la orden de registro confirió a los inspectores de Hacienda y a la policía. Véase también STEDH *Vinci Construction y GMT Génie Civil and Services c. Francia,* n° 63629/10 y 60567/10, de 2 de abril de 2015.

[23] STEDH *Tamosius c. Reino Unido,* n° 62002/00, de 19 de septiembre de 2002.

850 registros que consideraba amparados por el secreto profesional y la devolución de los originales de los registros informáticos incautados, por ejemplo)[24].

Los casos de escuchas telefónicas, registros e incautaciones son los más frecuentes, pero el TEDH ha resuelto también supuestos más singulares, como el caso de un ex miembro del servicio secreto de los Países Bajos acusado de filtrar **secretos de Estado**. La cuestión era hasta qué punto la obligación de divulgar esa información secreta (incluso a su abogado) afectaba al derecho de defensa del demandante: el Tribunal sostuvo que se había violado el derecho a un juicio imparcial y el derecho a la asistencia letrada del interesado, en la medida en que, como consecuencia de la amenaza de enjuiciamiento en caso de que divulgara secretos de Estado a su abogado, la comunicación con este no era libre e ilimitada en cuanto a su contenido, comprometiendo irremediablemente la imparcialidad de las actuaciones[25].

En fin, el TEDH también ha examinado las obligaciones de información que se imponen a los abogados cuando tengan sospechas de que uno de sus clientes puede estar llevando a cabo actividades de blanqueo de capitales. El Tribunal ha juzgado que la obligación de comunicar las sospechas persigue el objetivo legítimo de la prevención del desorden o la delincuencia, es necesaria para alcanzar ese objetivo, y no interfiere de forma desproporcionada con el secreto profesional cuando la legislación nacional establezca un filtro para proteger dicho secreto, garantizando que los abogados no presenten sus informes directamente a las autoridades, sino a través de los Colegios de Abogados[26].

2. La regulación de la UE

El análisis de la regulación comparada del secreto profesional en Europa no sería completo sin una referencia a las distintas disposiciones de la Unión y a la jurisprudencia del TJUE con relevancia en la materia.

Como ya se indicó, el Derecho de la Unión Europea no ha realizado una armonización propiamente dicha de la regulación del secreto profesional, pues tal regulación es competencia de los Estados miembros en sus respectivos ámbitos. Sin embargo, en el ámbito de la Unión sí existen

---

24 STEDH *Sérvulo & Associados, Sociedade de Advogados, RL c. Protugal,* nº 27013/10, de 3 de septiembre de 2015.

25 STEDH *M. c. Países Bajos,* nº 2156/10, de 25 de julio de 2017.

26 STEDH *Michaud c. Francia,* nº 12323/11, de 6 de diciembre de 2012.

unas reglas básicas, de creación jurisprudencial, que delimitan el secreto profesional en relación con la actuación de las autoridades europeas de defensa de la competencia. Por otra parte, en el Derecho de la Unión existen varias normas con una indiscutible influencia en la configuración del secreto profesional en los Estados miembros. A ambas cuestiones se hará referencia a continuación.

2.1. El secreto profesional en el contexto del Derecho de la Competencia de la UE

El Derecho de la Unión cuenta con sus propias reglas de secreto profesional. En una ya nutrida jurisprudencia, el TJUE ha ido delimitando, subjetiva y objetivamente, el tipo de comunicaciones protegidas por este privilegio de confidencialidad frente a la actuación de la Comisión en procedimientos relativos al Derecho europeo de la competencia. Estas reglas europeas se suman a las nacionales descritas en el apartado anterior, introduciendo así un elemento más dentro del heterogéneo panorama regulatorio existente en Europa en esta materia.

En ausencia de toda disposición normativa reguladora del secreto profesional, la sentencia del TJUE *AM y S contra Comisión*, de 18 de mayo de 1982, [27] asumió por primera vez la existencia de un derecho a la confidencialidad de la correspondencia entre el abogado y su cliente frente a la actuación de la Comisión. El Tribunal de Justicia considera esa confidencialidad como un corolario de la necesaria salvaguardia de los derechos de defensa del cliente, si bien concluye que la protección no es absoluta, delimitando el tipo de comunicaciones abogado/cliente a las que alcanza.

Así, el TJUE viene precisando que el beneficio de esta protección está supeditado a dos requisitos acumulativos, que extrae de los que considera como puntos comunes a los Derechos internos de los Estados miembros:

1) En primer lugar, un requisito objetivo: las comunicaciones con el abogado deben guardar relación con el ejercicio de los derechos de defensa del cliente (correspondencia intercambiada con el abogado tras el inicio por la Comisión de un procedimiento administrativo, o antes de este, siempre que guarden relación con su objeto; notas internas del cliente, aunque no se comuniquen o intercambien con el abogado, siempre que recojan el asesoramiento jurídico

---

[27]   Asunto C-155/79.

proporcionado en el marco del ejercicio de los derechos de defensa, o sean documentos preparatorios con vistas a la solicitud de ese asesoramiento)[28].

2) En segundo lugar, un requisito subjetivo: debe tratarse de comunicaciones con un abogado independiente, es decir, con un abogado *"no vinculado a su cliente mediante una relación laboral"*. La protección, por tanto, no se extiende a la correspondencia mantenida en el seno de una empresa o de un grupo de empresas con abogados internos. El Tribunal alinea así el secreto profesional comunitario con aquellas regulaciones nacionales que excluyen de la protección al asesor jurídico *in house*, al considerar que, independientemente de las garantías de que disponga en atención a la regulación nacional, este no puede ser asimilado a un abogado externo, *"debido a la situación de asalariado en la que se encuentra, situación que, por su propia naturaleza, no le permite apartarse de las estrategias comerciales perseguidas por su empresa y que ponen en entredicho su capacidad para actuar con independencia profesional"[29]*.

El alcance del secreto profesional a nivel comunitario se asemeja, por tanto, al de aquellas legislaciones nacionales con un nivel de protección más acotado, al acumular la exclusión de la protección de los asesores *in house* y una exigencia de carácter objetivo —la relación con el ejercicio de los derechos de defensa del cliente—, inspirada en el sistema de *legal privilege* y cuya concurrencia debe probarse caso a caso.

No obstante, en relación con este punto no puede dejar de recordarse que, en la propia sentencia *Akzo Nobel,* el TJUE cuida bien de precisar que el principio de seguridad jurídica no obliga a recurrir a criterios idénticos en materia de confidencialidad de las comunicaciones abogado-cliente en las investigaciones que pueden llevarse a cabo a nivel nacional y en los procedimientos desarrollados por las autoridades europeas de la competencia. El Derecho de la Unión y el Derecho nacional en materia de competencia, dice el TJUE, *"consideran las prácticas restrictivas bajo aspectos diferentes"*:

---

[28]   Por el momento, la jurisprudencia del TJUE sólo se ha pronunciado en casos de conductas anti-competitivas, pero la formulación general de *AM&S* permite concluir que lógicamente esas mismas reglas jurisprudenciales deberían aplicarse en el caso de procedimientos de control de concentraciones y ayudas de Estado abiertos por la Comisión.

[29]   STJUE de 14 de septiembre de 2010, *Akzo Nobel Chemicals Ltd,* C-550/07 P, ap. 40 y ss.

mientras que los artículos 101 TFUE y 102 TFUE las contemplan en razón de los obstáculos que de ellas pueden derivarse para el comercio entre los Estados miembros, las legislaciones internas, inspiradas por consideraciones propias a cada una de ellas, valoran las prácticas restrictivas solamente en ese marco. Los dos tipos de procedimiento obedecen a un reparto de competencias entre las distintas autoridades en este ámbito; por tanto, las normas relativas a la protección de la confidencialidad de las comunicaciones entre abogados y clientes pueden variar en función de este reparto de competencias y de las normativas correspondientes. En estas circunstancias, por ejemplo, recuerda la jurisprudencia que *"las empresas cuyos locales son objeto de un registro en el marco de una investigación en materia de competencia pueden determinar sus derechos y obligaciones respecto a las autoridades competentes y al Derecho aplicable, como, por ejemplo, el tratamiento de los documentos que pueden ser decomisados en el curso de dicha investigación y la cuestión de si las empresas de que se trate pueden invocar o no la protección de la confidencialidad de las comunicaciones con los abogados internos. Por tanto, las empresas pueden guiarse eficazmente por las competencias de dichas autoridades y de sus poderes concretos en lo que respecta al decomiso de documentos"*[30].

Por otra parte, el requisito subjetivo de la "independencia" del abogado —creado, como se ha visto, en relación con los límites del secreto profesional en el Derecho europeo de la competencia— viene siendo utilizado también por el TJUE para interpretar sus propias reglas de procedimiento[31], convirtiéndose así, en la práctica, en una exigencia para delimitar qué profesionales puede intervenir como representantes legales del demandante ante una de las jurisdicciones de la Unión. Así lo ha hecho el TJUE en una reciente sentencia de 4 de febrero de 2020[32]. Las interesantes conclusiones

---

[30] STJUE *Akzo Nobel*, antes citada, apartados 102 a 105.

[31] En particular, el artículo 19, párrafo tercero, del Estatuto del TJUE.

[32] Asuntos acumulados Uniwersytet Wrocławski contra Agencia Ejecutiva de Investigación (REA) C-515/17 P) y República de Polonia contra Uniwersytet Wrocławski (C-561/17 P). En ella recuerda el Tribunal que *"no es suficientemente independiente de la persona jurídica a la que representa el abogado a quien se le han encomendado competencias administrativas y financieras relevantes dentro de dicha persona jurídica, que hacen que su función se sitúe a un alto nivel ejecutivo dentro de esta, de modo que su condición de tercero independiente podría verse comprometida (…), el abogado que ocupa altas funciones de dirección dentro de la persona jurídica a la que representa (…) o incluso el abogado que posee acciones de la sociedad a la que representa y en la que desempeña el cargo de presidente del consejo de administración (…)"*, concluyendo, que, por el contrario, no puede asimilarse a tales situaciones aquella de que se trata en el caso de autos, en la *que "el asesor jurídico no solo no actuaba en defensa de los intereses de la Universidad de Bresla-*

del Abogado General Bobek en ese mismo asunto ofrecen, sin embargo, una amplia crítica de lo que considera una oscura y problemática transferencia de ese criterio de independencia fuera del estricto ámbito material en el que fue creado. Muy sugestivas son, por lo que afecta a las cuestiones aquí tratadas, los párrafos de estas conclusiones dedicados a refutar la concepción del papel del abogado como un colaborador del tribunal que actúa principalmente en defensa del interés público de la Justicia; frente a ello, entiende el Abogado General que *"el interés fundamental que persigue la representación legal es naturalmente un interés de carácter privado. Al proteger los intereses de los clientes privados, también se está sirviendo al interés público en la buena administración de la justicia ( ) la realidad es que la representación legal es, principalmente, un servicio. La prestación de este servicio regulado debe cumplir con una serie de requisitos y normas, pero no puede decirse que se preste principalmente en el interés superior de la Justicia, sino en interés de un cliente determinado ( )"*[33].

2.2. Tres Directivas con incidencia en la regulación nacional del secreto profesional

Junto a estas reglas jurisprudenciales sobre el secreto profesional frente a las instituciones de la Unión, existen al menos tres Directivas comunitarias cuya incidencia en la regulación del secreto profesional en los Estados miembros es indudable, y que deben por ello ser aquí someramente examinadas: se trata, por una parte, de dos Directivas que imponen obligaciones de información a las autoridades sobre determinadas actividades o mecanismos en la medida en que pueden ocultar blanqueo de capitales o financiación de terrorismo (la Directiva sobre la prevención del blanqueo) o una planificación fiscal potencialmente agresiva (la Directiva sobre intercambio de información en el ámbito de la fiscalidad, también llamada "DAC 6"); y, por otra parte, de la llamada "Directiva de soplones", dirigida a proteger a las personas que informen sobre infracciones del Derecho de la Unión.

---

via en el marco de una relación de subordinación con dicha universidad, sino que, además, únicamente estaba vinculado a ella por un contrato relativo al desempeño de funciones de docencia en el seno de la misma" y, en consecuencia, *"tal vínculo no es suficiente para que pueda considerarse que el asesor jurídico se hallaba en una situación que menoscababa de manera manifiesta su capacidad para defender de la mejor manera posible y con toda independencia los intereses de su cliente"* (apartados 65 a 67 de la sentencia).

[33] Puntos 105 y siguientes de las conclusiones del Abogado General Bobek, presentadas el 24 de septiembre de 2019.

La **Directiva (UE) 2015/849 del Parlamento Europeo y del Consejo, de 20 de mayo de 2015, relativa a la prevención de la utilización del sistema financiero para el blanqueo de capitales o la financiación del terrorismo**[34], somete a los abogados, cuando participan en determinadas operaciones financieras o empresariales en las que existe mayor riesgo de que sus servicios se empleen indebidamente a fin de blanquear el producto de actividades delictivas o financiar el terrorismo, a la obligación de informar a la unidad de inteligencia financiera (UIF) correspondiente.

No obstante, en aras a garantizar al máximo el secreto profesional, la Directiva 2015/849 recoge tres salvaguardas:

- La primera se refiere al ámbito de aplicación de la obligación de informar impuesta por la Directiva, que sólo se aplica a los abogados en la medida en que participen en ciertas transacciones exhaustivamente previstas en la norma (esencialmente de orden financiero e inmobiliario, que se consideran de especial riesgo). Más concretamente, la aplicación de las disposiciones de la Directiva 2015/849 a los *"profesionales del Derecho independientes"* está subordinada a que participen en cualquier transacción financiera o inmobiliaria, actuando en nombre de su cliente y por cuenta del mismo, o asistan en la concepción o realización de transacciones por cuenta de su cliente relativas a:

  - la compraventa de bienes inmuebles o entidades comerciales,

  - la gestión de fondos, valores u otros activos pertenecientes al cliente,

  - la apertura o gestión de cuentas bancarias, cuentas de ahorros o cuentas de valores,

  - la organización de las aportaciones necesarias para la creación, el funcionamiento o la gestión de empresas,

---

[34] Directiva relativa a la prevención de la utilización del sistema financiero para el blanqueo de capitales o la financiación del terrorismo y por la que se modifica el Reglamento (UE) nº 648/2012 del Parlamento Europeo y del Consejo, y se derogan la Directiva 2005/60/CE del Parlamento Europeo y del Consejo y la Directiva 2006/70/CE de la Comisión. La transposición de esta regulación europea al ordenamiento jurídico español se encuentra en la 10/2010, de 28 de abril, de prevención del blanqueo de capitales y de la financiación del terrorismo.

- la creación, funcionamiento o gestión de fideicomisos, sociedades, fundaciones o estructuras análogas[35];

- En segundo lugar, la Directiva prevé que los Estados miembros eximirán de estas obligaciones de información a los abogados respecto de la información que reciban de uno de sus clientes o que obtengan sobre él bien en el marco de un proceso judicial en sentido amplio, bien *"durante la determinación de la posición jurídica de su cliente"[36]*. De esta forma, la Directiva garantiza que el asesoramiento jurídico, en sentido amplio, siga sujeto a la obligación de secreto profesional[37].

- En tercer lugar, los Estados miembros pueden designar a un organismo autorregulador pertinente de la profesión de que se trate como la autoridad a la que se debe informar en primera instancia, si bien dichos organismos autorreguladores designados transmitirán de inmediato la información sin filtrar a la UIF[38]. La jurisprudencia del TEDH ha señalado que este tipo de mecanismo constituye una salvaguardia importante para la protección de los derechos fundamentales en lo que se refiere a las obligaciones de información aplicables a los abogados.

---

[35] Artículo 2.1.3).b) de la Directiva 2015/849.

[36] Artículo 34.2 de la Directiva 2015/849: *"Los Estados miembros eximirán de las obligaciones establecidas en el artículo 33, apartado 1, a los notarios, otros profesionales independientes del Derecho, los auditores, los contables externos y los asesores fiscales única y exclusivamente en aquellos casos en que tal exención se refiera a la información que estos reciban de uno de sus clientes u obtengan sobre él durante la determinación de la posición jurídica de su cliente o el ejercicio de sus funciones de defensa o representación de dicho cliente en un procedimiento judicial o en relación con dicho procedimiento, incluido el asesoramiento sobre la incoación de un procedimiento judicial o la forma de evitarlo, independientemente de si han recibido u obtenido dicha información antes, durante o después de tal procedimiento"*. *La ley española extiende esta salvaguarda exclusivamente a los abogados (artículo 22 de la Ley 10/2010).*

[37] Esta excepción del secreto profesional no puede invocarse, sin embargo, cuando el profesional del Derecho esté implicado en blanqueo de capitales o financiación del terrorismo, cuando la finalidad del asesoramiento jurídico sea el blanqueo de capitales o la financiación del terrorismo, ni cuando el profesional del Derecho sepa que el cliente solicita asesoramiento jurídico con fines de blanqueo de capitales o financiación del terrorismo.

[38] Artículo 34.1 de la Directiva 2015/849.

El TJUE y el TEDH han declarado la compatibilidad de esta regulación[39] con el derecho a un juicio justo consagrado en los artículos 6 del TUE y 6 de la CEDH, y con el derecho al respeto de la vida privada consagrado en el artículo 8 de la CEDH, respectivamente.

En su sentencia *Ordre des barreaux francophones et germanophone*, de 26 de junio de 2007[40], el TJUE declaró que la imposición a los abogados de las obligaciones de información y de cooperación con las autoridades responsables de la lucha contra el blanqueo de capitales no vulnera el derecho fundamental a un proceso justo, dadas las limitaciones que la propia regulación comunitaria introduce en cuanto al alcance de dichas obligaciones en estos casos: por una parte, los abogados sólo están sometidos a las obligaciones de información y cooperación en la medida en que asistan a sus clientes en la concepción o realización de transacciones exhaustivamente enumeradas y que *"se sitúan, debido a su propia naturaleza, en un contexto que no tiene ninguna relación con un procedimiento judicial y, por lo tanto, al margen del ámbito de aplicación del derecho a un proceso justo"*; por otra parte, desde el momento en que la asistencia del abogado *"se solicite para desempeñar una misión de defensa o representación ante los tribunales o para obtener asesoramiento sobre la incoación o la forma de evitar un proceso"*, el abogado de que se trate queda dispensado del cumplimiento de dichas obligaciones, dispensa que, según el Tribunal, contribuye a preservar el derecho del cliente a un proceso justo.

Una línea muy similar de razonamiento sigue el TEDH en su sentencia *Michaud contra Francia*, de 6 de diciembre de 2012. Preguntado por la compatibilidad de la norma francesa de transposición de la Directiva de blanqueo con el artículo 8 de la Convención de Roma, Estrasburgo concluye que las obligaciones de información y cooperación impuestas a los abogados en esa regulación no vulneran de forma desproporcionada el secreto profesional, a la vista de dos elementos: en primer lugar, el hecho de

---

[39] La jurisprudencia es anterior a la Directiva 2015/849 y se refiere a las Directivas precedentes, que contienen en líneas generales las previsiones indicadas: se trata de la Directiva 91/308/CEE del Consejo, de 10 de junio de 1991, relativa a la prevención de la utilización del sistema financiero para el blanqueo de capitales, en su versión modificada por la Directiva 2001/97/CE del Parlamento y del Consejo, de 4 de diciembre de 2001; y la Directiva 2005/60/CE del Parlamento Europeo y del Consejo, de 26 de octubre de 2005, relativa a la prevención de la utilización del sistema financiero para el blanqueo de capitales y para la financiación del terrorismo, que reemplaza a la anterior.

[40] Asunto C-305/05.

que esas obligaciones sólo se imponen a los abogados en unos casos bien delimitados, lo que permite concluir que no se pone el riesgo *"la esencia misma de su misión de defensa";* en segundo lugar, el filtro protector del secreto profesional que constituye la intervención del presidente del Colegio de Abogados con carácter previo al envío de la información a la autoridad competente.

En esta misma sentencia, el TEDH rechazó las alegaciones de falta de claridad del concepto de "sospechas", que delimita la obligación de información, y de la definición del tipo de actividades en el marco de las cuales se impone tal obligación. Con respecto a la primera, considera el Tribunal que la noción de "sospecha" es *"una cuestión de sentido común",* que la regulación nacional ofrece algunas indicaciones para su interpretación y que, en todo caso, el abogado que tenga dudas al respecto contará en todo caso con la asistencia de un colega informado y con experiencia, dado que esa sospecha debe transmitirse en primer lugar al presidente del Colegio de Abogados. Igualmente, aun reconociendo indirectamente el carácter algo confuso de la definición del asesoramiento jurídico que permite excluir la obligación de información *("determinación de la posición jurídica de su cliente"),* el Tribunal desestima la alegación de falta de claridad de la regulación teniendo en cuenta que existen de decisiones del Consejo General de la Abogacía (francesa, en el caso allí cuestionado) que definen este concepto.

Tanto el TJUE como el TEDH subrayan, por tanto, la importancia que en estos casos reviste la intervención de los organismos autorreguladores de la profesión (Colegios de Abogados y el propio Consejo General). La sentencia *Michaud* suscita, no obstante, ciertos interrogantes sobre la forma en que esa intervención debe producirse para garantizar una adecuada protección del secreto profesional y, por tanto del derecho a la privacidad del artículo 8 de la Convención de Roma. Y es que, frente al claro tenor de la Directiva, que establece que, de preverse la recepción previa de la información por el Colegio ("el organismo autorregulador"), este recibirá la información y procederá "de inmediato" a transmitirla "sin filtrar" a la UIF, el TEDH enfatiza que, en el sistema articulado en Francia (y que allí se juzga), los Colegios no transmiten la información si consideran que no existe sospecha de blanqueo de capitales o si parece que las actividades en cuestión están excluidas del ámbito de aplicación de la obligación de notificar. Aunque el Tribunal no dice claramente que ese "filtrado" previo de la información sea necesario para garantizar un adecuado respeto del secreto profesional, cabe plantearse la duda de si la previsión contraria al filtrado que claramente se desprende del tenor literal de la Directiva hace insuficientes los mecanismos de protección del secreto profesional desde el punto de vista del artículo 8 de la CEDH.

Ante este estado de cosas, algunos Estados miembros siguen optando por mantener un sistema de filtrado en el sentido descrito (Francia, Bélgica, Luxemburgo, Alemania, República Checa y Grecia), pero siguen siendo mayoritarios aquellos en los que la información se transmite "sin filtrar", tal y como prevé la Directiva. Mención aparte merece el sistema instaurado en Dinamarca que, sin prever un filtro obligatorio, permite al abogado decidir si desea un asesoramiento u opinión antes de transmitir la información a la UIF.

La Directiva (UE) 2018/822 del Consejo, de 25 de mayo de 2018, que modifica la Directiva 2011/16/UE por lo que se refiere al intercambio automático y obligatorio de información en el ámbito de la fiscalidad en relación con los mecanismos transfronterizos sujetos a comunicación de información ("DAC 6"), tiene también una importante incidencia en el secreto profesional de los abogados.

Esta Directiva impone a los contribuyentes y a los denominados intermediarios secundarios, entre los que se encuentran los abogados, la obligación de informar a las autoridades tributarias sobre mecanismos transfronterizos de planificación fiscal potencialmente agresivos en los que concurran una serie de características distintivas. La norma europea tiene en cuenta que esa obligación de informar debe respetar el secreto profesional, y por ello deja en manos de cada Estado miembro *"adoptar las medidas necesarias para otorgar a los intermediarios el derecho a una dispensa de la obligación de presentar información ( ) cuando la obligación de comunicar información vulnere la prerrogativa de secreto profesional en virtud del Derecho nacional de dicho Estado miembro"*[41].

Las normas nacionales de transposición —para cuya aprobación la Directiva fija como fecha máxima el 1 de enero de 2020— deberán por tanto incorporar una dispensa o excepción a la obligación de información para los abogados, en aplicación del secreto profesional. La referencia al Derecho nacional de cada Estado miembro da pie a entender que el ámbito de aplicación de esa futura dispensa debería coincidir con el de la prerrogativa del secreto profesional, tal y como se encuentre regulado con carácter general a nivel nacional.

---

[41]   Artículo 8 bis ter.5 de la Directiva 2011/16/UE.

Por último, **la Directiva (UE) 2019/1937 del Parlamento Europeo y del Consejo, de 23 de octubre de 2019, relativa a la protección de las personas que informen sobre infracciones del Derecho de la Unión** *(Whistleblowers Directive)* puede igualmente tensionar algunos aspectos del secreto profesional de los abogados. Esta pretende garantizar, en todo el territorio de la Unión, un nivel mínimo de protección a quienes informen a las autoridades sobre infracciones de Derecho de la Unión de las que tengan conocimiento; se trata, en resumen, de asegurar la confidencialidad de su identidad y de evitar que sufran represalias, así como de facilitar la formulación de tales denuncias (exigiéndose, por ejemplo, a las empresas de más de cincuenta trabajadores y a las Administraciones que implanten canales de denuncia interna).

Pues bien, la norma europea prevé expresamente que sus disposiciones no afectarán a la protección de la confidencialidad de las comunicaciones entre los abogados y sus clientes tal como se establezca en el Derecho nacional y, en su caso, en el Derecho de la Unión, de conformidad con la jurisprudencia del Tribunal de Justicia[42]. De nuevo, por tanto, será la norma nacional de transposición la que determine el ámbito de aplicación de esa protección del secreto profesional en este contexto.

IV. CONCLUSIONES

1. La protección del secreto profesional es un elemento nuclear de la profesión de abogado.

2. En la Unión Europea, su regulación es competencia de cada Estado miembro, lo que hace que la confidencialidad de las comunicaciones abogados/clientes presente grados diversos de protección en función del ordenamiento nacional que sea aplicable.

   2.1 Desde un punto de vista subjetivo, siguen siendo mayoría los Estados miembros que limitan la protección del secreto profesional a los abogados que ejercen como autónomos, con exclusión de otros profesionales y, en particular, de los asesores de empresa *(in house)*, una opción sometida a frecuentes críticas por la desventaja competitiva que ello supone para los profesionales afectados.

---

[42]   Considerando 21 y artículo 3.3 de la Directiva 2019/1937.

2.2. Desde un punto de vista objetivo existe una elevada heterogeneidad en cuanto al tipo de información cubierta por el secreto profesional: en algunos países, por ejemplo, la confidencialidad sólo se extiende a la información intercambiada en el marco de un proceso, con excepción de otras actividades de asesoramiento jurídico, o se limita a la documentación que se encuentre en posesión del abogado. Especial interés reviste el papel de guardián del secreto profesional que algunos ordenamientos atribuyen a los Colegios de Abogados, más allá de los mecanismos de filtrado de sospechas en relación con el blanqueo o la financiación del terrorismo. Por otra parte, las variantes nacionales de excepciones al secreto profesional son también innumerables.

3. Estas importantes diferencias en los ámbitos de protección, subjetivo y objetivo, del secreto profesional generan indeseables diferencias de trato y un elevado grado de inseguridad jurídica.

4. En ausencia de competencias comunitarias para su armonización, el TJUE ha levantado acta de estas diferencias entre las regulaciones nacionales sobre el secreto profesional y ha elaborado sus propias reglas de confidencialidad, exclusivamente aplicables en el contexto del Derecho europeo de la competencia. Una de las notas características de estas reglas de la jurisprudencia europea es la exclusión de la protección de las comunicaciones con los abogados *in house*.

4.1. El TJUE ha afirmado que esas reglas europeas están inspiradas en los aspectos comunes de la regulación del secreto en los Estados miembros, pero en la práctica no hacen sino añadir una variable más dentro del ya de por sí variado panorama europeo.

4.2. La limitación del secreto profesional a las comunicaciones con los abogados independientes, por ejemplo, plantea problemas cuando existen investigaciones paralelas de la Comisión y de las autoridades de la competencia de Estados miembros en los que el secreto profesional sí cubre a los asesores *in house*. Las empresas y sus asesorías jurídicas deben tener plena conciencia de los diferentes riesgos a los que se exponen en función del país en el que desarrollan su actividad.

4.3. Por otra parte, no debe olvidarse que la Comisión europea y las autoridades nacionales de competencia intercambian información a través de la Red Europea de Competencia *(European Competition Network —ECN—)*, lo que en la práctica debilita los niveles de protección del secreto profesional más importantes que existen en determinados Estados miembros, cuyas autoridades de competencia podrían, en casos de operaciones transnacionales, acceder a determinadas informaciones que en su territorio están cubiertas por el secreto profesional.

5. Frente a este heterogéneo panorama, la jurisprudencia del TEDH fija algunas reglas o principios comunes para garantizar que las limitaciones del secreto profesional no vulneren los artículos 6 (derecho a un juicio justo) y 8 (derecho a la privacidad) de la Convención de Roma. En este último artículo se fundamenta el *"estatuto privilegiado en cuanto a su confidencialidad"* de que disfrutan, según el TEDH, las comunicaciones abogado/cliente, y en virtud del mismo sólo se consideran legítimas aquellas medidas de limitación del secreto profesional que estén previstas en la ley, sean necesarias y proporcionadas para la consecución de un objetivo de interés público.

6. La Directiva de prevención del blanqueo de capitales y la financiación del terrorismo (Directiva 2015/849), la "DAC 6" sobre intercambio de información en el ámbito de la fiscalidad (Directivas 2018/822) y la *Whistleblowers Directive (Directiva* 2019/1937) someten la regulación del secreto profesional en los Estados miembros a nuevos retos y tensiones: las dos primeras, al extender a los profesionales del Derecho la obligación de transmitir a las autoridades determinada información que fácilmente puede estar comprendida dentro del ámbito de sus comunicaciones confidenciales con el cliente; y la tercera, al alentar la denuncia de actividades que puedan constituir infracciones al Derecho de la Unión, tensionando así la eficacia del secreto profesional.

Estas tres Directivas, como no podía ser de otro modo, tratan de preservar el secreto profesional, pero remiten en gran parte a estos efectos a las regulaciones nacionales, lo que debilita la eficacia de esa salvaguarda, dada la heterogeneidad ya descrita.

6.1. La Directiva 2015/849, sobre prevención de la utilización del sistema financiero para el blanqueo de capitales o la financiación del terrorismo, es la única que introduce un cierto grado de armonización, pero su interpretación plantea ciertos problemas prácticos.

6.1.1. Por una parte, la Directiva 2015/849 establece que los Estados miembros deben eximir de las obligaciones de información allí reguladas a los abogados, respecto de la información que obtengan de sus clientes en el marco de un proceso judicial o *"durante la determinación de la posición jurídica de su cliente"*. La generalidad con que se formula este segundo supuesto da cabida, de nuevo, a una multiplicidad de grados de protección de la confidencialidad, lo que plantea problemas desde el punto de vista de la seguridad jurídica. A nivel interno, ello podría remediarse con un ajuste en la norma de transposición, aunque, a la vista de la STEDH *Michaud c. Francia,* los criterios establecidos por la Subcomisión para la Prevención del Blanqueo de Capitales del Consejo General de la Abogacía Española deben considerarse suficientes para aclarar el contenido del precepto.

6.1.2. Por otra parte, la Directiva 2015/849 establece que los Estados miembros pueden designar a un organismo autorregulador (los Colegios de abogados o el Consejo General) para que el abogado remita a este la información en primera instancia, en lugar de hacerlo directamente a la unidad de inteligencia financiera correspondiente (UIF)[43]. EL TJUE y el TEDH coinciden en la importancia que tiene este mecanismo para la una adecuada garantía del secreto profesional. Sin embargo, hay que tener en cuenta que, frente al tenor literal de la Directiva, que exige que el organismo autorregulador transmita "de inmediato" y "sin filtrar" la información a la UIF, el TEDH parece haber indicado que un sistema de verdadero filtro es necesario para garantizar el respeto al artículo 8 de la CEDH. Ante esta aparente contradicción, los Estados miembros de nuevo han optado por soluciones diversas, aunque son mayoritarios aquellos en los que, como exige la Directiva, la información se traslada sin filtrar. Una solución intermedia a explorar, respetuosa al mismo tiempo de la Directiva y las exigencias de Estrasburgo es la implantada en Dinamarca, donde se ofrece al abogado la posibilidad

---

[43]   En España, dicha unidad es el Servicio Ejecutivo de la Comisión de Prevención del Blanqueo de Capitales e Infracciones Monetarias. El legislador español, sin embargo, ha optado por no establecer este tipo de filtro, sin perjuicio del papel atribuido a los órganos centralizados de prevención en el artículo 27 de la Ley 10/2010, de prevención del blanqueo de capitales y de la financiación del terrorismo.

de decidir si desea el asesoramiento previo del Colegio de abogados, antes de transmitir la información a la UIF.

6.2. El impacto en el ejercicio de la abogacía de las Directivas 2018/822 ("DAC 6") y 2019/1937 (*"Whistleblowers Directive"*), en fin, dependerá de cómo se interpreten los límites del secreto profesional al llevar a cabo su transposición, todavía pendiente[44]. A la vista de cuanto precede, esa transposición debería realizar una delimitación del secreto profesional coherente con el resto del ordenamiento español, dentro de los límites marcados por la jurisprudencia constitucional (que podría rechazar una delimitación excesivamente precisa) y la jurisprudencia del TEDH. En el caso de la DAC 6, por ejemplo, el anteproyecto de ley de transposición prevé la introducción de una nueva disposición adicional en la Ley 58/2003, de 17 de diciembre, General Tributaria, en la que se reconoce el secreto profesional de los intermediarios en los términos y con la extensión prevista en el artículo 93.5 de la citada Ley 58/2003[45]. Esta solución no parece la más acertada desde el punto de vista de la seguridad jurídica y la coherencia del ordenamiento: así lo ha puesto de manifiesto, destacadamente, el Consejo General del Poder Judicial, algunas de cuyas relevantes observaciones en relación con el citado anteproyecto de ley merecen ser reproducidas como conclusión al presente informe:

"OCTAVA.- El texto del anteproyecto no permite determinar con claridad si la actuación de un abogado que presta asesoramiento jurídico en relación con un mecanismo transfronterizo debe ser subsumida en el concepto de intermediario, y por tanto obligado a declarar, o no, por razón de su secreto profesional. El punto clave es distinguir entre el asesoramiento para diseñar, organizar, poner a disposición o comercializar un mecanismo de planificación fiscal, lo que podría denominarse "asesoramiento

---

[44]   Y fuera de plazo ya para la primera, que debía estar incorporada al ordenamiento español el 1 de enero de 2020.

[45]   *"La obligación de los demás profesionales de facilitar información con trascendencia tributaria a la Administración tributaria no alcanzará a los datos privados no patrimoniales que conozcan por razón del ejercicio de su actividad cuya revelación atente contra el honor o la intimidad personal y familiar. Tampoco alcanzará a aquellos datos confidenciales de sus clientes de los que tengan conocimiento como consecuencia de la prestación de servicios profesionales de asesoramiento o defensa".*

participativo", y el asesoramiento estrictamente jurídico que tiene por objeto determinar la posición jurídica de un determinado mecanismo, evaluando su encaje en las normas de aplicación y las consecuencias jurídicas que se derivan del mismo; un asesoramiento que podría denominarse "asesoramiento neutral". Ciertamente la distinción es lábil y probablemente difícil en la práctica, pero conceptualmente la diferencia entre ambos tipos de asesoramiento es posible y permite que el profesional de la abogacía en el marco de sus funciones propias (art. 542.1 LOPJ) pueda legítimamente invocar su secreto profesional, quedando exonerado de la obligación de declarar.

NOVENA.- El artículo 542.3 LOPJ extiende el derecho-deber de secreto profesional a todo Abogado cualquiera que se la modalidad de su actuación profesional, por lo que alcanza a todas las formas de ejercicio profesional, como el ejercicio individual, el ejercicio en régimen laboral, el ejercicio colectivo o en régimen de colaboración multiprofesional. En particular, es indudable que nuestro ordenamiento jurídico reconoce el secreto profesional a los denominados abogados internos o in house, que deberá, por tanto, ser respetado en el marco de la transposición de la DAC 6.

DÉCIMA.- De acuerdo con lo expuesto, resulta apropiado que el anteproyecto introdujera una regla conforme a la cual los profesionales de la abogacía cuando desempeñen alguna de las funciones establecidas en el artículo 542.1 LOPJ quedarán exonerados de la obligación de declarar. La redacción podría ser similar a la del artículo 22 de la Ley 10/2010 o tomar como modelo los preceptos incluidos en los anteproyectos de ley de transposición italiano o portugués a los que se hace referencia en el cuerpo del informe.

Convenios administrativos de colaboración y Colegios Profesionales
(*Informe 16/2019*)

Sumario: I. OBJETO DEL INFORME. II. PLANTEAMIENTO. III. RÉGIMEN JURÍDICO DE LOS COLEGIOS PROFESIONALES Y COMETENCIAS ESTATALES. IV. LOS CONVENIOS ADMINISTRATIVOS. 1. Introducción. 2. La regulación de los convenios administrativos en la Ley 40/2015. V. CONCLUSIONES.

I. OBJETO DEL INFORME

El presente informe tiene por objeto determinar cuál es el régimen jurídico al que deben someterse los convenios de colaboración que celebren las Corporaciones de derecho público (en particular, los colegios de abogados).

II. PLANTEAMIENTO

La figura de los Colegios profesionales, como especie del género de las denominadas Corporaciones de Derecho público, cuenta con un régimen jurídico fragmentario, caracterizado por su reconocimiento constitucional (artículo 36), pero también por la existencia de un marco normativo escaso y disperso, que sigue teniendo como norma de cabecera a la Ley 2/1974, de 13 de febrero, de Colegios profesionales.

Esta circunstancia genera disfunciones en su funcionamiento, en la medida en que el parco régimen legal de los Colegios se ve necesitado de complementos que de manera usual se insertan en normas aprobadas por las propias organizaciones colegiales profesionales —generando una suerte de desarrollos normativos impropios—, aunque también proceden de otros cuerpos legales. El alcance de unos y otros es, sin duda, diverso, centrándose el presente informe en el análisis de un particular supuesto, como es el de la concreta aplicación de la normativa general de las Administraciones Públicas a los Colegios profesionales en lo que se refiere a la figura de los Convenios administrativos.

Antes de abordar dicho análisis, procede recordar una serie de cuestiones generales sobre los Colegios y su configuración en nuestro ordenamiento jurídico.

III. RÉGIMEN JURÍDICO DE LOS COLEGIOS PROFESIONALES Y COMETENCIAS ESTATALES

Una de las más recientes y expresivas aproximaciones al régimen de los Colegios profesionales la ha llevado a cabo el Tribunal Constitucional que, en su Sentencia 3/2013, de 17 de enero de 2013, recurso n° 1893/2002, declaró lo siguiente (FJ 6°):

> *"La institución colegial está basada en la encomienda de funciones públicas sobre la profesión a los profesionales, pues, tal y como señala el art. 1.3, son sus fines la ordenación del ejercicio de las profesiones, su representación institucional exclusiva cuando estén sujetas a colegiación obligatoria, la defensa de los intereses profesionales de los colegiados y la protección de los intereses de los consumidores y usuarios de los servicios de sus colegiados.*
>
> *La razón de atribuir a estas entidades, y no a la Administración, las funciones públicas sobre la profesión, de las que constituyen el principal exponente la deontología y ética profesional y, con ello, el control de las desviaciones en la práctica profesional, estriba en la pericia y experiencia de los profesionales que constituyen su base corporativa.*

La asentada configuración jurídica de los Colegios profesionales como Corporaciones de Derecho público no ha ido acompañada de un régimen legal claro y completo, ni actualizado, que haya permitido construir un entramado jurídico sólido para los Colegios profesionales.

Varias son las razones que pueden señalarse como fundamento de las carencias de su régimen legal como, entre otras, la distinta configuración de las diferentes especies incluidas bajo la categoría de Corporación de Derecho público, la distribución constitucional de competencias en la materia, la consagración en la jurisprudencia constitucional de la distinción de los Colegios por el régimen de adscripción de los profesionales, obligatoria o voluntaria, o la adaptación de las profesiones y de las organizaciones corporativas a las exigencias derivadas de las libertades del Derecho europeo.

A todas las anteriores razones ha de sumarse la constatada renuncia del legislador estatal a afrontar la tarea de aprobar una legislación de colegios profesionales adaptada a la realidad actual, en la que se acojan tanto las novedades normativas que proceden del Derecho de la Unión Europea, como las que resultan de la jurisprudencia, constitucional y ordinaria (buen ejemplo de esta última lo constituye la Sentencia de la Sala Tercera del Tribunal Supremo, de 16 de julio de 2018, en la que se analiza la posibilidad de que los Colegios empleen sus potestades para proceder a la colegiación de oficio, cuestión examinada en otros informes de esta Comisión Jurídica).

El régimen legal vigente en materia de Colegios profesionales, constituido, como ya se ha indicado, por la Ley 2/1974, de 13 de febrero, se completa, en la esfera estatal, con las sucesivas leyes de procedimiento administrativo común (ahora de procedimiento y de régimen jurídico del sector público)[1].

---

[1]   Interesa destacar la diferencia entre ambas normas legales, en lo que a la delimitación de su ámbito subjetivo se refiere.
Así, la Ley 39/2015 establece en su artículo 2 lo siguiente:
"*Artículo 2. Ámbito subjetivo de aplicación.*
1. La presente Ley se aplica al sector público, que comprende:
a) La Administración General del Estado.
b) Las Administraciones de las Comunidades Autónomas.
c) Las Entidades que integran la Administración Local.
d) El sector público institucional.
2. El sector público institucional se integra por:
a) Cualesquiera organismos públicos y entidades de derecho público vinculados o dependientes de las Administraciones Públicas.
b) Las entidades de derecho privado vinculadas o dependientes de las Administraciones Públicas, que quedarán sujetas a lo dispuesto en las normas de esta Ley que específicamente se refieran a las mismas, y en todo caso, cuando ejerzan potestades administrativas.
c) Las Universidades públicas, que se regirán por su normativa específica y supletoriamente por las previsiones de esta Ley.
3. Tienen la consideración de Administraciones Públicas la Administración General del Estado, las Administraciones de las Comunidades Autónomas, las Entidades que integran la Administración Local, así como los organismos públicos y entidades de derecho público previstos en la letra a) del apartado 2 anterior.
4. Las Corporaciones de Derecho Público se regirán por su normativa específica en el ejercicio de las funciones públicas que les hayan sido atribuidas por Ley o delegadas por una Administración Pública, y supletoriamente por la presente Ley".
Por su parte, la Ley 40/2015, también en su artículo 2, establece:
"*Artículo 2. Ámbito Subjetivo.*
1. La presente Ley se aplica al sector público que comprende:
a) La Administración General del Estado.
b) Las Administraciones de las Comunidades Autónomas.
c) Las Entidades que integran la Administración Local.
d) El sector público institucional.
2. El sector público institucional se integra por:
a) Cualesquiera organismos públicos y entidades de derecho público vinculados o dependientes de las Administraciones Públicas.
b) Las entidades de derecho privado vinculadas o dependientes de las Administraciones Públicas que quedarán sujetas a lo dispuesto en las normas de esta Ley que específicamente se refieran a las mismas, en particular a los principios previstos en el artículo 3, y en todo caso, cuando ejerzan potestades administrativas.

Informe 16/2019

Antes de ello, interesa destacar que el Tribunal Constitucional, en la ya citada STC 3/2013, afirmaba lo siguiente (FJ 5):

> *"La competencia del Estado para regular los colegios profesionales le viene dada por el art. 149.1.18 CE, que le permite fijar los principios y reglas básicas de este tipo de entidades corporativas. En este sentido, tenemos afirmado que el legislador, dentro de los límites constitucionales y la naturaleza y fines de los colegios profesionales, puede optar por una configuración u otra de este tipo de entidades, pues el art. 36 CE no predetermina la naturaleza jurídica de los colegios profesionales (STC 89/1989, de 11 de mayo, FJ 5). Pero también hemos señalado que la reserva de ley, y la referencia de este precepto constitucional a las peculiaridades de los colegios, los distinguen del resto de asociaciones y personas jurídicas de base asociativa (STC 23/1984, de 20 de febrero, FJ 4). Aun cuando los colegios profesionales se constituyen para defender primordialmente los intereses privados de sus miembros, tienen también una dimensión pública que les equipara a las Administraciones públicas de carácter territorial, aunque a los solos aspectos organizativos y competenciales en los que ésta se concreta y singulariza [SSTC 76/1983, de 5 de agosto, FJ 26; 20/1988, de 18 de febrero, FJ 4; y 87/1989, de 11 de mayo, FJ 3 b)]. En definitiva, corresponde al Estado fijar las reglas básicas a que los colegios profesionales han de ajustar su organización y competencias, aunque con menor extensión e intensidad que cuando se refiere a las Administraciones públicas en sentido estricto (STC 31/2010, de 28 de junio, FJ 71)".*

A lo que añadía en el FJ7:

> *"Antes de la reforma operada por la Ley 25/2009, de 22 de diciembre, con la que se adaptan diversas leyes estatales a la Directiva 2006/123/CE, la Ley 2/1974, de 13*

---

c) Las Universidades públicas que se regirán por su normativa específica y supletoriamente por las previsiones de la presente Ley.

3. Tienen la consideración de Administraciones Públicas la Administración General del Estado, las Administraciones de las Comunidades Autónomas, las Entidades que integran la Administración Local, así como los organismos públicos y entidades de derecho público previstos en la letra a) del apartado 2".

Puede observarse que la Ley 40/2015, a diferencia de la Ley 39/2015, no contiene una referencia a las Corporaciones de Derecho público en el precepto dedicado a su ámbito subjetivo de aplicación. Esta omisión puede considerarse un error del legislador, debido a la inadvertencia de las consecuencias de la decisión de escindir el contenido de la Ley 30/1992, de 26 de noviembre, de régimen jurídico de las Administraciones Públicas y del procedimiento administrativo común, en dos cuerpos normativos siameses, que no se entienden el uno sin el otro, al haber fragmentado lo que antes eran regulaciones unitarias —así, la relativa a la responsabilidad patrimonial de las Administraciones públicas o la correspondiente a la potestad sancionadora—, que necesitan ahora, por tanto, de la lectura y la aplicación conjunta de ambas. En cualquier caso, no se procederá en el presente informe, en cualquier caso, a analizar el alcance de esa cláusula de "aplicación supletoria" de las Leyes 39 y 40/2015 a las Corporaciones de Derecho público, pues tal tarea se aborda en otro informe de esta Comisión.

de febrero, consagraba un modelo único de colegio profesional caracterizado por la colegiación obligatoria, pues los profesionales estaban obligados a colegiarse para "el ejercicio de las profesiones colegiadas". Tras su reforma, el legislador estatal ha configurado dos tipos de entidades corporativas, las voluntarias y las obligatorias. El requisito de la colegiación obligatoria constituye una barrera de entrada al ejercicio de la profesión y, por tanto, debe quedar limitado a aquellos casos en que se afecta, de manera grave y directa, a materias de especial interés público, como la protección de la salud y de la integridad física o de la seguridad personal o jurídica de las personas físicas, y la colegiación demuestre ser un instrumento eficiente de control del ejercicio profesional para la mejor defensa de los destinatarios de los servicios, tal y como se deduce de la disposición transitoria cuarta de esta misma norma. En definitiva, los colegios profesionales voluntarios son, a partir de la Ley 25/2009, de 22 de diciembre, el modelo común, correspondiendo al legislador estatal, conforme a lo establecido en el art. 3.2, determinar los casos en que la colegiación se exige para el ejercicio profesional y, en consecuencia, también las excepciones, pues éstas no hacen sino delimitar el alcance de la regla de la colegiación obligatoria, actuando como complemento necesario de la misma. La determinación de las profesiones para cuyo ejercicio la colegiación es obligatoria se remite a una ley estatal previendo su disposición transitoria cuarta que, en el plazo de doce meses desde la entrada en vigor de la ley, plazo superado con creces, el Gobierno remitirá a las Cortes el correspondiente proyecto de ley y que, en tanto no se apruebe la ley prevista, la colegiación será obligatoria en los colegios profesionales cuya ley de creación así lo haya establecido.

Forma parte de la competencia estatal la definición, a partir del tipo de colegiación, de los modelos posibles de colegios profesionales pero, también, la determinación de las condiciones en que las Comunidades Autónomas pueden crear entidades corporativas de uno u otro tipo".

Estos pronunciamientos se completaron en la STC 201/2013, de 5 de diciembre, conforme a la cual:

"La exigencia de norma de rango legal para su creación, únicamente tiene carácter básico en su aplicación a los colegios de adscripción obligatoria, en la medida en que los mismos ejercen funciones públicas —de deontología y ordenación de la profesión—, y limitan los derechos de los profesionales —el derecho de asociación y la libertad de ejercicio de la profesión—; y en este contexto ha de ser entendido lo dispuesto en el art. 4.1 de la Ley estatal, previsto para un momento temporal en que todos los colegios profesionales eran obligatorios. Dicha exigencia no resulta, sin embargo, de aplicación a los colegios voluntarios, surgidos tras la reforma efectuada por la Ley 25/2009, los cuales carecen de funciones coactivas para la regulación del ejercicio profesional, y se someten al régimen jurídico general de las asociaciones, sin perjuicio de que puedan ejercer funciones de interés general, tal y como expresamente se contempla en el título V de la propia Ley autonómica [Ley 7/2006, de 31 de mayo, del ejercicio de profesiones tituladas y de los colegios profesionales de Cataluña], que los regula bajo la denominación general de "asociaciones profesionales'(FJ 5)".

Y más recientemente, la STC 84/2014, de 29 de mayo de 2014, cuestión de inconstitucionalidad 4040-2009, ha examinado el alcance de las competencias del Estado en cuanto al régimen de los Consejos Generales de Colegios.

De lo expuesto resultan una serie de reglas decantadas por la jurisprudencia sobre el alcance de la potestad normativa estatal, de la que se predica su carácter básico solo en relación con la regulación de los Colegios de adscripción obligatoria (y, en su caso, de los Consejos Generales, allí donde existan), pues solo estos son aquellos que, según el Tribunal Constitucional, pueden ejercer por expresa atribución del legislador funciones públicas y regular los derechos de los profesionales a los que se impone la colegiación para el ejercicio de la profesión de que se trate.

Será solo el régimen jurídico de este tipo de Colegios —como son, señaladamente, los de abogados— el que se analizará en este informe. Dicho análisis se proyecta, en particular, sobre el régimen jurídico aplicable a los convenios que celebran los referidos Colegios.

Ante todo, cabe recordar que la Ley 2/1974 no contiene menciones a los convenios[2], aunque sí a las posibles encomiendas de funciones por las Administraciones públicas, en concreto, en su artículo 5, conforme al cual:

> *"Corresponde a los Colegios Profesionales el ejercicio de las siguientes funciones, en su ámbito territorial:*
>
> *(…)*
>
> *b) Ejercer cuantas funciones les sean encomendadas por la Administración y colaborar con ésta mediante la realización de estudios, emisión de informes, elaboración de estadísticas y otras actividades relacionadas con sus fines que puedan serles solicitadas o acuerden formular por propia iniciativa".*

Puede afirmarse sin dificultad que la figura a que se refiere este precepto es distinta de la encomienda de gestión regulada en el artículo 11 de la

---

[2] Contiene una concreta y para un ámbito limitado que no es relevante para el presente informe su disposición adicional 5ª, introducida por la Ley 25/2009, en los siguientes términos:
"Disposición adicional quinta. Facultad de control documental de las Administraciones Públicas.
Lo previsto en esta Ley no afecta a la capacidad que tienen las Administraciones Públicas, en ejercicio de su autonomía organizativa y en el ámbito de sus competencias, para decidir caso por caso para un mejor cumplimiento de sus funciones, establecer con los Colegios Profesionales u otras entidades los convenios o contratar los servicios de comprobación documental, técnica o sobre el cumplimiento de la normativa aplicable que consideren necesarios relativos a los trabajos profesionales".

Ley 40/2015 y en la Ley 9/2017, de 8 de noviembre, de Contratos del Sector Público, por la que se transponen al ordenamiento jurídico español las Directivas del Parlamento Europeo y del Consejo 2014/23/UE y 2014/24/UE, de 26 de febrero de 2014[3].

---

[3]   Esta norma, en su exposición de motivos, pone de manifiesto que "en el Libro I, relativo a la configuración general de la contratación del sector público y elementos estructurales de los contratos, aparece en primer lugar una nueva regulación del llamado 'medio propio' de la Administración, encomiendas de gestión o aplicación práctica de la técnica denominada *'in house'*, que pasa ahora a llamarse 'encargos a medios propios'". Hubiera sido deseable que, en coherencia con esa declaración, en la definición del contrato de gestión de servicios (artículo 15) no se hubiera empleado la palabra "encomiendan".

En cualquier caso, los convenios y las encomiendas de gestión están excluidos de la aplicación de la Ley 9/2017 en su artículo 6:

"*Artículo 6. Convenios y encomiendas de gestión.*

1. Quedan excluidos del ámbito de la presente Ley los convenios, cuyo contenido no esté comprendido en el de los contratos regulados en esta Ley o en normas administrativas especiales celebrados entre sí por la Administración General del Estado, las Entidades Gestoras y los Servicios Comunes de la Seguridad Social, las Universidades Públicas, las Comunidades Autónomas y las Ciudades Autónomas de Ceuta y Melilla, las Entidades locales, las entidades con personalidad jurídico pública de ellas dependientes y las entidades con personalidad jurídico privada, siempre que, en este último caso, tengan la condición de poder adjudicador.

Su exclusión queda condicionada al cumplimiento de las siguientes condiciones:

a) Las entidades intervinientes no han de tener vocación de mercado, la cual se presumirá cuando realicen en el mercado abierto un porcentaje igual o superior al 20 por ciento de las actividades objeto de colaboración. Para el cálculo de dicho porcentaje se tomará en consideración el promedio del volumen de negocios total u otro indicador alternativo de actividad apropiado, como los gastos soportados considerados en relación con la prestación que constituya el objeto del convenio en los tres ejercicios anteriores a la adjudicación del contrato. Cuando, debido a la fecha de creación o de inicio de actividad o a la reorganización de las actividades, el volumen de negocios u otro indicador alternativo de actividad apropiado, como los gastos, no estuvieran disponibles respecto de los tres ejercicios anteriores o hubieran perdido su vigencia, será suficiente con demostrar que el cálculo del nivel de actividad se corresponde con la realidad, en especial, mediante proyecciones de negocio.

b) Que el convenio establezca o desarrolle una cooperación entre las entidades participantes con la finalidad de garantizar que los servicios públicos que les incumben se prestan de modo que se logren los objetivos que tienen en común.

c) Que el desarrollo de la cooperación se guíe únicamente por consideraciones relacionadas con el interés público.

2. Estarán también excluidos del ámbito de la presente Ley los convenios que celebren las entidades del sector público con personas físicas o jurídicas sujetas al derecho privado, siempre que su contenido no esté comprendido en el de los contratos regulados en esta Ley o en normas administrativas especiales.

Nada impide que la encomienda de funciones prevista en la legislación especial pueda instrumentarse a través de convenio pero, a falta de una normativa específicamente aplicable a estos y otros convenios que los Colegios puedan suscribir, es preciso determinar, como reza el título del presente informe, cuál es la situación en que se encuentran en relación con la regulación que contiene la Ley 40/2015, de 1 de octubre, de régimen jurídico del sector público, en materia de convenios recogida, en concreto, en el Capítulo VI de su Título preliminar, que agrupa los artículos 47 a 53.

IV. LOS CONVENIOS ADMINISTRATIVOS

1. Introducción

Los convenios administrativos constituyen una manifestación típica de la actividad negocial de las Administraciones Públicas.

En efecto, es bien sabido que, además de actuar a través de normas de alcance general y de actos administrativos que les permiten imponer su voluntad y modificar la realidad jurídica de forma unilateral, las Administraciones acuden frecuentemente a la vía del negocio jurídico bilateral para entablar relaciones con otros sujetos jurídicos y como medio para lograr el fin al que toda su actuación debe tender: la satisfacción del interés general.

Pues bien, dentro de esa actividad negocial suelen distinguirse como categorías principales los contratos y los convenios, pudiendo afirmarse que entre ambas figuras existen diferencias sustanciales, no sólo desde el punto de vista conceptual, sino también y sobre todo, en lo que se refiere al régimen jurídico aplicable.

Así, a diferencia de los contratos, que tradicionalmente han contado con una regulación propia y exhaustiva —regulación que ha ido completándose progresivamente y adquiriendo cada vez mayor complejidad y sustantividad y de la que quedan excluidos los convenios administrativos[4]—,

---

3. Asimismo, quedan excluidas del ámbito de la presente Ley las encomiendas de gestión reguladas en la legislación vigente en materia de régimen jurídico del sector público".

[4] La primera referencia jurídica a la figura de los convenios se encuentra en una modificación de 1973 del texto articulado de la Ley articulada de Contratos del Estado de 1965, que ya relacionó entre los negocios jurídicos de la Administración que quedaban excluidos de ella los convenios de colaboración celebrados por la Administración con las corporaciones locales u otros entes de derecho público y

los convenios se han caracterizado por la escasa atención que el legislador les ha dedicado[5].

Esta circunstancia puede deberse a que, al ser los convenios negocios bilaterales que permiten integrar las voluntades de las partes orientándolas a la satisfacción de intereses comunes sin que ninguna de ellas ejerza imperio sobre la otra, es posible situarlos en el ámbito de las actuaciones administrativas de carácter favorable que, en la medida en que inciden positivamente en la esfera jurídica de las partes, no suelen someterse por el legislador a los límites y restricciones que se imponen a las actuaciones desfavorables o ablatorias.

Sin duda la ausencia de una regulación exhaustiva ha dotado a los convenios administrativos de gran flexibilidad y, por ende, de gran utilidad, convirtiéndolos en una eficaz técnica de cooperación.

Sin embargo, fue precisamente la ausencia de un régimen jurídico claro y detallado lo que motivó que el Tribunal de Cuentas pusiera de manifiesto en varios informes —y, muy especialmente, en la moción 878 de 30 de noviembre de 2010— la necesidad de sistematizar su marco legal y su tipología, estableciendo los requisitos de validez e imponiendo la obligación de remitirlos al Tribunal para su fiscalización. La regulación que en la actualidad establece la Ley 40/2015, de 1 de octubre, de régimen jurídico del sector público, pretende dar respuesta a las demandas recogidas en el referido informe y sigue la línea de lo que en él se indica.

Hasta la aprobación de la Ley 40/2015 no existía en nuestro ordenamiento una definición positiva de lo que debía entenderse por convenio, si bien la doctrina y la jurisprudencia fueron aportando los elementos necesarios para perfilar una caracterización precisa de esta figura[6].

---

los celebrados con particulares para fomentar la realización de actividades privadas de interés público.

[5]   Hasta la entrada en vigor de la Ley 40/2015 el régimen jurídico de los convenios administrativos se encontraba recogido en los artículos 6 y 7.4 y en la disposición adicional 13ª de la Ley 30/1992, de 26 de noviembre, de Régimen Jurídico de las Administraciones Públicas y del Procedimiento Administrativo Común.

[6]   Una de las caracterizaciones jurisprudenciales más completas de los convenios interadministrativos de colaboración anteriores a la Ley 40/2015 se encuentra en la STS de 4 de marzo de 2013, recurso de casación 5079/2011, que contiene una doctrina general de este tipo de convenios a los que define como "negocios jurídicos que celebran entre sí las Administraciones que los suscriben, en posición de igualdad" y cuyos límites "no son otros que los derivados del interés público, el ordenamiento jurídico y los principios de buena administración".

Así, no ofrece dudas que el convenio administrativo se enmarca dentro de las técnicas de cooperación y puede definirse como un negocio jurídico bilateral que, como tal, nace de un acuerdo de voluntades vinculante entre dos o más partes —una de las cuales, al menos, ha de ser una Administración o Universidad pública— con el objeto de alcanzar un fin común de interés público.

Se ha considerado también de forma unánime como elemento esencial de los convenios administrativos la situación de igualdad en que se encuentran las partes, que persiguen la satisfacción de intereses concurrentes, sin que ninguna de ellas ostente facultades de supremacía o de dirección. No hay, pues, contraposición de intereses, sino objetivos comunes que pretenden alcanzarse desde una posición de igualdad y en un marco de reciprocidad.

Pues, en efecto, del convenio surgen derechos y obligaciones para ambas partes. De este modo, la producción de efectos jurídicos vinculantes es otra de las notas características de esta figura jurídica.

Todos estos elementos están presentes en el nuevo régimen jurídico de los convenios administrativos, contenido en la Ley 40/2015, que ha pretendido superar esa tradicional falta de normación de esta figura, dotándola de una regulación más extensa y detallada que, no obstante, presenta, como seguidamente se verá, algunas omisiones y lagunas.

2. La regulación de los convenios administrativos en la Ley 40/2015

El nuevo régimen jurídico de los convenios administrativos se encuentra recogido en el capítulo VI del título preliminar de la Ley 40/2015, que agrupa los artículos 47 a 53.

Tal y como se ha avanzado, la regulación que en ellos se contiene sigue "la línea prevista en el Dictamen 878 del Tribunal de Cuentas, de 30 de noviembre, de 2010", desarrollando "un régimen completo de los convenios, que fija su contenido mínimo, clases, duración y extinción y asegura su control por el Tribunal de Cuentas", tal y como reconoce el último párrafo del apartado II de la exposición de motivos de la Ley.

En ese ánimo por regular de forma sistemática los convenios, el artículo 47 ofrece una definición de esta figura y efectúa una tipificación de sus posibles modalidades.

En efecto, se entiende, de conformidad con lo dispuesto en el apartado 1 de este precepto, que:

> *"Son convenios los acuerdos con efectos jurídicos adoptados por las Administraciones Públicas, los organismos públicos y entidades de derecho público vinculados o dependientes o las Universidades públicas entre sí o con sujetos de derecho privado para un fin común".*

La Ley asume aquí la noción clásica de convenio administrativo, ampliándola subjetivamente, toda vez que permite que una de las partes sea no una Administración pública *stricto sensu* o una Universidad pública, como ha sido tradicional, sino también alguno de los entes de derecho público que integran el denominado "sector público institucional". Se trata, en todo caso, de personas de derecho público.

A fin de delimitar el concepto de convenio con mayor precisión, el precepto aclara que *"no tienen la consideración de convenios los Protocolos Generales de Actuación o instrumentos similares que comporten meras declaraciones de intención de contenido general o que expresen la voluntad de las Administraciones y partes suscriptoras para actuar con un objetivo común, siempre que no supongan la formalización de compromisos jurídicos concretos y exigibles"*[7].

Y añade, en fin, que *"los convenios no podrán tener por objeto prestaciones propias de los contratos"* pues, en tal caso *"su naturaleza y régimen jurídico se ajustarán a lo previsto en la legislación de contratos del sector público"*, previsión ésta que es coherente con lo dispuesto en el artículo 6 de la Ley 9/2017, de 8 de noviembre, de contratos del sector público, que prevé la exclusión de los convenios de su ámbito de aplicación, siempre y cuando su *"contenido no esté comprendido en el de los contratos regulados en esta Ley o en normas administrativas especiales"*.

De este modo, la figura queda delimitada conceptualmente en sentido negativo con la exclusión de dos figuras afines con las que guarda algún elemento de conexión como son, en particular, los protocolos generales de actuación y los contratos.

Aun cuando la Ley no lo menciona, los convenios deben también distinguirse conceptualmente las encomiendas de gestión, reguladas en el artículo 11 de la Ley como instrumentos a través de los cuales los órganos administrativos o entidades de derechos público pueden encargar la realización de actividades de carácter material o técnico de su competencia a otros órganos o entidades de derecho público de la misma o de distinta Administración. En este caso, el factor diferenciador respecto del convenio

---

[7]   Así pues, el elemento que distingue principalmente a los convenios de los mencionados protocolos es la producción de efectos jurídicos.

es la naturaleza del negocio jurídico que se celebra, que no es, en el caso de la encomienda, un acuerdo de voluntades adoptado en pie de igualdad entre las partes, sino un mandato jerárquico o cuasijerárquico.

El convenio puede, ciertamente, servir como instrumento de formalización de la encomienda de gestión, pero no tendrá en tal caso la naturaleza de un verdadero convenio de colaboración, sino la de un convenio "impropio" a través del cual se formaliza la encomienda.

Pues bien, partiendo de la definición contenida en su primer apartado, el artículo 47 lleva a cabo, en su segundo apartado, una clasificación de los distintos tipos de convenios que pueden celebrarse al amparo de esta Ley. En particular, establece lo siguiente:

> *"2. Los convenios que suscriban las Administraciones Públicas, los organismos públicos y las entidades de derecho público vinculados o dependientes y las Universidades públicas, deberán corresponder a alguno de los siguientes tipos:*
>
> *a) Convenios interadministrativos firmados entre dos o más Administraciones Públicas, o bien entre dos o más organismos públicos o entidades de derecho público vinculados o dependientes de distintas Administraciones públicas, y que podrán incluir la utilización de medios, servicios y recursos de otra Administración Pública, organismo público o entidad de derecho público vinculado o dependiente, para el ejercicio de competencias propias o delegadas.*
>
> *Quedan excluidos los convenios interadministrativos suscritos entre dos o más Comunidades Autónomas para la gestión y prestación de servicios propios de las mismas, que se regirán en cuanto a sus supuestos, requisitos y términos por lo previsto en sus respectivos Estatutos de autonomía.*
>
> *b) Convenios intradministrativos firmados entre organismos públicos y entidades de derecho público vinculados o dependientes de una misma Administración Pública.*
>
> *c) Convenios firmados entre una Administración Pública u organismo o entidad de derecho público y un sujeto de Derecho privado.*
>
> *d) Convenios no constitutivos ni de Tratado internacional, ni de Acuerdo internacional administrativo, ni de Acuerdo internacional no normativo, firmados entre las Administraciones Públicas y los órganos, organismos públicos o entes de un sujeto de Derecho internacional, que estarán sometidos al ordenamiento jurídico interno que determinen las partes".*

Así pues, el precepto citado prevé cuatro tipos distintos de convenios: los interadministrativos, los intradministrativos, los celebrados entre una Administración Pública u organismo o entidad de derecho público y un sujeto de Derecho privado y los de carácter internacional[8].

---

[8] La clasificación se refiere a los llamados convenios de colaboración, que, de forma sintética y atendiendo a lo ya expuesto, pueden definirse como aquellos que

Del tenor literal de este precepto parece inferirse que la relación de los tipos de convenios que pueden celebrar los sujetos mencionados en el apartado 1 tiene carácter taxativo ("deberán", dispone el precepto).

Sin embargo, en ninguna de estas categorías se encuentran expresamente mencionadas las Corporaciones de derecho público, lo que parece situar a los convenios que éstas celebren con una Administración pública extramuros del régimen establecido en la Ley 40/2015.

En efecto, si se atiende a la literalidad del artículo 47.2 se observa que las dos primeras categorías que menciona dejan fuera a las Corporaciones de derecho público, ya que estas no son —obvio es— Administración en sentido estricto, pero tampoco organismos públicos o entidades de derecho público vinculadas a una Administración pública o dependientes de ella. Así, en el caso concreto de los Colegios profesionales, es claro que no se encuentran vinculados a ningún Ministerio o Consejería de una Comunidad Autónoma ni dependen de ellos; antes bien, como expresamente establece el artículo 2.3 de la Ley 2/1074, *"los Colegios Profesionales se relacionarán con la Administración a través del Departamento ministerial competente"*.

Los Colegios no son expresión de un proceso o una decisión de descentralización funcional, no son creados por una Administración matriz con una finalidad instrumental, ni las Administraciones con las que se relacionan ostentan potestad alguna de dirección o tutela sobre aquéllos.

Esta relación no es de dependencia, ni de vinculación, ni de jerarquía, sino de colaboración —lo que, por otra parte, convierte a los convenios administrativos en instrumentos idóneos para encauzar la voluntad de ambos sujetos cuando pretenden alcanzar determinados intereses comunes—.

---

suscribe una Administración con otro sujeto con el fin de alcanzar un fin público común. Al margen de ella —y, por ende, de la regulación contenida en la Ley 40/2015— quedan los convenios de composición, orientados a resolver un conflicto preexistente entre la Administración y un particular. En esta categoría se enmarcan los convenios de terminación convencional del procedimiento, como son los previstos en la legislación urbanística, en la legislación tributaria o en la normativa reguladora de la Seguridad Social, sin que pueda entenderse que la relación de posibles convenios se agote en las mencionadas categorías. Existen, en efecto, otras modalidades como son, a título de ejemplo, los convenios celebrados para el otorgamiento directo de subvenciones o los suscritos por las Universidades con arreglo a lo previsto en su legislación especial. Fuera de la tipología de la Ley 40/2015 se encuentran también los convenios que se utilizan como instrumento de formalización de las encomiendas de gestión.

La legislación aborda esta cuestión en términos muy precisos, como puede observarse en la regulación de los organismos públicos que contiene la Ley 40/2015 en su Título II, en el que se ubica el artículo 84, que delimita el sector público institucional (la clásica Administración institucional) en los siguientes términos:

> *"Artículo 84. Composición y clasificación del sector público institucional estatal.*
>
> *1. Integran el sector público institucional estatal las siguientes entidades:*
>
> *a) Los organismos públicos vinculados o dependientes de la Administración General del Estado, los cuales se clasifican en:*
>
> *1.º Organismos autónomos.*
>
> *2.º Entidades Públicas Empresariales.*
>
> *b) Las autoridades administrativas independientes.*
>
> *c) Las sociedades mercantiles estatales.*
>
> *d) Los consorcios.*
>
> *e) Las fundaciones del sector público.*
>
> *f) Los fondos sin personalidad jurídica.*
>
> *g) Las universidades públicas no transferidas".*

En concreto, el artículo 88 ("definición y actividades propias") establece que *"Son organismos públicos dependientes o vinculados a la Administración General del Estado, bien directamente o bien a través de otro organismo público, los creados para la realización de actividades administrativas, sean de fomento, prestación o de gestión de servicios públicos o de producción de bienes de interés público susceptibles de contraprestación; actividades de contenido económico reservadas a las Administraciones Públicas; así como la supervisión o regulación de sectores económicos, y cuyas características justifiquen su organización en régimen de descentralización funcional o de independencia"*.

Y también debe destacarse que, con arreglo al artículo 109.1, *"son autoridades administrativas independientes de ámbito estatal las entidades de derecho público que, vinculadas a la Administración General del Estado y con personalidad jurídica propia, tienen atribuidas funciones de regulación o supervisión de carácter externo sobre sectores económicos o actividades determinadas, por requerir su desempeño de independencia funcional o una especial autonomía respecto de la Administración General del Estado, lo que deberá determinarse en una norma con rango de Ley"*.

Resulta de todo ello que las Corporaciones de Derecho público no se incluyen entre las entidades dependientes de la Administración estatal o vinculadas a ella, ostentando por ello un estatus diferenciado, que cuenta con la garantía institucional que brinda el artículo 36 de la Constitución.

A la vista de todo ello y retomando el análisis de la regulación de los convenios que contiene la Ley 40/2015, debe concluirse que aquellos que las Corporaciones de Derecho público suscriban con alguno de los sujetos del artículo 2 de la propia Ley no pueden calificarse como convenios interadministrativos ni como convenios intradministrativos.

En efecto y según ha quedado expuesto, no podrán ser integrados en la primera categoría porque las Corporaciones y, en particular los Colegios, no son Administraciones públicas —ni siquiera cuando ejercen las funciones públicas atribuidas por el legislador—; ni podrán dichos convenios ser considerados como pertenecientes a la segunda categoría —intradministrativos—, porque los Colegios no son entidades vinculadas a las Administraciones públicas ni dependientes de ellas o de alguna entidad u organismo público integrado en ellas.

Quedaría, por tanto —y dejando a un lado, por razones evidentes, los convenios de carácter internacional—, la posibilidad de considerar que los eventuales convenios que se celebren entre entidades del artículo 2 de la Ley 40/2015 (especificados en los artículos ya mencionados) y las Corporaciones de Derecho público se encuadran en la tercera categoría, en el bien entendido de que para ello es preciso conceptuar a tales Corporaciones —y, por ende, a los Colegios profesionales, como "sujetos de Derecho privado".

Ante todo, procede señalar que existe consenso doctrinal al entender que la expresión "sujetos de Derecho privado" ha de interpretarse en sentido amplio, es decir, que comprende no solo a los particulares, sino también a las entidades de derechos privado vinculadas a la Administración o dependientes de ella (sociedades mercantiles, fundaciones públicas) pues, de otro modo, estas quedarían inexplicablemente fuera de la tipificación legal[9].

Por el contrario, interpretar que dicha expresión comprende también a las Corporaciones de derecho público colisiona con la reiterada consideración, por doctrina y jurisprudencia, de las Corporaciones de Derecho público como personas jurídico-públicas.

La Sentencia del Tribunal Supremo de 28 de febrero de 2011, recurso nº 2054/2008, que sigue lo ya declarado por las de 9 de diciembre de 1981

---

[9]   Con todo, el significado de unos y otros es distinto, ya que en los primeros el sujeto privado es ajeno a la Administración, mientras que los segundos se asemejan más a los de cooperación interadministrativa.

y 16 de mayo de 1983, realizaba un extenso análisis de las singulares personas jurídico-públicas que son los Colegios profesionales, en los siguientes términos:

"SEGUNDO: (…) Al efecto recordemos que el art. 36 de la Constitución establece que "La ley regulará las peculiaridades propias del régimen jurídico de los Colegios Profesionales y el ejercicio de las profesiones tituladas. La estructura interna y el funcionamiento de los Colegios deberán ser democráticos", dando así soporte al reconocimiento de la existencia de la autonomía profesional que se organiza en la Ley de Colegios Profesionales a través de una organización colegial caracterizada por las notas propias de las corporaciones públicas sectoriales de base privada. Esta organización corporativa de las profesiones permite a la Ley atribuir a los organismos colegiales potestades públicas y una amplia autonomía normativa sin suprimir la base privada de sus componentes y de sus actividades en defensa de los intereses profesionales. Son por tanto entes cuya naturaleza es mixta con componentes de claro perfil público pero con una base de intereses privados. De ahí que la Administración Corporativa a la que pertenecen los Colegios Profesionales pueda calificarse de fronteriza entre los entes públicos y los entes privados.

Esta especial naturaleza de la Administración Corporativa también conlleva un específico régimen jurídico mixto, con normas reguladoras de Derecho Público y otras que necesariamente han de ser calificadas de privadas. La intervención del Estado sobre estos entes corporativos de base privada se inicia con su creación mediante un acto de imperio, por el que se publifica en cierto modo el ejercicio de una determinada profesión, acto que, a su vez, le atribuye a la corporación profesional personalidad jurídico-pública con el fin de desempeñar funciones de interés general con carácter monopolístico que se encarga de controlar la Jurisdicción Contencioso-Administrativa. Sin perjuicio de ello, su función principal no es pública sino que tiene por fin esencial la gestión de aquellos intereses privativos de sus miembros que derivan del ejercicio de la profesión común, de suerte que, en este último caso, de suscitarse conflictos entre ellos, serán otras Jurisdicciones las encargadas de resolver sus controversias.

TERCERO. El Tribunal Constitucional no ha sido ajeno a esta caracterización específica, refiriéndose a ella en diversas ocasiones. Así, la STC de 18 de febrero de 1988 señaló: "Como ha declarado este Tribunal en anteriores ocasiones (STC 76/1983, de 5 de agosto, 23/1984, de 20 de febrero, y 123/1987, de 15 de julio), los Colegios profesionales son Corporaciones sectoriales que se constituyen para defender primordialmente los intereses privados de sus miembros, pero también atienden finalidades de interés público, en razón de las cuales se configuran legalmente como personas jurídico-públicas o Corporaciones de Derecho público, cuyo origen, organización y funciones no dependen sólo de la voluntad de los asociados, sino también, y en primer término, de las denominaciones obligatorias del propio legislador, el cual, por lo general, les atribuye asimismo el ejercicio de funciones propias de las Administraciones territoriales o permite a estas últimas recabar colaboración de aquéllas mediante delegaciones de competencias administrativas, lo que sitúa a tales Corporaciones bajo la dependencia o tutela de las citadas Administraciones territoriales titulares de las funciones o competencias ejercidas por aquéllas[10]*".*

---

[10]   A nuestro juicio, esta afirmación del Tribunal Constitucional ha de entenderse limitada al segundo supuesto que enuncia, es decir, a aquellos casos en que una

> *Esta Sala también ha declarado en su sentencia de 13 de marzo de 1987, la consideración de los colegios como corporaciones sectoriales de base privada, es decir, como grupos de personas asociadas en atención a una finalidad común y cuyo núcleo fundamental radica en la defensa de intereses privados, aunque sobre esta base privada se les encomienden funciones públicas, y ha reconocido que se produce un fenómeno de autoadministración, por cuya virtud tales colegios actúan como agentes descentralizados de la Administración Pública, ejerciendo facultades administrativas sobre sus propios miembros. Precisamente en los Colegios Profesionales destaca como elemento característico de su sujeción al Derecho Administrativo, aunque lo sea secundum quid, la obligatoriedad de pertenencia a los efectos del ejercicio de una determinada actividad profesional, característica que los diferencia de los sindicatos o de las asociaciones en los que la libertad de asociación o sindicación se manifiesta tanto en el derecho a crear cuantas organizaciones los ciudadanos deseen sobre un mismo grupo de personas y con idénticas finalidades, como el derecho a pertenecer a estas organizaciones y el derecho a no formar parte de ellas. El Tribunal Constitucional, en la sentencia 89/1989, de 11 de mayo, se pronunció sobre la posible vulneración del Derecho fundamental a la libre asociación de aquellas normas que exigen la adscripción obligatoria a los Colegios profesionales para poder ejercer cuanto que Corporaciones Públicas, están excluidos de la libertad de asociación en su aspecto negativo o libertad de no afiliarse y, en cierta forma, del aspecto positivo como es la libertad de crear o pertenecer a asociaciones sustancialmente iguales, exclusión que se justifica por la mención del art. 36 de la Constitución Española a las peculiaridades propias de los Colegios profesionales. Otra nota característica, diferenciadora de estas Corporaciones, es su carácter monopolístico. Frente al pluralismo de asociaciones y sindicatos, deducido de la libertad del art. 22 de la Constitución, las Corporaciones de Derecho público de base privada sólo admiten una organización corporativa para operar con determinadas finalidades.*

> *Sin embargo, como ya anticipamos en el anterior fundamento, se distinguen de las Administraciones Públicas en que la mayor parte de su actividad no se sujeta al Derecho Administrativo: Sus empleados no son funcionarios públicos ni sus finanzas se controlan por la Intervención del Estado ni por el Tribunal de Cuentas y con su creación la Administración Territorial lo que pretende esencialmente es una descentralización funcional, por lo que le atribuye fines relacionados con los intereses públicos, evitando crear entes públicos de intervención directa".*

Esta configuración como personas jurídico-públicas admite, como se deduce de la sentencia citada, el tratamiento de las Corporaciones y de los

---

Administración territorial recaba la colaboración de Corporaciones de Derecho público mediante delegaciones de competencias administrativas, supuesto en el que tales Corporaciones se sitúan bajo la dependencia o tutela de las citadas Administraciones territoriales titulares de las funciones o competencias ejercidas por aquéllas. Que ello es así lo revela que el ejercicio de las potestades públicas atribuidas por el legislador a los Colegios —ordenación de la profesión y disciplina profesional— no están sometidas a control, ni instrucción pública alguna, más allá de su respeto al ordenamiento aplicable y a su sometimiento a la jurisdicción contencioso-administrativa.

Colegios como entidades privadas[11] en todo aquello que no esté relacionado con el ejercicio de sus funciones públicas o, por emplear la fórmula legal al uso, en todo lo que no pueda incardinarse en "*sus actividades sujetas a Derecho Administrativo*"[12].

Por tanto, los convenios que se celebren por una Administración pública con un Colegio profesional que tengan por objeto una actividad que pueda incardinarse en el ámbito ajeno a las funciones públicas que el ordenamiento les atribuye, pueden entenderse comprendidos en el supuesto de la letra c) del artículo 47.2 de la Ley 40/2015[13], aun cuando aquellos no tengan naturaleza jurídico-privada.

Las anteriores reflexiones, sin embargo, no alcanzan a aquellos supuestos en los que los Colegios ejercen funciones públicas, pues en esos casos no pueden en modo alguno ser caracterizados como "sujetos de Derecho privado", ni tampoco como Administraciones públicas en sentido estricto[14].

---

[11] Piénsese, por ejemplo, en la gestión de su patrimonio propio o en la relación económica con los colegiados.

[12] Entre otros muchos ejemplos, cabe mencionar el del artículo 2.1.e) de la Ley 19/2013, de 9 de diciembre, de transparencia, acceso a la información pública y buen gobierno.

[13] Sería dudoso el caso de los convenios a través de los que se articulase un acuerdo en materia formativa, aun cuando esta función puede caracterizarse como cercana a la esfera pública en la medida en que se inserta en la ordenación de una determinada profesión y en la mejor calidad de los servicios que los profesionales prestan a los ciudadanos. No obstante, un convenio con ese objeto podría infringir, en función de su configuración, la prohibición de canalizar por medio de un convenio prestaciones contractuales. En el caso de los Colegios de la Abogacía, los convenios que tienen por objeto el asesoramiento de abogados a la ciudadanía suscitan dudas en cuanto a su alcance y configuración: en cuanto a su alcance porque son instrumentos a través de los que una Administración dispone de los abogados de un Colegio —usualmente de un listado configurado por las partes del convenio— que prestan un servicio de asesoramiento ciudadano; extremos como los requisitos de selección de abogados, la existencia o no de retribución y la asunción de ésta por la Administración, habrían de ser examinados caso a caso para deslindar si se está ante auténticos contratos administrativos aun cuando se les haya dado configuración de convenio.

[14] Tal sería el caso de los convenios que se celebran entre las Administraciones competentes y los Colegios de Abogados, sus Consejos autonómicos e, incluso, el Consejo General de la Abogacía Española, en el marco del sistema de asistencia jurídica gratuita. Este sistema, calificado por el legislador como un servicio público, está encomendado por decisión legal en su organización y gestión a las organizaciones

La Ley parece, así, dejar fuera a los convenios que alguno de los sujetos mencionados en el artículo 47.1 suscriba con algún Colegio profesional[15].

Y, sin embargo, es un hecho incontestable que estas Corporaciones celebran convenios de colaboración que pueden calificarse como convenios "administrativos" y así lo demuestra la propia dinámica de las relaciones que dichos sujetos mantienen con las Administraciones públicas. Ello pone de manifiesto la insuficiencia del marco regulador de los convenios que contiene la Ley 40/2015.

Es evidente, en cualquier caso, que las carencias de la Ley 40/2015 no pueden impedir la celebración de este tipo de convenios entre sujetos de Derecho público, con plena capacidad jurídica y autonomía para la consecución de sus respectivos fines[16].

---

profesionales de la Abogacía y la Procura, que ejercen en este ámbito auténticas funciones públicas, sin que sea de aplicación el Derecho de defensa de la competencia, como ha declarado el Tribunal Supremo en sentencias de 1, 8 y 15 de julio de 2019. La Sala de lo Contencioso-Administrativo rechazó los recursos de casación presentados por los respectivos representantes de las Administraciones actuantes, afirmando con rotundidad que *"el marco regulador de la prestación de los servicios de asistencia jurídica gratuita por los abogados no concurren las notas determinantes de la aplicación del principio de libre competencia, que se sustenta en la idea de base económica de que el mercado se rige por la ley de la oferta y de la demanda, debiendo estar abierto a la iniciativa empresarial, con el objetivo de que se produzca un funcionamiento equilibrado del mismo, en beneficio de los consumidores. En el ámbito estricto al que nos venimos refiriendo —prestación de los servicios de asistencia jurídica gratuita— los abogados no compiten entre sí, no existe libertad de contratación de los servicios profesionales del abogado, ni libertad para fijar los honorarios, ni hay propiamente retribución que deba satisfacer el cliente, al corresponder al Estado la obligación jurídica de compensar adecuadamente el trabajo realizado al servicio de la Administración de Justicia"*.

[15] No sucede lo mismo con los llamados Protocolos Generales de Actuación y otros instrumentos similares a los que se refiere el artículo 47.1 en su segundo párrafo pues en él se hace referencia a "las partes suscriptoras", lo que permite entender que sí pueden celebrarse entre la Administración y los Colegios.

[16] No ofrece dudas que el fundamento de la potestad para celebrar convenios se encuentra en la atribución de personalidad jurídica. En el caso concreto de las Administraciones públicas, al no suponer su celebración el ejercicio de potestades desfavorables, no es preciso que exista habilitación especial: el convenio —ya se ha dicho— se configura como un instrumento o técnica de cooperación al servicio de los fines públicos que permite a la Administración integrar su voluntad con la de la otra parte, bastando con que ésta goce a su vez de personalidad jurídica.

La laguna que presenta el artículo 47 de la Ley puede, empero, integrarse con otro precepto del mismo cuerpo legal que ofrece la necesaria cobertura normativa, como es el artículo 48.1, a cuyo tenor:

> *"Artículo 48. Requisitos de validez y eficacia de los convenios.*
>
> *1. Las Administraciones Públicas, sus organismos públicos y entidades de derecho público vinculados o dependientes y las Universidades públicas, en el ámbito de sus respectivas competencias, podrán suscribir convenios con sujetos de derecho público y privado, sin que ello pueda suponer cesión de la titularidad de la competencia".*

De la lectura de este precepto puede deducirse que, junto a la tipología de convenios que establece el artículo 47 —que, como se ha indicado, parece responder a una intención omnicomprensiva a través del empleo del verbo "deberán"—, el artículo 48.1 admite que los convenios puedan celebrarse con cualesquiera sujetos de derecho público y privado, amplia fórmula en la que tienen cabida los referidos convenios que se celebran por una Administración Pública y una Corporación de Derecho público en ejercicio de funciones públicas, atribuidas por el legislador.

A través de esta interpretación se supera la omisión legislativa del artículo 47 de la Ley 40/2015, que podría conducir, en su literalidad, al absurdo de dejar sin cobertura normativa a una serie de convenios que son celebrados habitualmente entre Administraciones públicas y Colegios profesionales[17].

La amplitud de los términos que emplea el artículo 48 al establecer los requisitos de validez y eficacia de los convenios contrasta con el carácter aparentemente cerrado de la tipología que establece el artículo 47, lo que ha llevado a afirmar mayoritariamente que dicha clasificación —que, por lo demás, es puramente descriptiva, al no derivarse de ella ninguna conse-

---

[17]   Un tratamiento más sencillo y ajustado a la realidad de esta cuestión se encuentra, por ejemplo, en el Decreto 48/2019, de 10 de junio, del Consejo de Gobierno, por el que se regula la actividad convencional de la Comunidad de Madrid, en cuyo artículo 2.1 se establece lo siguiente:
"Tendrán la consideración de convenios los acuerdos con efectos jurídicos adoptados por la Administración General de la Comunidad de Madrid, sus organismos autónomos, entidades de derecho público y demás entes de la Administración Institucional cuya naturaleza jurídica sea de derecho público, con otras Administraciones públicas, entidades de derecho público, universidades públicas o con sujetos de derecho privado para la consecución de un fin común".
En la mención a "entidades de derecho público" encajan con naturalidad las Corporaciones de Derecho público y, por tanto, los Colegios profesionales.

cuencia en cuanto al régimen jurídico aplicable a los distintos convenios que menciona— no es *numerus clausus*.

Esa amplitud sirve además de fundamento para concluir, en línea con lo ya expuesto, que los convenios que las Administraciones y el resto de los sujetos mencionados en el artículo 47.1 de la Ley celebren con los Colegios profesionales —y demás corporaciones de derecho público, en general— pueden ser considerados convenios administrativos a los efectos de lo dispuesto en el título IV de la Ley 40/2015, lo que a su vez determina que tales convenios deban sujetarse al régimen jurídico disciplinado en los preceptos que lo integran sin que quepa, por tanto, admitir que puedan sustraerse a dicho régimen y someterse a otro tipo de disposiciones.

En definitiva, todo convenio que una Administración pública o entidad del sector público celebre con un Colegio profesional deberá someterse a dicho régimen, con independencia de que la materia sobre la que dicho convenio verse afecte a funciones del Colegio de carácter privado o de carácter público, pues ninguna distinción contiene la Ley 40/2015 en este sentido.

V. CONCLUSIONES

1. Los Colegios profesionales se encuentran sometidos a su legislación específica, sin que en ella pueda encontrarse ninguna norma aplicable a los convenios que aquellos pueden celebrar con las Administraciones públicas, lo que obliga a determinar cuál es el régimen jurídico al que deben someterse tales convenios.

2. Los convenios administrativos constituyen una manifestación típica de la actividad negocial de las Administraciones públicas y una técnica de cooperación a la que tradicionalmente se ha acudido para canalizar la consecución de determinados fines de interés público cuya satisfacción puede lograrse mediante la colaboración con otros sujetos.

3. Hasta la Ley 40/2015, de 1 de octubre, de régimen jurídico del sector público, no hubo en nuestro ordenamiento una regulación completa de los convenios administrativos, que siempre han quedado fuera del ámbito de aplicación de la legislación de contratos.

4. La Ley 40/2015 lleva a cabo dicha regulación, partiendo de una definición clásica de los convenios administrativos y estableciendo una tipología en función de los sujetos que los celebran, sin hacer men-

ción expresa entre tales sujetos a las Corporaciones de derecho público.

5. Pese a esa laguna normativa, es un hecho que los Colegios profesionales y demás Corporaciones de derecho público suscriben convenios con las Administraciones públicas y demás entes del sector público.

6. Dicha laguna puede integrarse con lo dispuesto en la propia Ley 40/2015, cuyo artículo 48.1, al pronunciarse en términos más amplios que los del artículo 47, parece dar cabida a otros sujetos distintos de los que éste menciona, entre los cuales pueden entenderse incluidas las corporaciones de derecho público en general y los Colegios profesionales, en particular.

7. Como consecuencia de lo anterior, debe concluirse que los convenios celebrados entre Administraciones y Colegios profesionales pueden conceptuarse como convenios administrativos y deben someterse a lo dispuesto en la Ley 40/2015.

La publicación de datos relativos a sanciones impuestas por Consejos y Colegios Profesionales
(Informe 17/2019)

Sumario: I. DETERMINACIÓN DEL ALCANCE DEL INFORME. II. NORMATIVA APLICABLE. III. LA PUBLICACIÓN DE SANCIONES COMO TRATAMIENTO DE DATOS DE CARÁCTER PERSONAL. IV. POSIBLES TÍTULOS DE LEGITIMACIÓN DEL TRATAMIENTO. V. PRINCIPIOS DE FINALIDAD Y MINIMIZACIÓN DE DATOS. VI. PRINCIPIO DE LIMITACIÓN DEL PLAZO DE CONSERVACIÓN. VII. PUBLICACIÓN DE SANCIONES Y DERECHO DE SUPRESIÓN DE LOS DATOS DE CARÁCTER PERSONAL. VIII. CONCLUSIONES.

El presente Informe tiene como objeto analizar, desde la perspectiva del derecho fundamental a la protección de datos, el régimen de la publicación de sanciones impuestas por Consejos y Colegios Profesionales.

I. DETERMINACIÓN DEL ALCANCE DEL INFORME

Al objeto de determinar el alcance del presente informe ha de quedar claro desde el principio que cuando se habla de publicación de sanciones no nos referimos al régimen de la publicación de actos administrativos que regula la Ley 39/2015, de 1 de octubre, del Procedimiento Administrativo Común de las Administraciones Públicas en sus artículos 44 y siguientes. No se analiza en efecto la publicación de actos a efectos de notificación cuando esta haya resultado infructuosa por darse alguna de las circunstancias que establece el artículo 44 ("Cuando los interesados en un procedimiento sean desconocidos, se ignore el lugar de la notificación o bien, intentada ésta, no se hubiese podido practicar, la notificación se hará por medio de un anuncio publicado en el "Boletín Oficial del Estado"").

En cualquier caso, y al hilo de lo que acaba de apuntarse, es conveniente recordar que la Ley Orgánica 3/2018, de 5 de diciembre, de protección de datos y garantía de los derechos digitales (LOPDGDD) dispone ahora en su disposición adicional séptima, apartado 1, lo siguiente:

Identificación de los interesados en las notificaciones por medio de anuncios y publicaciones de actos administrativos.

1. Cuando sea necesaria la publicación de un acto administrativo que contuviese da-
tos personales del afectado, se identificará al mismo mediante su nombre y apellidos,
añadiendo cuatro cifras numéricas aleatorias del documento nacional de identidad,
número de identidad de extranjero, pasaporte o documento equivalente. Cuando la
publicación se refiera a una pluralidad de afectados estas cifras aleatorias deberán
alternarse.

Cuando se trate de la notificación por medio de anuncios, particularmente en los
supuestos a los que se refiere el artículo 44 de la Ley 39/2015, de 1 de octubre,
del Procedimiento Administrativo Común de las Administraciones Públicas, se iden-
tificará al afectado exclusivamente mediante el número completo de su documento
nacional de identidad, número de identidad de extranjero, pasaporte o documento
equivalente.

Cuando el afectado careciera de cualquiera de los documentos mencionados en los
dos párrafos anteriores, se identificará al afectado únicamente mediante su nombre y
apellidos. En ningún caso debe publicarse el nombre y apellidos de manera conjunta
con el número completo del documento nacional de identidad, número de identidad
de extranjero, pasaporte o documento equivalente.

Es decir, se han establecido medidas para evitar en la medida de lo posible la identificación por terceros de todos los datos de las personas en
relación con las cuales haya de llevarse a cabo alguna publicación a efectos
de notificación.

El presente Informe tampoco se refiere a la publicación de sanciones
impuestas a personas jurídicas. Tal sería el caso de las que pueden imponerse a las sociedades profesionales.

La Ley 2/2007, de 15 de marzo, de sociedades profesionales permite
en efecto sancionar a tales sociedades. El artículo 9 sobre desarrollo de la
actividad profesional y responsabilidad disciplinaria dispone en su apartad
2 que "en ningún caso será obstáculo el ejercicio de la actividad profesional
a través de la sociedad para la efectiva aplicación a los profesionales, socios
o no, del régimen disciplinario que corresponda según su ordenamiento
profesional. **Sin perjuicio de la responsabilidad personal del profesional
actuante, la sociedad profesional también podrá ser sancionada en los términos establecidos en el régimen disciplinario que corresponda según su
ordenamiento profesional**".

El informe 550/2006 de la Agencia Española de Protección de Datos referido a la publicación de resoluciones sancionadoras deportivas deja claro
que los datos correspondientes a sanciones cuyo destinatario no sea una
persona física no se encuentran sometidos a lo dispuesto en la legislación
de protección de datos. El artículo 1°.2 del Reglamento (UE) 2016/679,
del Parlamento Europeo y del Consejo, de 27 de abril de 2016 sobre protección de datos (RGPD) señala que el mismo protege los derechos y li-

bertades fundamentales de las personas físicas. Por su parte el artículo 4.1 del mismo reglamento señala claramente que dato personal es aquel que se refiere a una persona física. En el mismo sentido debe interpretarse el artículo 1° de la LOPDGDD.

En consecuencia el presente informe se referirá a la publicación de sanciones impuestas a personas físicas, abstracción hecha del régimen de notificación regulado en la Ley 39/2015.

En fin, no se analizará tampoco el régimen de comunicación de datos de sanciones entre entidades públicas, que ya fue objeto de estudio por esta Comisión Jurídica en su Informe 7/2012, sobre *Comunicación a autoridades de otros Estados Miembros de la Unión Europea (y a sus ciudadanos) de datos relativos a sanciones impuestas a abogados[1]* y en su Informe 6/2016 sobre el *impacto de la Ley 20/2013, de 9 de diciembre, de garantía de la unidad de mercado, sobre el acceso a la profesión de abogado y su ejercicio[2]*.

II. NORMATIVA APLICABLE

Para la elaboración del presente Informe se han tenido en cuenta las siguientes normas:

– Reglamento (UE) 2016/679, del Parlamento Europeo y del Consejo, de 27 de abril de 2016, relativo a la protección de las personas físicas en lo que respecta al tratamiento de datos personales y a la libre circulación de estos datos y por el que se deroga la Directiva 95/46/CE: Reglamento general de protección de datos (DOUE L 119, de 4-5-2016).

– Ley Orgánica 3/2018, de 5 de diciembre, de Protección de Datos y Garantía de los Derechos Digitales.

– Ley 2/1974, de 13 de febrero, sobre Colegios Profesionales.

– Ley 25/2009, de 22 de diciembre, de modificación de diversas leyes para su adaptación a la Ley sobre el libre acceso a las actividades de servicios y su ejercicio.

---

[1]   https://www2.abogacia.es/wp-content/uploads/2012/07/Libro-Informe-Comision-Juridica-2012-con-portada.pdf

[2]   https://www.abogacia.es/wp-content/uploads/2016/02/Informes-de-la-Comision-Juridica-2016-con-portada-web.pdf

- Ley 2/2007, de 15 de marzo, de sociedades profesionales
- Real Decreto 658/2001, de 22 de junio, por el que se aprueba el Estatuto General de la Abogacía Española.

III. LA PUBLICACIÓN DE SANCIONES COMO TRATAMIENTO DE DATOS DE CARÁCTER PERSONAL

Dicho lo anterior, debe tenerse en cuenta que la publicación de sanciones implica un tratamiento de datos de carácter personal.

Cómo es sabido, para que sea de aplicación la legislación de protección de datos han de darse al menos dos presupuestos: por un lado que estemos ante datos de carácter personal. En este sentido el artículo 4º del RGPD define dato personal como "toda información sobre una persona física identificada o identificable (el interesado)". Esa información debe permitir determinar directa o indirectamente la identidad del sujeto. Lo que lleva al Reglamento a establecer con gran amplitud qué se entiende o puede entenderse por dato personal: nombre, número de identificación, datos de localización, un identificador en línea o uno o varios elementos propios de la identidad física, fisiológica, genética, psíquica, económica, cultural o social de las personas.

El segundo presupuesto es que los datos personales sean objeto de tratamiento. El citado artículo 4º también define qué ha de entenderse por tratamiento y lo hace de un modo extraordinario amplio. En efecto según el apartado 2 de dicho artículo, tratamiento es "cualquier operación o conjunto de operaciones realizadas sobre datos personales o conjuntos de datos personales, ya sea por procedimientos automatizados o no, como la recogida, registro, organización, estructuración, conservación, adaptación o modificación, extracción, consulta, utilización, comunicación por transmisión, difusión o cualquier otra forma de habilitación de acceso, cotejo o interconexión, limitación, supresión o destrucción".

Resulta evidente que la publicación de las sanciones implica un tratamiento de datos personales ya que supone la comunicación difusión, o incluso habilitación de acceso, de datos sobre personas identificadas. En definitiva el tratamiento implica poner a disposición de terceros datos personales referidos a personas que han sido objeto de sanción por parte de los colegios o consejos,

Este tratamiento debe cumplir con los principios de protección de datos que recoge el artículo 5 del RGPD. Tales principios son licitud, lealtad, transparencia, limitación de la finalidad, minimización de datos, exactitud, limitación del plazo de conservación, integridad y confidencialidad y, por último, principio de responsabilidad proactiva.

El análisis de tales principios no obstante solo está justificado si con carácter previo se cumple el primero de ellos es decir el de la licitud del tratamiento. En efecto debemos plantear si existe o no algún título que habilite o legitime la publicación de las sanciones.

Debe advertirse que la elaboración y publicación de la Memoria Anual por parte d las organizaciones colegiales a que se refiere el artículo 11 de la Ley de Colegios Profesionales no afecta en lo que ahora interesa a la protección de datos. En efecto el citado precepto señala en su apartado 1 que las organizaciones colegiales estarán sujetas al principio de transparencia en su gestión. Para ello, cada una de ellas deberá elaborar una Memoria Anual que contenga al menos la información siguiente:

…..

> c) *Información agregada y estadística relativa a los procedimientos informativos y sancionadores en fase de instrucción o que hayan alcanzado firmeza, con indicación de la infracción a la que se refieren, de su tramitación y de la sanción impuesta en su caso, de acuerdo, en todo caso, con la legislación en materia de protección de datos de carácter personal.*

Dicha publicación no es contraria a la legislación de protección de datos por cuanto la información publicada relativa a los procedimientos informativos y sancionadores es agregada y por tanto no debe contener datos personales. El Considerando 26 del RGPD señala que "los principios de protección de datos no deben aplicarse a la información anónima, es decir información que no guarda relación con una persona física identificada o identificable, ni a los datos convertidos en anónimos de forma que el interesado no sea identificable, o deje de serlo. En consecuencia, el presente Reglamento no afecta al tratamiento de dicha información anónima, inclusive con fines estadísticos o de investigación".

IV. POSIBLES TÍTULOS DE LEGITIMACIÓN DEL TRATAMIENTO

El hecho de que los Consejos y Colegios profesionales puedan ejercer legítimamente la potestad sancionadora no implica que las sanciones impuestas puedan ser objeto de publicación. La AEPD en su informe

550/2006[3] ya señaló que la imposición de dichas sanciones no implica necesariamente una publicidad general de las mismas, salvo en el caso de amonestación pública, sino que su conocimiento debería producirse por los sujetos que tienen la necesidad de conocerlas[4]. Pero el mismo informe señala que la publicación de las sanciones será posible en caso de que exista un título habilitante que la legitime[5]. En consecuencia es necesario identificar algún título que habilite a los consejos y colegios a publicar las sanciones que impongan.

El artículo 6 del RGPD señala que el tratamiento de datos de carácter personal solo será lícito si se cumple al menos una de las siguientes condiciones:

a) *el interesado dio su consentimiento para el tratamiento de sus datos personales para uno o varios fines específicos;*

b) *el tratamiento es necesario para la ejecución de un contrato en el que el interesado es parte o para la aplicación a petición de este de medidas precontractuales;*

c) *el tratamiento es necesario para el cumplimiento de una obligación legal aplicable al responsable del tratamiento;*

d) *el tratamiento es necesario para proteger intereses vitales del interesado o de otra persona física;*

e) *el tratamiento es necesario para el cumplimiento de una misión realizada en interés público o en el ejercicio de poderes públicos conferidos al responsable del tratamiento;*

f) *el tratamiento es necesario para la satisfacción de intereses legítimos perseguidos por el responsable del tratamiento o por un tercero, siempre que sobre dichos intereses no prevalezcan los intereses o los derechos y libertades fundamentales del interesado que requieran la protección de datos personales.*

---

[3] Sobre publicación de resoluciones sancionadoras deportivas.

[4] El informe aclara que "el acceso a la información debería en principio limitarse a los restantes implicados en la competición en cuyo seno se produce la infracción o al personal que debe garantizar la efectividad de la sanción".

[5] En particular señala que el artículo 75 de la Ley 10/1990 del Deporte habilita a las federaciones deportivas a establecer un sistema de sanciones en el que podrá expresamente hacerse constar a través de la correspondiente norma estatutaria la publicación de la sanción impuesta.

De entre tales condiciones parece evidente que debemos descartar el consentimiento del afectado. Tampoco es aplicable el título en virtud del cual el tratamiento es necesario para la ejecución de un contrato o la aplicación de medidas precontractuales. De igual modo no sería de aplicación el supuesto de protección de intereses vitales del interesado o de un tercero.

De este modo los posibles títulos habilitantes que podrían en principio traerse a colación serían el cumplimiento de una obligación legal, el cumplimiento de una misión realizada en interés público o en el ejercicio de poderes públicos o bien que el tratamiento sea necesario para la satisfacción de intereses legítimos perseguidos por el responsable del tratamiento o por un tercero.

De los anteriores el tercero, satisfacción de intereses legítimos, debe asimismo ser descartado. No olvidemos que al referirnos a la publicación de sanciones estamos moviéndonos en el ámbito de las competencias de derecho público de los Consejos y Colegios, es decir a efectos de la legislación de protección de datos ambos tendrían la consideración de autoridades públicas y en este sentido el Considerando 47 del RGPD señala que el interés legítimo del responsable en cuanto base jurídica para los tratamientos no debe aplicarse al tratamiento efectuado por las autoridades públicas en el ejercicio de sus funciones.

En relación con el interés legítimo del responsable, en nuestro caso de los Colegios o Consejos, como título habilitante para la publicación de sanciones no sería tampoco de aplicación el artículo 19 de la LOPDGDD. Dicho precepto dispone que salvo prueba en contrario se presumirá amparado en el interés legítimo el tratamiento de datos relativos a los profesionales liberales cuando se refieran a ellos únicamente en dicha condición y no se traten para entablar una relación con los mismos como personas físicas. Sin embargo el mismo precepto, en su apartado 3, dispone que los responsables o encargados del tratamiento a los que se refiere el artículo 77 1 de la Ley Orgánica, es decir quiénes tengan la consideración de autoridad pública entre los que se encuentran los Consejos y Colegios "cuando las finalidades del tratamiento se relacionen con el ejercicio de funciones públicas", podrán también tratar los datos de profesionales liberales cuando ello se derive de una obligación legal o sea necesario para el ejercicio de sus competencias. Es decir el mencionado artículo 19 no contemplaría la posibilidad del tratamiento de datos de profesionales en base al interés legítimo de los responsables, pero si en base al cumplimiento de una obligación legal o para el ejercicio de sus competencias. Esta previsión es especialmente importante por cuánto en definitiva será posible el tratamiento de datos de profesionales por autoridades públicas sin su consentimiento cuando sea necesario para el ejercicio de sus competencias. No obstante tal título habilitante puede plantear problemas por cuánto el reiterado artículo 19 se refiere tan solo a los datos necesarios para la localización profesional del interesado, lo cual podría plantear problemas en relación con otros datos tales como el de la imposición de una sanción, incluyendo la sanción de que se trate.

En conclusión las bases legitimadoras para en su caso considerar lícita la publicación de sanciones por parte de los Colegios o Consejos podrían ser alguna de las dos siguientes:

> Que el tratamiento sea necesario para el cumplimiento de una obligación legal aplicable al responsable del tratamiento;
>
> Que el tratamiento sea necesario para el cumplimiento de una misión realizada en interés público o en el ejercicio de poderes públicos conferidos al responsable del tratamiento;

En cuanto a la primera sería necesario identificar una ley que no solo permitiese la publicación de las sanciones sino que la estableciese como obligatoria. Además en este caso sería de aplicación lo dispuesto en el artículo 8.1 de la LOPDGDD:

> 1. El tratamiento de datos personales solo podrá considerarse fundado en el cumplimiento de una obligación legal exigible al responsable, en los términos previstos en el artículo 6.1.c) del Reglamento (UE) 2016/679, cuando así lo prevea una norma de Derecho de la Unión Europea o una norma con rango de ley, que podrá determinar las condiciones generales del tratamiento y los tipos de datos objeto del mismo así como las cesiones que procedan como consecuencia del cumplimiento de la obligación legal. Dicha norma podrá igualmente imponer condiciones especiales al tratamiento, tales como la adopción de medidas adicionales de seguridad u otras establecidas en el capítulo IV del Reglamento (UE) 2016/679.

Es decir en su caso la publicación de sanciones debería estar expresamente prevista en una norma y además esta debe tener rango de ley o bien ser una norma de derecho de la Unión Europea. Parece evidente pues que la publicación de sanciones en principio y con carácter general no podría ampararse en el cumplimiento de una obligación legal por parte de los Colegios y Consejos, pues no existe una norma con rango de ley que establezca expresamente dicha obligación. Ni la Ley de Colegios Profesionales ni otras leyes incluyen expresamente entre las obligaciones de los Colegios y Consejos la de publicar las sanciones. No es lo mismo obligar por ley a publicar las sanciones que una ley habilite o permita su publicación.

Parece pues que el único título habilitante que cabría traer a colación para en su caso justificar la publicación de las sanciones sería el cumplimiento de una misión realizada en interés público o en el ejercicio de poderes públicos conferidos al responsable del tratamiento es decir a los Colegios y Consejos. También en este caso hemos de acudir al artículo 8 de la LOPDGDD, que en su apartado 2 dispone:

> *2. El tratamiento de datos personales solo podrá considerarse fundado en el cumplimiento de una misión realizada en interés público o en el ejercicio de poderes públicos conferidos al responsable, en los términos previstos en el artículo 6.1 e) del Reglamento (UE) 2016/679,* **cuando derive de una competencia atribuida por una norma con rango de ley.**

La Agencia Española de Protección de Datos (AEPD), precisamente en respuesta a una consulta planteada por el CGAE en marzo de 2010, ya tuvo ocasión de pronunciarse sobre la legitimación para la publicación de datos relacionados con las sanciones impuestas a los colegiados. Lo hizo en su Informe 67820/2010, de junio de 2011. Cierto que el Informe se fundamenta en la Ley Orgánica 15/1999, de Protección de Datos y en su Reglamento de desarrollo, aprobado por Real Decreto 1720/2007, normas hoy derogadas en su práctica totalidad, pero las conclusiones a las que el mismo llega son perfectamente trasladables a la situación que ahora regulan el RGPD y la LOPDGDD.

En dicho Informe la Agencia ya puso de relieve lo siguiente:

La consulta plantea la adecuación a lo dispuesto en la legislación de protección de datos "de las actuaciones que realizan los Colegios de Abogados, Consejo General y Consejos Autonómicos para dar publicidad a las sanciones firmes impuestas a los colegiados conforme a los artículos 5 u) y 10.2 a) de la Ley de Colegios Profesionales, en su nueva redacción dada por la Ley 25/2009, de 22 de diciembre".

Según el artículo 5 u) de la Ley de Colegios Profesionales una de las funciones que a éstos corresponde es "atender las solicitudes de información sobre sus colegiados y sobre las sanciones firmes a ellos impuestas, así como las peticiones de inspección o investigación que les formule cualquier autoridad competente de un Estado miembro de la Unión Europea en los términos previstos en la Ley 17/2009, de 23 de noviembre, sobre el libre acceso a las actividades de servicios y su ejercicio, en particular, en lo que se refiere a que las solicitudes de información y de realización de controles, inspecciones e investigaciones estén debidamente motivadas y que la información obtenida se emplee únicamente para la finalidad para la que se solicitó"[6].

Por su parte, conforme al artículo 10.2 a), las organizaciones colegiales deberán a través de la ventanilla única, regulada por el precepto, y para la mejor defensa de los derechos de los consumidores y usuarios, ofrecer información, que deberá ser clara, inequívoca y gratuita, en relación con "el acceso al Registro de colegiados, que estará permanentemente actualizado y en el que constarán, al menos, los siguientes datos: nombre y apellidos de los profesionales colegiados, número de colegiación, títulos oficiales de los que estén en posesión, domicilio profesional **y situación de habilitación profesional**".

La Agencia ya se refirió a la legitimación para la publicación de datos relacionados con las sanciones impuestas a los Colegiados en un informe anterior, de fecha 10 de noviembre de 2010. En dicho informe señaló lo siguiente:

"La reforma operada en la mencionada Ley (de Colegios Profesionales) por la Ley 25/2009 supone un cambio de enfoque en la finalidad de la actividad de los Colegios profesionales, al haber modificado la misma el artículo 1.3 de dicha Ley, pasando a integrar entre los fines esenciales de los Colegios Profesionales "la protección de los intereses de los consumidores y usuarios de los servicios de sus colegiados".

Desde el estricto punto de vista de la aplicación de las normas de protección de datos el acceso por los ciudadanos a la información referida a los colegiados constituye una cesión o comunicación de datos de carácter personal.

En relación con las cesiones, el artículo 11.1 de la Ley indica que "Los datos de carácter personal objeto del tratamiento sólo podrán ser comunicados a un tercero para el cumplimiento de fines directamente relacionados con las funciones legítimas del cedente y del cesionario con el previo consentimiento del interesado".

No obstante, este consentimiento no será preciso en los supuestos contemplados en el artículo 11.2 de la Ley. Así sucederá en los supuestos en que exista una norma con rango de Ley habilitante de la cesión, tal y como indica el apartado a) de dicho precepto, o cuando los datos se encuentren recogidos en fuentes accesibles al público, de conformidad con lo previsto en el artículo 11.2 b).

Quiere ello decir que, con independencia de que los datos contenidos en el registro de colegiados, que necesariamente deberá constituirse por la corporación y que deberá

---

[6]   Apartado introducido por el art. 5.9 de la Ley 25/2009, de 22 de diciembre.

incluir, como mínimo, los datos enumerados por el artículo 10.2 a) de la Ley de Colegios Profesionales, coincidan o no con los listados de profesionales que tengan el carácter de fuente accesible al público, el acceso a los mismos se encontrará amparado por la Ley Orgánica 15/1999, y no resultará contrario a la misma".

La existencia de un título habilitante que legitime la publicación de las sanciones ha sido analizada por la Agencia con ocasión de la tramitación de diversos procedimientos sancionadores. En particular haremos referencia al procedimiento número PS/00042/2009, de 24 de julio de 2009, en el que se impuso a una Federación deportiva la multa de 60.101 euros por una infracción grave de la LOPD por tratamiento ilícito de datos. En particular se trataba de la publicación en la página web de la Federación de un listado de expedientes sancionadores en el que se reseña el nombre y apellidos de los sancionados, la fecha de inicio y fin de la sanción y otras observaciones entre ellas número de expediente, fecha de resolución y acuerdos sobre premios obtenidos por el sancionado. En definitiva se trataba de analizar un tratamiento de datos consistente en la publicación en una página web de datos personales. La Agencia constata que no se ha obtenido el consentimiento de los afectados y que además tampoco se daba ninguna de las circunstancias que recogía el hoy derogado artículo 2 de la LOPD de 1999, que en parte coinciden con las que hoy recoge el artículo 6 del RGPD. La Agencia advierte que el consentimiento solicitado a los deportistas, previo al otorgamiento de las licencias federativas "no contempla la publicación de los datos personales relativos a sanciones". Además, y esto es especialmente relevante, pone de manifiesto que si bien el deportista asume las normas de la Federación Deportiva a la que pertenece y ello implica el sometimiento al régimen disciplinario establecido, "ninguna norma permite el tratamiento y publicación en una web de los resultados sancionadores a los miembros de la misma poniendo a disposición del público en general los datos personales de los deportistas afectados". Por otra parte, continúa la Agencia, el conocimiento de la imposición de las sanciones por los interesados no implica necesariamente una publicidad general sino que su conocimiento debería producirse exclusivamente por los sujetos que tienen la necesidad de conocerlas para lograr su efectivo cumplimiento. En conclusión no estarían amparada una divulgación general y pública de las sanciones.

La resolución citada es de gran importancia. Nos permite confirmar que de la Ley de Colegios profesionales, del hecho de publicar el estdo de habilitación de los abogados, de la necesidad de proteger los derechos de los justiciables a conocer dicha situación y del ejercicio de la ordenación de la profesión que compete a los Colegios y Consejos cabe concluir que la publicidad de ciertas sanciones es posible en los términos que se establecen en el presente informe es decir con respeto a los principios de finalidad, minimización de los datos y fijación del plazo de conservación.

V. PRINCIPIOS DE FINALIDAD Y MINIMIZACIÓN DE DATOS

Admitida la posibilidad de publicar las sanciones en los términos que acabamos de exponer, han de tenerse en cuenta el resto de los principios que configuran el derecho a la protección de datos. Ante todo, como ya hemos señalado antes, los datos han de ser recogidos con fines determinados, explícitos y legítimos, y no ser tratados ulteriormente de manera incompatible con dichos fines ("limitación de la finalidad"); "adecuados, pertinentes y limitados a lo necesario en relación con los fines para los que son tratados ('minimización de datos'9" (art. 5.1.b) y c), respectivamente, del RGPD).

En lo que respecta a la extensión de la información que debería ser objeto de publicidad en la ventanilla única de la organización colegial el Informe 067820/2010 indicaba asimismo lo siguiente:

"(…) el registro regulado por la Ley de Colegios se refiere a la inclusión del dato de "habilitación profesional". Para valorar el alcance de tal previsión es fundamental tener en cuenta la finalidad que justifica la publicidad del registro, dado que el alcance de la información que podrá incluirse en esta categoría de datos dependerá precisamente de tal finalidad. Como ya ha quedado señalado, el Informe se refería a la Ley Orgánica 15/1999, pero hoy debe tenerse en cuenta el artículo 5 del RGPD que en su apartado 1, letras b) y c) dispone, respectivamente, que los datos deben ser "recogidos con fines determinados, explícitos y legítimos, y no serán tratados ulteriormente de manera incompatible con dichos fines" ('limitación de la finalidad'), y que deben ser adecuados, pertinentes y limitados a lo necesario en relación con los fines para los que son tratados ('minimización de datos').

La Agencia continúa señalando que *la reforma operada por la Ley 25/2009 introduce como fin esencial de los colegios profesionales "la protección de los intereses de los consumidores y usuarios de los servicios de sus colegiados" en el artículo 1.3, complementándose dicha previsión con el hecho de que el artículo 10.2 de la Ley prevé que la información a incluir en la ventanilla única en aplicación de dicho apartado tendrá por objeto "la mejor defensa de los derechos de los consumidores y usuarios".*

En consecuencia, la información que habrá de incluirse debería ser la **imprescindible** *para que los consumidores y usuarios pudieran tener un conocimiento ade-*

cuado de la situación concreta de cada profesional a fin de evitar perjuicios como consecuencia de su actuación profesional.

De este modo, una adecuada aplicación del juicio de **proporcionalidad** *al presente caso conduciría a considerar que la información sobre la situación de habilitación profesional a la que se refiere el artículo 10.2 a) de la Ley de Colegios Profesionales comprendería la que permitiera a los consumidores y usuarios conocer si el colegiado se encuentra o no habilitado para el ejercicio profesional y, en caso de no estarlo, el período de inhabilitación para dicho ejercicio.*

En consecuencia, **la información sobre la habilitación profesional debería comprender la relativa a las sanciones impuestas al colegiado que puedan afectar a la posibilidad de desempeñar su ejercicio profesional.**

No obstante, y en virtud del principio de proporcionalidad, cabe considerar que **tal información no debería comprender los datos detallados en que se haya fundamentado la imposición de la sanción, sino únicamente la sanción misma en cuanto afecte a la habilitación para el ejercicio profesional.** *Del mismo modo,* **aquellas otras sanciones que no afectasen a dicha habilitación no deberían ser incluidas en el registro.**

En todo caso, –continúa la Agencia– el hecho de que en el registro conste la información referida a la existencia o no de alguna causa de inhabilitación del colegiado no es contraria a las normas reguladores del derecho fundamental a la protección de datos, al encontrarse amparada en una norma con rango de Ley."

La Agencia advierte además que el régimen sancionador establecido en el Estatuto General de la Abogacía Española, aprobado por Real Decreto 658/2001, de 22 junio, no afecta en todo caso al régimen de habilitación para el ejercicio de la profesión, siendo así que el artículo 10.2 a) de la Ley de Colegios Profesionales únicamente impone el deber de publicar en el Registro los datos referidos a la "situación de habilitación profesional".

En efecto, como recuerda la Agencia, el artículo 87 del Estatuto diferencia los distintos tipos de sanciones que podrán imponerse a los colegiados, estableciendo lo siguiente:

"1. Las sanciones que pueden imponerse por infracciones muy graves serán las siguientes:

a) Para las de los párrafos b), c), d), e), f), h) e i) del artículo 84, suspensión del ejercicio de la abogacía por un plazo superior a tres meses sin exceder de dos años.

b) Para las de los párrafos a), j) y k) del mismo artículo, expulsión del Colegio.

2. Por infracciones graves podrá imponerse la sanción de suspensión del ejercicio de la abogacía por un plazo no superior a tres meses.

3. Por infracciones leves podrán imponerse las sanciones de amonestación privada o la de apercibimiento por escrito."

De este modo, las sanciones impuestas por la comisión de **infracciones leves** no afectarían a la situación de habilitación profesional del colegiado, por lo que **su publicación en el Registro no resultaría necesaria** a tenor de lo dispuesto en el artículo 10.2 a) de la Ley de Colegios Profesionales.

No obstante, las organizaciones colegiales sí deberían atender las solicitudes específicas que les fueran dirigidas en relación con tales sanciones, en los términos establecidos en el artículo 5 u) de la Ley.

Debe señalarse que la Autoridad Catalana de Protección de Datos en su dictamen CNS-12/2012, de 12 de marzo, parece llegar a una conclusión diferente. La citada Autoridad hace referencia al artículo 10.2.a) de la ley 2/1974 que ya ha sido analizado en el presente informe. Señala que de acuerdo con dicho precepto "existe la posibilidad de que el Colegio profesional por medio de su página web pueda informar en todo momento de si un determinado colegiado está habilitado o no para el ejercicio de su profesión (situación de habilitación profesional), sin tener que hacer público el motivo concreto de la falta de habilitación cuando esta tenga lugar (por ejemplo una sanción disciplinaria firme). Es decir, en el caso examinado, el Colegio profesional puede permitir el acceso al registro de colegiación mediante su página web e informar que un determinado colegiado no está habilitado para ejercer su profesión sin indicar pero (sic) que ha sido sancionado con la expulsión colegial por impago reiterado de las cuotas colegiales. Por otra parte cuando se impone la sanción de expulsión colegial el colegio profesional puede simplemente reflejar esta circunstancia excluyendo al colegiado afectado de su lista de profesionales mientras duren los efectos de esta sanción. Concluye la Autoridad catalana que el citado artículo 10.2.a) "habilitaría el Colegio profesional porque, por medio de su ventanilla única, informe en todo momento sobre si un determinado colegiado está habilitado o no para el ejercicio de su profesión, sin indicar pero el motivo concreto de la falta de habilitación cuando esta tenga lugar".

En nuestra opinión la postura de la Agencia Española de Protección de Datos es más acorde con el régimen actual de Protección de Datos derivado del RGPD y la LOPDGDD. Pues además la Autoridad Catalana basa en gran medida su opinión en el hecho de que con arreglo a la LOPD de 1999 las listas de profesionales tenían la consideración de fuentes de acceso público lo que permitía que pudiesen ser consultadas por cualquier persona y fuese posible la comunicación de los datos en ellas incluidas sin necesidad de consentimiento de los afectados. Esta situación hoy no es posible. La publicación de las sanciones está como hemos visto condicionada por el principio de finalidad de modo que el tratamiento que en su caso se lleve a cabo de los datos de sanciones publicados estará en todo momento sujeto a las prescripciones del reglamento y de la Ley Orgánica lo que impide su uso para una finalidad distinta de aquella que deriva de la Ley de colegios profesionales y de la normativa reguladora de la profesión de abogado. Este límite en cuanto al tratamiento ulterior de los datos no pudo ser tenido en cuenta por la Autoridad Catalana por un simple motivo temporal dado que su Dictamen es anterior a la aplicación del reglamento y de la nueva Ley Orgánica. Hoy ha desaparecido la noción de fuente de acceso público tal como estaba definida en el artículo 3 J de la derogada LOPD y en el artículo 7 de de su Reglamento de desarrollo que también debe entenderse derogado en este punto.

Por otra parte y en relación con el principio de finalidad cabe señalar que el Informe de la AEPD 550/2006, al que ya se ha hecho referencia más atrás, advierte que en todo caso deberá garantizarse la anonimización de los datos referidos a quienes no sean objeto de sanción. En efecto la publicación de tales datos en nada es necesaria para la finalidad perseguida, en los términos que acabamos de ver. Incluso cabe decir que tal publicación carece totalmente de título habilitante.

VI. PRINCIPIO DE LIMITACIÓN DEL PLAZO DE CONSERVACIÓN

El artículo 5.1.e) del RGPD dispone los datos serán "mantenidos de forma que se permita la identificación de los interesados durante no más tiempo del necesario para los fines del tratamiento de los datos personales; los datos personales podrán conservarse durante períodos más largos siempre que se traten exclusivamente con fines de archivo en interés público, fines de investigación científica o histórica o fines estadísticos. ('limitación del plazo de conservación')".

En este sentido, sigue siendo perfectamente aplicable lo que ya señaló la Agencia en el Informe a que venimos refiriéndonos: "Además, **la información debería eliminarse del registro en cuanto la misma no afecte a la situación de habilitación profesional del colegiado, mientras que la información relacionada con la misma persistiría accesible a los efectos establecidos en el artículo 5 u) de la Ley de Colegios en tanto no proceda a su cancelación**, en los términos previstos en el artículo 93 del Estatuto general de la Abogacía Española, cuyo apartado 1 dispone que "La anotación de las sanciones en el expediente personal del colegiado se cancelará cuando hayan transcurrido los siguientes plazos, sin que el colegiado hubiere incurrido en nueva responsabilidad disciplinaria: seis meses en caso de sanciones de amonestación privada o apercibimiento escrito; un año en caso de sanción de suspensión no superior a tres meses; tres años en caso de sanción de suspensión superior a tres meses; y cinco años en caso de sanción de expulsión. El plazo de caducidad se contará a partir del día siguiente a aquel en que hubiere quedado cumplida la sanción"

A la vista de lo anterior la Agencia llega a una conclusión que debe resaltarse: "Quiere ello decir, en consecuencia, que no todas las informaciones que resultarán accesibles en el supuesto de requerimientos específicos de información a los efectos previstos en el artículo 5 u) de la Ley de Colegios Profesionales deberán constar explícitamente en el Registro al que se refiere el artículo 10.2 a) de la propia Ley". De aquí se desprende, según la Agencia, que el establecimiento de un sistema de publicidad que unificase ambos regímenes de publicidad podría no resultar conforme a lo establecido en la normativa sobre protección de datos de carácter personal.

VII. PUBLICACIÓN DE SANCIONES Y DERECHO DE SUPRESIÓN DE LOS DATOS DE CARÁCTER PERSONAL

El artículo 17 del RGPD regula el derecho de supresión. Según dicho precepto el interesado tendrá derecho a obtener sin dilación indebida del responsable del tratamiento la supresión de los datos personales que le conciernen, el cual estará obligado a suprimir sin dilación indebida los datos personales cuando concurra alguna de las circunstancias siguientes:

a) *los datos personales ya no sean necesarios en relación con los fines para los que fueron recogidos o tratados de otro modo*

b) *el interesado retire el consentimiento en que se basa el tratamiento de conformidad con el artículo 6, apartado 1, letra a), o el artículo 9, apartado 2, letra a), y este no se base en otro fundamento jurídico;*

c) *el interesado se oponga al tratamiento con arreglo al artículo 21, apartado 1, y no prevalezcan otros motivos legítimos para el tratamiento, o el interesado se oponga al tratamiento con arreglo al artículo 21, apartado 2;*

d) *los datos personales hayan sido tratados ilícitamente;*

e) *los datos personales deban suprimirse para el cumplimiento de una obligación legal establecida en el Derecho de la Unión o de los Estados miembros que se aplique al responsable del tratamiento;*

f) *los datos personales se hayan obtenido en relación con la oferta de servicios de la sociedad de la información mencionados en el artículo 8, apartado 1.*

Del citado precepto se desprende que no por el hecho de que un interesado ejerza su derecho de supresión deben eliminarse o cancelarse los datos a los que el mismo se refiera. Esta cuestión es especialmente relevante por cuanto puede afectar a la publicación de los datos referentes a las sanciones impuestas por colegios y consejos. La cuestión como es fácil adivinar no es otra que la prevalencia o no del derecho de supresión sobre la publicación de las sanciones.

Para dar una respuesta a la cuestión planteada hemos de analizar las circunstancias que el artículo 17 recoge para considerar que el derecho de supresión debe ser atendido. De todas ellas, en lo que ahora interesa, pueden tener relevancia las circunstancias previstas en los apartados a) y c). Ello debido a que damos por descontado que el título habilitante para el tratamiento no es el consentimiento del interesado (lo que trae como consecuencia que no se aplica el apartado b) que el tratamiento es lícito (no se aplicaría el apartado d), que no deben suprimirse en cumplimiento de una obligación legal ni que han sido obtenidos en relación con la oferta de servicios de la sociedad de la información (lo que hace inaplicables respectivamente los apartados e y f). De las restantes tampoco parece ser aplicable el supuesto de que el interesado se oponga al tratamiento por cuanto cabe afirmar que en este caso prevalecen otros motivos legítimos para el tratamiento cómo ha quedado puesto de manifiesto en el presente informe. En consecuencia la única circunstancia que podría tomarse en consideración a la hora de atender un posible derecho de cancelación es que los datos referentes a sanciones no sean necesarios en relación con los fines para los que fueron recogidos o tratados.

A este respecto cabe traer a colación el informe 0014/2013 de la Agencia Española de Protección de Datos. En él se plantea el alcance del derecho de cancelación de los datos referentes a sanciones disciplinarias cuando ha transcurrido el plazo de prescripción de la sanción. El informe considera que para dar una respuesta a la cuestión planteada ha de tenerse en cuenta la normativa específicamente aplicable y en particular en lo que se refiere a la cancelación de la anotación de las sanciones disciplinarias. Concluye que una vez transcurrido el periodo de prescripción de las sanciones, siempre que no se hubiera impuesto en dicho periodo una nueva sanción, cabe el derecho de cancelación y en consecuencia la publicación de las sanciones debería cesar.

VIII. CONCLUSIONES

De las consideraciones que se hacen en el presente Informe cabe extraer las siguientes conclusiones:

Primera: La publicación de sanciones por parte de los Consejo y Colegios de Abogados implica un tratamiento de datos de carácter personal que debe ajustarse a lo que establece el Reglamento General de Protección de Datos y la Ley Orgánica de Protección de Datos.

Segunda: El hecho de que los Consejos y Colegios profesionales puedan ejercer legítimamente la potestad sancionadora no implica por sí sólo que las sanciones impuestas puedan ser objeto de publicación.

Tercera: los Colegios y Consejos estarían habilitados para publicar las sanciones en base al cumplimiento de una misión realizada en interés público o en el ejercicio de poderes públicos conferidos a los mismos, en cuanto responsables del tratamiento de datos personales, cuando deriven de una competencia atribuida por una norma con rango de ley.

Cuarta: Dicha competencia puede entenderse que deriva del artículo 10.2 a) de la Ley de Colegios Profesionales, en la medida en que dispones que las organizaciones colegiales deberán, a través de la ventanilla única, y para la mejor defensa de los derechos de los consumidores y usuarios, ofrecer información, que deberá ser clara, inequívoca y gratuita, en relación con, entre otros extremos, la situación de habilitación profesional de los colegiados.

Quinta: la información que habrá de incluirse debe ser la imprescindible para cumplir la finalidad perseguida: que los consumidores y usuarios puedan tener un conocimiento adecuado de la situación concreta de cada profesional.

Sexta: De acuerdo al principio de minimización de los datos, la información sobre la situación de habilitación profesional a la que se refiere el artículo 10.2 a) de la Ley de Colegios Profesionales comprenderá la que permita a los consumidores y usuarios conocer si el colegiado se encuentra o no habilitado para el ejercicio profesional y, en caso de no estarlo, el período de inhabilitación para dicho ejercicio.

Séptima: La información sobre la habilitación profesional debe comprender la relativa a las sanciones impuestas al colegiado que puedan afectar a la posibilidad de desempeñar su ejercicio profesional, sin comprender los datos detallados en que se haya fundamentado la imposición de la sanción, sino únicamente la sanción misma en cuanto afecte a la habilitación para el ejercicio profesional. Aquellas otras sanciones que no afectasen a dicha habilitación no deberían ser objeto de publicación (las sanciones impuestas por la comisión de infracciones leves no afectan a la situación de habilitación profesional del colegiado, por lo que su publicación no resultaría necesaria).

Octava: La información debe eliminarse del registro en cuanto la misma no afecte a la situación de habilitación profesional del colegiado. La información relacionada con la misma persistiría accesible a los efectos establecidos en el artículo 5 u) de la Ley de Colegios en tanto no proceda a su cancelación.

Novena: Una vez transcurrido el periodo de prescripción de las sanciones, siempre que no se hubiera impuesto en dicho periodo una nueva sanción, cabe el derecho de supresión por parte de los interesados y en consecuencia la publicación de las sanciones debe cesar.

INFORMES 2011

Informe 1/2011

La intervención judicial de las **comunicaciones abogado-cliente** y sus consecuencias sobre el derecho a la defensa en el proceso penal

Informe 2/2011

Propiedad, posesión, uso y abuso de los **expedientes de clientes** en los despachos de abogados

Informe 3/2011

Utilización del **cloud computing** por los despachos de abogados

Informe 4/2011

La regulación de los letrados asesores del **órgano de administración de sociedades** mercantiles y sobre la posibilidad de designar a letrados personas jurídicas

Informe 5/2011

El derecho a la asistencia letrada al detenido (art. 17.3 Ce), su relación con el **derecho a la defensa** (art. 24.2 CE) y posibilidades para su reforzamiento.

Informe 6/2011

El derecho de huelga de Jueces y Magistrados

Informe 7/2011

Los denominados **juicios paralelos** o virtuales emitidos en medios audiovisuales que representan y reproducen hechos que constituyen el objeto de un proceso penal en situación de litispendencia

Informe 8/2011

Las posibilidades de reacción del abogado en caso de **retraso en las audiencias públicas**

Informe 9/2011

El tratamiento en **IVA de las cuotas satisfechas** a los colegios profesionales por sus miembros

Informe 10/2011

La aplicación del **recurso cameral** permanente a la actividad profesional de los abogados

Informe 11/2011

La regulación de **la función de "lobby"** por los despachos de abogados en la Unión Europea

Informe 12/2011

El tratamiento jurídico-procesal de las situaciones de **maternidad y paternidad concurrentes** en los abogados y abogadas que ejerzan la defensa procesal

Informe 13/2011

Los **requisitos exigibles para el acceso** a la abogacía en España por parte de súbditos de Estados miembros de la UE

INFORMES 2012

Informe 1/2012

La inclusión de la **figura del administrador concursal** persona jurídica en los registros de administradores concursales de los Colegios de Abogados

Informe 2/2012

Conservación de expedientes por letrados y por cámaras arbitrales y árbitros. En particular plazo de conservación de los datos de carácter personal

Informe 3/2012

Real Decreto-Ley 5/2012, de 5 de marzo, de **mediación en asuntos civiles y mercantiles**

Informe 4/2012

Los **Centros de Internamiento de Extranjeros en España**: régimen vigente y propuestas de futuro

Informe 5/2012

La posible implantación del **copago en la justicia**

Informe 6/2012

Vigencia del artículo 17.5 del Estatuto General de la Abogacía Española tras la entrada en vigor de la Ley 34/2006, de 30 de octubre, sobre el **Acceso a las Profesiones de Abogado y Procurador de los Tribunales**

Informe 7/2012

Comunicación a autoridades de otros estados miembros de la Unión Europea (y a sus ciudadanos) de datos relativos a **sanciones impuestas a abogados**

Informe 8/2012

Los **enfermos mentales en el Sistema Penitenciario**. Un análisis jurídico

Informe 9/2012

Aplicación del IVA por los Colegios de Abogados

Informe 10/2012

Cesión al abogado que lo solicite de la **publicidad institucional** del Consejo General de la Abogacía Española

Informe 11/2012

El derecho de los abogados a **acceder al contenido de las actuaciones judiciales**

Informe 12/2012

Requisitos necesarios que deben cubrir los **secretarios, interventores y tesoreros de Administración Local para incorporarse a los Colegios de Abogados** tras la entrada en vigor del nuevo régimen jurídico sobre el acceso a las profesiones de abogado y procurador de los tribunales

INFORMES 2013

Informe 1/2013

Análisis de la modificación de la Ley de Enjuiciamiento Civil relativo al **traslado de copias de escritos y documentos** en el proceso civil cuando intervenga procurador

Informe 2/2013

Las **tasas judiciales** y la responsabilidad civil

Informe 3/2013

Exenciones del IVA por las prestaciones de servicios realizadas por Colegios Profesionales

Informe 4/2013

La memoria del análisis de **impacto normativo de la Ley Tasas**

Informe 5/2013

Borrador de anteproyecto de **Ley Orgánica del Poder Judicial**, elaborado por la Comisión Institucional creada por acuerdo de Consejo de Ministros, de 2 de marzo de 2012

Informe 6/2013

La obligación de los Colegios de Abogados de tener **hojas de reclamaciones**

Informe 7/2013

La **organización territorial de la Abogacía** española ante la nueva Ley de Servicios y Colegios Profesionales

Informe 8/2013

La **publicidad de los servicios jurídicos** por parte de la abogacía

Informe 9/2013

El anteproyecto de ley de reforma de la Ley de Enjuiciamiento Civil: la **representación procesal y la defensa técnica**

INFORMES 2014

Informe 1/2014119

Los Colegios de Abogados ante el **concurso de acreedores de los despachos** de abogados

Informe 2/2014

Las **obligaciones de transparencia** de los Colegios de Abogados a la vista de la nueva Ley 19/2013 de Transparencia, Derecho de Acceso a la Información Pública y Buen Gobierno

Informe 3/2014

Deber de los Colegios de Abogados de emitir informe a solicitud del órgano judicial en los procesos en que se reclamen **honorarios profesionales**

Informe 4/2014

La obligación de los Colegios Profesionales y los Consejos de Colegios de disponer de una **sede electrónica y/o ventanilla única**

Informe 5/2014229

Términos legales de los requerimientos de información tributaria a los juzgados y tribunales relativos a procedimientos judiciales y sobre los requerimientos a los Colegios de Abogados relativos a **informes sobre costas y jura de cuentas**

Informe 6/2014

El acuerdo extrajudicial de pagos y la **mediación concursal**

Informe 7/2014

El alcance y naturaleza de las **agrupaciones colegiales de abogados**

Informe 8/2014135

Los Colegios de Abogados ante el **fallecimiento sin sustitución** de uno de sus colegiados

Informe 9/2014

Limitación de la **cuota ordinaria colegial** en el anteproyecto de Ley de Servicios y Colegios Profesionales: alcance en relación con las aportaciones al Consejo General de la Abogacía Española y a los Consejos Autonómicos, en su caso

Informe 10/2014

Funciones que se atribuyen a los Colegios Profesionales y Consejos de Colegios en el anteproyecto de **Ley de Servicios y Colegios Profesionales**

Informe 11/2014149

Propuesta de anteproyecto de Ley de Eficiencia de la **Jurisdicción Contencioso-administrativa**, en lo referente a la resolución de los recursos administrativos ordinarios

Informe 12/2014

La nueva Ley Orgánica de Protección de la **Seguridad Ciudadana**

INFORMES 2015

Informe 1/2015

El régimen jurídico de las reuniones entre los **jueces y los abogados**

Informe 2/2015

Intervención de las comunicaciones del imputado con su abogado quien, a su vez, es decano de un colegio

Informe 3/2015

Tratamiento fiscal de las **dietas**

Informe 4/2015

Inclusión del IVA de los abogados en la **tasación de costas**

Informe 5/2015

Denegación de la suspensión de actuaciones judiciales por imposibilidad del abogado y su **sustituibilidad** por otro letrado del mismo despacho

Informe 6/2015

Regulación de la ley de *habeas corpus* y preceptividad de intervención letrada

Informe 7/2015

Inscripción de las **sociedades profesionales** en los registros colegiales

Informe 8/2015

Entrada y **registro** de despachos de abogados

Informe 9/2015

Huida de la sociedad profesional para el **ejercicio de la abogacía**

Informe 10/2015

Relación del director de la **Escuela de Práctica Jurídica** con el colegio

INFORMES 2016

Informe 1/2016

El **intrusismo** profesional en la abogacía

Informe 2/2016

El **alcohol** y otras **drogas** en el ordenamiento sancionador

Informe 3/2016

Diversas cuestiones relacionadas con las **sociedades profesionales**

Informe 4/2016

La **mediación** y colegios de abogados

Informe 7/2016

El Apartado tercero de la Disposición Transitoria Única de la Ley 34/2006, de 30 de octubre, sobre el **acceso a las profesiones de abogado** y procurador de los tribunales

Informe 6/2016

El impacto de la Ley 20/2013, de 9 de diciembre, de garantía de la **unidad de mercado**, sobre el acceso a la profesión de abogado y su ejercicio

Informe 5/2016

El **régimen tributario de los Colegios de Abogados** en relación con el Impuesto sobre Sociedades, el Impuesto sobre Valor añadido, el Impuesto sobre Actividades Económicas y la obligación de informar sobre las operaciones con terceras personas

INFORMES 2017

Informe 1/2017

La defensa ante los **Tribunales Supremos franceses**

Informe 2/2017

La fijación de **honorarios** de abogado en el procedimiento de tasación de costas

Informe 4/2017

Actualización del informe 2/2014 sobre las obligaciones de **transparencia** de los Colegios de Abogados

Informe 5/2017

La intervención del abogado como responsable de cumplimiento normativo "*compliance officer*"

Informe 6/2017

El estatus de los reservistas voluntarios de las Fuerzas Armadas en relación con la prestación de los **Servicios de Asistencia Jurídica Gratuita**

Informe 7/2017

Derecho de la UE y las situaciones puramente internas o sobre cuándo, en un litigio nacional, pueden invocarse las libertades de circulación y otras normas del **derecho de la Unión**

Informe 8/2017

La figura del **delegado de protección de datos**: abogados y abogacía

INFORMES 2018

Informe 1/2018

El derecho a la tutela judicial efectiva: sobre el ámbito de la asistencia jurídica gratuita en relación con la **jurisdicción contencioso-administrativa** y la interpretación del artículo 2 de la Ley 1/1996, de 10 de enero, de asistencia jurídica gratuita

Informe 2/2018

El **consultor** en derecho extranjero

Informe 3/2018

La incidencia del **sistema de acumulación** en los derechos de los penados

Informe 4/2018

El abogado como responsable de **cumplimiento normativo** (*"compliance officer"*)

Informe 5/2018

El concepto y la regulación de los denominados **"derechos digitales"** y su incidencia en el trabajo de los despachos profesionales de abogados

Informe 6/2018

La obligación de registro de la titularidad real exigida por la normativa de **prevención de blanqueo** y la financiación del terrorismo mediante el depósito de las cuentas anuales en el Registro Mercantil

Informe 7/2018

La directiva relativa al **test de proporcionalidad** antes de adoptar nuevas regulaciones de profesiones

Informe 8/2018

El secreto profesional de los **abogados de empresa**

Informe 9/2018

La titularidad del **derecho al honor** por los Colegios Profesionales

Informe 10/2018

"***Compliance***" general y Colegios de Abogados

Informe 11/2018)

Criterios de **honorarios** y transparencia

Informe 12/2018

La ciberseguridad en la abogacía: una **aproximación deontológica**

Informe 13/2018

Computación en nube, **ciberseguridad** y abogacía

Informe 14/2018

El **secreto profesional** y el futuro de la profesión